COLLECTION SÉRIE NOIRE
Créée par Marcel Duhamel

NICK STONE

Tonton Clarinette

TRADUIT DE L'ANGLAIS
PAR MARIE PLOUX ET CATHERINE CHEVAL

nrf

GALLIMARD

Titre original :
MR CLARINET

Pour Hyacinth et Seb.

Et à la mémoire de Philomène Paul (Fofo), Ben Cawdry, Adrian « Skip » Skipsey, et Mary Stone, ma grand-mère.

Yo byen konté, Yo mal kalkilé.
(Proverbe haïtien)

PROLOGUE

New York, 6 novembre 1996

Dix millions de dollars s'il accomplissait un miracle et ramenait le gamin sain et sauf ; cinq millions s'il rapportait son corps ; et cinq millions de bonus s'il produisait en sus les assassins — morts ou vifs, peu importait, du moment qu'ils avaient le sang du gosse sur les mains.

Tels étaient les termes du contrat et — s'il décidait de les accepter — le marché était conclu.

Max Mingus était un ex-flic recyclé détective privé. Il avait une spécialité, les personnes disparues, et un talent naturel pour les retrouver. Beaucoup le considéraient comme le meilleur dans sa partie — du moins, tel avait été leur avis jusqu'au 17 avril 1989, date à laquelle il avait commencé à purger une peine de sept ans de réclusion pour homicide volontaire au pénitencier de Rikers Island, et où il s'était vu retirer sa licence à vie.

Le client s'appelait Allain Carver et son fils, Charlie. Il était porté disparu — vraisemblablement victime d'un kidnapping.

En mettant les choses au mieux, et à condition que tout se déroule comme prévu et se termine par un *happy end* général (sauf pour les ravisseurs), Max pouvait envisager de chevaucher vers le couchant avec de dix à quinze millions de dollars en poche. Ce qui lui ôterait définitivement un bon nombre de ses soucis — et, ces derniers temps, ce n'étaient pas les soucis qui lui avaient manqué. Il n'avait même que ça.

Jusque-là, pas de problème. Mais il y avait un bémol :

Il devrait enquêter à Haïti.

« À *Haïtiii* ? s'était exclamé Max, comme s'il avait mal entendu.

— Oui », avait confirmé Carver.

Putain !

Ce qu'il savait sur Haïti tenait en quelques mots : vaudou, sida, Papa Doc, Baby Doc, *boat people* — et, plus récemment, une intervention militaire américaine baptisée *Restore Democracy*, qu'il avait suivie à la télé.

Il connaissait — ou avait connu — pas mal d'Haïtiens, à Miami. Des expatriés à qui il avait régulièrement eu affaire du temps où il était flic et enquêtait à Little Haiti. Aucun d'eux n'avait eu grand-chose de positif à dire sur leur mère patrie — « un pays pourri » étant la description la plus courante (et la plus charitable) qu'ils en faisaient.

Tout cela ne l'empêchait pas de garder d'excellents souvenirs de la plupart des Haïtiens qu'il avait rencontrés. Et même de leur tirer son chapeau. C'étaient des gens bien, honnêtes, travailleurs, qui s'étaient retrouvés à la place la moins enviable qui soit en Amérique : à l'extrême bout de la chaîne alimentaire, au sud du seuil de pauvreté, et avec une sacrée pente à remonter.

Ceci était valable pour *la plupart* des Haïtiens de sa connaissance. Mais, chez les humains comme dans tout, il y a toujours un tas d'exceptions à la règle, et il avait été confronté à ceux-là aussi. Ils ne lui avaient pas tant laissé de mauvais souvenirs que le genre de blessures qui ne cicatrisent pas, prêtes à se rouvrir et à se mettre à suinter pour un oui ou pour un non.

Cette affaire avait tout d'une mauvaise idée. Le trou, il en sortait à peine. Pourquoi aller se refourrer dans un autre ?

Le *fric*. Voilà pourquoi. Inutile de chercher plus loin.

Charlie avait disparu le 4 septembre 1994, le jour de son troisième anniversaire. Depuis, rien. Pas de nouvelles, aucun indice. Ni témoin ni demande de rançon. Au bout de quinze jours, la famille Carver avait dû abandonner les recherches, suite à l'invasion de l'île par vingt mille marines qui s'étaient empressés d'imposer un embargo, des couvre-feux et des restrictions de déplacement à toute la population. L'enquête n'avait pu reprendre que fin octobre et, à l'époque, la piste, déjà pas très chaude à l'origine, était carrément gelée.

« Une chose encore, ajouta Carver pour conclure son topo : si vous acceptez cette enquête, sachez que ça risque d'être dangereux. Voire *très* dangereux.

— C'est-à-dire ? demanda Max.

— Eh bien, vos prédécesseurs… Disons que ça ne s'est pas très bien terminé pour eux.

— Ils sont morts ? »

Un silence, puis le visage de Carver se ferma et son teint perdit quelques couleurs.

« Pas morts, non… articula-t-il enfin. Pire. *Bien* pire. »

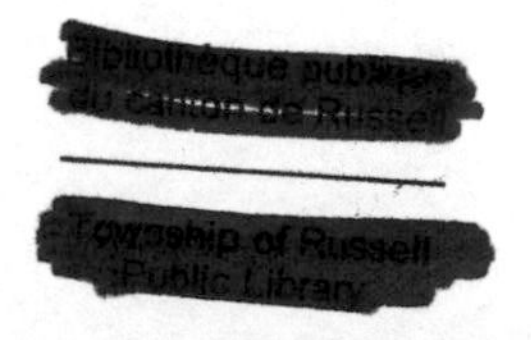

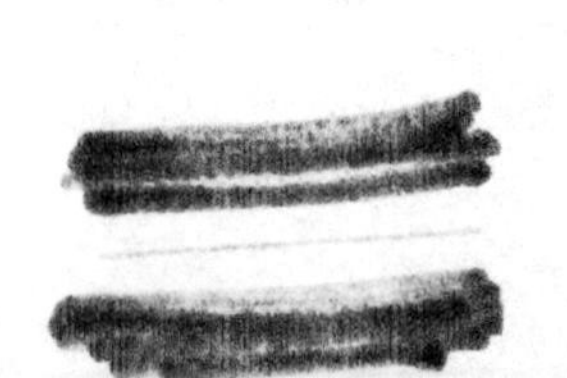

PREMIÈRE PARTIE

1

Jouer la carte de la franchise et de l'honnêteté n'est pas forcément la meilleure stratégie, mais dès que la chose lui semblait possible, Max préférait ça au bluff. Ça lui permettait de dormir du sommeil du juste.

« Je ne peux pas le faire, dit-il à Carver.

— Vous ne pouvez pas, ou vous ne *voulez* pas ?

— Je ne veux pas parce que je ne peux pas. Ça relève de l'impossible. Vous me demandez de retrouver un enfant disparu depuis deux ans dans un pays qui est retourné à l'âge de pierre sensiblement à la même époque. »

Carver esquissa un sourire, si discret que c'est à peine si ses lèvres frémirent mais suffisant pour signaler à Max qu'il le trouvait affreusement trivial. Il lui indiqua aussi avec quelle catégorie de riche il traitait. Pas seulement un type friqué, mais un nanti, une des vieilles fortunes — les pires… —, avec des contacts haut placés reliés à toutes les branches de son arbre généalogique, plusieurs étages de coffres-forts, des montagnes d'actions, des conmptes juteux dans tous les paradis fiscaux du gloge, le mec à tu et à toi avec tous ceux qui comptaient dans toutes les sphères de la société et capable de vous broyer jusqu'à ce que vous ne soyez même plus un souvenir. Le genre de pointure à qui on ne disait jamais non, dont les désirs étaient des ordres.

« Vous avez résolu des affaires autrement plus épineuses. Vous avez accompli... de véritables *miracles*, lui dit Carver.

— Je n'ai pas le pouvoir de ressusciter les morts, monsieur Carver. En général, je me borne à les déterrer.

— Je suis préparé au pire.

— Apparemment pas, vu notre discussion... » fit Max pour aussitôt regretter son franc-parler. En taule, son tact d'antan avait laissé place à de la dureté. « Cela dit, vous avez raison, en un sens... Il m'est arrivé d'aller rechercher des fantômes dans des annexes de l'Enfer. Mais c'étaient des enfers *américains*, et il y avait toujours un bus pour en revenir. Je ne connais pas votre pays. Je n'y ai jamais mis les pieds et, soit dit sans vous offenser, ça ne m'a jamais tenté. Ils ne parlent même pas l'*anglais*, là-bas, bordel ! »

C'est là que Carver avait mentionné les millions.

Max n'avait pas fait fortune en jouant les privés, mais il gagnait gentiment sa vie — assez bien pour assurer le quotidien et qu'il lui reste de quoi se payer un peu de bon temps. Il avait abandonné à sa femme, qui était expert-comptable, la gestion de leurs finances. Moyennant quoi, ils avaient de quoi attendre tranquillement le retour des vaches grasses sur les trois comptes d'épargne qu'elle alimentait régulièrement, et détenaient une petite participation dans le L, un bar branché du centre de Miami, tenu par Frank Nunez, ex-flic en retraite et vieil ami de Max. À cette époque, ils étaient propriétaires de leur maison et de deux voitures, et s'offraient des vacances trois fois par an et un bon restau une fois par mois.

Max avait peu de dépenses personnelles. Ses vêtements — costumes pour le boulot et les grandes occasions, pantalons de toile et T-shirts le reste du temps — étaient toujours de bonne coupe, mais rarement hors de prix. Il avait retenu la leçon dès sa deuxième affaire, le jour où il s'était pris une giclée de sang artériel sur un costard à cinq cents dollars, qu'il avait dû laisser aux mains des techniciens de la scène du crime, lesquels l'avaient transmis au DA, qui en avait fait la pièce à conviction « D », lors du procès.

Il faisait livrer des fleurs à sa femme toutes les semaines, lui offrait de somptueux cadeaux pour son anniversaire, à Noël et à chacun de leurs anniversaires de mariage, et savait se montrer généreux avec ses proches et son filleul. Il n'avait pas d'addiction. Il avait fait une croix sur la cigarette et les pétards en même temps que sur sa carrière dans la police. Pour la bouteille, ça avait été un peu plus long, mais elle aussi avait fini par sortir de sa vie. Son seul luxe, c'était la musique — jazz, swing, blues, rock'n'roll, soul, funk et disco. Il avait une collection de cinq mille disques — CD, 30 centimètres et 45 tours — qu'il connaissait tous par cœur, paroles *et/ou* musique. La plus grande folie qu'il se soit permise, c'était d'avoir claqué quatre cents dollars à une vente aux enchères pour un double album 33 tours de Sinatra, dédicacé de la main de l'artiste : *In the Wee Small Hours of the Morning* — en édition originale. Il l'avait encadré et accroché au mur, face à son bureau, esquivant les questions de sa femme en prétendant l'avoir dégotté pour trois fois rien dans une vente après saisie, à Orlando.

L'un dans l'autre, il avait eu la belle vie — le genre à vous faire prendre du lard et à vous faire virer insensiblement de plus en plus conservateur.

Jusqu'au jour où il avait buté trois types dans le Bronx. Et là, tout était parti en vrille et la belle vie s'était arrêtée en catastrophe.

À sa sortie de prison, Max avait encore la maison de Miami et sa voiture, plus neuf mille dollars sur un compte d'épargne. De quoi tenir quatre ou cinq mois maximum, après quoi il n'aurait plus qu'à vendre la maison et à se trouver un boulot. Et ça, ce serait coton. Qui irait l'embaucher ? Ex-flic, ex-privé et ex-taulard : trois « – », et pas un seul « + »… Et il avait quarante-six balais : trop vieux pour se reconvertir et trop jeune pour prendre sa retraite. Qu'est-ce qu'il allait devenir, bordel ? Barman ? Plongeur ? Assistant de caisse dans un supermarché ? Manœuvre sur un chantier ? Vigile dans un centre commercial ?

Bien sûr, il avait encore quelques amis et des gens qui lui devaient une fleur, mais attendre des renvois d'ascenseur, ça n'avait jamais été son genre — et ce n'était pas maintenant qu'il était aux abois qu'il allait s'y mettre. Ça équivaudrait à tendre la main et ça, c'était contraire à tous ses principes. S'il avait filé un coup de pouce parci par-là, c'était parce qu'il le pouvait, pas pour thésauriser des B.A. sur son compte en banque karmique. Sa femme l'avait traité de naïf, l'avait plaisanté sur le cœur de marshmallow qu'il cachait sous la carapace de béton hérissée de barbelés qu'il affichait extérieurement. Peut-être qu'elle avait eu raison. Peut-être qu'il aurait dû faire passer son intérêt personnel avant celui des autres. Est-ce que sa vie en serait différente à l'heure actuelle ? Probable, oui.

Il avait une vision très claire de son avenir, d'ici un an ou deux. Il habiterait un meublé miteux au papier peint pollué, envahi de hordes de cafards pugnaces, avec, placardée au dos de la porte, une liste de consignes draconiennes en espagnol boiteux, écrite à la main par un proprio à demi illettré. Il assisterait en direct aux engueulades, aux parties de jambes en l'air, aux prises de bec et aux empoignades de ses voisins de droite, de gauche, d'en haut et d'en bas. Sa vie se réduirait à une assiette ébréchée, un couteau, une fourchette et une cuiller. Il jouerait au loto et regarderait les boules tomber sur l'écran tremblotant d'une télé portative. La mort lente, l'extinction progressive, cellule après cellule.

Accepter l'offre de Carver ou végéter dans l'univers des ex-taulards : il n'avait pas d'autre choix.

La première fois qu'il avait parlé avec Allain Carver, c'était en prison. Au téléphone. La prise de contact n'avait pas été géniale. À peine Carver s'était-il présenté que Max l'avait envoyé paître.

Carver l'avait harcelé pratiquement tous les jours pendant ses huit derniers mois à Rikers.

Ça avait commencé par une lettre postée à Miami :

« Cher Monsieur Mingus,
Je m'appelle Allain Carver. J'ai la plus profonde admiration pour vous et les valeurs que vous incarnez. Ayant suivi de très près votre procès… »

Max n'était pas allé plus loin. Il avait refilé la bafouille à Velasquez, son codétenu, qui s'en était servi pour se rouler un pétard. Velasquez fumait tout le courrier de Max, sauf ses lettres personnelles. Max l'avait surnommé « l'Incinérateur ».

Max était un détenu célèbre. Son procès avait été abondamment médiatisé. À un moment, près de la moitié du pays avait eu un avis tranché sur lui et ce qu'il avait fait — les sondages lui accordaient jusqu'à soixante pour cent d'opinion favorable.

Pendant ses six premiers mois derrière les barreaux, il avait reçu des lettres de fans par sacs entiers. Il n'avait répondu à aucune. Même ses plus farouches supporters le laissaient froid. Il avait toujours méprisé les inconnus qui entretenaient une correspondance avec des criminels incarcérés qu'ils avaient vus à la télé, dont ils avaient suivi l'affaire dans les journaux ou avec qui ils étaient entrés en contact par le biais de ces associations à la con qui fournissaient des correspondants aux taulards. Elles étaient les premières à réclamer l'application de la peine de mort lorsque les rôles étaient inversés et que la victime était un de leurs proches. Max avait été flic pendant onze ans, et il le restait par bien des côtés. Pour la plupart, ses meilleurs copains étaient toujours dans la police et se démenaient pour protéger ces bonnes âmes démangées de la plume des monstres auxquels elles écrivaient.

Quand Max avait reçu la première lettre de Carver, son courrier se réduisait à des missives de son ex-femme, de ses beaux-parents et de ses potes. Les membres de son fan club l'avaient délaissé pour se reporter sur des types qui savaient mieux les apprécier, genre O.J. Simpson ou les frères Menendez.

Sa première lettre étant restée sans réponse, Carver avait réitéré deux semaines plus tard. Bien que celle-là n'ait pas eu plus de succès que la précédente, Max reçut une troisième lettre de Carver la semaine d'après, puis deux de plus au cours de la semaine suivante et deux autres encore, huit jours plus tard. Velasquez était aux anges. Il adorait les lettres de Carver dont l'épais papier ivoire filigrané — avec nom, adresse, coordonnées téléphoniques et adresse Internet gravés en vert émeraude métallisé, dans le coin supérieur droit — contenait un ingrédient qui réagissait de façon fantastique avec sa marie-jeanne et le laissait encore plus stone que d'ordinaire.

Carver eut beau essayer différentes tactiques pour retenir l'attention de Max — allant jusqu'à changer de papier à lettres, écrire à la main et faire rédiger ses lettres par quelqu'un d'autre —, tous ses efforts finirent en fumée, *via* l'Incinérateur.

Du coup, le courrier se tarit et les coups de fil commencèrent. Max se douta que Carver avait graissé la patte à quelqu'un de haut placé car seuls les détenus qui avaient de l'entregent ou dont les affaires allaient être rejugées étaient autorisés à recevoir des appels extérieurs. La première fois, un maton vint le chercher aux cuisines, où il bossait, et l'escorta jusqu'à une salle d'entretien où on avait installé un téléphone, rien que pour lui. La conversation dura juste le temps qu'il fallut à Max pour entendre Carver se présenter, déduire de son accent qu'il devait être anglais, l'envoyer chier et lui enjoindre de ne plus le rappeler.

Mais Carver ne s'avoua pas vaincu. Max se voyait convoqué en plein boulot, à l'heure de la promenade, au milieu des repas, sous la douche, pendant les heures de consigne en cellule et même après l'extinction des feux. Chaque fois, il disposait de Carver de la même façon : « Allô ? » puis, sitôt la voix de Carver identifiée, il raccrochait.

Il finit par se plaindre au directeur, qui trouva que c'était la chose la plus hilarante qu'il eût jamais entendue. La plupart des détenus se plaignaient de harcèlements *internes*. Il conseilla à Max de ne pas faire sa chochotte et le menaça d'installer un téléphone dans sa cellule s'il revenait l'emmerder pour des conneries pareilles.

Max signala les coups de fil de Carver à Dave Torres, son avocat, qui y mit fin. Torres lui proposa aussi de se renseigner sur Carver, mais Max déclina son offre. « Dehors », il aurait été dévoré de curiosité mais, en prison, la curiosité était quelque chose que vous laissiez au greffe, en même temps que votre costard de procès et votre montre-bracelet.

La veille de sa libération, Carver vint lui rendre visite à Rikers. Max refusa de le voir, alors Carver lui laissa une ultime lettre, sur son beau papier à lettres ivoire.

Ce fut son cadeau d'adieu à Velasquez.

Ayant payé sa dette à la société, Max se prépara à s'envoler pour Londres.

Ce tour du monde était une idée de sa femme. La chose qu'elle avait toujours rêvé de faire. Depuis des années, elle était fascinée par les pays étrangers, leur histoire, leur culture, leurs monuments, leurs œuvres d'art et leurs habitants. Elle fréquentait assidûment les musées, faisait des heures de queue pour voir les dernières expositions et assistait à des tas de conférences et de séminaires. Elle dévorait tout ce qui lui tombait sous la main, revues, journaux, magazines — et des livres, des livres, des livres… Elle avait tout essayé pour faire partager son enthousiasme à Max, mais il avait vraiment du mal. Elle avait beau lui montrer des photos d'Indiens d'Amérique du Sud avec des labrets de la taille d'une honnête pizza dans la lèvre du bas, ou d'Africaines avec des ressorts à matelas autour de leur cou de girafe, le charme de la chose lui échappait totalement. Il était allé au Mexique et aux Bahamas, à Hawaï et au Canada, mais il ne se sentait vraiment chez lui qu'aux States — c'était son univers et il le trouvait bien assez grand pour lui.

Ici, ils avaient des déserts et des terres arctiques, et à peu près tout ce qui existait entre les deux. Pourquoi aller à l'étranger si c'était pour voir la même chose, en juste un peu plus vieux ?

Sa femme s'appelait Sandra. Elle était moitié cubaine, moitié afro-américaine. Il l'avait rencontrée du temps où il était encore flic. C'était une femme superbe, intelligente, solide et drôle. Jamais il ne l'avait appelée Sandy.

Elle avait prévu, pour célébrer dignement leur dixième anniversaire de mariage, de partir à la découverte du monde et de visiter tous ces endroits qu'elle ne connaissait que par les livres. Dans un autre contexte, Max aurait probablement réussi à la persuader de se contenter d'un séjour d'une semaine dans les Keys, en lui faisant miroiter un modeste voyage à l'étranger (en Europe ou en Australie) un peu plus tard dans l'année, mais du fait qu'il était en taule lorsqu'elle l'avait mis au courant de ses projets, il ne s'était pas senti en position de refuser. Du reste, vue de derrière les barreaux, l'idée de filer aussi loin que possible des États-Unis ne paraissait somme toute pas si mauvaise que ça. Ces douze mois ailleurs lui laisseraient le temps de faire le point et de réfléchir à ce qu'il voulait faire du reste de sa vie.

Sandra avait consacré quatre mois à planifier et à organiser leur voyage. Elle avait goupillé leur itinéraire de façon à ce qu'ils soient de retour à Miami un an jour pour jour après en être partis, pour leur onzième anniversaire de mariage. Entre-temps, ils visiteraient toute l'Europe, en commençant par l'Angleterre, avant de pousser plein est jusqu'en Chine, via la Russie, puis de passer au Japon, d'où ils s'envoleraient vers l'Australie et la Nouvelle-Zélande, pour revenir ensuite vers l'Afrique et le Moyen-Orient et achever leur périple en Turquie.

Plus elle décrivait leur voyage à Max, lors de ses visites hebdomadaires, plus il commençait à y rêver. À la bibliothèque, il avait trouvé des bouquins sur certains des pays qu'ils allaient visiter et s'était mis à les lire. Au début, ça n'avait été qu'un moyen comme un autre de tuer le temps mais, plus il s'immergeait dans l'étoffe dont les rêves de sa femme étaient tissés, plus il se sentait proche d'elle — plus proche que jamais.

Le jour même où elle avait fini de payer leur tour du monde, elle s'était tuée sur la US 1, dans un accident qu'elle semblait avoir provoqué en changeant inopinément de file pour aller se jeter sous un camion qui arrivait en sens inverse. L'autopsie avait révélé une hémorragie cérébrale, qui l'avait foudroyée au volant.

Max apprit la nouvelle de la bouche du directeur. Trop sonné pour réagir, il hocha la tête, incapable de prononcer un mot, et quitta le bureau pour retourner à ses occupations ordinaires. Il passa le reste de la journée comme si de rien n'était, à briquer les paillasses des cuisines, servir les repas de ses codétenus, empiler les plateaux dans le lave-vaisselle et passer la serpillière par terre. Il ne dit rien à Velasquez. Ça ne se faisait pas. Manifester du chagrin, de la tristesse ou toute émotion qui n'était pas de la haine était pris pour un signe de faiblesse. Ce genre de choses, vous le gardiez bien caché, enfoui au plus profond de vous, invisible, indétectable.

Ce ne fut que le lendemain, un jeudi, que la réalité de la mort de Sandra s'imposa à lui. Le jeudi, c'était son jour de visite. Jamais elle n'en avait manqué un seul. Elle prenait l'avion la veille au soir, passait la nuit chez une de ses tantes qui habitait dans le Queens et, le lendemain, venait le voir à Rikers en voiture. Vers les deux heures de l'après-midi, alors qu'il finissait son service en cuisine ou qu'il déconnait avec Henry, le cuistot, un appel tombait sur la sono interne pour le convoquer au parloir. De l'autre côté de la vitre du box, Sandra l'attendait, toujours tirée à quatre épingles, le rouge à lèvres impeccable, le visage fendu d'un grand sourire et les yeux brillants, comme si c'était leur premier rendez-vous. Ils parlaient de tout et de rien, de son moral, de la mine qu'il avait, puis elle lui donnait des nouvelles du monde extérieur : d'elle, de ce qu'elle avait fait, de son boulot, de la maison...

Henry et Max avaient un arrangement : tous les jeudis, Henry se débrouillait pour bosser près de lui et le chargeait de trucs qui pouvaient être rapidement torchés, pour qu'il puisse foncer direct au parloir à l'appel de son nom. Max lui rendait la pareille le dimanche, jour où sa femme et ses quatre gosses venaient le voir. Ils s'entendaient tous les deux suffisamment bien pour que Max ferme les yeux sur le fait qu'Henry tirait perpète, avec une peine de sûreté de quinze ans, pour un vol à main armée qui s'était soldé par la mort d'une femme enceinte, et qu'il marchait avec l'Aryan Bund.

Ce jeudi-là, la vie avait suivi son cours habituel. Mais en apparence seulement. Car Max s'était réveillé avec une douleur oppressante dans la poitrine et un sentiment de vide qui, au fil de la matinée, s'était mué en une sorte de torpeur. Il ne cessait d'entendre un sifflement dans ses oreilles, comme s'il était coincé dans une soufflerie, et sentait une veine pulser et se tordre sous la peau de son front. Il avait prévu d'annoncer à Henry que sa femme ne viendrait pas cette semaine et de lui expliquer pourquoi le jeudi suivant, mais il ne put se résoudre à aborder le sujet. Il sentait qu'à la seconde où il ouvrirait la bouche il risquait de ne pas pouvoir contrôler ses paroles et de craquer.

Il n'avait pas assez de boulot en cuisine pour s'occuper l'esprit. Il ne lui restait que le fourneau, déjà pratiquement nickel, à briquer. Parmi les boutons de commande se trouvait une horloge. Malgré lui, ses yeux revenaient en permanence au petit cadran, avec ses aiguilles noires qui se rapprochaient à chaque tic-tac du douze et du deux.

Il se repassa mentalement le film du jeudi précédent, chaque minute, chaque seconde de cette dernière visite qu'ils avaient passée ensemble. Il se rappelait le moindre mot qu'elle avait prononcé, tout ce dont elle avait parlé — la ristourne inattendue qu'elle avait réussi à obtenir d'une compagnie aérienne, les nuitées gratuites dans un cinq étoiles qu'elle avait gagnées en participant à un concours, à quel point elle était impressionnée par ses connaissances à lui sur l'histoire de l'Australie... Avait-elle mentionné des migraines ou des maux de tête, des étourdissements, des voiles noirs ou des saignements de nez ? Il revoyait son visage, derrière la vitre blindée qui les séparait — cette vitre marquée de l'empreinte fantôme de milliers de doigts et de lèvres, là où les détenus avaient tenté, par procuration, de toucher et d'embrasser ceux qu'ils aimaient. Ni lui ni Sandra ne l'avaient jamais fait. Ils trouvaient tous deux que c'était aussi vain que désespérant. D'ailleurs, ce n'était pas comme si l'occasion de le faire en vrai ne se représenterait jamais plus, n'est-ce pas ? Il regrettait à présent qu'ils ne l'aient pas fait. Ç'aurait été de loin préférable à ce « rien » irrévocable qui était désormais son lot.

« Max ! lui lança Henry par-dessus son évier. C'est l'heure d'aller retrouver Bobonne ! »

Les aiguilles n'étaient plus qu'à quelques tic-tac de quatorze heures. Réagissant au quart de tour, Max entreprit d'enlever son tablier, avant de suspendre son geste.

« Elle ne vient pas aujourd'hui », dit-il en laissant les cordons de son tablier retomber le long de son corps. Il sentit un geyser de larmes brûlantes lui monter aux yeux et s'accumuler au coin de ses paupières.

« Comment ça se fait ? »

Max ne répondit pas. Henry approcha en s'essuyant les mains avec un torchon. À la vue du visage de Max, sur le point de fondre en larmes, il eut l'air surpris. Il fit un pas en arrière. Comme à peu près tout le monde, à Rikers, il considérait Max comme un dur, un vrai — un ex-flic de terrain qui avait toujours gardé la tête haute et n'avait jamais hésité à répliquer à la violence par la violence.

Henry sourit.

Ç'aurait pu être de la moquerie, ou ce plaisir sadique face aux malheurs d'autrui qui, en taule, remplace le bonheur, ou tout bêtement une réaction de gêne. Les durs ne pleuraient pas — sauf si c'étaient des gonzesses depuis toujours ou, pis encore, qu'ils étaient en train de craquer.

Ce fut de la moquerie que Max, enfoui sous cinquante pieds de désespoir, lut sur le visage de son copain.

Dans ses oreilles, le rugissement du vent se tut.

Son poing jaillit — un petit direct sec où il mit tout son poids et qui s'écrasa sur la pomme d'Adam d'Henry. Ce dernier ouvrit la bouche toute grande et se mit à hoqueter, tel un poisson hors de l'eau. Max enchaîna avec un crochet du droit au menton, qui lui brisa net la mâchoire. Henry était un grand et solide gaillard, un fondu de muscu qui s'entraînait tous les jours et qui soulevait ses trois cent cinquante livres de fonte sans perdre une goutte de sueur. Il s'effondra avec un bruit sourd.

Max déguerpit sans demander son reste.

Il n'aurait guère pu faire pire. Henry était une grosse pointure dans le Bund — et, qui plus est, leur principale source de revenus. C'est grâce à lui que les Aryens dealaient la meilleure dope de Rikers : les gosses d'Henry la passaient, dans leur raie des fesses. Le Bund allait exiger du sang. Une victime expiatoire pour sauver la face.

Henry fit trois jours d'infirmerie. Trois jours où Max le remplaça en cuisine, s'attendant à chaque instant à des représailles. Les gars du Bund n'étaient pas du genre tueurs solitaires. Ils chassaient en meute, à quatre ou cinq. Les matons seraient avertis de ce qui se préparait. Dûment tuyautés et soudoyés, ils regarderaient ailleurs et la boucleraient, comme tout détenu se trouvant à proximité. Au tréfonds de lui, là où la souffrance était la plus aiguë, Max priait pour qu'ils le plantent proprement, en plein dans un organe vital. Il n'avait pas la moindre envie de retrouver la liberté en fauteuil roulant.

Mais rien ne se produisit.

Henry prétendit avoir glissé dans une flaque d'huile qu'il n'avait pas vue. Le dimanche suivant, il reprit son poste de cuistot, la mâchoire solidement maintenue par une armature métallique. Il avait appris la mort de Sandra et la première chose qu'il fit, en revoyant Max, fut de lui serrer la main en lui tapant dans le dos. Max s'en voulut d'autant plus de l'avoir frappé.

L'enterrement de Sandra eut lieu à Miami, huit jours après l'accident. Max fut autorisé à y assister.

On l'avait exposée dans un cercueil ouvert, affublée d'une perruque noire qui ne lui allait pas. Jamais elle n'avait eu des cheveux comme ça, noirs et raides… Les siens étaient châtains avec, çà et là, des mèches presque rousses. Le maquillage non plus n'était pas réussi. Elle n'avait pas vraiment abusé des cosmétiques, de son vivant. Elle n'en avait pas eu besoin. Il embrassa ses lèvres froides et glissa ses doigts entre ses mains croisées. Il resta là une éternité à la contempler avec le sentiment qu'elle était à des millions de kilomètres de lui. Ce n'était pas le premier cadavre qu'il voyait. Mais ça changeait tout quand il s'agissait de la femme de votre vie…

Il l'embrassa de nouveau et fut pris d'une envie folle de lui soulever les paupières pour voir ses yeux une dernière fois. Jamais elle ne fermait les paupières lorsqu'ils s'embrassaient. Jamais. Il allongeait le bras quand il remarqua, sur le col de l'ensemble bleu à fines rayures blanches dont on l'avait habillée, quelques grains de pollen tombés d'une gerbe de liliums blancs placée près du cercueil. Il les chassa du bout des doigts.

À l'église, Calvin, le plus jeune frère de Sandra, chanta *Let's Stay Together*, sa chanson préférée. La dernière fois qu'il l'avait chantée pour elle, c'était à leur mariage. Calvin avait une voix magnifique, aussi émouvante et prenante que celle de Roy Orbison. Max s'effondra. Il chiala tout ce qu'il savait. Comme il n'avait plus pleuré depuis son enfance. Il sanglota à en tremper son col de chemise et à en avoir les paupières bouffies.

Tandis qu'il retournait à Rikers, il prit la décision de le faire, ce tour du monde auquel Sandra avait consacré les derniers mois de sa vie. En partie pour exaucer ses vœux, en partie pour voir toutes ces choses qu'elle avait tant désiré connaître et en partie, aussi, pour vivre son rêve, mais surtout parce qu'il ne voyait pas ce qu'il aurait pu faire d'autre.

Dave Torres, son avocat, l'attendait devant la prison et le conduisit jusqu'à l'Avalon Rex, un petit hôtel pas cher de Brooklyn, à quelques pâtés de maisons de Prospect Park. La chambre était fonctionnelle — lit, bureau, chaise, armoire, table de nuit, lampe, radio-réveil et téléphone — et il y avait une salle de bains commune (avec un lavabo modèle abreuvoir) au dernier étage. Mais bon, il n'était là que pour deux jours et deux nuits, après quoi il prendrait l'avion pour Londres à JFK. Torres lui remit ses billets, son passeport, trois mille dollars en espèces et deux cartes de crédit. Max le remercia pour tout puis ils se séparèrent sur une poignée de main.

La première chose que fit Max fut d'ouvrir sa porte, de sortir dans le couloir, de rentrer dans sa chambre et de refermer la porte derrière lui. Il trouvait ça tellement jouissif de pouvoir aller et venir à sa guise qu'il recommença son manège encore et encore, une bonne dizaine de fois, jusqu'à ce que l'attrait de la nouveauté s'estompe un peu. Son second soin fut de se déshabiller et de se planter devant l'armoire à glace.

Il ne s'était pas vu à poil depuis qu'il avait perdu sa liberté. Huit ans plus tard, vêtu en tout et pour tout de ses deux tatouages, il était plutôt pas mal — du menton aux pieds, du moins... Épaules carrées, biceps saillants, avant-bras comacs, cou de taureau, abdos façon tablette de chocolat, cuisses de sprinter : avec un cache-sexe de culturiste et bien tartiné d'huile, il aurait pu remporter le titre de Monsieur Pénitencier. Faire de la muscu en taule était tout un art. Il ne s'agissait pas simplement de narcissisme ou de forme physique. C'était une question de vie ou de mort. Être costaud était sage — si vous jetiez une ombre impressionnante, les détenus y regardaient à deux fois avant de déconner avec vous et préféraient garder leurs distances —, mais il ne fallait pas devenir *trop* costaud si vous ne vouliez pas vous faire remarquer et devenir la cible de jeunots purgeant leur première peine et cherchant à se tailler une réputation. Quoi de plus ridicule que le Hulk du quartier cellulaire en train de crever, un manche de brosse à dents bien affûté planté dans la jugulaire ? Avant de se retrouver en taule, Max avait été en excellente condition physique. Tout jeune, il avait fait de la boxe en amateur et même remporté trois fois les Golden Gloves dans la catégorie poids moyen. Par la suite, il avait continué d'entretenir sa forme en faisant du jogging, de la natation et en servant à l'occasion de sparring-partner dans une petite académie de boxe, pas loin de Coral Gables. Se mettre à la muscu n'avait rien eu d'un saut quantique, pour lui. Il possédait déjà la discipline qu'on acquiert en apprenant à encaisser un coup sans broncher. À Rikers, il avait eu droit à une demi-heure d'entraînement quotidien. Il avait soulevé de la fonte six jours sur sept, faisant travailler alternativement le haut du corps et les jambes. Et tous les matins, dans sa cellule, il enchaînait trois mille pompes et flexions, par séries de cinq cents.

Bien qu'il ait toujours cette beauté rude et virile qui plaisait de façon trompeuse aux femmes et aux homos qui avaient un penchant pour le sexe hard et les relations kamikazes, son visage laissait à désirer. Sa peau, quoique ferme, était ridée et il avait le teint blafard, presque cadavérique, par manque d'exposition au soleil. Les cicatrices des points de suture, autour de ses lèvres, ne se voyaient pratiquement plus. Il y avait une dureté qu'il ne se connaissait pas dans ses yeux bleus et un pli amer aux coins de sa bouche tombante — le même qu'il avait vu sur les lèvres de sa mère qui, comme lui, s'était retrouvée seule à l'automne de sa vie. Et, tout comme elle au même âge, ses cheveux, châtain foncé à l'origine, étaient complètement gris. Il ne les avait pas vus blanchir car, en prison, il s'était rasé le crâne pour se donner l'air plus méchant. Il ne les avait laissés repousser que quelques semaines avant sa libération — une erreur qu'il avait la ferme intention de rectifier avant de quitter New York.

Le lendemain matin, il sortit. Il lui fallait un manteau d'hiver et une veste chaude — ainsi qu'un chapeau, s'il sacrifiait ses cheveux de petit vieux. La journée était froide et claire, et l'air lui brûlait les poumons. Une foule bigarrée grouillait sur les trottoirs et, soudain, il se sentit perdu, ne sachant plus ni ce qu'il faisait là ni où il allait. Il était tombé en pleine heure de pointe, le moment où tout New York allait gagner sa chienne de vie et s'en prendre plein la gueule avec le sourire et en disant merci — et accumuler, ce faisant, des tonnes de rancœur et d'agressivité. Il aurait dû s'en douter et s'y préparer, mais il avait l'impression d'avoir été téléporté ici contre son gré depuis une autre planète. Sept années de taule rompaient leurs chaînes et se ruaient sur lui, tous crocs dehors et le ventre vide. Mode, coupes de cheveux, façon de marcher, visages, marques, prix, langues… — tout avait changé. Trop de choses à absorber, assimiler, digérer, analyser et comparer d'un seul coup. Trop de tout, trop tôt après la prison, où rien ne changeait jamais et où vous connaissiez, au moins de vue, tous ceux que vous croisiez. Là, il était plongé d'emblée dans le grand bain. Il flottait, mais il avait oublié comment nager. Il se mit à marcher en traînant les pieds, restant sagement à deux pas derrière le passant qui le précédait et à deux pas devant celui qui le suivait, comme un forçat enchaîné. « Si libre qu'on se sente, pensa-t-il, peut-être qu'on est tous prisonniers, chacun à sa façon. » Ou peut-être qu'il avait juste besoin d'un peu de temps pour se réveiller et se mettre au diapason.

Il s'extirpa du flot des passants et entra dans un petit snack. Il était bourré de gens venus s'envoyer un dernier fixe de caféine avant l'heure du bureau. Il commanda un express et vit arriver un gobelet de carton muni d'une anse et porteur d'un avertissement signalant en grosses lettres que le contenu dudit gobelet était TRÈS CHAUD. Il y mit prudemment les lèvres. Le café était à peine tiède.

Mais qu'est-ce qu'il foutait à New York ? Il n'était même pas d'ici. Et qu'est-ce que c'était que cette idée d'aller courir le monde alors qu'il n'était même pas encore passé chez lui et n'avait pas plus fait le point qu'il ne s'était réhabitué à la liberté ?

Jamais Sandra ne l'aurait laissé faire un truc pareil. Elle lui aurait dit que ça n'avait pas de sens de se débiner, alors qu'il serait forcé de revenir tôt ou tard. C'était la vérité. De quoi avait-il peur ? De ne pas la trouver là-bas ? Elle était partie à tout jamais. Il allait devoir s'y faire. Et la meilleure façon, pour ça, c'était de dépasser cette absence, de mesurer ce qu'il avait perdu et de continuer à vivre.

Oh ! et puis merde ! Il allait sauter dans le premier avion en partance pour Miami.

Max appela les compagnies aériennes depuis sa chambre d'hôtel. Plus une place sur aucun avion avant deux jours et demi. Il prit une résa sur un vol, le vendredi après-midi.

Bien qu'il n'eût pas la moindre idée de ce qu'il ferait une fois à Miami, la perspective de se retrouver bientôt dans un lieu familier le requinqua.

Il envisagea de prendre une douche et de manger un morceau — et même d'aller chez le coiffeur, s'il arrivait à en dégotter un.

Le téléphone sonna.

« Monsieur Mingus ?

— Oui ?

— Allain Carver. »

Max resta muet. Comment avait-il fait pour le pister jusqu'ici ?

Dave Torres… Il était le seul à savoir où il se trouvait. Depuis quand bossait-il pour Carver ? Depuis que Max lui avait demandé de l'empêcher de le harceler en prison, probable… Au lieu de s'adresser à l'administration pénitentiaire, Torres avait contacté Carver en personne. Ce faux jeton ne perdait pas une occasion de palper un dollar.

« Allô ? Vous êtes toujours là ?

— Qu'est-ce que vous voulez ? dit Max.

— Vous faire une offre qui pourrait vous intéresser. »

Max accepta de le rencontrer le lendemain. Sa curiosité s'était réveillée.

Carver lui indiqua une adresse à Manhattan.

« Monsieur Mingus ? Allain Carver. »

Première impression : un connard, autoritaire et prétentieux.

À peine Max avait-il pénétré dans la salle du club que Carver avait émergé d'un fauteuil. Mais au lieu de venir à sa rencontre, il s'était contenté de faire deux pas pour se signaler et était resté planté, les mains dans le dos, dans l'attitude d'une tête couronnée recevant l'ambassadeur d'une ex-colonie au dernier stade de la misère, venu solliciter une subvention.

Grand, mince, costume de flanelle bleu marine bien coupé, chemise bleu pastel et cravate de soie assortie, cheveux blonds brillantinés, et raie au milieu, Carver semblait tout droit sorti d'une comédie musicale des années 1920 où il aurait décroché un rôle de figurant, dans une scène se déroulant à Wall Street. Il avait un menton volontaire, un long visage pointu et le teint hâlé.

Ils se serrèrent la main — poigne énergique, mais la peau douce de quelqu'un qui ignorait tout du travail manuel.

Carver lui indiqua un fauteuil baquet en acajou et cuir noir placé devant un guéridon rond et attendit qu'il s'y soit installé pour prendre place en face de lui. Le dossier incurvé du fauteuil, qui culminait à cinquante bons centimètres au-dessus de la tête de Max, l'empêchait de rien voir à droite ou à gauche, sauf à se pencher en avant et à se dévisser le cou. Assis là-dedans, il avait l'impression d'être dans un box privé : intimité et discrétion assurées.

Dans son dos se trouvait un bar dont le comptoir occupait toute la largeur de la pièce. Derrière s'alignaient tous les alcools possibles et imaginables, dans des bouteilles vertes, bleues, jaunes, roses, blanches, marron, opaques ou semi-transparentes qui rutilaient aussi gaiement que les perles de plastique des rideaux d'un bordel de luxe.

« Que puis-je vous offrir ?

— Un café, s'il vous plaît. Avec crème et sans sucre. »

Carver se tourna vers le fond de la salle et leva la main. Une serveuse approcha, ultramince — façon lentille d'objectif —, pommettes très hautes, lèvres pulpeuses et déhanchement de top model. Tout le personnel que Max avait vu jusque-là avait des allures de mannequins. Les deux barmen arboraient le look séducteur mal rasé dont les publicitaires raffolent pour vendre des chemises blanches ou des after-shave, l'hôtesse à l'accueil avait l'air de sortir des pages d'un catalogue de designer et le type qu'il avait aperçu dans une petite pièce, assis devant les écrans de contrôle du réseau de télésurveillance, aurait pu, dans une autre existence, être le contremaître qui s'offre une pause sur son chantier, dans la pub Coca Light.

En venant, Max avait failli rater l'entrée du club. L'hôtel particulier de cinq étages où il se situait, dans une voie privée donnant sur Park Row, était si discret qu'il était passé deux fois devant l'entrée sans remarquer le « 34 » à peine incisé dans la pierre, à côté de la porte. Le club occupait le troisième étage.

Il y monta par un ascenseur tapissé de miroirs, coupés par une rampe de cuivre rutilant, dans lesquels son image se reflétait en accordéon à l'infini. Lorsque les portes de la cabine s'écartèrent devant lui, il eut l'impression de débarquer dans le foyer d'un palace particulièrement luxueux.

Il régnait dans l'immense pièce un silence feutré de bibliothèque ou de mausolée. L'épaisse moquette était hérissée de fauteuils noirs qui faisaient penser à une forêt de souches calcinées après un incendie. Ils étaient disposés de telle façon qu'on n'en voyait que les dossiers, pas leurs occupants. Max se croyait seul avec Carver dans la pièce lorsqu'il vit des volutes de fumée de cigare s'échapper de derrière un siège voisin. En y regardant mieux, il aperçut un pied masculin, chaussé d'un escarpin beige, qui dépassait d'un autre fauteuil. Un unique tableau encadré décorait le mur le plus proche. Il représentait un jeune joueur de flûte, vêtu d'un uniforme militaire époque guerre de Sécession de dix ans trop grand pour lui.

« Vous êtes membre de ce club ? s'enquit Max pour briser la glace.

— Nous en sommes propriétaires, répondit Carver avec un sourire amusé. Mon père, Gustav, a créé ces clubs à la fin des années cinquante à l'intention de ses plus gros clients. Celui-ci a été le premier. Nous en avons d'autres à Londres, Paris, Stockholm, Tokyo, Berlin, et ailleurs. Ce sont des petits à-côtés. Dès qu'un de nos partenaires commerciaux ou son entreprise atteint un certain chiffre d'affaires en dollars avec nous, nous lui offrons une carte de membre à vie. Nous encourageons nos clients à parrainer des amis ou des collègues — qui, eux, doivent payer leur cotisation, naturellement. Nous avons beaucoup de membres et c'est d'un excellent rapport.

— Il ne suffit pas de remplir un formulaire, alors ? »

Carver gloussa.

« Mieux vaut tenir les manants à distance, c'est ça ?

— C'est simplement notre façon de faire du business, fit Carver sèchement. Et ça marche. »

Il flottait de vagues intonations WASP typiquement Côte Est sur les franges de son accent, par ailleurs cent pour cent british — une façon affectée de brider certaines voyelles et d'en étirer d'autres. Scolarité dans un collège anglais et études supérieures dans une université de l'Ivy League[1] ?

Carver : jeune premier raté, mais avec de beaux restes. Max lui donnait *grosso modo* le même âge que lui — un an ou deux de moins, peut-être. Vie hygiénique et alimentation saine. Il avait des plis au cou et des pattes-d'oie incisées aux coins de ses yeux bleus perçants.

1. Les huit plus anciens *colleges* « couverts de lierre » de Nouvelle-Angleterre : Harvard, Yale, Princeton, Columbia, Dartmouth, Brown, University of Pennsylvania et Cornell. (*Toutes les notes sont des traductrices.*)

Avec son teint doré, il aurait pu passer pour un Sud-Américain blanc — Argentin ou Brésilien — avec des racines allemandes. Le beau mec dans toute sa splendeur, n'était sa bouche. Elle gâchait tout. On aurait dit une estafilade faite d'un coup de rasoir, où le sang commençait juste à perler, avant de se mettre à dégouliner.

Le café de Max arriva dans une verseuse de porcelaine blanche. Il s'en remplit une tasse, y ajouta une larme de crème — servie dans un petit pot. Le café bien corsé avait de l'arôme et du caractère et la crème ne faisait pas d'yeux jaunes à sa surface. C'était un nectar destiné à des connaisseurs, le genre de café qu'on achetait en grains et qu'on moulait soi-même, rien à voir avec les assemblages bas de gamme qu'on trouvait au supermarché du coin.

« J'ai appris, pour votre femme… dit Carver. Je suis désolé.

— Pas tant que moi », rétorqua Max d'un ton bref. Il laissa la question mourir entre eux avant d'en venir au vif du sujet. « Vous aviez, m'avez-vous dit, une offre de travail à me faire ? »

Carver se mit à lui parler de Charlie. Dès qu'il eut saisi de quoi il retournait, Max l'arrêta et lui dit non tout net. Carver mentionna ce qu'il était prêt à payer et Max resta muet. De surprise, car l'appât du gain n'entrait pour rien dans sa réaction. Tout en parlant millions, Carver tendit à Max une enveloppe kraft de format A 4. Elle contenait deux photos d'une fillette — l'une en gros plan et l'autre en pied.

« J'avais cru comprendre que c'était votre *fils* qui avait disparu, monsieur Carver, fit Max en indiquant le portrait en gros plan.

— Pour Charlie, ses cheveux, c'était sacré. Nous le surnommions Samson, parce qu'il ne laissait personne y toucher. Il est né — ce qui n'est pas courant — avec des cheveux. Si longs qu'ils lui tombaient sur la figure comme une capuche. J'entends encore les cris qu'il a poussés quand ils ont essayé de les lui couper, à la maternité. Des *hurlements* de douleur à vous percer les tympans. C'était atroce. Et il a toujours eu la même réaction, chaque fois que quelqu'un essayait de s'approcher de lui en douce avec une paire de ciseaux. Nous avons fini par le laisser tranquille. Il surmontera bien sa phobie un jour ou l'autre...

— Ou peut-être pas... » fit Max sans prendre de gants — à dessein.

Il lui sembla voir Carver changer de visage, comme si un soupçon d'humanité fissurait sa façade d'homme d'affaires. C'était loin de suffire à lui rendre son client potentiel sympathique, mais c'était un début.

Il étudia le portrait en gros plan. Charlie ne tenait pas du tout de son père. Il avait des yeux et des cheveux très noirs et une grande bouche aux lèvres charnues. Il ne souriait pas à l'objectif. Il avait l'air furieux — un grand homme dérangé en plein travail. Rien d'enfantin dans son expression. Son regard était si intense et si perçant que Max avait l'impression de le sentir explorer son visage, vibrer sur le papier, le défier.

La seconde photo montrait Charlie debout devant un massif de bougainvillées. Il faisait pratiquement la même tête que sur la première. Ses cheveux — effectivement *très* longs — noués en couettes par des rubans lui retombaient en lourdes grappes sur les épaules. Il portait une robe à fleurs, avec des volants au col, aux poignets et dans le bas.

Max eut un frisson de dégoût.

« C'est pas mes oignons et je ne suis pas psy, mais ce genre de conneries, y a pas mieux pour bousiller la tête d'un môme, Carver ! lança-t-il sans cacher sa réprobation.

— C'était une idée de ma femme.

— Vous ne me faites pourtant pas l'impression d'être du genre à laisser votre femme porter la culotte. »

Carver partit d'un petit rire saccadé, comme s'il s'éclaircissait la voix.

« Les gens ne sont pas très évolués, en Haïti. Même les plus sophistiqués et les plus cultivés croient dur comme fer à des tas de sornettes — des superstitions.

— Le voudou ?

— On dit "v*au*dou". Quatre-vingt-dix pour cent des Haïtiens sont catholiques, mais ils sont adeptes du vaudou à cent pour cent, monsieur Mingus. Il n'y a rien de sinistre à ça — pas plus, disons, qu'à adorer un homme à moitié nu cloué sur une croix, et à boire son sang et manger sa chair. »

Il scruta le visage de Max, guettant sa réaction. Ce dernier le fixa, impassible. Carver aurait aussi bien pu vouer un culte aux caddies de Safeway, pour ce que ça lui faisait. De son point de vue, le Dieu de certains était un sujet de rigolade pour d'autres.

Il ramena les yeux sur la photo de Charlie habillé en fille. Pauvre gosse, pensa-t-il.

« On l'a cherché partout, reprit Carver. Début 1995, on a diffusé des avis de recherche — une vraie campagne, avec portraits dans les journaux et à la télévision, et messages radiodiffusés. La totale, quoi… On a offert une forte récompense à qui pourrait nous fournir le moindre renseignement sur Charlie ou, mieux, nous le ramener. Ça a eu le résultat auquel il fallait s'attendre : toutes les canailles sont sorties de leur trou et ont prétendu avoir vu "la petite fille". Certains ont même affirmé "la" retenir en otage et exigé une rançon pour nous "la" rendre, mais ça n'a rien donné, c'était du vent — les sommes qu'ils réclamaient étaient dérisoires, *beaucoup trop faibles.* Il était évident, pour moi, qu'ils mentaient. Ces paysans haïtiens ne voient pas plus loin que le bout de leur nez. Et ils ont le nez *très* aplati…

— Est-ce que vous avez exploré toutes les pistes ?

— Seulement celles qui paraissaient les plus vraisemblables.

— Première erreur grossière… Il faut toujours tout vérifier. Exploiter le moindre indice.

— C'est aussi ce que vos prédécesseurs ont dit. »

Il t'appâte pour mieux te ferrer, songea Max. Ne te laisse pas tenter ou tu te retrouveras embringué dans un concours à qui pisse le plus loin. Mais sa curiosité était bel et bien piquée. Combien de types avaient déjà bossé sur cette affaire ? Pourquoi avaient-ils fait chou blanc ? Et combien étaient encore là-bas, en ce moment ?

Il joua l'indifférence.

« Ne croyez pas que c'est gagné. Il s'agit juste d'une simple conversation, là... » dit-il. Carver accusa le coup en homme qui n'avait pas l'habitude de se voir reléguer à une place qu'il n'occupait que rarement. Il devait être en permanence entouré de sycophantes qui s'esclaffaient à sa moindre plaisanterie. C'était le problème, avec les nantis — ceux qui étaient nés avec une petite cuiller d'argent dans la bouche et n'avaient jamais mangé avec autre chose : ils nageaient dans leurs propres eaux et ne respiraient pas le même air que le commun des mortels ; ils menaient des existences parallèles, coupés du monde ordinaire, à l'abri des luttes et des échecs qui vous forgent le caractère. Est-ce que Carver avait jamais été forcé d'attendre son chèque de fin de mois pour se payer des pompes neuves ? S'était-il déjà fait envoyer sur les roses par une nana ? Avait-il vu les huissiers débarquer chez lui pour saisir sa bagnole ou sa télé, suite à une traite impayée ? Sûrement pas.

Carver évoqua les dangers qui entouraient cette affaire, reparla des types qui avaient déjà enquêté dessus, insinua qu'il leur était arrivé des bricoles. Mais Max ne mordait toujours pas à l'hameçon. Il était arrivé au rendez-vous à trente pour cent décidé à ne pas prendre le job. Là, il frisait les cinquante pour cent.

Constatant son indifférence, Carver orienta la conversation vers Charlie — évoquant ses premiers pas, le goût qu'il avait manifesté, tout petit, pour la musique — et revint un peu plus en détail sur Haïti.

Max l'écouta, l'œil fixe, feignant de trouver ça passionnant pour mieux s'abstraire de la conversation, rentrer en lui-même et se sonder afin de découvrir s'il était encore de taille pour ce job.

Il revint de cet examen intérieur bredouille, bizarrement irrésolu, incapable de se décider. L'affaire avait deux accroches évidentes : l'argent ou un micmac vaudou. L'absence de demande de rançon ne laissait que la seconde possibilité, sur laquelle il était un peu mieux renseigné qu'il ne l'avait révélé à Carver. Ou alors, Carver était au courant pour lui et Solomon Boukman... En fait, il était certain que Carver *savait*. Ça tombait sous le sens. Comment pouvait-il en être autrement, si Torres avait bossé pour lui ? Qu'est-ce que Carver savait d'autre sur lui ? Jusqu'où était-il remonté dans son passé ? Est-ce qu'il avait un atout dans sa manche, qu'il attendait le bon moment pour lui balancer ?

Mauvais début, s'il avait envie d'aller plus loin : il ne faisait pas confiance à son futur client.

Max mit fin à l'entretien en déclarant qu'il allait réfléchir. Carver lui donna sa carte et vingt-quatre heures pour se décider.

Il héla un taxi et rentra à son hôtel, les photos de Charlie sur les genoux.

Il réfléchit aux dix millions de dollars et à ce qu'il pourrait en faire. Vendre la maison et s'acheter un petit appart' dans un quartier résidentiel bien tranquille, à Kendall, par exemple. Ou peut-être aller s'installer dans les Keys. Ou carrément quitter Miami.

Et *quid* d'Haïti ? Est-ce qu'il aurait accepté ce job sept ans plus tôt, avant de devenir taulard ? Probable, oui. Le challenge à lui seul l'aurait tenté. Pas de preuves ou d'indices sur quoi s'appuyer et dont tirer des conclusions. Rien qu'une énigme et ses cellules grises pour la résoudre, et juste son intelligence pour déjouer celle d'un autre. Mais à son entrée à Rikers, il avait collé ses pouvoirs de détection dans la naphtaline et, faute d'exercice, ils s'étaient peu à peu atrophiés — comme n'importe quel muscle... S'attaquer à une affaire telle que celle de Charlie Carver, ce serait comme d'escalader une montagne à reculons — et sans un faux plat jusqu'au sommet...

De retour dans sa chambre, il cala les deux photos sur le bureau et les étudia.

Il n'avait pas d'enfants. Il n'avait jamais éprouvé beaucoup d'intérêt pour eux. Il les trouvait agaçants. Rien ne le gonflait plus que de se trouver coincé dans une pièce en compagnie d'un marmot braillard que ses parents ne pouvaient pas — ou ne voulaient pas — calmer. Et pourtant, ironie du sort, nombre d'affaires qu'il avait acceptées en tant que privé avaient consisté à retrouver des gamins disparus, parfois de tout petits bébés qui marchaient à peine. Et il avait eu cent pour cent de réussite. Morts ou vifs, il les avait toujours ramenés à leurs parents. Il avait envie de faire pareil pour Charlie. Ce qui l'inquiétait, c'était de ne pas y parvenir, de faillir à sa mission, de manquer à ses engagements envers ce gosse dont les yeux, étincelants d'une rage qui n'était pas de son âge, le cherchaient depuis l'autre bout de la pièce. C'était complètement irrationnel, mais il avait l'impression d'y lire un appel, comme si Charlie le suppliait de venir à son secours.

Des yeux ensorcelants.

Max sortit et tâcha de trouver un bar tranquille où prendre un verre et faire le point, mais tous ceux devant lesquels il passait étaient pleins à craquer de gens de vingt ans plus jeunes que lui, pour la plupart — et, pour la plupart, heureux et le manifestant bruyamment. Bill Clinton venait d'être réélu. Tout le monde célébrait sa victoire. Il n'était pas d'humeur à ça. Il décida d'aller plutôt s'acheter une bouteille de Jack Daniel's quelque part.

Pendant qu'il cherchait la boutique *ad hoc*, il bouscula un type en doudoune blanche, avec un bonnet de ski enfoncé pratiquement jusqu'aux yeux. Comme Max s'excusait, un truc tomba de la poche du gars et atterrit à ses pieds. Un sachet de plastique transparent fermé par une glissière, contenant cinq joints roulés, gros comme des tampons hygiéniques. Le temps que Max le ramasse et se retourne pour le lui rendre, le type avait disparu.

Il glissa le sachet dans sa poche de veste et se remit à déambuler jusqu'à ce qu'il avise un magasin de vins et spiritueux. Il ne leur restait plus de Jack Daniel's. Ils avaient bien d'autres marques de bourbon, mais aucune qui puisse concurrencer le Jack Daniel's.

Cela dit, il avait toujours les pétards…

Il s'acheta un briquet jetable.

Du temps où il était dans la police, lui et son équipier, Joe Liston, n'avaient jamais craché sur un joint pour se détendre. Leur fournisseur était un indic, un petit dealer surnommé Five Fingers. Il leur filait des tuyaux de première sur des casses en préparation et, en prime, quelques grammes gratos de Carribean Queen — de la marie-jeanne des Antilles superpuissante, dont il était lui-même gros consommateur.

C'était la meilleure herbe que Max s'était jamais tapée — cent fois supérieure à la merde vieille d'un an, au bas mot, qu'il venait de fumer.

Une heure plus tard, assis sur son lit, il contemplait fixement le mur de sa chambre, en proie à une vague nausée.

Il se laissa tomber à plat dos et ferma les yeux.

Il pensa à Miami.

Home sweet home…

La maison était située sur Key Biscayne, tout près de Hobie Beach, face à Rickenbacker Causeway. Le soir, quand il faisait beau, Sandra et lui s'installaient sur la véranda et, caressés par la brise fraîche qui soufflait de la baie, chargée de relents de poisson et d'essence, regardaient Miami, qui s'étalait de l'autre côté de Biscayne Bay, dans toute la splendeur hypnotique de ses lumières et de ses néons. Et si souvent qu'ils contemplaient cette vue, elle était chaque fois différente. À l'époque — ce temps béni où la vie était belle et promettait de le devenir plus encore —, ils adoraient faire des projets d'avenir. L'avenir, pour Sandra, c'était faire un bébé.

Max aurait dû lui parler de la vasectomie qu'il avait subie quelques mois avant leur rencontre, mais il n'avait jamais eu... — c'était le cas de le dire... — assez de *couilles* pour ça.

Comment mettre des enfants au monde après avoir vu ce qu'il restait de ceux qu'il retrouvait, dans l'exercice de son métier ? Ceux qu'il avait récupérés et dû reconstituer morceau par morceau ? C'était inenvisageable. S'il en avait, il ne les perdrait pas des yeux une seconde. Il les enfermerait à double tour et jetterait la clef. Il leur interdirait d'aller en classe ou chez leurs copains, de peur qu'ils se fassent enlever. Il fouillerait dans le passé de toute sa parenté et de sa belle-famille, au cas où il y traînerait d'éventuelles condamnations pour pédophilie. Ce ne serait pas une vie — ni pour les gosses, ni pour lui, ni pour sa femme. Ça non ! Mieux valait renoncer à avoir des mômes, faire une croix sur sa descendance. Mieux valait carrément fermer le robinet.

1981 : l'année de tous les emmerdes. 1981 : l'année de Solomon Boukman, un chef de gang de Little Haiti. 1981 : l'année du Roi d'Épées.

Sandra aurait compris s'il lui avait tout dit, dès le début. Mais quand ils s'étaient mis à sortir ensemble, il fonctionnait encore en mode « célibataire endurci », mentant à toutes les filles qu'il rencontrait, leur faisant miroiter le mariage à long terme et leur débitant tout ce qu'elles désiraient entendre pour arriver à les sauter — et filer sitôt son coup tiré. Ce n'étaient pas les occasions qui lui avaient manqué d'avouer la vérité à Sandra avant leur mariage, mais il ne voulait pas risquer de la perdre. Elle venait d'une famille nombreuse et adorait les enfants.

À présent, il regrettait de ne pas s'être fait dénouer les aiguillettes alors qu'il en était encore temps. Il avait envisagé de le faire au bout d'un an de mariage, quand son existence auprès de Sandra avait commencé à le transformer et à modifier aussi, petit à petit, ses opinions sur la vie de famille et les enfants. Maintenant qu'elle était morte, ç'aurait été tout pour lui d'avoir encore quelque chose d'elle, ne serait-ce qu'une trace, qu'il puisse aimer et chérir comme il l'avait aimée et chérie, elle.

Ses pensées revinrent à leur maison.

Ils avaient une immense cuisine avec un îlot central, où il venait s'installer, la nuit, quand une enquête le turlupinait et l'empêchait de dormir. Parfois, Sandra venait le rejoindre.

Il la vit soudain, en T-shirt et pantoufles, les cheveux ébouriffés par son oreiller, un verre d'eau dans une main et la photo de Charlie dans l'autre.

« À mon avis, tu devrais accepter ce job, Max, dit-elle en le regardant par-dessus le comptoir, les yeux tout bouffis de sommeil.

— Pourquoi ? s'entendit-il demander.

— Parce que tu n'as pas le choix, baby, dit-elle. C'est ça ou tu sais quoi... »

Il se réveilla en sursaut, allongé tout habillé sur son lit, les yeux fixés sur le plafond, la gorge sèche, un goût de steak avarié sur la langue.

Les relents de marie-jeanne froide qui flottaient dans la pièce le ramenèrent d'un coup dans sa cellule de Rikers, lorsque Velasquez s'était tapé son petit joint du soir en guise de somnifère, avant de réciter ses prières en latin.

Il se leva et tangua jusqu'au bureau, tandis que vingt marteaux-piqueurs se déchaînaient sous son crâne. Il prit quelques profondes inspirations. Le brouillard qui lui embrumait le cerveau commença à se dissiper.

Il décida de prendre une douche et de se changer.

« Monsieur Carver ? Max Mingus... »

Il était neuf heures du matin. Il s'était offert un copieux petit déjeuner dans un snack — omelette de quatre œufs, quatre toasts, jus d'orange et deux pots de café. Il avait une fois de plus tout passé en revue : les arguments pour et les arguments contre, le facteur risque, le fric. Et il s'était mis en quête d'une cabine téléphonique.

« Je vais vous retrouver votre fils, dit-il.

— Excellente nouvelle ! » s'exclama Carver. C'était presque un cri.

« Il me faut les termes du contrat et vos propositions par écrit.

— Naturellement, fit Carver. Venez au club d'ici deux heures. Le contrat sera prêt.

— O.K.

— Quand pensez-vous pouvoir vous y mettre ?

— Si je trouve une place sur un vol, je serai en Haïti mardi. »

2

Arrivé à Miami, Max sauta dans un taxi pour rentrer chez lui. Il demanda au chauffeur de faire le grand tour, *via* Le Jeune Road, histoire de traverser Little Havana et Coral Gables pour voir comment sa ville avait évolué pendant ses huit ans d'absence et tâter le pouls des deux pôles de Miami : le *barrio* et le quartier des milliardaires.

C'était le beau-père de Max qui s'occupait de la maison et de régler les factures. Max lui devait trois mille dollars, mais ce n'était pas un problème : Carver lui en avait remis vingt-cinq mille en espèces, à titre d'avance, quand il avait signé le contrat, à New York. Il avait joué les idiots et amené Dave Torres avec lui pour le lire en détail et lui servir de témoin. Il s'était doucement marré à regarder Torres et Carver faire ceux qui ne s'étaient jamais vus. Les avocats sont d'excellents comédiens et ne le cèdent, question talent, qu'aux coupables qu'ils défendent.

Le nez à la portière, Max ne perdait pas une miette du paysage, mais il n'en retirait pas grand-chose. « Miami, Huit Ans Après » défilait sous ses yeux dans un brouillard aveuglant de bagnoles, de toujours plus de bagnoles, de palmiers et de ciel bleu. Son avion s'était posé sous une averse, une de ces saucées caractéristiques du *Sunshine State*, où les gouttes tombent si dru qu'elles rebondissent sur le sol. La pluie avait cessé quelques minutes avant qu'il émerge du terminal.

Il se passait trop de choses en lui pour qu'il puisse se concentrer sur l'extérieur. Il songeait à la maison qu'il allait retrouver. Pourvu que ses beaux-parents n'aient pas eu l'idée d'organiser une fête surprise pour son retour au bercail. Ils avaient le cœur sur la main et étaient pétris de bonnes intentions. Or, c'était exactement le genre de connerie bien intentionnée venant du cœur qu'ils étaient capables de faire.

Son taxi avait traversé Little Havana et Coral Gables sans qu'il s'en rende compte. Ils étaient déjà à Vizcaya, sur Main Highway, et le panneau signalant l'embranchement pour le Rickenbacker Causeway se profilait.

Sandra venait toujours le chercher à l'aéroport quand il rentrait d'une enquête à l'autre bout du pays ou qu'il était allé voir un client potentiel dans une autre ville. Elle lui demandait rituellement comment ça s'était passé, même si elle prétendait être capable de le deviner rien qu'à voir la tête qu'il faisait. Chaque fois, ils sortaient du hall des Arrivées et elle l'y laissait attendre, le temps qu'elle aille récupérer la voiture. Si son enquête s'était bien terminée, c'était lui qui prenait le volant et, sur le trajet du retour, il lui racontait ce qui s'était passé et comment il avait réussi à résoudre l'affaire. Lorsqu'il se garait devant leur porte, il avait épuisé le sujet et ils n'en reparlaient jamais plus. Certaines fois, il émergeait des Arrivées radieux, triomphant, plein d'une légitime fierté d'avoir pris l'avion pour quelque part sur une simple intuition, laquelle intuition avait débouché sur une de ces pistes en or qui permettent de boucler une affaire de façon aussi rapide qu'heureuse. De telles occasions étaient rares, mais ils transformaient chacune d'elles en Grande Occasion. Ils allaient danser ou s'offraient le restaurant, ou encore, s'il avait d'autres personnes à remercier, les retrouvaient au L Bar. Mais deux fois sur trois, c'était Sandra qui conduisait parce qu'elle avait deviné son échec rien qu'à son attitude et lu son désespoir résigné sur son visage. Elle parlait de tout et de rien tandis que, assis à côté d'elle, Max, muet, broyait du noir, regardant fixement le ciel à travers le pare-brise. Elle parsemait ses ruminations de nouvelles anodines concernant la maison — un store qu'elle avait réparé, le tapis à nettoyer, un nouveau gadget électroménager qu'elle s'était offert —, des petits riens destinés à lui faire comprendre que la vie continuait malgré le cadavre qu'il avait découvert et les tristes révélations qu'il allait devoir faire à un conjoint, un parent ou un ami, qui s'accrochait à l'espoir contre toute espérance.

Elle avait toujours été là, derrière la barrière — le visage qui le guettait.

En émergeant dans le hall des Arrivées, il l'avait malgré lui cherchée des yeux. Il avait tâché de la retrouver sur le visage de toutes les femmes venues, peut-être, attendre un homme, mais pas une ne ressemblait à Sandra, même de loin.

Il ne pouvait pas rentrer chez eux. Pas encore. Il n'était pas prêt à affronter ce musée plein de souvenirs heureux.

« Chauffeur ? Continuez tout droit. Ne tournez pas, fit Max en entendant le clignotant se mettre à cliqueter.

— On va où ?

— À l'hôtel Radisson, sur North Kendall Drive. »

« Ça alors ! Max Mingus ! Alors, quèss'tud'viens ? tonna la voix de Joe Liston dans son oreille, lorsqu'il l'appela depuis sa chambre d'hôtel.

— Ça fait plaisir de t'entendre, Joe ! Comment ça va ?

— Bien, Max, très bien. T'es chez toi ?

— Non. J'ai pris une chambre pour quelques jours au Radisson, sur Kendall.

— T'as un souci avec la baraque ?

— Les cousins de Sandra s'y sont installés, mentit Max. Je me suis dit que je pouvais bien la leur laisser encore un peu.

— Ah, ouais ? gloussa Joe. C'est des clandestins ?

— Comment ça, des clandestins ?

— T'as une vraie réputation de héros par ici, Mingus, alors va pas la foutre en l'air, fit Joe, toute hilarité envolée. Y a *personne* dans cette baraque, mec. Depuis la mort de Sandra, j'envoie une voiture patrouiller dans ta rue toutes les heures. »

Il aurait dû s'en douter. Il ne savait plus où se mettre.

« C'est pas parce que t'as de la peine que ça va influer sur l'opinion que j'ai de toi, mon pote. Mais ça risque fort de le faire si tu me traites comme un demeuré qui débarque tout juste du car de Gogol City, Ohio », enchaîna Joe, du ton qu'il devait prendre pour remonter les bretelles à ses gosses — en tempérant le reproche d'une incitation à la contrition.

Max resta coi. Joe aussi. Max entendait des bruits de bureau en fond sonore — bribes de conversation, sonneries de téléphone, claquements de portes, bipeurs... Probable que Joe avait l'habitude d'entendre ses mômes lui demander pardon, au bout de quelques secondes de réflexion, et se mettre à chialer. Et là, il devait les prendre dans ses bras et les serrer bien fort en leur disant que c'était pas grave, mais de ne plus recommencer. Après quoi, il les embrassait sur le front et les reposait par terre.

« Excuse-moi, Joe, fit Max. Ça a été duraille.

— *No es nada, mi amigo* », laissa tomber Joe après une pause délibérée, destinée à faire comprendre à Max qu'il jaugeait son degré de sincérité. « Mais duraille, dis-toi que ça le *restera* tant que tu fuiras la réalité. Faut que t'ailles à la montagne, Max, sinon cette salope ira-t-à toi », fit Joe. Sans doute ce qu'il sortait à ses gosses quand ils se plaignaient que leurs devoirs étaient trop durs.

« Je sais, dit Max. J'y travaille, en ce moment. En fait, c'est une des raisons pour lesquelles je t'appelle. J'aurais besoin que tu me rendes deux petits services. Des dossiers, des archives, tout ce que tu pourras me dégotter sur un certain Allain Carver. C'est un Haïtien et...

— Je vois qui c'est, l'interrompit Joe. Son fils a disparu, non ?

— Exact.

— Il est passé au commissariat pour remplir une déclaration, y a pas très longtemps.

— Je croyais que c'était à Haïti que son fils avait disparu !

— Quelqu'un a affirmé l'avoir vu en ville. À Hialeah.

— Alors ?

— Alors ce quelqu'un s'est révélé être une vieille toquée, qui prétend avoir des visions.

— T'as vérifié ce qu'elle disait ? »

Joe éclata de rire — un bon gros rire franc, mais teinté d'un rien de dureté et de cynisme. Le genre de rire que tout flic acquiert au bout de vingt ans d'ancienneté.

« Allons, Max ! Si on s'amusait à ça, on passerait notre temps à rechercher des petits hommes verts tout le long de North Miami Beach. La vieille habite à Little Haiti. Et dans le quartier, la tête de ce gosse est partout — sur les murs, les portes, les vitrines... Je parie qu'elle est même dans l'eau du robinet. Et y a non seulement sa photo, mais aussi une récompense de cinquante mille dollars pour tout renseignement. »

Max repensa aux premières recherches que Carver avait faites, en Haïti. Leur version Miami devait avoir eu les mêmes résultats.

« T'as l'adresse de cette petite vieille ?

— Tu reprends l'affaire, c'est ça ? » demanda Joe. Il y avait comme de l'inquiétude dans sa voix.

« Ouais.

— La raison principale pour laquelle Carver est venu me voir, c'est qu'il cherchait à te contacter. Je me suis laissé dire que tu t'es longuement fait prier ? Qu'est-ce qui t'a fait changer d'avis ?

— Le fric. J'en ai besoin. »

Joe resta silencieux. Max l'entendit griffonner quelque chose sur un papier.

« Il va te falloir un flingue, dit-il au bout d'un moment.

— C'est le deuxième service que je comptais te demander. »

Max était interdit de port d'armes. À vie. Il s'était attendu à ce que Joe refuse.

« C'était quoi, le premier ?

— Des photocopies de tout ce que t'as sur le petit Carver. Et sur la famille. »

Nouveaux bruits de griffonnages.

« Pas de problème, fit Joe. Qu'est-ce que tu dirais qu'on se retrouve au L, ce soir ? Vers les huit heures, disons ?

— Un *vendredi* ? Tu ne connaîtrais pas un endroit un peu plus tranquille ?

— Ils ont ouvert un lounge bar, au L, tu savais pas ? Séparé de la salle principale. C'est tellement calme qu'on y entendrait une puce péter.

— O.K., alors ! fit Max en rigolant.

— Ça va me faire plaisir de te revoir, Max. Foutrement plaisir, dit Joe.

— À moi aussi, mon grand. »

Joe s'apprêtait à dire autre chose, mais s'arrêta. Il reprit son élan et se tut de nouveau. Max entendait les petits bruits de succion qu'il faisait chaque fois qu'il ouvrait la bouche et prenait son souffle pour lâcher les mots coincés au fond de son gosier.

Apparemment, leur lien télépathique de vieux couple fonctionnait toujours…

Joe se faisait du mouron à propos de quelque chose.

« Qu'est-ce qui te turlupine, Joe ?

— T'es vraiment *sûr* de vouloir aller à Haïti ? Parce qu'il est encore temps de reprendre tes billes.

— Pourquoi tu dis ça, Joe ?

— Ça risque de ne pas être très sûr pour toi, là-bas.

— Je connais la situation interne du pays.

— C'est pas à *ça* que je pensais, fit Joe d'une voix hésitante. Il s'agit de Boukman.

— *Boukman ? Solomon* Boukman ?

— Mmm-mmm.

— Qu'est-ce qu'il a à voir là-dedans ?

— Il a été libéré, fit Joe d'une voix qui était presque un murmure.

— *Quoi ! ?* M'enfin, il était dans le *couloir de la mort* ! » s'écria Max en se levant en même temps que sa voix s'envolait dans les aigus. Sa réaction le surprit : en sept ans de prison, il avait appris à masquer ses émotions et à réduire ses réactions affectives au strict minimum. En taule, vous aviez intérêt à cacher ce qui vous hérissait ou vous abattait, parce que les gars s'en servaient contre vous. Apparemment, le moi qu'il avait laissé derrière lui commençait déjà à se réhabituer au monde de la liberté…

« À peine réélu, ce connard de Clinton lui a filé un billet gratos pour Haïti, expliqua Joe. On renvoie tous les détenus dans leur pays d'origine. Et ça se fait partout — au niveau des États comme au niveau fédéral.

— Ils sont au courant de ce qu'il a *fait* ?

— Ce n'est pas un problème, pour eux. Pourquoi gaspiller l'argent des contribuables pour le garder sous les verrous alors qu'on peut le renvoyer dans ses pénates ?

— Mais il est *libre* !

— Ouais, mais ça, c'est le problème des Haïtiens, maintenant. Et du coup, c'est aussi le tien, là… — si tu tombes sur lui, là-bas… »

Max se rassit.

« Ça remonte à quand, Joe ? Quand l'ont-ils relâché ?

— En mars. De cette année.

— Putain de *merde* !

— Et y a pas que ça, Max… » fit Joe, avant de s'interrompre pour dire un mot à quelqu'un. Il posa le combiné sur son bureau. Max entendit le ton de la conversation monter. Il ne saisissait pas exactement ce qui se passait, mais quelqu'un avait manifestement fait une connerie. Le dialogue vira au monologue, tandis que le puissant organe de Joe écrasait tout sur son passage. Brusquement,

Joe reprit le combiné. « *MAX ?!!? JE TE VOIS CE SOIR ! JE T'EN DIRAI PLUS À CE MOMENT-LÀ !* » rugit-il, avant de raccrocher brutalement.

Max éclata de rire, imaginant le malheureux sous-fifre essuyant la queue de cyclone d'une des algarades de Joe. Son vieux pote avait l'art d'exploiter chaque centimètre de sa stature d'Hercule pour vous river votre clou, en se penchant sur votre visage et en vous regardant dans le blanc de l'œil comme si vous étiez une merde dans laquelle il avait marché en allant à l'église. Et là, il se mettait à parler.

Le rire de Max s'étrangla dans sa gorge au souvenir de la victime du premier sacrifice d'enfant, de l'aspect qu'avait eu le petit corps sur la table d'autopsie, à la morgue.

Solomon Boukman : assassin d'enfants. *Libre.*

Solomon Boukman : tueur en série. *Libre.*

Solomon Boukman : meurtrier d'un flic. *Libre.*

Solomon Boukman : chef de gang, baron de la drogue, proxénète, blanchisseur d'argent sale, kidnappeur, violeur. *Libre.*

Solomon Boukman : sa dernière enquête en tant que flic, sa dernière arrestation, celle qui avait failli lui coûter la vie.

Les derniers mots que Solomon lui avait adressés au tribunal : « Tu me donnes une raison de vivre », murmurés en aparté, comme au théâtre, avec un sourire qui lui avait fait froid dans le dos. À cause de ces mots, ce qu'il y avait entre eux était désormais une affaire personnelle.

Et la réponse qu'il lui avait jetée : « *Adios*, enfoiré ! » Ce qu'il avait pu se gourer…

Boukman avait été le chef d'un gang qui sévissait sous le nom de SNBC — autrement dit le *Saturday Night Barons Club*, allusion à Baron Samedi, le chef des esprits de la mort, dans la tradition vaudoue. Les membres du SNBC étaient persuadés que leur chef possédait des pouvoirs surnaturels, qu'il lisait dans les pensées et pouvait prédire l'avenir, qu'il était capable de se trouver dans deux endroits à la fois et de se matérialiser subitement dans une pièce, comme les héros de *Star Trek*. D'après eux, il tenait ses pouvoirs d'un démon, un *méchant loa*[1] auquel il vouait un culte. Max et Joe avaient arrêté Boukman et démantelé le gang.

Poings serrés, les joues en feu, Max tremblait tellement de colère que la veine de son front se gonflait et se tordait comme un ver dans une poêle brûlante. Solomon Boukman était un salopard qu'il s'était enorgueilli de mettre hors d'état de nuire — et qu'il s'était offert le plaisir de démolir à coups de poing et de matraque avant de le coffrer.

Et voilà que Boukman était libre. Il avait baisé le système. Et il l'avait baisé, lui, Max Mingus, et lui avait pissé à la gueule. L'enfoiré ! Charmant cadeau pour son retour à Miami !

1. Être surnaturel (génie ou démon, selon qu'il est « bon » ou « mauvais ») du vaudou, qui se manifeste au cours de transes de possession. En français dans le texte, ainsi que toutes les expressions en italiques signalées par un astérisque.

3

Ça faisait vingt-cinq ans que Max connaissait Joe. Ils avaient fait leurs premières armes ensemble, comme équipiers à bord d'une voiture de patrouille, et c'est toujours ensemble qu'ils avaient décroché leurs galons.

Leur tandem était célèbre dans toute la police de Miami sous le nom de *Born to Run* — un surnom que leur avait trouvé leur boss, Eldon Burns, car les voir côte à côte lui rappelait la pochette du fameux album de Bruce Springsteen, où le rocker, tout pâle et tout maigrichon, s'appuie sur la silhouette gargantuesque de Clarence Clemons, le saxo du groupe, en chapeau de souteneur. La comparaison était bien trouvée. À côté de Joe, tout le monde avait l'air d'un nabot. Avec son gabarit de *linebacker* qui aurait bouffé toute son équipe et son mètre quatre-vingt-quinze en chaussettes, il devait courber la tête pour passer sous la plupart des portes.

Joe adorait leur surnom. Il était fan de Springsteen. Il possédait non seulement la collection complète de ses albums et singles, mais aussi des centaines d'heures de concerts live en cassette. Il n'écoutait pratiquement rien d'autre. Chaque fois que Springsteen faisait une tournée, Joe s'offrait un fauteuil au premier rang pour tous les spectacles qu'il donnait en Floride. Max ne redoutait rien tant que de se retrouver dans la même bagnole que Joe après qu'il avait vu son héros en chair et en os, parce que son pote lui détaillait avec une précision maniaque l'expérience qu'il avait vécue, chanson après chanson, grognement après grognement. Les shows de Springsteen duraient en moyenne trois heures. Mais les comptes rendus de Joe, eux, en faisaient largement le double. Max, lui, ne supportait pas Springsteen et ne comprenait pas qu'on en fasse tout un foin. Pour lui, la voix du prétendu « Boss » se situait entre le raclement de gorge et le cancer du larynx — le fond sonore parfait pour les Blancs qui roulaient en *station wagon* affublés d'un Perfecto. Il avait un jour demandé à Joe d'où lui venait cette fascination pour Springsteen. « C'est comme tout ce qui touche quelqu'un et qui laisse une autre personne complètement froide : soit t'aimes, soit t'aimes pas. Y a pas juste que la musique ou la voix, avec Bruce. Y a plein d'*autres trucs* en plus. Tu vois ? » Max ne voyait pas du tout, mais il en était resté là. Le mauvais goût n'a jamais tué personne...

Cela dit, il n'avait rien contre leur surnom. C'était la preuve qu'ils ne passaient pas inaperçus. Quand ils avaient tous deux été promus enquêteurs, Joe s'était fait tatouer la pochette du disque et son titre à l'intérieur de l'avant-bras droit. Un an plus tard, il s'était fait tatouer sur l'autre bras un motif plus traditionnel pour un flic : un écusson orné d'un crâne et de deux colts en croix, entouré de la devise :

« La Mort EST garantie — la Vie ne l'est PAS ».

Le L Bar tirait son nom de la forme de l'immeuble qu'il occupait, même si ce n'était que vu du ciel qu'on pouvait s'en rendre compte. Le lieutenant Frank Nunez l'avait repéré depuis son hélico, un jour qu'il poursuivait une fourgonnette de braqueurs qui venaient de se faire une banque dans le centre de Miami. Il avait demandé à quelques amis de s'associer avec lui, en échange de parts dans l'affaire. Max et Sandra avaient participé à hauteur de vingt mille dollars. Jusqu'à ce qu'ils se trouvent contraints de revendre leurs parts pour régler les frais de justice de Max, le bar leur avait rapporté chaque année deux fois leur investissement initial. L'endroit drainait une clientèle d'hommes d'affaires et de banquiers, qui s'y pressaient du lundi au samedi.

Extérieurement, le L ressemblait à n'importe quel bar — grandes baies vitrées occultées par des stores noirs et pubs de bière lumineuses en cursive, comme écrites d'une giclée de dentifrice au néon. Il avait deux entrées. Celle de droite débouchait directement dans le bar, une pièce très haute de plafond avec un plancher vitrifié et un décor d'inspiration maritime, à base de roues de gouvernails, d'ancres et de harpons à requins. L'entrée de gauche donnait sur un escalier très raide, qui menait au L Lounge. Ce dernier était isolé du pub par une immense vitre teintée, qui permettait à ses occupants d'observer sans être vus tout ce qui se passait à l'étage de dessous. C'était le cadre idéal pour les premiers rendez-vous et les idylles de bureau clandestines, car il était divisé en box privés, chacun éclairé par la lumière tamisée de lanternes pseudo-chinoises rouge et or. Le lounge était doté d'un bar qui servait parmi les meilleurs cocktails de Miami.

À peine entré, Max repéra Joe, en costard et cravate bleus, installé au bout de la banquette d'un des box, près de la baie vitrée. Avec son sweat-shirt flottant, son pantalon de toile kaki et ses tennis, il se sentit miteux.

« Lieutenant Liston ? » lança-t-il en approchant.

Joe se fendit d'un large sourire — un quartier de lune de dents blanches, qui illumina soudain le bas de son visage bronzé. Il se déplia. Max avait oublié à quel point il était immense. Il avait pris quelques kilos au niveau de la taille et son visage était plus rond mais sinon, il avait toujours sa tête à filer des cauchemars aux suspects dans une salle d'interrogatoire.

Joe le pressa sur sa vaste poitrine — beaucoup plus large, constata Max, que ses propres épaules, malgré ses séances de muscu, à Rikers —, lui tapota vigoureusement les triceps et recula de deux pas pour mieux l'examiner.

« Ils t'ont bien nourri, là-bas… dit-il.

— Je bossais aux cuisines.

— Pas chez le barbier ? » demanda Joe en passant sa main sur le crâne rasé de Max.

Ils s'assirent. Joe remplissait pratiquement toute sa moitié du box. Un classeur à anneaux était posé sur la table. Un garçon vint prendre leur commande. Joe demanda un Coca light et un bourbon. Max, un Coca normal.

« Tu picoles plus ? s'enquit Joe.

— J'essaie… Et toi ?

— J'ai tellement diminué que je pourrais aussi bien avoir complètement arrêté. C'est galère, le cap de la cinquantaine… J'arrive plus à récupérer d'une biture comme dans le temps.

— Et tu te sens mieux, comme ça ?

— Pas du tout. »

Le visage de Joe n'avait pas tellement changé — pour autant que l'éclairage du lounge permettait d'en juger, en tout cas… —, mais son front s'était dégarni et il portait les cheveux plus longs, signe qu'il devait avoir un début de tonsure, se dit Max.

Il y avait quelques clients dans la salle — des couples en tenue de bureau. Une muzak d'ambiance anonyme dégoulinait en sourdine des enceintes placées aux quatre coins du plafond, mais les vagues tintements de piano étaient si peu reconnaissables qu'il aurait aussi bien pu s'agir du bruit d'un cheval en train de pisser sur un carillon chinois.

« Comment va Lena ? demanda Max.

— Très bien, vieux. Elle m'a chargé de te faire toutes ses amitiés », fit Joe en plongeant la main dans sa poche de veste. Il en sortit des photos qu'il tendit à Max. « Voilà toute ma joyeuse bande… Regarde si t'arrives à identifier quelqu'un. »

Max jeta un coup d'œil à la pile. La photo du dessus montrait Lena au milieu d'un groupe familial. C'était une femme minuscule, qui faisait presque modèle réduit à côté de Joe. Il l'avait rencontrée à l'église baptiste qu'il fréquentait. Non pas qu'il fût particulièrement religieux mais, selon lui, aller à la messe valait mieux et moins cher que de faire la tournée des bars et des boîtes ou de sortir une collègue. Les églises étaient « les lieux pour célibataires les plus propices aux rencontres, mis à part le Paradis », comme il disait.

Lena n'avait jamais aimé Max. Il ne la blâmait pas. La première fois qu'il l'avait vue, il avait du sang sur son col — un suspect lui avait mordu l'oreille. Elle avait cru que c'était du rouge à lèvres et, dès lors, l'avait toujours regardé comme s'il avait quelque chose à se reprocher. Leurs relations, comme leurs conversations, se cantonnaient au versant poli du fonctionnel. Les choses ne s'étaient pas améliorées entre eux quand il avait quitté la police. Et qu'il épouse Sandra avait scandalisé Lena. Dans son monde, Dieu Lui-même ne franchissait pas la barrière raciale.

La dernière fois que Max avait vu Joe, il avait eu trois gosses — Jethro, Dwayne et Dean, trois garçons nés à un an d'intervalle — mais, sur la photo, Lena tenait deux gamines sur ses genoux.

« Eh ouais... Celle de gauche, c'est Ashley et l'autre, Briony, fit Joe, débordant d'orgueil paternel.

— Elles sont jumelles ?

— Ouais. Les problèmes à la puissance deux. Tout en stéréo.

— Quel âge elles ont ?

— Trois ans. On n'avait pas prévu d'agrandir la famille. Elles sont arrivées...

— On dit que les enfants qu'on n'a pas désirés sont ceux qu'on aime le plus.

— Ben, "on" dit beaucoup de choses — dont un *max* de conneries. J'aime tous mes gosses à égalité. »

Joe avait de beaux héritiers. Ils tenaient de leur mère. Ils avaient ses yeux.

« Sandra ne m'avait pas dit...

— Vous aviez sûrement d'autres trucs plus importants à vous raconter, je suis sûr », fit Joe.

Le garçon leur apporta leurs consos. Joe prit le verre de bourbon, jeta un coup d'œil circulaire et le vida par terre.

« À Sandra ! » dit-il.

Une libation pour les morts — les spiritueux au service du spirituel... Joe faisait ça chaque fois qu'il perdait quelqu'un de proche. La solennité menaça d'envahir leur box et d'assombrir leurs retrouvailles. Max n'avait pas besoin de ça. Il y avait des tas de trucs dont ils devaient discuter.

« Sandra ne buvait pas », fit Max.

Joe leva les yeux vers lui, vit l'humour qui lui retroussait le coin des lèvres et éclata de rire. Son rire tonitruant, style grondement de tonnerre, envahit la salle. Toutes les têtes pivotèrent vers eux.

Max se pencha sur une photo de son filleul. Jethro tenait un ballon de basket en équilibre sur ses doigts ouverts en étoile. Il n'avait que douze ans, mais il avait déjà la taille et la carrure d'un ado de seize ans.

« C'est bien le fils de son père ! dit-il.

— Jet est fou de basket.

— Il a peut-être de l'avenir sur les parquets.

— Ça se peut, mais laissons l'avenir en décider. Je veux qu'il fasse de bonnes études. C'est un gosse intelligent.

— Tu n'aimerais pas qu'il suive tes traces ?

— Je viens de te le dire : il est intelligent. »

Ils trinquèrent.

Max lui rendit les photos et baissa les yeux vers le bar du rez-de-chaussée. Il était bondé. Banquiers de Brickell Avenue, cadres, hommes d'affaires, cravates desserrées, sacs à main posés par terre, vestons négligemment jetés sur des dossiers de chaise, ourlets balayant le plancher. Il remarqua deux types, genre cadre supérieur, en costard gris clair identique, la bouteille de Budweiser à la main, en train de bavarder avec deux femmes. Ils venaient de faire connaissance, avaient échangé leurs prénoms, fait le tour de leurs points communs et étaient maintenant en quête d'un nouveau sujet de conversation. Ça se voyait rien qu'à leur langage corporel — le dos raide de tension, prêts à sauter sur la moindre idée prometteuse. Les deux types s'intéressaient à la même fille — tailleur bleu marine, mèches blondes. Sa copine l'avait compris et inventoriait déjà la salle du regard.

Dans sa jeunesse, Max s'était fait une spécialité de draguer la copine moche en vertu du raisonnement suivant : la plus jolie, qui s'attendait à ce qu'on s'empresse autour d'elle, ferait sa coquette et le laisserait, à la fin de la soirée, avec la queue en berne et une ardoise salée à régler, mais la moche, qui, elle, n'espérait pas faire une touche, se montrerait sans doute moins farouche. Et neuf fois sur dix, le truc marchait, avec parfois, en prime, le bonus inattendu de voir la plus belle des deux lui faire du rentre-dedans. Il n'avait pas éprouvé grand-chose pour la plupart des filles qu'il avait draguées. C'étaient des challenges, des trophées de chasse, des choses à posséder. Son attitude avait changé du tout au tout quand il avait rencontré Sandra. Mais elle n'était plus là et ces vieux souvenirs lui revenaient, telle la douleur fantôme d'un membre amputé qui lui enverrait des sensations du fin fond de nulle part.

Cela faisait huit ans qu'il n'avait pas fait l'amour. L'envie ne l'en avait pas effleuré depuis le jour de l'enterrement. Il ne s'était même pas offert une branlette. Sa libido s'était mise en berne en signe de respect.

Il avait été un mari fidèle — l'homme d'une seule femme. Il ne voulait pas de quelqu'un d'autre, quelqu'un de nouveau. Pas maintenant. Il n'arrivait même pas à imaginer ce que ça pourrait être de débiter à nouveau toutes ces fadaises, de jouer le mec vachement sensible, alors que l'unique raison qui vous avait poussé à aborder la fille, c'était de savoir si vous arriveriez à la persuader de vous laisser la sauter. Il contemplait la scène qui se déroulait sous ses pieds avec le dégoût du pionnier pour ses imitateurs.

Joe poussa le classeur vers lui.

« Voilà tout ce que j'ai réussi à déterrer sur les Carver d'Haïti, dit-il. C'est surtout du vieux. Rien de récent. Sur la vidéo, je t'ai mis des tas de reportages télé sur l'invasion de l'île. Allain Carver apparaît dans certains.

— Merci, Joe, fit Max en s'emparant du lot et en le posant à côté de lui sur la banquette. T'as trouvé quelque chose sur les Carver ici, à Miami ?

— Y a rien au fichier central sur Allain. Mais sur son paternel, Gustav... Il a une énorme villa à Coral Gables. Elle a été cambriolée, il y a six ans.

— Qu'est-ce qu'on lui a piqué ?

— Rien du tout. Une nuit, quelqu'un s'est introduit dans la maison, a sorti une assiette de porcelaine, a chié dessus, l'a posée en évidence au milieu de la table de la salle à manger et s'est tiré ni vu ni connu.

— Y avait rien sur les caméras de surveillance ?

— *Nada.* J'ai pas l'impression que l'affaire ait eu des suites. Le rapport fait tout juste deux pages — et ça ressemble plus à une vengeance qu'à un casse. Un larbin renvoyé qui en avait gros sur la patate, probable... »

Max avait entendu parler de délits encore plus farfelus. Mais l'idée de Carver trouvant un plat de merde sur sa table de salle à manger en descendant prendre son petit déj' le faisait marrer. Un sourire lui monta aux lèvres, puis le souvenir de Boukman lui revint, et son sourire se fana.

« Alors, tu peux m'expliquer ce qui s'est passé avec Solomon Boukman ? Quand je suis parti pour New York il était dans le couloir de la mort, et il n'y avait plus que son appel qui le séparait de l'injection létale.

— On n'est pas au Texas, fit Joe. Les choses prennent du temps, en Floride. Même le *temps* prend son temps, ici... Un avocat peut mettre jusqu'à deux ans avant de se pourvoir en appel. La demande reste dans le circuit administratif pendant deux ans de plus. Ensuite, il te faut deux autres années avant de comparaître devant un juge. Fais le total, et tu te retrouves en 1995. Il ont rejeté le dernier appel de Boukman, comme je m'y attendais, sauf que…

— Sauf qu'ils l'ont remis en *liberté*, Joe ! » fit Max d'une voix forte — presque un cri.

« Tu sais combien ça vaut, un aller simple pour Haïti ? lui demanda Joe. Dans les cent dollars — hors taxe. Tu peux me dire à combien ça revient au gouvernement d'entretenir un mec dans le couloir de la mort ? Ouais, bon, laisse tomber… Mais t'as idée de ce que ça coûte à la Floride pour *exécuter* un mec ? Des milliers de dollars. Tu piges la logique ?

— Et les familles des victimes, elles la pigent, “la logique”, elles ? » lança Max d'une voix amère.

Joe ne répondit pas. Max se rendait compte que ça le faisait marronner, lui aussi, mais il y avait autre chose qui le rongeait.

« Si tu me disais tout, Joe…

— Le jour où Boukman a été libéré, ils ont nettoyé sa cellule. Et ils y ont trouvé ça… » acheva Joe en tendant à Max une feuille de cahier d'écolier glissée dans une pochette de plastique transparent, façon pièce à conviction.

Boukman avait découpé une photo de presse montrant Max à son procès et l'avait collée au milieu de la page. Au-dessous, de son écriture curieusement enfantine — tout en lettres capitales dépourvues de courbes, chaque trait délimité par des points et tracé si droit qu'on avait l'impression qu'il s'était servi d'une règle —, il avait écrit au crayon :

« TU ME DONNES UNE RAISON DE VIVRE ».

Sous le texte, il avait dessiné une petite carte d'Haïti.

« Qu'est-ce qu'il a voulu dire par là ? demanda Joe.

— C'est un truc qu'il m'a dit pendant son procès, le jour où j'ai témoigné contre lui », fit Max, sans s'étendre. Pas question de cracher la vérité à Joe. Pas maintenant. Et même jamais, s'il pouvait l'éviter.

Il s'était retrouvé deux fois face à face avec Boukman, avant qu'il soit arrêté. Et jamais un être humain ne lui avait autant foutu les jetons.

« Je ne sais pas pour toi, mais je trouve qu'y a vraiment quelque chose d'effrayant chez Boukman, fit Joe. Tu te rappelles quand on a débarqué là-bas — dans son espèce de palais zombi ?

— Boukman n'est qu'un homme, Joe. Un psychopathe complètement déjanté, mais un homme, quand même. Fait de chair et d'os comme toi et moi.

— Il n'a même pas lâché ne serait-ce qu'un gémissement quand tu lui es rentré dans le lard.

— Et alors ? Il s'est envolé sur un manche à balai ?

— Je ne sais pas combien Carver te paie, mon pote, mais à mon avis tu ne devrais pas aller là-bas. Laisse tomber cette affaire.

— Si je tombe sur Boukman, à Haïti, je lui passerai le bonjour de ta part. Et je lui ferai la peau, dit Max.

— T'as tort de prendre cette histoire à la légère, grogna Joe, irrité.

— C'est pas du tout le cas. »

Joe baissa la voix et se pencha vers lui. « Je t'ai trouvé un flingue, fit-il. Un Beretta dernier modèle, plus deux cents cartouches. Des à pointe creuse et des normales. File-moi les coordonnées de ton vol. Je t'attendrai dans la salle d'embarquement. Tu le prendras juste avant de monter dans l'avion. Ah ! une dernière chose : ne reviens pas avec. Ce truc-là reste en Haïti.

— Tu sais que tu pourrais te foutre dans un sacré merdier en faisant ça ? Armer un criminel qui sort de taule… plaisanta Max en retroussant ses manches jusqu'au coude.

— Je ne connais pas de criminels. En revanche, je connais des types bien qui prennent un mauvais tournant », fit Joe avec un sourire. Ils trinquèrent.

« Merci, Joe. Merci pour tout ce que t'as fait pour moi pendant que j'étais pas là. Je suis ton débiteur.

— Ouais, ben, débite donc pas de conneries. T'es flic. Et entre collègues, on se serre les coudes. C'est la tradition de la maison et il en sera toujours ainsi. »

En fonction de ce qu'ils avaient commis pour se retrouver en taule (exception faite de la plupart des viols et de toutes agressions sexuelles sur mineurs), les policiers emprisonnés étaient protégés par le système. Il existait un réseau occulte, qui opérait à l'échelon national, grâce auquel la police d'un État se chargeait de veiller sur un détenu flic originaire d'un autre État, sachant que la faveur lui serait un jour ou l'autre retournée au centuple. Il n'était pas rare qu'un policier emprisonné soit incarcéré une semaine ou deux dans une prison à sécurité maximale avant d'être discrètement transféré dans un centre de détention pour VIP, où le régime était moins sévère. C'était en général le cas de flics qui avaient descendu un suspect ou s'étaient fait pincer en train de toucher des pots-de-vin ou de voler de la came saisie pour la revendre à leur compte dans la rue. Lorsque le transfert se révélait impossible, un flic tombé était mis à l'isolement, sans contact avec les autres détenus, et les gardiens lui apportaient ses repas depuis leur propre cantine et l'autorisaient à aller seul aux douches et à la promenade. Si le quartier d'isolement affichait complet — ce qui était fréquent —, le flic purgeait sa peine chez les droits communs, mais deux matons étaient chargés de surveiller ses arrières en permanence. Au cas où un détenu agressait un flic emprisonné, on le collait au mitard le temps que les gardiens répandent le bruit que c'était un mouchard, si bien qu'à peine sorti du mitard, le type se faisait saigner au poinçon. Max avait été arrêté à New York, mais Joe n'avait eu aucun mal à s'assurer que son pote bénéficiait d'une sécurité cinq étoiles à Rikers.

« Avant ton départ, tu devrais passer voir Clyde Beeson, dit Joe.

— *Beeson ?* » s'exclama Max. De tous les privés de Floride, Clyde Beeson avait été son concurrent le plus sérieux. Et depuis l'affaire Boukman, Max le méprisait cordialement.

« C'est lui qui bossait pour Carver, avant toi. Ça s'est pas très bien terminé pour lui, si j'en crois la rumeur publique.

— Qu'est-ce qui lui est arrivé ?

— Mieux vaut qu'il t'explique ça lui-même.

— Jamais il voudra me parler.

— Il le fera si tu lui dis que tu vas à Haïti.

— Je passerai peut-être le voir, si j'ai le temps.

— *Trouve-le, le temps* », fit Joe.

Il était près de minuit et, dans le bar du rez-de-chaussée, l'affluence était à son comble. Les clients, de plus en plus imbibés et de moins en moins inhibés, multipliaient les embardées sur le chemin des toilettes et s'égosillaient pour couvrir la muzak qui s'insinuait dans des centaines de conversations différentes. Même à travers la vitre qui l'atténuait, Max entendait le raffut qu'ils faisaient.

Il jeta un coup d'œil aux deux cadres pour voir où en étaient leurs affaires avec les deux nanas. La blonde et un des types étaient installés à une table, au fond de la salle. Ils avaient l'un et l'autre tombé la veste. Lui avait même retroussé ses manches de chemise et ôté sa cravate. La fille était moulée dans un dos nu noir sans manches. À voir son hâle et le galbe de ses bras, elle devait donner des leçons de gym à domicile ou poser pour un magazine style « Forme et Santé ». À moins que ce soit tout simplement un cadre qui faisait de la muscu. Le type essayait de conclure, penché au-dessus de la table, lui tripotant la main. Il s'appliquait aussi à la faire rire. Ce qu'il disait n'était sans doute pas tordant, mais elle s'intéressait à lui. Sa copine avait disparu, ainsi que le dragueur numéro 2 — probablement chacun de son côté. Les perdants partaient rarement ensemble.

Max et Joe se mirent à parler des collègues (qui avait pris sa retraite, était mort — trois, respectivement d'un cancer, au cours d'une fusillade, et par noyade en état d'ébriété —, qui s'était marié, avait divorcé), de ce à quoi ressemblait le métier aujourd'hui, de ce que l'affaire Rodney King avait changé. Ils rigolèrent, médirent, râlèrent, évoquèrent des souvenirs. Joe lui raconta les quinze concerts de Bruce Springsteen auxquels il avait assisté pendant son absence. Grâce au ciel, il limita les détails au strict minimum. Ils s'offrirent une autre tournée de Coca, matèrent les couples qui les entouraient, échangèrent des considérations sur l'âge. C'était si agréable et si chaleureux que le temps passa très vite et que Max oublia complètement Boukman.

Vers deux heures du matin, il ne restait plus que quelques consommateurs solitaires dans le bar pratiquement désert. Le cadre et la blonde que Max avait observés étaient partis.

Joe et Max se décidèrent à sortir.

Dehors, il faisait doux et une petite brise soufflait. Max se gonfla les poumons d'air de Miami — un cocktail d'iode, de vase et un soupçon de gaz d'échappement.

« Quel effet ça fait ? D'être libre ? demanda Joe.

— C'est comme de réapprendre à marcher et de découvrir que t'es encore capable de courir, dit Max. Dis-moi un truc… Comment ça se fait que tu sois jamais venu me voir ?

— Tu t'attendais à ce que je le fasse ?

— Non.

— Te voir enfermé aurait bousillé ma boussole morale. Un flic, ça ne va pas en taule. En plus, je me sentais vaguement responsable. De ne pas t'avoir enseigné les vertus de la retenue quand j'en avais eu l'occasion.

— Tu ne peux pas dicter sa nature à un mec, Joe.

— J'entends bien. Mais tu peux quand même lui inculquer la différence entre le raisonnable et le déraisonnable. Et certains des trucs insensés que t'as faits, à l'époque, ben, c'était foutrement déraisonnable. »

Encore ce ton de *pater familias* qui fait la morale à ses mômes… À bientôt cinquante ans, Max avait les deux tiers de son existence derrière lui, autant dire. Il n'avait que faire des sermons de Joe, qui n'avait que trois ans de plus que lui, mais qui s'était toujours comporté comme s'il était son aîné de dix ans. De toute façon, quelle importance, maintenant ? Le passé était le passé. Impossible d'effacer ce qui était arrivé. Sans compter que Joe n'était pas un petit saint. À l'époque où ils faisaient équipe, il avait fait l'objet d'autant de plaintes pour tabassage que Max. Mais personne n'en avait rien eu à foutre ou jugé bon d'intervenir. À l'époque, Miami était une zone de combats. La municipalité avait dû répondre à la violence par la violence.

« Amis, Joe ?

— À la vie, à la mort. »

Ils se donnèrent l'accolade.

« Je te fais signe dès que je reviens.

— En un seul morceau, mec ! — y a que comme ça que je veux te revoir.

— Comptes-y. Embrasse les gosses pour moi.

— Fais gaffe à toi, mon frère. »

Ils se quittèrent là-dessus.

Comme il ouvrait la portière de sa Honda de location, Max s'avisa que c'était la première fois, depuis vingt-cinq ans qu'ils se connaissaient, que Joe l'avait appelé « mon frère ». Ils avaient beau être les meilleurs amis du monde, Joe appliquait une stricte ségrégation, question termes d'affection.

Et soudain, Max comprit que ça risquait d'être chaud pour lui, à Haïti.

Tout en roulant vers Kendall, il repensa à Solomon Boukman et ça le mit dans une rage noire. Il se mit à gueuler, à jurer et à asséner de grandes claques à son volant.

Il se gara et coupa le contact.

Il respira plusieurs fois à fond, histoire de se calmer, et se força à se concentrer sur Charlie Carver, à se focaliser sur lui et à ne pas penser au reste. Boukman était à Haïti. Il n'y était revenu qu'après la disparition de Charlie, alors il ne pouvait pas y être mêlé.

N'empêche, se dit Max. Si jamais il lui mettait le grappin dessus, il le tuerait. Il serait forcé de le faire. Sinon, c'était Boukman qui lui ferait la peau.

4

De retour à son hôtel, Max prit une douche et se mit au lit, mais le sommeil le fuyait.

L'idée que, pendant que lui était en prison, Boukman se baladait libre comme l'air le hantait. Il voyait Boukman en train de lui rire au nez, Boukman en train de découper d'autres gosses en morceaux. Il ne savait pas ce qui le mettait le plus en rage. Il aurait dû le liquider quand il en avait eu l'occasion.

Il se leva, ralluma la lumière et empoigna le dossier que Joe lui avait donné sur les Carver. Il se plongea dedans et ne releva pas la tête avant d'avoir tourné la dernière page.

Apparemment, un certain flou entourait les origines de la famille et la date à laquelle ils avaient mis le pied à Haïti. Une rumeur en faisait les descendants de soldats polonais de l'armée napoléonienne, qui avaient déserté en masse dans les années 1790 pour combattre aux côtés des esclaves révoltés, menés par Toussaint Louverture. D'autres sources reliaient la famille à une lignée écossaise du nom de MacGarver, établie au XVIIIe et au XIXe siècle sur l'île, où elle possédait et exploitait des plantations de maïs et de canne à sucre.

La seule certitude, c'était qu'en 1934 Fraser Carver, le grand-père d'Allain, était devenu multimillionnaire — non seulement l'homme le plus riche d'Haïti, mais aussi une des plus grosses fortunes de toutes les Caraïbes. Il s'était enrichi en inondant l'île de produits de première nécessité à bas prix — riz, haricots, lait (en poudre ou condensé), farine de maïs, huile — achetés en son nom (et très en dessous des cours officiels) par l'armée américaine et acheminés franco de port par bateau jusqu'à Haïti. La combine avait rapidement acculé de nombreux négociants à la faillite et, au final, placé Carver en situation de monopole sur le commerce de pratiquement toutes les denrées alimentaires d'importation vendues sur l'île. À la fin des années trente, il avait fondé la deuxième banque nationale du pays, la Banque Populaire d'Haïti.

À sa mort, en 1947, Fraser Carver avait laissé son empire commercial entre les mains de son fils Gustav, le père d'Allain. Clifford, le frère jumeau de Gustav, avait été retrouvé mort au fond d'une ravine en 1959. Bien que l'enquête eût officiellement conclu à un accident de voiture, aucun véhicule, accidenté ou non, n'avait été retrouvé à proximité du corps, dont tous les os présentaient au moins une fracture. Le rapport de la CIA faisait état d'un témoin anonyme, qui avait vu plusieurs Volontaires de la Sécurité Nationale — des miliciens plus connus sous le nom de « tontons macoutes » — enlever Clifford dans une rue résidentielle de Port-au-Prince et le pousser dans une voiture. Le rapport concluait que Gustav Carver avait fait assassiner son frère avec l'aide de son grand ami et associé, François Duvalier, alias « Papa Doc », le président d'Haïti en exercice à l'époque.

Gustav Carver et François Duvalier s'étaient rencontrés en 1943 dans le Michigan. Duvalier faisait partie d'un groupe d'une vingtaine de médecins haïtiens venus parachever leur formation en hygiène publique à l'université. Carver se trouvait en ville pour affaires. C'était un ami commun qui les avait présentés l'un à l'autre, après que Duvalier, qui connaissait la légendaire famille Carver de réputation, avait insisté pour rencontrer Gustav. Plus tard, en évoquant leur rencontre avec un ami, Carver devait se déclarer certain que Duvalier était promis à un grand avenir — la présidence de la République, pas moins…

À cette époque, les trois quarts des Haïtiens étaient frappés par le pian, une maladie tropicale infectieuse et hautement contagieuse qui provoque de graves lésions cutanées pouvant entraîner la perte d'un membre, du nez ou des lèvres. Ses victimes étaient invariablement des pauvres qui marchaient pieds nus, car le spirochète, vecteur de la maladie, s'introduit dans l'organisme par la plante des pieds.

Duvalier avait été envoyé au dispensaire de Gressier, à une dizaine de kilomètres au sud-ouest de Port-au-Prince, dans la région la plus sévèrement touchée de l'île. Rapidement arrivé au bout de ses réserves de pénicilline, indispensable pour guérir les patients, il en réclama à la capitale, pour s'entendre répondre que les stocks étaient au plus bas et qu'il lui fallait attendre huit jours que l'arrivage en provenance des États-Unis soit livré. Il contacta Gustav Carver pour lui demander de l'aide. Ce dernier lui dépêcha immédiatement dix camions bourrés de pénicilline, de lits et de tentes.

Duvalier éradiqua le pian de toute la région et sa réputation se répandit parmi les pauvres, qui venaient de très loin sur leurs jambes rongées par la maladie pour se faire soigner par celui qu'ils surnommaient familièrement « Papa Doc ». C'est ainsi qu'il devint un héros du peuple, le sauveur des pauvres.

Ce fut Gustav Carver qui finança la campagne présidentielle de Duvalier en 1957 et qui lui fournit une partie des gros bras chargés d'inciter fermement les électeurs refusant de se laisser acheter à soutenir le bon docteur. Duvalier fut élu président à une écrasante majorité. En récompense des services rendus, Carver se vit octroyer une part très confortable du commerce local — fort lucratif — du café et du cacao.

Haïti entra dans une nouvelle période noire le jour où Papa Doc s'autoproclama « président à vie » et devint rapidement le tyran le plus craint et le plus honni de l'histoire du pays. L'armée et les tontons macoutes assassinèrent, torturèrent et violèrent des milliers d'Haïtiens — soit sur ordre du gouvernement, soit, la plupart du temps, pour des raisons purement personnelles, en général pour s'approprier des terres ou un commerce.

Grâce à ses bonnes relations avec Duvalier, Gustav Carver continua d'arrondir sa fortune. Le dictateur ne le remerciait pas seulement en lui octroyant davantage de monopoles — dont ceux du sucre de canne et des ciments —, mais avait aussi ouvert à la Banque Populaire d'Haïti des comptes sur lesquels il déposait les millions de dollars d'aide américaine qu'il recevait tous les trois mois. La majeure partie de ces dépôts était discrètement transférée sur des comptes numérotés en Suisse.

Papa Doc mourut le 21 avril 1971. Son fils Jean-Claude, âgé de dix-neuf ans, lui succéda comme président à vie. Bien que théoriquement au pouvoir, Baby Doc, qui se désintéressait totalement des affaires du pays, laissa sa mère gouverner à sa place et, après elle, sa femme Michèle. Incidemment, leur union eut les honneurs du *Livre Guinness des records* 1981 en devenant le troisième mariage le plus cher de tous les temps, l'année même où un rapport du FMI classait Haïti comme le pays le plus pauvre du monde occidental.

L'aube se levait sur Miami. Max referma le dossier et sortit sur son balcon. Comme tous les grands hommes d'affaires, les Carver étaient des opportunistes sans scrupule. Et comme les grands hommes d'affaires, ils devaient avoir une liste d'ennemis de la taille d'un annuaire.

Les premières lueurs du soleil n'avaient pas encore réussi à faire pâlir les étoiles et le froid de la nuit s'attardait dans le vent, mais Max était sûr qu'une magnifique journée s'annonçait. Magnifique, chaque journée passée hors de prison l'était.

5

Clyde Beeson était tombé bien bas. Non contente de lui faire bouffer de la vache enragée, la vie lui avait de surcroît refilé un râtelier en papier mâché. Il n'avait même plus de quoi vivre dans une maison en dur. Il habitait dans un village de mobil homes, à Opa-locka.

Opa-locka était un des coins les plus déshérités du comté de Dade, un bled merdique posé comme une petite verrue grise sur le cul prétentiard, bronzé et épilé de Miami l'Hédoniste. Le temps était splendide, le ciel sans nuages, et un soleil perpétuel inondait le paysage, ce qui, par contraste, rendait d'autant plus minables la localité et ses villas pseudo-mauresques au dernier stade de la décrépitude.

Max s'était procuré l'adresse auprès du concierge qui surveillait le hall de l'immeuble où Beeson avait vécu au temps de sa splendeur — une résidence grand standing de Coconut Grove, avec vue imprenable sur Bayside Park, ses joggers, ses yacht-clubs et ses couchers de soleil floridiens de carte postale. Le concierge, qui avait pris Max pour un agent de recouvrement de créances, lui avait demandé de casser ses deux jambes à *la puta* de sa part.

En fonction de leurs occupants et de leur situation géographique, certains villages de mobil homes parviennent à se donner des airs de respectabilité banlieusarde, dissimulant leur réalité derrière des barrières de bois blanches, des massifs de roses, des pelouses impeccablement tondues et des boîtes aux lettres qui ne sont pas pleines de merdes de chien. Ils vont même jusqu'à se doter de charmants noms « bien de chez nous », style Lincoln Cottages, Washington Bungalows ou Roosevelt Huts. Mais la plupart ne vont pas si loin. Ils ne se donnent pas cette peine. Les mains en l'air, ils se rendent à l'évidence, s'avouent pour ce qu'ils sont et se font un trou comme ils peuvent parmi les décharges, à gauche du seuil de la pauvreté.

Celui où vivait Beeson donnait l'impression d'avoir été ravagé par des bombes larguées à travers l'œil d'un cyclone tropical. Partout, des épaves de la société de consommation — gazinières, télés, carcasses de bagnoles, frigos — et des immondices, le tout en telle quantité que ça s'était fondu dans le paysage. Un esprit entreprenant avait édifié des sortes de tertres à l'aide de ces détritus et y avait fiché, en guise de panneaux indicateurs, des planches taillées en pointe où le numéro des caravanes s'étalait en gros chiffres approximatifs. Extérieurement, les mobil homes étaient en si piteux état que Max les prit un instant pour des épaves calcinées, avant de deviner des ombres de vie à travers les fenêtres. Il n'y avait pas une voiture en état de marche en vue. Pas un chien, pas un gosse. Ceux qui habitaient là étaient sortis des écrans radars et n'étaient pas près d'y rentrer — chômeurs en fin de droits, radiés de l'aide sociale, toxicos, délinquants, ratés au stade terminal, perdants-nés.

Le mobil home de Beeson était un grand machin rectangulaire couvert de gnons dont la peinture blanc sale s'écaillait, avec deux fenêtres aux volets fermés encadrant une solide porte en bois marron équipée de trois verrous — en haut, en bas, et au milieu. Posé sur ses cales de brique rouge, il n'irait plus jamais nulle part. Max mit le cap dessus et se gara.

Il frappa à la porte, puis recula de quelques pas pour être visible depuis les fenêtres. Il entendit des aboiements s'élever à l'intérieur et des griffes s'acharner sur la porte, puis un bruit de coup, suivi d'un autre, identique. Beeson avait un pitbull. Les volets de la fenêtre gauche s'entrouvrirent d'un cheveu, puis de deux.

« *Mingus ?! Max* Mingus ? hurla Beeson de l'intérieur.

— Ouais. Ouvre, faut que je te parle.

— Qui c'est qui t'envoie ?

— Personne.

— Si c'est du boulot que tu cherches, le seau à merde est plein à déborder… ricana Beeson.

— Pas de problème, mais une fois qu'on aura parlé », rétorqua Max. Cet enfoiré de Monsieur Je-sais-tout n'avait pas perdu sa capacité à se foutre des malheurs d'autrui… Il avait toujours la même voix, mi-grognement, mi-couinement, coincée entre deux tessitures, comme s'il était presque aphone ou qu'il attendait que sa deuxième couille descende.

Le volet s'écarta et la tête de Beeson apparut — ronde comme une lune, bouffie et d'une pâleur post-hémorragique. Il darda un coup d'œil à droite et à gauche de l'endroit où Max se trouvait, examinant les alentours.

Quelques instants plus tard, Max entendit le cliquetis d'une bonne demi-douzaine de chaînes de sûreté qu'on détachait, auquel succéda, tel un roulement de tambour, le bruit de loquets qui s'ouvraient en cascade, puis le déclic des trois verrous Yale qui tournaient. Le dos de la porte devait ressembler aux corsets de contention chers aux adeptes du bondage…

Une tranche de Beeson s'encadra dans l'entrebâillement de la porte, l'œil mi-clos à cause du soleil. La grosse chaîne de sûreté qu'il avait laissée en place lui barrait la pomme d'Adam. Le clebs passa le museau dehors par la fente, à côté des pieds de son maître, et se mit à aboyer, les babines écumantes, en direction de Max.

« Quèsse tu veux, Mingus ? fit Beeson.

— Te parler de Charlie Carver », répliqua Max.

À voir le corps de Beeson osciller par saccades, un coup en avant, un coup en arrière, il était évident qu'il tenait un flingue dans une main et la laisse du chien dans l'autre.

« C'est les Carver qui t'envoient ?

— Te voir toi, non. Mais je reprends l'enquête.

— Tu vas à Haïti ?

— Ouais. »

Beeson referma la porte. Un cliquetis de chaîne et elle se rouvrit en grand. De la tête, il fit signe à Max d'entrer.

À l'intérieur, il faisait noir comme dans un four — surtout après la lumière du dehors —, ce qui ne faisait qu'exacerber la puanteur ambiante. Une bouffée aigre d'ordures surchauffées sauta au visage de Max, le frappa de plein fouet et s'engouffra dans ses narines. Il battit en retraite de quelques pas, l'estomac noué, l'amorce d'un renvoi lui chatouillant les amygdales. Il se plaqua son mouchoir sur le nez et se mit à respirer par la bouche, mais l'odeur était si méphitique qu'il en avait le goût sur la langue.

Un essaim de mouches tourbillonnait dans la pièce, lui bourdonnant aux oreilles, se crashant sur son visage et ses mains, certaines se posant le temps de le goûter avant qu'il les chasse en s'ébrouant. Il entendit Beeson traîner le pitbull dans un coin de la pièce et l'attacher à quelque chose.

« T'as intérêt à surveiller ta bagnole de près, fit Beeson. Même à un crayon les petits cons du secteur sont capables de faire sauter sa peinture, si tu le laisses traîner un peu trop longtemps… »

Il ouvrit le volet gauche et, restant prudemment à distance de la fenêtre, regarda dehors, paupières mi-closes. En vrombissant, toutes les mouches convergèrent sur la nappe de lumière d'un blanc aveuglant qui fendait l'obscurité.

Max avait oublié à quel point Beeson était petit. Juchée sur son mètre cinquante-cinq, sa tête en forme de louche paraissait d'autant plus énorme.

Contrairement à tant de privés du comté de Dade, Beeson n'avait jamais été flic. Il avait débuté dans l'existence comme fouille-merde à la solde du parti démocrate de Floride, récoltant des ragots sur adversaires et alliés, sans discrimination, et transmuant cette boue en or politique.

Après l'élection de Jimmy Carter, en 1976, il avait largué la politique pour s'établir comme privé. Il avait la réputation de s'être fait des millions en brisant des existences. Couples, carrières politiques, entreprises, il faisait foirer tout ce dans quoi il fourrait son nez. Il avait goûté à fond les fruits de sa réussite, s'offrant appart' grand standing, fringues de luxe, grosses bagnoles, restaus chic et belles nanas. Max le revoyait encore, au faîte de sa gloire : costards griffés, escarpins pur cuir avec petits glands sur le dessus, chemises si blanches qu'elles en étaient presque phosphorescentes, eau de Cologne comme s'il en pleuvait, mains manucurées et grosse chevalière en or au petit doigt. Mais vu son format de Lilliputien, même à la fleur de l'âge et en pleine période « faste », Beeson n'avait, hélas ! jamais créé la sensation qu'il espérait de ses costards sur mesure à plusieurs milliers de dollars. Loin de ressembler à un golden boy floridien, il avait toujours eu, pour Max, la touche d'un gamin se pavanant dans les beaux habits du dimanche que sa maman lui avait achetés pour sa première communion.

Le Beeson qu'il avait sous les yeux arborait un tricot de corps crasseux sous une chemise de plage de quatre sous, semée de palmiers vert et orange sur fond noir.

Max en resta pantois.

Pas à cause de la chemise ou du marcel…

Non. C'était la *couche.*

Celle que Clyde Beeson portait. Une grosse couche en tissu-éponge d'un blanc marron-gris, maintenue autour de sa taille par deux solides épingles à nourrice à tête bleue.

Qu'est-ce qui lui était arrivé, bordel ?

Max balaya du regard l'intérieur du mobil home. Il avait l'air pratiquement vide. Entre lui et Beeson se trouvaient quelques mètres carrés de lino, un fauteuil de cuir vert olive dont les accoudoirs perdaient leur rembourrage et une caisse en bois blanc retournée, qui devait faire office de table. Le lino dégueulasse était enduit d'une couche de crasse noire d'aspect huileux, et son jaune d'origine n'affleurait plus qu'au fond des sillons creusés par les griffes du pitbull et dans les empreintes de ses pattes mouillées. Il était aussi hérissé de crottes de chien à divers stades de maturation : frais, sec et demi-sec.

Comment Beeson avait-il pu se laisser sombrer à ce point ?

Contre le mur de droite, des cartons empilés du sol au plafond occultaient les fenêtres. Nombre d'entre eux, pleins d'humidité, s'affaissaient par le milieu, prêts à dégorger leur contenu.

À travers les volets, des stries de lumière fendaient un air où stagnaient des bancs de fumée de cigarette parcourus de mouches qui les traversaient en piqué et allaient s'écraser contre le carreau de l'unique fenêtre dégagée, croyant retrouver l'air libre. Même les mouches cherchaient à fuir ce pitoyable cloaque.

Depuis son coin noir, où l'obscurité s'était réfugiée, le chien grogna en direction de Max et se ramassa sur lui-même. On n'en voyait que ses yeux, qui luisaient, à l'affût.

Max aurait parié que la cuisine, derrière lui, était bourrée de vaisselle sale et de restes de bouffe avariée. Il préféra ne pas imaginer ce que recelaient la chambre à coucher et la salle de bains de Beeson.

Il faisait une chaleur d'enfer. Max était déjà enduit d'une pellicule de sueur qui ne cessait de s'épaissir.

« Ben, entre, Mingus ! » lança Beeson en agitant le flingue qu'il avait à la main — un Magnum .44 à canon long, identique au six-coups dont jouait Clint Eastwood dans *L'Inspecteur Harry*, référence qui avait manifestement pesé lourd dans le choix de son propriétaire. L'arme était presque aussi longue que le bras qui la tenait.

Beeson vit que Max, le nez enfoui dans son mouchoir et l'œil dégoûté, ne bougeait pas.

« Fais comme tu veux », dit-il avec un haussement d'épaules, fixant Max de ses petits yeux chassieux de crapaud, posés sur des replis de peau grisâtre comme sur des coussinets. Il ne devait pas dormir des masses.

« De qui tu te caches ? demanda Max.

— Je me cache, c'est tout. Alors comme ça, Carver t'a décidé à te lancer à la recherche de son héritier ? »

Max hocha la tête. Il aurait bien voulu se passer de son mouchoir, mais l'odeur qui régnait dans la pièce était d'une telle consistance qu'il avait l'impression d'en sentir les particules se poser sur sa peau, comme une fine poussière.

« Quèsse t'i as dit ?

— Que le gamin était probablement déjà mort.

— J'ai jamais compris comment t'avais réussi à gagner ta croûte, dans cette ville, avec une attitude pareille, fit Beeson.

— La franchise, ça paie… »

Beeson s'esclaffa. Il devait fumer ses trois paquets par jour — sinon plus — parce que son hilarité déclencha une grosse toux rauque et saccadée, qui délogea des mucosités dans ses poumons. Il cracha une huître de phlegme par terre et, de son pied nu, l'amalgama à la couche de crasse. Max se demanda si, dans son glaviot, il y avait des traces de sang provenant d'une tumeur.

« Pas question que je te mâche la besogne, Max — si c'est pour ça que t'es venu —, sauf si t'es prêt à raquer.

— Il y a des choses qui ne changent pas, je vois…

— La force de l'habitude… Le fric ne me sert plus à rien, maintenant, toute façon… »

Max avait atteint son seuil de tolérance. Il recula jusqu'à la porte et l'ouvrit toute grande. La lumière et l'air pur s'engouffrèrent dans la pièce. Max resta sur le seuil une seconde, inspirant profondément pour se récurer les bronches à fond.

Le pitbull s'était remis à aboyer et tirait comme un fou sur sa chaîne et le truc auquel elle était attachée — aspirant sans doute, lui aussi, à s'échapper du taudis puant où il vivait.

Max revint vers Beeson en contournant soigneusement la piste de slalom en crottes de chien qui disparaissait en direction de la cuisine. Il avait déjà failli poser le pied sur un tas d'étrons en forme de tipi, qui avait l'air trop délibérément arrangé pour être naturel. Beeson n'avait pas bougé. Que la porte soit ouverte ne semblait pas le déranger.

Les mouches qui filaient vers la liberté sifflaient aux oreilles de Max.

« Comment t'en es arrivé là ? » s'enquit-il. Jamais il n'avait cru à la destinée ou au karma, et pas davantage que Dieu — s'Il existait — intervenait dans la vie de Ses créatures. Les choses se produisaient sans raison particulière. Elles arrivaient, c'est tout — et pas forcément à ceux qu'il fallait. On avait des rêves, des ambitions, des objectifs. On essayait de les réaliser. On y parvenait parfois mais, la plupart du temps, on se plantait. C'était ainsi que Max voyait la vie. Ce n'était pas plus compliqué que ça. Mais là, le spectacle qu'offrait Beeson lui donnait à réfléchir et l'incitait à remettre en cause ses certitudes. Si ce n'était pas à ça que ressemblait la justice divine, c'était qu'elle n'existait pas.

« Qu'est-ce qu'y a ? Tu me plains ? demanda Beeson.

— Pas du tout. »

Beeson eut un petit sourire en coin. Il étudia Max, le toisant de la tête aux pieds.

« D'accord... — et puis merde, tiens ! Je vais tout te raconter », fit Beeson. Il s'écarta de la fenêtre et s'assit dans son fauteuil, le flingue en travers des cuisses. Puis, tirant un paquet de Pall Mall sans filtre de sa poche poitrine, il le secoua pour en faire sortir une cigarette et l'alluma. « Je suis parti pour Haïti en septembre dernier et j'y ai passé trois mois.

« Tu vois, dès que Carver m'a eu exposé les détails de l'affaire, j'ai su que c'était râpé. Pas de demande de rançon, pas de témoins, pas de piste, pas de nouvelles... Mais bon, c'était pas une raison... J'ai triplé mon tarif, vu que Haïti, c'est pas exactement les Bahamas. "O.K. ! Pas de problème !", a dit Carver. Et par-dessus le marché, il m'a promis un bonus, selon que je ramènerais le gosse mort ou vivant — le même qu'il a dû te faire miroiter, j'imagine.

— Combien il t'a proposé ?

— Un bâton si je déterrais le cadavre. Cinq, si je retrouvais le gamin en vie. C'est ce qu'il t'a offert aussi ? »

Max inclina la tête.

« Cela dit, je savais que ce type brasse de grosses affaires et tu te retrouves pas à la tête d'un matelas de fric comme celui où les Carver se vautrent en claquant tes pépètes sur un vague espoir. Ce môme est aussi mort que le dernier des Mohicans, que je me suis dit, et le père veut enterrer ce qu'il en reste ou l'incinérer — ou quoi que ce soit qu'ils font avec leurs macchabs, là-bas. Je croyais que je me ferais mon million les doigts dans le cul, avec, en prime, des petites vacances peinardes sur une île tropicale. Je tablais sur deux semaines, maximum. »

Beeson avait fumé sa Pall Mall jusqu'à la limite des armoiries imprimées sur le papier. Il en ralluma une autre avec son mégot qu'il balança sur le lino, avant de l'écraser sous son talon nu sans manifester la moindre douleur. Il devait s'être dopé jusqu'aux yeux avec des analgésiques supercostauds qui vous congèlent le corps tout en laissant votre cerveau mijoter au bain-marie.

En parlant, Beeson n'avait pas cessé un instant de fixer Max dans le blanc de l'œil.

« Ça s'est pas du tout passé comme ça, reprit-il. Pendant mes trois premières semaines là-bas, chaque fois que je collais la photo du môme sous le nez d'un autochtone, le même nom revenait. Vincent Paul. J'ai découvert que ce type règne sur le plus vaste bidonville du pays. Moyennant quoi, les gens sont persuadés que c'est lui qui détient le pouvoir réel, en Haïti. Il est censé avoir construit une ville nouvelle ultramoderne que personne n'a jamais vue — ou ne sait même pas où elle se trouve. On raconte qu'il fait bosser ses ouvriers à poil dans ses usines de drogue. Et qu'il les force à porter des masques à l'effigie de Bill et Hillary Clinton. Un genre de doigt d'honneur à notre intention, nous autres Américains... Tu peux oublier Aristide, ou je ne sais quelle marionnette locale que Clinton a installée au pouvoir là-bas. Parce que ce Vincent Paul, c'est un truand de haut vol. À côté de lui, tous les chefs de gang basanés qu'on a renvoyés dans leurs foyers, c'est des pets de lapin. En plus, il voue une haine viscérale aux Carver. J'ai pas réussi à savoir pourquoi.

— Alors, à ton avis, c'est lui qui a kidnappé le gosse ?

— Ouais. Sûr comme un et un font deux. Il a le mobile et les moyens d'agir.

— T'as réussi à lui parler ?

— J'ai essayé. Mais on ne parle pas à Vincent Paul. C'est *lui* qui *te* parle, à *toi*, dit Beeson en insistant sur le dernier mot.

— Et il l'a fait ? »

Beeson ne répondit pas. Son regard plongea en direction du lino et sa tête suivit le mouvement. Il resta muet. Max contempla son frontal dégarni, où ne subsistaient que de maigres touffes de longs cheveux roussâtres. Le reste était massé sur son occiput en une auréole couleur rouille, style moitié de fraise à la mode élisabéthaine. Il garda cette attitude une longue minute, sans proférer un son. Max s'apprêtait à ouvrir la bouche quand Beeson releva lentement la tête. Jusque-là, ses yeux avaient été des trous d'épingle pleins de défi, qui le bravaient du fond de sa déchéance. Mais là, toute crânerie s'était envolée de ses yeux grands ouverts, et les poches qui les soulignaient s'étaient dégonflées. Max vit la peur envahir son regard.

Beeson jeta un coup d'œil par la fenêtre et tira si fort sur sa Pall Mall qu'il se remit à tousser et à graillonner. Max attendit que ça se tasse.

Beeson se percha au bord de son fauteuil et se pencha en avant.

« J'avais absolument pas l'impression d'avoir mis le doigt sur quoi que ce soit, mais peut-être que c'était le cas, à mon insu — ou alors quelqu'un *a pensé* que je brûlais. Bref, un soir, je m'endors dans ma chambre d'hôtel. Et le lendemain, je me réveille dans une pièce inconnue aux murs jaunes, sans le moindre souvenir de la façon dont j'y ai atterri. Je me rends compte que je suis ficelé à plat ventre sur un lit, complètement à poil. Et là, des gens entrent. Je sens qu'on me pique le cul et, à la seconde, pof ! je m'éteins. Comme une bougie qu'on souffle.

— T'as pu voir leur tête ?

— Non.

— Et ensuite ?

— J'ai refait surface. Bien réveillé. Mais j'ai cru que je rêvais. Parce que j'étais à bord d'un avion. En plein ciel. Un vol American Airlines à destination de Miami. Personne ne me regardait, comme si ma présence était tout ce qu'il y avait de normal. Je demande à l'hôtesse depuis quand je suis là et elle me répond que ça fait une heure. Je demande aux gens assis derrière moi s'ils m'ont vu monter à bord, mais ils me disent que non. Que j'étais déjà là, en train de roupiller, à leur arrivée.

— Tu n'as aucun souvenir d'être monté dans cet avion ? Ou d'être allé à l'aéroport ? Rien du tout ?

— *Nada.* Arrivé à Miami, j'ai débarqué. J'ai récupéré mon sac de voyage. Rien n'y manquait. C'est juste au moment de sortir de l'aérogare que j'ai remarqué les décorations de Noël. J'ai acheté un journal. On était le 14 décembre. Là, j'ai salement paniqué, j'aime mieux te dire. Deux mois entiers pendant lesquels je ne sais pas ce que j'ai foutu — deux putains de mois, Mingus !

— T'as appelé Carver ?

— Je l'aurais bien fait mais... » Beeson prit une profonde inspiration. Il se posa une main sur la poitrine. « J'avais une putain de douleur, là. Ça me cuisait. Comme une entaille à vif. Alors j'ai foncé aux toilettes et j'ai ouvert ma chemise. Et voilà ce que j'ai vu... »

Beeson se leva, ôta sa chemise et souleva son marcel crasseux. Des aisselles au nombril, tout son torse était tapissé d'une épaisse toison châtaine frisottante, qui dessinait vaguement la forme d'un papillon. Mais il y avait, au milieu, comme une ligne de partage complètement glabre — une longue cicatrice rose d'un demi-doigt de large qui partait de la base de son cou, lui traversait la poitrine juste entre les poumons et épousait l'arrondi de sa panse pour s'arrêter au niveau de l'estomac.

Max sentit la chair de poule l'envahir et son estomac lui remonter dans les amygdales, comme si le sol venait de s'ouvrir sous ses pieds, au milieu de ce mobil home merdique, et qu'il chutait dans un gouffre sans fond.

Bien entendu, ce truc-là *n'était pas* l'œuvre de Boukman, mais ça avait un foutu air de famille, qui rappelait les petits corps martyrisés des enfants...

« Voilà ce qu'ils m'ont fait, ces enculés ! » dit Beeson, tandis que Max continuait à fixer sa poitrine, horrifié.

Beeson rebaissa son maillot de corps et se laissa choir dans son fauteuil. Puis il se mit à chialer, la tête enfouie dans les mains, son corps épais tressautant comme un gros tas de gelée. Max plongea la main dans sa poche pour sortir son mouchoir, mais l'idée que les grosses paluches dégueulasses de Beeson allaient se poser dessus l'arrêta.

Il ne supportait pas de voir un homme pleurer. Il ne savait jamais quoi dire ou quoi faire. Tenter de le consoler, ce qu'il aurait trouvé naturel vis-à-vis d'une femme, lui semblait faire injure à sa virilité. Il resta planté devant Beeson, mal à l'aise et se sentant tout con, et le laissa se vider de ses larmes, souhaitant *in petto* qu'il épuise ses stocks rapido, vu qu'il avait un paquet de trucs à lui demander.

Les sanglots de Beeson se tarirent peu à peu pour faire place à des reniflements entrecoupés de hoquets. Il se passa les mains, façon raclette, sur les joues et les essuya sur sa fraise de cheveux.

« J'ai foncé tout droit à l'hosto, reprit-il, dès qu'il eut retrouvé le contrôle de sa voix. J'avais tout ce qu'il fallait où il fallait, mais... — il pointa deux doigts sur sa couche — ... j'ai compris ma douleur dès mon premier repas. Tout ce que j'avais ingurgité est ressorti direct à l'autre bout. Les Haïtiens m'ont complètement niqué ma tuyauterie interne. Pas un toubib n'a réussi à me la remettre en état. Je ne peux rien garder de ce que j'avale. C'est la dysenterie permanente. »

Max eut un vague élan de pitié. Beeson lui faisait penser aux pédés du quartier cellulaire, ces pauvres chiens qu'il avait vus dandiner du derrière avec leurs couches dans la cour de la prison, parce qu'ils avaient subi tant de viols collectifs et s'étaient tant fait défoncer la rondelle que leurs sphincters étaient irrémédiablement distendus.

« Tu penses que c'est Vincent Paul qui est derrière ça ?

— Je *sais* que c'est lui. Un avertissement pour me décourager de fouiner. »

Max secoua la tête.

« C'est vraiment se donner beaucoup de mal pour un simple avertissement. Ce qu'ils t'ont fait exige du temps. En plus, je te *connais*, Beeson. Il en faut peu pour te foutre la trouille. S'ils avaient débarqué dans ta piaule et t'avaient collé un flingue entre les dents, t'aurais filé comme un pet sur une toile cirée.

— T'as vraiment une façon délicate de dire les choses ! fit Beeson en s'allumant une autre clope.

— T'étais sur quelque chose de chaud ?

— Quèsse tu veux dire ?

— T'avais dégotté quelque chose sur le môme ? Une piste ? Un suspect ?

— Que dalle. J'avais *nickts* — comme disent les mamas juives pour éviter de prononcer le mot "merde"...

— T'en es bien sûr ? insista Max, scrutant les yeux de Beeson pour voir s'il mentait.

— *Nickts*, je te dis ! »

Max ne le crut pas, mais Beeson ne lâchait pas le morceau.

« Pourquoi ils m'ont arrangé comme ça, à ton avis ? Pour envoyer un message à Carver ?

— Possible. Mais j'en sais pas assez long pour le dire, répondit Max. Alors, qu'est-ce qui est arrivé ensuite ? À toi, je veux dire…

— Ça m'a complètement rétamé. Là-haut, fit Beeson d'un ton neutre en se tapotant la tempe. Je me suis effondré — la vraie dépression nerveuse. Je ne pouvais plus bosser. J'ai déclaré forfait. Mis la clef sous la porte. Je devais du pèze à des clients pour les enquêtes que j'avais laissées en plan. J'ai dû les rembourser, alors il me reste plus grand-chose, mais qu'est-ce ça fout ? Au moins, je suis vivant. »

Max hocha la tête. Il comprenait parfaitement dans quelle situation Beeson se trouvait. Et pour cause : partir pour Haïti était à peu près la seule chose qui pouvait lui éviter, à lui aussi, d'avoir à se dégotter un mobil home tapissé de merdes pour y finir sa chienne de vie.

« Va pas à Haïti, Mingus. Ça craint un max, là-bas. Il s'y passe de *sales trucs* », gémit Beeson, la voix aussi plaintive qu'un vent glacial autour d'une maison bien chaude, sifflant dans le moindre interstice dans l'espoir de s'y faufiler.

« Même si ça me disait rien, je n'ai guère le choix », dit Max. Il jeta un dernier regard circulaire à l'intérieur du mobil home. « Tu sais, Clyde, j'ai jamais pu te blairer. C'est encore le cas. Comme privé, tu valais pas tripette, et t'as toujours été un vrai fumier, faux jeton, rapace et doté d'une morale tout ce qu'il y a d'élastique. Mais tu sais quoi ? Même *toi*, tu ne mérites pas ça.

— Si je comprends bien, tu restes pas dîner ? » fit Beeson.

Max tourna les talons et mit le cap sur la porte. Empoignant son Magnum, Beeson se leva et lui emboîta le pas, écrasant une merde fraîche au passage.

Dehors, Max resta un moment au soleil à humer l'air pur à pleines narines, espérant que l'odeur fétide du mobil home n'avait pas eu le temps d'imprégner ses tifs et ses fringues.

« Hé ! Mingus ! » lui hurla Beeson depuis le seuil.

Max se retourna.

« Tu t'es fait baiser, en taule ?

— Quoi ?

— T'étais la chérie d'un Négro ? Tu t'es fait appeler “ma chatte” par un grand Black ? T'as été initié aux *amûûûrs* carcérales par de gros bandits pas manchots, Mingus ?

— Non.

— Ben, alors, qu'est-ce qui t'est arrivé de spécial, bordel, pour que tu débordes soudain de compassion ? Le Max Mingus d'antan m'aurait dit que j'avais pas volé ce qui m'arrivait, m'aurait foutu son pied dans les dents et se serait essuyé la semelle sur ma tronche.

— Prends bien soin de toi, Clyde, fit Max. Parce que personne ne le fera à ta place. »

Sur ce, il se mit au volant et fila, encore sous le choc.

6

À peine arrivé à Miami, Max mit le cap sur Little Haiti.

À l'adolescence, dans les années soixante, Justine, sa petite amie, y habitait. En ce temps-là, Lemon City, comme le quartier s'appelait alors, était le fief presque exclusif d'une petite bourgeoisie blanche. C'était aussi la Mecque du shopping. Sa mère y allait souvent faire ses courses de Noël ou acheter ses cadeaux d'anniversaire.

Lorsqu'il était entré dans la police, dix ans plus tard, tous les Blancs, sauf les plus fauchés, avaient déménagé, la plupart des commerces avaient fermé ou rouvert ailleurs, et ce quartier jadis prospère s'était paupérisé. Une première vague de Cubains anticastristes s'y était installée, puis les Afro-Américains les plus aisés de Liberty City avaient racheté les maisons vides pour presque rien. Enfin, dans les années soixante-dix, les Haïtiens qui fuyaient la dictature de Baby Doc avaient à leur tour commencé à arriver en nombre.

Entre Afro-Américains et Haïtiens, les relations étaient plutôt tendues et il n'était pas rare que le sang coule — celui des Haïtiens, la plupart du temps —, du moins jusqu'à ce que les immigrés de fraîche date commencent à s'organiser en gangs pour assurer leur protection. Le plus notoirement connu de ces gangs était le SNBC — *alias* le *Saturday Night Barons Club* — que dirigeait Solomon Boukman.

Max n'avait pas remis les pieds à Little Haiti depuis qu'il y avait enquêté sur les activités de Boukman et de son gang, en 1981. À l'époque, quelque rue qu'il prît, c'était toujours les mêmes monceaux d'ordures, les mêmes magasins aux devantures condamnées par des planches, les mêmes taudis délabrés, voire carrément en ruine. Et jamais âme qui vive. C'est là qu'avaient eu lieu les émeutes dans lesquelles lui et Joe s'étaient retrouvés coincés.

Quinze ans plus tard, il s'attendait à tomber sur la même chose en pire, si c'était possible, mais quand il tourna dans la 54ᵉ Rue NE, il crut s'être trompé de chemin. Tout était nickel et les trottoirs grouillaient de passants qui déambulaient devant des boutiques pimpantes, peintes en rose, bleu, orange, jaune ou vert. Partout, des petits restaurants, des bars, des terrasses de café, des boutiques vendant de tout, depuis des vêtements et de l'alimentation jusqu'à de l'artisanat, des livres, de la musique ou des tableaux.

Il se gara et partit à pied. Il avait beau être le seul Blanc en vue, il ne se sentait pas tendu d'appréhension comme il aurait pu l'être dans un ghetto noir.

En cette fin d'après-midi, le soleil était déjà bas et le ciel commençait à virer au mauve quand Max arriva dans la 60ᵉ Rue. Autrefois, il y avait eu là un magasin de meubles où il était venu, tout gosse, avec ses parents acheter une table de cuisine. Le magasin avait été démoli depuis belle lurette pour faire place à l'imposant *Carribean Marketplace*, la réplique à l'identique du vieux Marché en Fer de Port-au-Prince.

Il y entra et longea les petits étals regorgeant de fruits et légumes, ou proposant pêle-mêle CD, vêtements ou objets de piété. Ici, tout le monde s'exprimait en créole haïtien, ce parler fait d'emprunts au français et à divers dialectes d'Afrique de l'Ouest. À entendre les bruits de conversation, on aurait dit que les deux familles linguistiques étaient au bord d'un conflit majeur. Le *kreyol* ne se parle pas, il se tonitrue sur un ton aussi vif qu'intense, si bien que les interlocuteurs ont toujours l'air de chercher à avoir le dernier mot avant d'en venir aux mains. Pourtant, quand Max déchiffra le langage corporel des Haïtiens qui l'entouraient, il se rendit compte qu'ils ne faisaient sans doute rien de plus grave que d'échanger des potins ou de discuter un prix.

Il ressortit à l'autre bout du marché et se dirigea vers le Centre catholique haïtien Pierre-Toussaint, qui se dressait de l'autre côté de la rue, à côté de Notre-Dame d'Haïti. Trouvant porte close, il entra dans l'église. Bien qu'au cours de son existence il n'ait guère eu de temps à consacrer à Dieu et à la religion, il adorait les églises. Il ne connaissait pas d'endroits plus calmes ou plus déserts et, chaque fois qu'il avait besoin de réfléchir, c'est toujours là qu'il se réfugiait. Il avait pris cette habitude à l'époque où il était affecté à la patrouille des rues. Et il avait résolu plus d'une affaire, assis sur un banc d'église, avec pour seule compagnie ses pensées et son bloc-notes. C'est dans les églises qu'il arrivait le mieux à se concentrer. Jamais il ne l'avait dit à quiconque — pas même à sa femme —, autant de peur d'être pris pour un fou de Dieu masqué, affligé d'un complexe messianique, que de découvrir que son confident roulait pour Jésus.

L'église était vide, à l'exception d'une vieille dame qui lisait son bréviaire à haute voix en créole, assise au milieu de la nef. En entendant Max entrer, elle tourna la tête vers lui, sans interrompre ses litanies.

Max se plongea dans la contemplation des vitraux et de la fresque dépeignant l'exode des Haïtiens depuis leur île natale jusqu'aux rivages de la Floride, veillés, du haut des cieux, par la Vierge Marie et l'Enfant Jésus. L'air était chargé de relents d'encens froid, d'une odeur âcre de cierges mal mouchés et du parfum entêtant des lis blancs et roses, qui débordaient des vases posés de part et d'autre de l'autel.

La femme continuait d'ânonner ses prières sans cesser de braquer sur Max ses yeux aussi noirs que l'âme d'un canon de revolver. Il sentait son regard le suivre, comme on sent, entre ses omoplates, l'objectif d'une caméra de surveillance épier vos moindres gestes, dans la salle des coffres d'une banque. Il l'observa discrètement — petite, frêle, des cheveux blancs, un visage tombant, couvert de rides et de taches brunes. Il esquissa le sourire qu'il réservait aux inconnus potentiellement hostiles — large, bienveillant, amical, tout en lèvres et en fossettes —, mais il en fut pour ses frais d'amabilité. Il battit lentement en retraite vers le bas de la nef, se sentant pour la première fois de sa vie mal à l'aise et indésirable. Inutile de s'incruster.

Au moment de sortir, il jeta un coup d'œil au rayonnage placé dans l'angle, près de la porte. Il contenait des bibles en créole, en français et en anglais et tout un assortiment de brochures édifiantes sur les grands saints du calendrier.

Juste à côté se trouvait un panneau d'affichage en liège, qui occupait presque tout le reste du mur. Il était couvert de photos de petits Haïtiens, au bas desquelles était collé un Post-It, portant le nom et l'âge de l'enfant, suivis d'une date. Les enfants — des garçons et des filles, pour la plupart en uniforme d'écolier — étaient de toutes les couleurs et avaient entre trois et huit ans. Le visage de Charlie Carver attira l'œil de Max. La photo — un tirage en plus petit du portrait qu'il avait à son hôtel — était punaisée dans le coin droit du panneau, un visage perdu parmi les dizaines d'autres qui l'entouraient. L'étiquette mentionnait en toutes petites lettres : « Charles Paul Carver, *3 ans**, 9/1994. » La date de sa disparition... Max examina les dates notées au bas des autres photos. Aucune n'était antérieure à 1990.

« Vous êtes de la police ? » fit une voix d'homme dans son dos — accent français, intonations noires.

Max se retourna. Un prêtre était campé devant lui, les mains dans le dos. Il était légèrement plus grand que Max, mais très mince et moins carré d'épaules. Il portait des lunettes rondes à monture métallique dont les verres, où la lumière se reflétait, voilaient son regard.

« Non. Je suis détective privé », dit Max. Il ne mentait jamais dans une église.

« Encore un chasseur de primes… fit le curé avec un ricanement méprisant.

— Ça se voit à ce point ?

— Je commence à savoir les repérer.

— Vous en avez vu tant que ça ?

— Un ou deux, peut-être plus, je ne me rappelle pas exactement. Vous autres privés, vous venez tous faire un tour ici avant de partir pour Haïti. Vous et les journalistes.

— Il faut bien commencer quelque part », dit Max. Il sentait le prêtre le sonder du regard à travers ses paupières mi-closes. Il émanait de lui une légère odeur de transpiration et de savonnette à l'ancienne, genre Camay. « Tous ces enfants… ?

— *Les enfants perdus**, répondit le prêtre.

— Et aussi kidnappés ?

— Ce sont uniquement ceux dont on nous a signalé la disparition. Il y en a bien d'autres. La plupart des Haïtiens n'ont pas les moyens de s'offrir un appareil photo.

— Depuis quand est-ce que ça dure ?

— Il y a toujours eu des disparitions d'enfants, en Haïti. J'ai commencé à afficher des photos sur ce panneau en 1990, très peu de temps après mon arrivée dans cette paroisse. Dans notre autre religion, l'âme d'un enfant est très recherchée. Elle permet d'ouvrir beaucoup de portes.

— Vous pensez que ce serait lié à des pratiques vaudoues, alors ?

— Allez savoir… »

Il y avait de la tristesse dans la voix du prêtre, une lassitude qui suggérait qu'il avait disséqué chaque hypothèse un million de fois et qu'il était resté bredouille.

Max eut soudain le sentiment que c'était pour le prêtre un problème d'ordre personnel. Il ramena les yeux sur le tableau et étudia les photos fixées dessus comme autant d'écailles sèches, espérant découvrir sur un des visages une ressemblance qui lui permettrait d'aborder le sujet.

Rien ne lui sauta aux yeux, mais il décida tout de même de risquer le coup.

« Lequel de ces enfants est de votre famille ? »

Manifestement pris de court, le prêtre resta coi, puis un grand sourire lui monta aux lèvres.

« Vous êtes très perspicace. C'est Dieu qui vous envoie, *vous* !

— Simple intuition de ma part, mon père. »

Le prêtre s'approcha du panneau et pointa le doigt sur la photo d'une fillette, juste à côté de celle de Charlie Carver.

« C'est ma nièce, dit-il. Claudette... J'avoue que je l'ai placée là dans l'espoir que l'intérêt qu'on porte à ce petit riche s'étendrait à elle. »

Max détacha la photo. « Claudette Thodore, *5 ans**, 10/1994 ».

« Elle a disparu un mois après lui. Thodore... C'est votre nom ?

— Oui. Je m'appelle Alexandre Thodore. Claudette est la fille de mon frère Caspar. Je vais vous donner son adresse et son numéro de téléphone. Il vit à Port-au-Prince. »

Le prêtre tira un petit carnet de sa poche et écrivit les coordonnées de son frère sur une feuille qu'il détacha. Il la tendit à Max.

« Est-ce que votre frère vous a raconté ce qui s'est passé ?

— La veille au soir il était avec sa fille, le lendemain il la cherchait partout.

— Je ferai de mon mieux pour la retrouver.

— Je n'en doute pas, fit le prêtre. À propos, les petits Haïtiens ont donné un surnom au grand croquemitaine qui vole les enfants. Ils l'appellent "*Tonton Clarinette**"...

— Clarinette ? Comme l'instrument ? Pourquoi ?

— Parce que c'est en en jouant qu'il attire les enfants.

— Comme le joueur de flûte de Hamelin ?

— On dit que Tonton Clarinette travaille pour Baron Samedi — le chef des esprits de la mort, dans la religion vaudoue, expliqua le père Thodore. D'après certains, il est mi-homme, mi-oiseau. Selon d'autres, ce serait un oiseau qui n'a qu'un œil. Et seuls les enfants sont capables de le voir. Parce qu'il était lui-même enfant, quand il est mort.

« La légende raconte que c'était un petit Français, un enfant soldat, qui était la mascotte de son régiment — c'était monnaie courante à cette époque. Il faisait partie des troupes envoyées en Haïti au XVIIIe siècle pour soumettre l'île. Il distrayait les soldats en leur jouant de la clarinette. Chaque fois que les esclaves qui travaillaient sur les plantations l'entendaient, ça les emplissait de colère parce qu'ils associaient le son de l'instrument et les airs qu'il jouait à la servitude et à l'oppression.

« Lors du soulèvement, les esclaves ont vaincu le régiment du garçon et fait beaucoup de prisonniers. Ils l'ont forcé à souffler dans son maudit instrument pendant qu'ils massacraient ses camarades sous ses yeux, un par un. On dit qu'il en jouait encore quand ils l'ont enterré vivant. » Le père Thodore parlait d'un ton grave. C'était peut-être une légende, mais il prenait tout ça très au sérieux. « Tonton Clarinette est un esprit relativement récent — il ne fait pas partie de ceux que j'ai appris à craindre en grandissant. J'ai commencé à entendre les gens en parler il y a une vingtaine d'années environ. On dit qu'il laisse son signe, là où il passe.

— Quel genre de signe ?

— Je ne l'ai jamais vu. Mais c'est censé ressembler à une croix qui aurait deux pieds et une demi-traverse seulement.

— Vous disiez tout à l'heure qu'il y a "toujours" eu des disparitions d'enfants, en Haïti. Vous avez une idée du nombre que ça représente, par an ?

— C'est impossible à dire. » Le père Thodore écarta les mains pour souligner son impuissance. « Là-bas, ce n'est pas comme ici. Il n'y a pas une personne ou un service précis à qui s'adresser pour signaler une disparition. Et il n'y a aucun moyen de savoir qui sont — ou étaient — ces enfants, car les pauvres n'ont ni acte de naissance ni certificat de décès. Ça, c'est réservé aux riches. Presque tous les petits Haïtiens qui disparaissent sont pauvres. Et alors, c'est comme s'ils n'avaient jamais existé. Mais depuis peu — à cause du petit Carver —, les choses changent. Sa famille appartient à la bonne société, alors brusquement *tout le monde* s'intéresse au problème. C'est la même chose ici, à Miami. Lorsqu'un gamin noir disparaît, qui s'en soucie ? Un ou deux policiers du quartier, peut-être, se mettent à sa recherche. Mais s'il s'agit d'un Blanc, là, on mobilise la garde nationale.

— Sauf votre respect, mon père, ce que vous dites n'est pas tout à fait exact, en dépit des apparences, dit Max en s'efforçant de ne pas hausser le ton. Et *jamais* je n'ai agi ainsi, du temps où j'étais dans la police de Miami. *Jamais.* »

Le prêtre le fixa un long moment au fond des yeux. Il avait un regard de flic — ce regard capable de distinguer la bonne foi du mensonge à cent pas. Il tendit la main à Max, qui la serra fermement. Puis le père Thodore lui donna sa bénédiction et lui souhaita bonne chance.

« Retrouvez Claudette », murmura-t-il.

DEUXIÈME PARTIE

7

Le vol en partance pour Haïti fut retardé de deux heures pour attendre un détenu renvoyé dans ses foyers et les deux marshals chargés de l'escorter.

L'avion était bourré à craquer d'Haïtiens, des hommes en majorité, qui rentraient au pays avec de pleins sacs de nourriture, de savon et de vêtements, et des monceaux de cartons contenant de l'équipement électrique bas de gamme — téléviseurs, transistors, caméscopes, ventilateurs, fours à micro-ondes, ordinateurs, ghetto blasters… Ils avaient fourré leurs possessions à la va-comme-je-te-pousse (parfois seulement à moitié, voire au quart) dans les coffres à bagages, au-dessus de leur tête, ou les avaient tassées sous leur siège, quitte à carrément laisser tout ce qu'ils n'avaient pas réussi à caser ailleurs au milieu de l'allée, au mépris de toutes les règles de sécurité et autres consignes d'urgence.

Les hôtesses ne protestaient pas, comme si elles avaient l'habitude de ce chantier. Imperturbables, elles slalomaient tranquillement entre les cartons bardés de noms de marques, le dos bien droit, le sourire commercial aux lèvres, négociant les chicanes, si étroites soient-elles, sans que cela altère leur maintien.

Max n'eut aucun mal à deviner lesquels des passagers étaient des expatriés retournant voir la famille au pays. Tous arboraient la tenue ghetto standard — chaîne au cou, anneau à l'oreille, gourmette au poignet, le tout en or, et pour plus de dollars sur le dos et aux pieds qu'ils n'en avaient sur leur compte en banque. Les « vrais » Haïtiens, eux, étaient vêtus de façon plus classique — pantalon de confection (mais élégant) et chemise à manches courtes côté hommes, robe pour la messe de tous les jours côté femmes.

L'atmosphère était bon enfant, comme si le retard laissait tout le monde indifférent. La carlingue résonnait d'un feu roulant de conversations, les rythmes *staccato* du créole ricochant d'un passager à l'autre et d'un bout à l'autre de l'avion. Tout le monde paraissait connaître tout le monde. Les voix — profondes et gutturales — étaient collectivement noyées par la musique d'ambiance prédécollage et les annonces que multipliaient les trois pilotes.

« Ces gens-là vivent pour la plupart dans des cases qui n'ont même pas l'électricité, déclara la femme assise près de Max, côté hublot. Tous ces trucs qu'ils s'achètent, ce sont des objets décoratifs, des signes extérieurs de richesse — comme nous aurions, nous, des sculptures ou des tableaux. »

Wendy Abbott — tel était son nom — vivait en Haïti depuis trente-cinq ans. Elle et George, son époux, dirigeaient une école primaire dans les hauteurs de Port-au-Prince. Leur établissement accueillait des enfants de toutes conditions. Les parents riches payaient en espèces, les parents pauvres, en nature. La formule était profitable car très peu de pauvres croyaient aux vertus de l'éducation et savaient moins encore à quoi ça servait. Beaucoup de leurs élèves entraient ensuite soit au lycée local, où on leur inculquait les programmes scolaires américains, soit au Lycée français, plus cher et plus prestigieux, qui les préparait au baccalauréat.

Max s'était présenté à Wendy, mais en se cantonnant à ses nom et prénom.

Une forêt de visages roses et blancs dégoulinants de sueur, avec raie de côté et moustaches à la Village People, occupait le centre de la cabine : un contingent d'une cinquantaine de « casques bleus » canadiens, muets, tendus et passablement mal à l'aise au milieu de tous ces Haïtiens remuants et survoltés qu'ils avaient contribué à mater. À voir la mine qu'ils faisaient, on aurait juré que c'était l'inverse.

Encadré par les deux marshals et escorté du grand cliquetis des chaînes qui l'entravaient, le détenu monta enfin à bord. Max le scanna d'un coup d'œil : pantalon de travail en gros jean, pas de ceinture, T-shirt blanc flottant, bandana blanc et bleu, ni or ni diams — un petit loubard de seconde zone, troisième couteau dans un gang de rue, probablement alpagué en train de fourguer du crack ou juste après son premier meurtre, empestant le cannabis et la poudre noire. Du menu fretin, qui n'avait même pas eu le temps de dépasser le deuxième échelon de la hiérarchie du ghetto. Réduit à voyager en tenue de taulard parce qu'il avait tant fait de gonflette, en prison, qu'il éclatait dans les fringues qu'il avait portées à son procès. Il bombait le torse et avait gardé son masque de détenu, mais Max vit ses yeux paniquer tandis qu'il découvrait la foule entassée dans l'avion et absorbait sa première grande bouffée de liberté non conditionnelle. Il devait s'être attendu à finir ses jours en prison.

Les Haïtiens ne prêtèrent aucune attention au prisonnier, mais les Canadiens si : ils se tournèrent vers les marshals, s'attendant manifestement que l'un d'eux prenne la parole pour leur expliquer ce qui se passait.

Au lieu de ça, celui des marshals dont le menton s'ornait d'un petit bouc se mit à discuter avec une hôtesse. Son collègue et lui auraient apparemment voulu s'installer sur les trois sièges du premier rang, près de la porte, mais ils étaient déjà occupés. L'hôtesse faisait de la résistance. Le marshal sortit un papier de sa poche intérieure et le lui colla sous le nez. Elle s'en empara, le parcourut et disparut derrière les rideaux qui isolaient la classe affaires.

« Je me demande si ce garçon a idée de l'insulte que c'est à son héritage… Revenir en Haïti comme ses ancêtres y ont débarqué : *les fers aux pieds* ! fit Wendy en regardant le prisonnier.

— À mon humble avis, il s'en tape, madame », répliqua Max.

Jusque-là, le détenu s'était contenté de garder son regard braqué dans le vide, à quelques mètres devant lui, en évitant soigneusement de le poser sur qui ou quoi que ce soit, mais il dut sentir que Max et Wendy l'observaient car il tourna la tête dans leur direction. À peine eut-elle croisé son regard que Wendy piqua du nez, mais Max resta à le fixer droit dans les yeux. À cela, le taulard dut reconnaître un des siens, car il esquissa un sourire et inclina la tête. Automatiquement, Max lui rendit son salut d'un hochement de tête.

Ce genre d'échange aurait été impensable en prison. Un détenu noir faisant ami-ami avec un Blanc ? Jamais ! — ... sauf s'il voulait lui vendre ou lui acheter quelque chose, en général de la came ou du cul. Une fois derrière les barreaux, vous restiez avec les vôtres et pas question de frayer ou de pactiser avec les autres. C'était comme ça et pas autrement. Entre tribus, c'était l'état de guerre permanent. Les Blancs étaient les premiers à être victimes de viols collectifs, à se faire terroriser ou tuer à coups de poinçon par les Blacks et les Latinos, pour qui ils symbolisaient le système judiciaire qui les avait rabaissés depuis leur naissance. Si vous étiez malin, à la seconde où la porte de votre cellule claquait derrière vous, vous oubliiez vite fait toutes vos belles idées libérales et vous preniez contact avec vos préjugés. C'était les préjugés — la haine et la peur — qui vous maintenaient en alerte et en vie.

L'hôtesse réapparut et annonça aux trois passagers du premier rang qu'ils devaient déménager. Devant leurs protestations, la chef de cabine leur assura qu'on allait les replacer en première classe, avec champagne aux frais de la compagnie et plus de place pour leurs jambes.

Aussitôt, les trois passagers sautèrent sur leurs pieds pour ramasser leurs affaires. C'étaient des bonnes sœurs.

Les deux marshals firent asseoir leur prisonnier sur le siège du milieu et s'installèrent de part et d'autre.

Dix minutes plus tard, l'avion décolla enfin de Miami International.

Vu du ciel, Haïti ressemble à une pince de homard dont on aurait croqué le meilleur — le gros bout charnu. Après Cuba, si verdoyante, et toutes les autres petites Antilles qu'ils avaient survolées, l'île avait quelque chose de totalement incongru. À voir ses paysages arides et comme décapés à l'acide et ses sols couleur rouille rouillée, c'était à se demander s'il y poussait des arbres ou de l'herbe. Lorsque l'avion passa au-dessus de la zone frontalière avec la République dominicaine voisine, le tracé de la ligne frontière entre les deux États sauta aux yeux de Max, aussi net que sur une carte de géographie : d'un côté, un désert sec comme un vieil os, de l'autre, une oasis luxuriante.

Max n'avait pratiquement pas fermé l'œil de la nuit. Il l'avait en grande partie passée dans le bureau de Joe, d'abord à photocopier tout ce que son pote avait déterré sur Solomon Boukman, puis à repêcher les fichiers informatiques des ex-membres de son gang sur les banques de données.

Bien que pilier du SNBC, Boukman croyait visiblement à la délégation de pouvoirs. Il s'était entouré de douze lieutenants, tous dévoués corps et âme à leur chef et tous aussi cruels et impitoyables que lui. Six d'entre eux étaient morts : deux sur la chaise électrique, en Floride ; un par injection mortelle, au Texas ; deux sous les balles de la police ; et le dernier, assassiné dans sa prison. Des six survivants, un purgeait plusieurs peines allant de vingt-cinq ans à la perpétuité dans une prison à sécurité maximale et les cinq autres avaient été expulsés vers Haïti entre mars 1995 et mai 1996.

De tous les adjoints de Boukman, les plus redoutables avaient été Rudy Crèvecœur, Jean Desgrottes, Salazar Faustin et Don Moïse. C'étaient ses hommes de main, ceux qui surveillaient les membres du gang et s'assuraient que personne ne se sucrait au passage, ne mouchardait ou n'avait la langue trop longue. Moïse, Crèvecœur et Desgrottes avaient aussi été chargés de l'enlèvement des enfants que Boukman immolait au cours de ses macabres rituels.

Salazar Faustin, lui, avait chapeauté la filière drogue du SNBC en Floride. Cet ex-tonton macoute avait monté un réseau d'une rare efficacité pour introduire de la cocaïne de contrebande à Miami. La drogue était achetée directement aux producteurs boliviens et transportée à Haïti dans des petits coucous biplaces, qui se posaient sur des pistes d'atterrissage secrètes, dans le nord du pays. Le plein fait, l'avion redécollait, direction Miami, avec un autre pilote aux commandes. Les douaniers américains ne se fatiguaient pas à fouiller l'appareil puisqu'ils pensaient qu'il arrivait d'Haïti, un pays qui n'était pas producteur de coca. Une fois à Miami, la coke était livrée au Sunset Marquee, un petit hôtel miteux de South Beach dont les propriétaires n'étaient autres que Salazar Faustin lui-même et sa mère, Marie-Félize. Dans les sous-sols, la cocaïne bolivienne était coupée avec du glucose avant d'être confiée aux petits revendeurs du SNBC, qui en inondaient toute la Floride.

Les Faustin mère et fils avaient tous deux pris perpète pour trafic de stupéfiants. Ils avaient été expulsés vers Haïti le même jour — le 8 août 1995 —, ce qui avait donné lieu à d'émouvantes retrouvailles à l'aéroport.

Il était trois heures moins le quart de l'après-midi quand l'avion de Max se posa. Le personnel de piste en combinaison bleu marine roula une passerelle blanche sous la porte de l'appareil. Les passagers devraient gagner à pied l'aérogare, un bâtiment rectangulaire qui n'avait rien de grandiose ou d'imposant avec ses murs fissurés, dont le badigeon de chaux blanche tombait par plaques. Une tour de contrôle pointait à son extrémité droite. Au milieu, sous trois hampes où nul drapeau ne flottait, on pouvait lire, en grosses capitales d'une affligeante banalité :

BIENVENUE À L'AÉROPORT INTERNATIONAL
DE PORT-AU-PRINCE.

Le pilote demanda aux passagers de patienter, le temps que le prisonnier ait quitté l'appareil.

La porte s'ouvrit. Les deux marshals, qui avaient chaussé leurs lunettes noires, se levèrent et emmenèrent leur prisonnier.

En émergeant de l'avion, Max fut saisi par la chaleur irrespirable qui se plaqua sur lui telle une couverture, si lourde que la petite brise qui soufflait était impuissante à la déloger ou même à la soulever. À côté de ça, les pires canicules de Floride paraissaient frisquettes.

Il descendit la passerelle sur les talons de Wendy, son gros sac de voyage à la main, les poumons envahis par ce qui était moins de l'air que de la buée, et se mit aussitôt à transpirer par tous les pores de sa peau.

Côte à côte, ils emboîtèrent le pas aux autres passagers qui se dirigeaient vers le terminal. Wendy remarqua le visage congestionné de Max et son front luisant de sueur.

« Félicitez-vous que ça ne soit pas l'été ! lui lança-t-elle. Imaginez-vous en Enfer en manteau de fourrure et vous aurez une idée de ce que c'est, ici ! »

Répartis par groupes de dix sur les pistes, des marines, manches retroussées, chargeaient des caisses et des cartons dans des camions, relax, décontractés, prenant tout leur temps. L'île était à eux pour toute la durée qu'il leur plaisait.

À quelques mètres devant la file de passagers, Max vit les marshals confier leur prisonnier à trois Haïtiens en civil, armés de fusils à pompe. Un des marshals, accroupi, était en train de lui ôter ses entraves. D'où Max était, la scène aurait pu passer pour un geste attentionné : le marshal renouant les lacets de son prisonnier avant de s'en séparer.

Dès qu'ils l'eurent débarrassé de ses menottes et de ses chaînes, les marshals grimpèrent dans une Jeep de l'armée américaine qui les ramena à l'avion. Pendant ce temps, les trois Haïtiens discutaient avec l'ex-détenu, qui avait entrepris de se frictionner les poignets et les chevilles. Quand il eut terminé son massage, ils l'entraînèrent vers une porte latérale, tout au bout du bâtiment.

De la musique jaillissait du terminal. Un quintet local était en train d'exécuter une chanson créole aux rythmes paresseux. Max avait beau ne pas comprendre un traître mot aux paroles, il devina la tristesse imprégnant cet air qui, autrement, aurait pu lui sembler joli, mais sans signification particulière.

Les musiciens étaient des vieillards émaciés aux épaules voûtées, arborant les mêmes chemises de plage ornées de palmiers sur fond de coucher de soleil qu'on trouvait dans tous les Prisu de Miami. Le groupe se composait d'un bongo, d'une guitare basse, d'un clavier, d'une guitare solo et du chanteur, tous reliés aux amplis entassés contre le mur du terminal. Max remarqua que quelques-uns des passagers chaloupaient en rythme tout en marchant. Plusieurs, devant et derrière lui, s'étaient même mis à chanter.

« Le morceau qu'ils jouent s'appelle *Haïti, ma chérie**. C'est un chant d'exil très connu », lui expliqua Wendy au moment où ils atteignaient le quintet et l'entrée du bâtiment. La porte était partagée en deux : une moitié pour les Haïtiens et l'autre pour les non-Haïtiens.

« C'est ici que nos chemins se séparent, Max, lui dit Wendy. J'ai les deux nationalités. Ça m'évite les files d'attente et les paperasses. »

Ils échangèrent une poignée de main.

« Ah ! un conseil : attention au tapis roulant, quand vous récupérerez vos bagages, lui dit-elle en prenant place au bout de la queue pour le contrôle des passeports. C'est toujours le même, depuis 1965 ! »

Son passeport dûment nanti d'un tampon rouge, Max se dirigea vers le hall des Arrivées, une vaste salle caverneuse qui servait à la fois aux départs, aux contrôles douaniers, aux retraits et aux achats de billets, aux locations de voiture et aux informations touristiques. L'endroit fourmillait d'individus jeunes et vieux, mâles et femelles, qui allaient et venaient, poussaient et tiraient, tout cela en criant à tue-tête. Au milieu de cette foule, il vit un poulet caquetant comme un fou et battant des ailes qui slalomait entre les pieds des gens, tout en semant un sillage de déjections. Un homme se mit à le courser, courbé en deux, les mains tendues, renversant ceux qui ne s'écartaient pas assez vite devant lui.

Juste avant d'embarquer, Max avait appelé Carver pour lui donner son numéro de vol et son heure d'arrivée. Carver lui avait promis que quelqu'un l'attendrait à l'aéroport. Max regarda en vain autour de lui, en quête d'un inconnu brandissant une pancarte à son nom.

Soudain, des éclats de voix s'élevèrent sur sa gauche. Un attroupement, de cinq à six rangs d'épaisseur, s'était formé tout au fond du hall des Arrivées. Les gens jouaient des coudes à qui mieux mieux pour tâcher de se faufiler, tous plus vociférants et surexcités les uns que les autres. Max finit par repérer ce sur quoi leur attention était focalisée : le tapis roulant à bagages.

Il fallait qu'il récupère sa valise.

Il se dirigea vers la cohue et tenta de s'insinuer en douceur dans la masse. Mais constatant qu'il n'arrivait pas à se rapprocher d'un centimètre du tapis roulant, il adopta la méthode haïtienne et se fraya un chemin dans l'agglomérat de corps, comme tout le monde, à coups de coude et d'épaule, n'interrompant sa progression qu'une fois, pour éviter de piétiner le poulet et son propriétaire.

Arrivé aux premiers rangs de la foule, il se glissa jusqu'à un endroit d'où il avait une vue dégagée sur le tapis roulant : il était immobile et avait tout l'air de n'avoir pas « roulé » depuis des années. Les plaques chromées de son coffrage étaient tenues en place par des rivets dont bon nombre avaient sauté ou menaçaient de le faire, laissant des coins métalliques acérés pointer de façon menaçante vers l'extérieur. Le tapis lui-même, enduit d'une gomme qui avait dû être noire, était si râpé que l'acier des plaques articulées était à nu, sauf à de rares endroits où des vestiges du revêtement d'origine s'y accrochaient, tels des chewing-gums mâchés fossilisés.

Le tapis roulant était le « clou » de ce coin de l'aérogare, avec ses murs blancs incrustés de crasse, ses dalles de marbre noir et ses immenses ventilateurs branlants qui peinaient à brasser l'air ou à rafraîchir la chaleur accumulée sous le plafond, et menaçaient plutôt de se décrocher et de décapiter les gens entassés au-dessous d'eux.

À y regarder de plus près, Max s'aperçut que, en fait, le tapis bougeait bel et bien et que des bagages défilaient, mais si lentement que les valises progressaient de façon quasi subreptice d'un centimètre à la fois toutes les x secondes.

Il y avait nettement plus de gens agglutinés autour du tapis roulant que son avion n'avait contenu de passagers. Les surnuméraires étaient là pour piquer des bagages. Max parvint rapidement à distinguer les voleurs des passagers. Les premiers sautaient sur toutes les valises qui passaient à leur portée. Ce que voyant, leurs légitimes propriétaires tentaient à leur tour de s'en emparer ou de les arracher des mains des voleurs. Ces derniers essayaient un instant de s'y accrocher avant d'abandonner la lutte et de replonger dans la foule entourant le tapis, en quête d'une autre bonne fortune. C'était la mêlée générale. Il n'y avait pas un agent de sécurité en vue.

Max décida de ne pas débuter son séjour en Haïti en mettant quelqu'un K.-O. — si justifié que ce soit de jouer des poings. Il se faufila dans la foule jusqu'à se trouver le plus près possible du sas d'où émergeaient les bagages.

Au bout de ce qui lui parut un siècle, sa Samsonite noire apparut enfin. Il s'en empara et s'extirpa de la grappe humaine.

À peine en était-il sorti qu'il avisa le poulet. Son propriétaire lui avait passé une ficelle au cou et le remorquait vers la sortie.

« Monsieur Mingus ? » fit une voix de femme dans son dos.

Max se retourna. La première chose qu'il remarqua fut sa bouche — grande, un rien boudeuse, lèvres pulpeuses, dents immaculées.

« Chantale Duplaix, dit-elle en lui tendant la main. Je viens de la part de M. Carver.

— Bonjour. Appelez-moi Max », fit-il en lui serrant la main — une petite main qui semblait toute délicate, mais qui cachait une poigne énergique sous sa peau ferme et rêche.

Chantale était ravissante, et Max ne put empêcher un sourire de lui monter aux lèvres. Une peau ambrée, un semis de taches de rousseur sur le nez et les pommettes, de grands yeux couleur miel foncé et des cheveux noirs et raides qui lui balayaient les épaules. Malgré ses talons hauts, elle était légèrement plus petite que lui. Elle était vêtue d'une jupe bleu marine qui lui arrivait aux genoux et d'un corsage à manches courtes, dans l'échancrure duquel brillait une fine chaîne en or. Il lui donna dans les vingt-cinq ans.

« Désolée du tintouin que vous avez eu avec votre valise. Nous nous apprêtions à venir à la rescousse, mais vous vous êtes débrouillé comme un chef, dit-elle.

— Il n'y a pas d'agents de sécurité, chez vous ? demanda Max.

— Nous en avions. Mais vous autres, Américains, avez jugé bon de nous retirer nos armes », dit-elle. Sa voix s'était durcie et ses yeux clairs viraient au noir. En colère, Max la voyait très bien aplatir tout ce qui se trouvait devant elle.

« C'est l'armée américaine qui nous a désarmés, expliqua-t-elle. Ce que vos militaires ont omis de prendre en compte, c'est que le seul pouvoir devant lequel les Haïtiens s'inclinent, c'est celui des armes. »

Max ne releva pas. Il ne connaissait pas assez bien la situation politique du pays pour se permettre un démenti ou un commentaire, mais il savait que dans beaucoup de pays on détestait les Américains à cause de ce qu'ils faisaient en Haïti. Il eut soudain l'intuition que la mission qui l'attendait risquait de ne pas être facile facile, si Chantale était censée être de *son* côté.

« Mais bon, ce n'est pas le moment de parler de ça », enchaîna Chantale en lui flashant son sourire immaculé. Elle avait, remarqua-t-il, un petit grain de beauté ovale à droite de la bouche, juste à la limite de sa joue et de sa lèvre du bas. « Bienvenue en Haïti. »

Max inclina la tête, espérant qu'elle ne verrait pas d'intention ironique dans son geste. Il fit passer son estimation de vingt-cinq à trente ans. Elle avait une maturité et une maîtrise de soi, une sorte de souplesse diplomatique, que seule l'expérience peut vous donner.

Elle l'entraîna vers le contrôle douanier — deux tables où tout le monde devait ouvrir ses bagages pour inspection. Depuis un bon moment, il avait remarqué deux grands types qui orbitaient à distance et ne le quittaient pas des yeux. Moustache, lunettes noires, bosse en forme de crosse à hauteur de hanche sous leur chemise flottante… Ils emboîtèrent le pas à Max.

Chantale sourit aux douaniers, qui lui retournèrent son sourire et lui firent signe de passer — en la mangeant des yeux jusqu'à ce qu'elle soit hors de vue. Max ne put s'empêcher de se retourner. En découvrant ce que tous les douaniers mataient, il poussa un petit sifflement intérieur. Bonnes épaules, dos bien droit, cou élégant. Chevilles fines, mollets au galbe athlétique — elle devait entretenir sa forme en faisant du jogging et de la muscu régulièrement… Son petit cul était parfait — haut perché, rond, ferme, coquin…

Ils sortirent de l'aérogare et se dirigèrent vers deux Landcruiser Toyota bleu marine garés l'un derrière l'autre, le long du trottoir d'en face. Chantale grimpa dans le premier et débloqua le coffre pour que Max y mette ses bagages. Les deux moustachus s'engouffrèrent dans l'autre.

Une fois Max installé à côté d'elle, Chantale mit la clim'. Max se retrouva aussitôt inondé de sueur, tandis que son organisme tentait de s'adapter à la fraîcheur, après la fournaise qu'était le hall des Arrivées.

Comme il jetait un regard en direction de l'entrée de l'aérogare, il aperçut le prisonnier qui avait embarqué à Miami. Debout près de la porte, il examinait les alentours, un coup à droite, un coup à gauche, en se frictionnant les poignets. Il avait l'air aussi paumé que vulnérable, comme s'il regrettait sa cellule et la sécurité d'un environnement familier. Une femme, assise en tailleur par terre devant une vieille paire de tennis déchirées, lui parlait. Le type haussa les épaules et écarta les mains, paumes en l'air, en signe d'impuissance. Sur son visage se lisait de l'inquiétude, un début de peur. Si seulement les pédés et les gros durs de son pénitencier avaient pu le voir là, à cet instant, acculé le dos au mur par le monde libre, rattrapé au tournant par la vie... Max fut tenté de jouer les Bons Samaritains et de proposer à l'ex-détenu de le déposer en ville, mais y renonça. Ce n'était pas une accointance à cultiver. Il avait fait de la taule, certes, mais il ne se considérait pas comme un criminel.

« Quelqu'un finira bien par venir le chercher, dit Chantale, comme si elle avait lu dans ses pensées. Ils enverront une voiture, comme on l'a fait pour vous.

— Qui ça, “ils” ?

— Tout dépend du son de cloche que vous écoutez... Certains prétendent qu'un collectif de criminels rapatriés opérerait ici, un genre de syndicat. Chaque fois qu'un prisonnier expulsé d'une prison américaine débarque, ils viennent le récupérer et l'embrigadent. Mais d'autres vous diront que tout ça c'est des histoires, que celui qui est derrière tout ça, c'est Vincent Paul.

— Vincent Paul ?

— *Le Roi de Cité Soleil**. Cité Soleil est le plus grand bidonville du pays. Il se trouve à quelques kilomètres de Port-au-Prince. On dit chez nous : qui règne sur Cité Soleil dirige Haïti. C'est de là que sont partis tous les mouvements populaires qui ont fait chanceler les gouvernements — celui de Jean-Claude Duvalier y compris.

— Et ce Paul était derrière ?

— Les gens racontent beaucoup de choses. Et ils parlent *beaucoup*, en Haïti. Parfois, ils ne font même *que ça*. Parler, c'est un peu le passe-temps national, vu la situation économique du pays. Pas de travail. Pas d'occupation. Du temps à la pelle, mais pas de *but*... Vous vous en rendrez vite compte, fit Chantale en secouant la tête.

— Comment pourrais-je rencontrer Vincent Paul ?

— C'est lui qui vous contactera, s'il l'estime nécessaire, dit Chantale.

— Vous pensez que ce sera le cas ? » demanda Max, songeant à Beeson. Est-ce que Chantale était venue l'attendre à l'aéroport, lui aussi ? Était-elle au courant de ce qui lui était arrivé ?

« Qui sait ? Peut-être qu'il est derrière tout ça, et peut-être que non. Il n'est pas le seul à haïr les Carver. Ils ont *des masses* d'ennemis.

— Vous les haïssez, *vous* ?

— Non », s'esclaffa Chantale en regardant Max bien en face. Elle avait de magnifiques yeux de biche et un rire révélateur — fort, rauque, vulgaire, gras, entendu, grivois et irrésistiblement canaille. Le rire de quelqu'un qui buvait, se défonçait et baisait avec de parfaits inconnus.

Elle passa la première et démarra.

8

La route de l'aéroport était un long ruban poussiéreux d'un gris laiteux. Fissuré, crevassé, le macadam ressemblait à une grossière toile d'araignée creusée de lézardes et de sillons qui convergeaient souvent en nids-de-poule intempestifs ou en cratères de taille ou profondeur diverses. Par miracle, la route ne s'était ni effondrée ni transformée en simple piste en terre.

D'un coup de volant expert, Chantale évitait ou contournait les plus gros trous et ralentissait pour franchir les plus petits. Toutes les voitures qui roulaient devant eux ou qui venaient en sens inverse suivaient la même trajectoire. Certains conducteurs négociaient la route comme s'ils étaient bourrés et faisaient des écarts plus spectaculaires que d'autres.

« C'est la première fois que vous venez en Haïti ? demanda-t-elle.

— Ouais. J'espère que le reste de l'île ne ressemble pas à l'aéroport.

— Non, c'est pire, dit-elle en riant, mais on s'y fait. »

Apparemment, le parc automobile haïtien se divisait en deux catégories : les voitures de luxe et les épaves roulantes. Max aperçut des Mercedes, des BMW, des Lexus et des Jeep en bonne quantité. Puis une limousine, et une Bentley suivie d'une Rolls Royce. Mais pour chacune d'entre elles, il compta des douzaines de camionnettes rouillées crachant de la fumée et bourrées de monde. Elles étaient tellement bondées que certains passagers voyageaient accrochés aux flancs du véhicule ou agrippés au toit. Et puis il y avait les vieux breaks bariolés de couleurs criardes, entièrement recouverts de slogans, d'images saintes ou de portraits de travailleurs sociaux. Sans oublier les taxis collectifs — appelés *tap-taps*, précisa Chantale. Eux aussi étaient pleins à craquer. Sur leur toit s'empilaient toutes sortes de paquets : paniers pleins à ras bord, cartons, baluchons en toile. On aurait dit que tous ces gens fuyaient devant un cataclysme.

« Vous serez logé à Pétionville, dans une des maisons Carver. C'est un quartier excentré, à une demi-heure de Port-au-Prince. La capitale est bien trop dangereuse en ce moment, dit-elle. Vous y trouverez une domestique, qui s'appelle Rubie. Elle est très gentille. Elle vous fera la cuisine et le repassage. Mais vous ne la verrez jamais, sauf si vos passez tout votre temps dans la maison. Il y a le téléphone, la télévision et une douche. Le minimum vital.

— Merci bien, dit Max. C'est ça que vous faites pour les Carver ?

— Chauffeur ? fit-elle avec un petit sourire narquois. Non, c'est occasionnel. Je travaille avec Allain. Il m'a donné congé pour le reste de la journée si j'allais vous chercher à l'aéroport. »

La route traversait une interminable plaine asséchée, un cratère de poussière parsemé de rares touffes d'herbe jaunâtre. Le décor défilait sous ses yeux. À gauche, Max aperçut des montagnes sombres avec des nuages accrochés bas, si proches du sol qu'ils semblaient avoir largué l'ancre pour dériver loin des cieux en menaçant de se poser. De temps à autre surgissaient des panneaux de limitation de vitesse, avec des chiffres — 60, 70, 80, 90 — écrits en noir sur fond blanc et auxquels personne ne prêtait attention. De la même façon, les voitures roulaient au milieu de la chaussée, sauf quand quelque chose de plus gros qu'elles arrivait en face. Chantale, elle, roulait régulièrement à soixante-dix à l'heure.

Sur les bas-côtés, des panneaux publicitaires géants de neuf mètres de haut sur dix-huit de large louaient les avantages de marques locales ou internationales. Dans les intervalles, des panneaux plus petits et plus étroits vantaient les mérites de banques, de stations de radio et de sociétés de loterie haïtiennes rivales. De temps à autre apparaissait un gros plan en noir et blanc du visage de Charlie Carver, l'air rentré, hagard, le regard fixé droit sur vous. Au-dessus du portrait, le mot RÉCOMPENSE était peint en grandes lettres rouges avec, en dessous, une somme : 1.000.000 $. À gauche, en noir, un numéro de téléphone.

« Elle est collée depuis combien de temps ? demanda Max, quand ils passèrent la première affiche.

— Deux ans, répondit Chantale. On les change tous les mois, elles s'abîment.

— Si j'ai bien compris, les appels n'ont pas manqué.

— Oui, au début, mais le flot s'est tari depuis que les gens ont compris qu'ils ne se feraient pas de fric en racontant des balivernes.

— Il était comment, Charlie ?

— Je ne l'ai vu qu'une seule fois, chez les Carver, avant l'intervention américaine. C'était un bébé.

— J'imagine que M. Carver cloisonne soigneusement sa vie professionnelle et sa vie privée.

— À Haïti, c'est impossible. Mais il fait de son mieux », répondit Chantale en le regardant. Il décela une note d'amertume dans sa voix. Elle parlait avec un accent français mâtiné d'américain, télescopage intempestif, le premier prenant le dessus sur le second : née et élevée dans l'île, études quelque part aux États-Unis ou au Canada. Plus près de trente ans que de vingt, elle avait suffisamment vécu, en tout cas, pour avoir perdu sa voix et en avoir pris une autre.

Elle était belle. Il avait envie d'embrasser sa superbe bouche et de goûter ces lèvres pulpeuses légèrement entrouvertes. Il regarda par la fenêtre pour éviter de lui lancer un regard trop appuyé ou de trahir quoi que ce soit.

Ils croisèrent quelques rares personnes, des hommes en chemise et pantalon en haillons et coiffés de chapeaux de paille, qui conduisaient de maigres troupeaux de chèvres marron, sales et efflanquées. D'autres tiraient des ânes chargés de paniers pleins à ras bord. Les gens marchaient seuls ou en couple, portant des jerricans d'eau sur l'épaule ou balançant d'énormes paniers sur leur tête. Ils avançaient tous du même pas nonchalant, chaloupé. La voiture arriva au premier village, un groupe de cabanes carrées à pièce unique peintes en orange, jaune ou vert, uniformément recouvertes de toits en tôle ondulée. Assises au bord de la route, des femmes vendaient des bonbons en sucre brun en train de fondre sur leurs tables. À côté, des enfants jouaient, tout nus. Un homme s'occupait d'une marmite posée sur un feu et soufflait des volutes de fumée blanche. Des chiens errants reniflaient le sol. Le tout grillait sous la chaleur intense d'un soleil de plomb.

Chantale alluma la radio. Max s'attendait à une nouvelle dose de *Haïti, ma chérie*, mais non, il entendit le banal boom-bap-de-merde des boîtes à rythme de rap ordinaire. Une nouvelle mouture de *Ain't Nobody*, une des chansons préférées de Sandra, flinguée par un rappeur qui avait la voix d'un détenu de Rikers.

« Vous aimez la musique ? lui demanda Chantale.

— La *musique*, oui ! » répondit Max en la regardant.

Elle dodelinait de la tête au rythme du morceau.

« Dans ce genre-là ? Bruce Springsteen ? » dit-elle en pointant le menton sur son tatouage.

Max ne sut que répondre. La vérité serait trop longue à dire et risquait de le mettre en danger, d'ouvrir trop de brèches.

« Je me le suis fait faire quand j'étais jeunot, dit-il. Aujourd'hui, j'opte pour la tranquillité. Des trucs ringards, genre *Ol' Blue Eyes*.

— Sinatra ? Alors ça, oui, c'est ringard ! » fit-elle en lui lançant un regard qui embrassa son visage et sa poitrine.

Il remarqua qu'elle s'arrêtait sur sa chemise. Ça faisait tellement longtemps qu'il n'avait pas flirté. Avant, il était capable de gérer ce genre de situation. À l'époque, quand il savait ce qu'il voulait. Mais aujourd'hui, il en était moins sûr.

« La musique que les gens préfèrent, ici, c'est le *kompas*. Compact. Ça ressemble à une longue chanson qui peut durer une demi-heure, voire plus, mais en réalité, c'est une suite de courts morceaux enfilés bout à bout. Avec des tempos différents, dit Chantale, les yeux fixés sur la route.

— Un pot-pourri ?

— Oui, c'est ça, un pot-pourri. Enfin, pas vraiment. Il faut l'avoir entendu pour comprendre. Le chanteur le plus populaire, ici, c'est Sweet Micky.

— *Sweet Micky ?* On dirait un nom de clown.

— Michel Martelly. Ce serait plutôt un mélange de Bob Marley et de gangsta rap.

— Intéressant, mais je ne connais pas.

— Il se produit beaucoup à Miami. C'est de là que vous êtes, non ?

— Entre autres », dit Max en la regardant, histoire de sonder ce qu'elle savait sur lui. Aucune réaction.

« Et puis, il y a les Fugees. *Eux*, vous les connaissez, quand même ?

— Non, fit Max. Ils jouent du kompas ? »

Elle éclata de rire — de ce même rire, encore.

L'écho de ce cri canaille lui résonna dans la tête. Il s'imagina la baisant. Impossible de s'en empêcher. Huit ans d'abstinence, à part la veuve poignet...

Mais là, il y avait un problème. Il bandait comme un âne. Il lança un regard rapide du côté de sa braguette. C'était massif. Un pieu en bronze qui passait à travers la fente de son caleçon et lui gonflait le pantalon comme un tipi monté au creux de son aine.

« Bon, alors, qu'est-ce que vous disiez des Fugitives ? fit-il, le souffle court.

— Les *Fugees* ! » corrigea-t-elle en ricanant, avant de préciser que c'était un trio : deux gars et une fille — la chanteuse. Les types étaient américano-haïtiens et la fille afro-américaine. C'étaient des virtuoses de la soul hip-hop. Leur dernier album, *The Score*, avait fait un carton, des millions de ventes dans le monde entier. Ils avaient été en tête des hit-parades avec *Ready or Not*, *Fu-Gee-La* et *Killing Me Softly*.

« La chanson de Roberta Flack ?

— Celle-là même.

— Avec du rap par-dessus ?

— Non, Lauryn la chante direct. Wyclef répète "*One time... one time*", tout du long, mais ça suit le rythme hip-hop.

— Ça doit être terrible.

— Ça marche, faites-moi confiance », dit-elle sur la défensive et d'un ton légèrement protecteur comme si, pour Max, c'était fichu, de toute manière. « Je vais essayer de vous le trouver. Ils sont en direct à la radio. »

Elle zappa d'une station à l'autre, passant du funk au reggae puis au calypso, de Billboard Top 40 au créole ou au hip-hop, mais les *Fugees*, nenni.

Comme elle se penchait, Max jeta un regard furtif sur son décolleté. Entre les boutons de son chemisier et un soutif à bonnets renforcés ornés de dentelle, il aperçut de petits seins couleur teck qui débordaient un peu. Il remarqua les traces d'un sourire au bord de ses lèvres et un léger frémissement des narines. Elle savait qu'il la passait en revue et qu'il appréciait le spectacle.

« Et vous ? demanda Max. Parlez-moi de vous. Vous avez fait quelles études ?

— Majeure d'économie à l'université de Miami. J'ai eu mon diplôme en 1990, et j'ai travaillé pour Citybank pendant quelques années.

— Et vous êtes rentrée depuis combien de temps ?

— Trois ans. Ma mère est tombée malade.

— Sinon, vous seriez restée aux États-Unis ?

— Oui. J'avais fait ma vie, là-bas, dit-elle, un brin de regret perçant derrière son sourire professionnel.

— Et qu'est-ce que vous faites pour Allain Carver ?

— Je suis son assistante personnelle. Ils projettent de me faire passer au marketing parce qu'ils veulent lancer une nouvelle carte de crédit, mais c'est au point mort jusqu'à ce que l'économie redémarre. Les Américains sont supposés arriver avec un programme d'aide mais, jusqu'ici, on n'a pas vu le moindre billet vert. À mon avis, c'est cuit.

— Vous ne nous aimez pas beaucoup, si ?

— Je ne sais pas ce que vous pensiez venir faire ici, mais on ne peut pas dire que ça améliore quoi que ce soit.

— C'est pas ce qu'on pourrait appeler un nouveau départ, en tout cas », dit Max en regardant par la portière.

Vingt minutes plus tard, ils arrivèrent dans la première bourgade, une fosse poussiéreuse remplie de bâtisses décrépites et délabrées, traversée de rues encore plus défoncées que celles qu'ils venaient d'emprunter.

Le Landcruiser ralentit en prenant la grand-rue fourmillant de monde. Les gens, misérables, crasseux, étaient habillés de vêtements distribués par les associations caritatives internationales qui leur glissaient de la taille ou des épaules, et leurs pieds nus et calleux avaient l'air chaussés de chaussons de plongée. Tous se déplaçaient à la même allure dictée davantage par l'habitude que par l'urgence ou la nécessité. On aurait dit une armée en déroute, un peuple conquis, brisé, qui se traînait vers un non-avenir. C'était Haïti, à peine sorti de l'esclavage. Nombre de ces gens poussaient des carrioles bricolées avec des planches, des morceaux de tôle ondulée et des pneus bourrés de sable, tandis que d'autres portaient sur la tête ou l'épaule de grands paniers tressés et de vieilles valises. Les animaux se mêlaient librement à la foule, à égalité. Il y avait des cochons noirs, des chiens brûlés par le soleil, des ânes, des chèvres squelettiques, des vaches aux côtes protubérantes, des poulets. Max n'avait vu ce genre de misère qu'à la télévision et, en général, dans des reportages consacrés à des pays africains frappés par la famine, ou à des favelas sud-américaines. En Amérique aussi, il y avait des endroits misérables, mais rien à voir avec ce qu'il avait sous les yeux.

Il débanda instantanément.

« Et voilà Pétionville ! dit Chantale. Faites comme chez vous, pour le temps que vous y resterez. »

Ils gravirent une colline escarpée, prirent une rue à gauche et roulèrent doucement dans une ruelle défoncée, flanquée de grandes maisons blanchies à la chaux. Au bout de la rue, deux grands palmiers, puis, après un autre tournant, la rue repartait se perdre dans la banlieue. Entre les deux arbres, une allée. Et, sur chacun des troncs, une inscription en lettres noires :

IMPASSE CARVER.

Chantale s'engagea dans l'allée sombre bordée de palmiers qui s'élançaient devant de hautes murailles et dont les feuillages s'entrelaçaient dans le ciel en filtrant la lumière. Ils roulaient comme baignés dans une brume d'un vert aqueux et glauque, percée de temps à autre par des éclats soudains de rayons de soleil. L'allée était parfaitement lisse et plane, un vrai soulagement après les rues complètement défoncées qu'ils venaient de quitter.

La maison de Max se trouvait au bout de l'allée. Le portail était ouvert et Chantale tourna dans une cour bétonnée ombragée par d'autres palmiers. Au fond, il aperçut la maison : une bâtisse orange de plain-pied avec un toit pointu en tôle ondulée, surélevée d'environ un mètre au-dessus du sol. Un perron de six marches conduisait au porche d'entrée. Des bougainvillées et des lauriers-roses poussaient au pied des murs.

Chantale gara la voiture. Les gardes du corps arrivèrent quelques instants plus tard.

« Vous êtes invité à dîner chez les Carver, ce soir. On viendra vous chercher vers huit heures, l'informa-t-elle.

— Vous y serez ?

— Non, je n'y serai pas, répondit-elle. Venez, je vais vous faire visiter la maison. »

Elle lui fit faire le tour de son logis comme si elle était un agent immobilier s'adressant à un acheteur potentiel néophyte, et ne lui fit grâce d'aucun détail, décrivant en termes dithyrambiques les aménagements et les équipements. La maison était petite et comportait deux chambres, une salle de séjour, une cuisine et une salle de bains. Elle était d'une propreté irréprochable, le carrelage ciré reluisait, l'air sentait bon la menthe et le savon.

Une fois la visite finie, elle lui suggéra d'aller faire un tour dans les jardins et prit congé avec une poignée de main et un sourire, tous deux très professionnels, même s'il crut détecter un certain degré de chaleur dans ces manifestations. Ou alors, il interprétait mal les choses ? À moins qu'il ne prenne ses désirs pour des réalités, les fantasmes d'un veuf après huit ans d'abstinence sexuelle et qui se laissait exciter par le contact, même imperceptible, d'une femme superbe ?

9

La nuit tombe vite en Haïti. En une seconde, on passe du plein jour de fin d'après-midi à l'obscurité totale, comme si quelqu'un avait actionné un interrupteur.

Max avait inspecté les alentours de la maison. Dans un jardin de rocaille à la japonaise, impeccablement composé et entretenu, une allée pavée serpentait au milieu de graviers de marbre vert et conduisait à une vaste dalle de granit carrée qu'occupaient une grande table ronde en fer forgé blanc et six chaises assorties. Les sièges étaient légèrement poussiéreux, comme le plateau de la table dont le centre était taché de cire fondue rouge. Il s'imagina un couple assis là, le soir, à la lumière des bougies, sirotant des cocktails en se tenant peut-être par la main, tout à la saveur du moment. Il avait pensé à Sandra car elle aimait ce genre de choses. Savourer un moment, le chérir, même, en tenant la main de Max, comme si elle retenait le temps en s'appropriant cet instant. Il se souvint de leur premier anniversaire de mariage. Ils avaient mangé du poisson grillé dans la maison qu'ils avaient louée dans les Keys. Tous les jours, ils avaient contemplé le soleil se lever et se coucher, et avaient dansé sur la plage au son des vagues. Et maintenant, se dit-il, que penserait-elle d'Haïti ? C'était bien un endroit dont elle n'avait jamais parlé.

Le jardin était bordé de jeunes palmiers — deux ou trois ans, maximum, encore fins et fragiles, et juste en train de prendre forme. Le terrain était fermé par une rangée de manguiers, orangers et citronniers. Entre, une clôture élevée, surmontée de rouleaux de fil de fer barbelé coupant. La clôture électrifiée émettait un bourdonnement permanent qui ressemblait aux dernières vibrations d'un diapason. À l'intérieur comme à l'extérieur, elle disparaissait sous une masse de feuilles de lierre vert foncé. Au bout de la clôture, il s'arrêta devant un mur blanc de six mètres de haut, couronné, lui aussi, de barbelés. À son pied, le sol était parsemé de tessons de verre à demi enfouis dans le sable. Il trouva un espace dans le faux feuillage et y jeta un œil. La maison s'adossait à une ravine, qui longeait la propriété. De son côté, il y avait un mur de soutènement. De l'autre s'élevait un talus de terre brune. De grands arbres avaient poussé, mais tous s'inclinaient en équilibre instable au-dessus du ravin, penchés de manière inquiétante, formant des angles dangereusement aigus. La moitié de leurs racines jaillissait du sol pour chercher de l'air comme s'ils avaient été déracinés par une avalanche qui les aurait figés au milieu de leur chute. Au fond du ravin luisait une flaque noire d'eau huileuse et stagnante. Devant lui, il vit une station d'essence Texaco et un genre de petit café-restaurant.

Il entendait les bruits de la rue. Chaque ville a sa propre musique. À New York, c'est un mélange de klaxons et de sirènes, d'embouteillages et de véhicules d'urgence. À Miami, on entend le bruit plus calme de voitures qui roulent, de coups de freins et de dérapages, de motos pétaradantes et de deux-roues crachant leur fumée. À Pétionville, les voitures ferraillaient comme si elles traînaient des pare-chocs défoncés le long des routes défoncées, et les klaxons sonnaient comme des saxophones altos qui jouaient faux.

Sans bouger, il était resté contempler le monde extérieur lorsque la nuit était tombée, le prenant par surprise.

Quel soulagement de ne plus rien voir. L'air résonnait du chant des criquets et des cigales, et l'obscurité couleur d'encre était ponctuée par le vol des lucioles, minuscules lueurs d'un vert acide qui brûlaient une fraction de seconde avant de disparaître à jamais.

Le ciel était clair et des milliers d'étoiles flamboyaient au-dessus de lui. En Amérique, jamais il ne les avait vues aussi proches. C'était comme une nuée à l'éclat argenté, qui paraissait presque à portée de main.

Il se dirigeait vers la maison quand un nouveau bruit le fit s'arrêter net. C'était un son distant, affaibli. Il écouta les insectes, les bagnoles, cette humanité de soupe populaire, de bidonville, qui se terrait pour passer une nouvelle nuit à l'hôtel des courants d'air.

C'était là. Il vira légèrement à droite. Voilà, ça venait de quelque part au-dessus de la ville. Un unique coup de tambour qui se répétait toutes les dix ou douze secondes — *domm... domm... domm... domm...*

Une grosse caisse dont le son perçait le chaos rauque de la nuit, insistant et puissant, comme le battement d'un cœur de géant.

Max sentit le son lui traverser le corps, le rythme du tambour solitaire s'insinuer dans sa poitrine et inonder son cœur, les deux battements ne faisant plus qu'un.

10

Les gardes du corps qui l'avaient accueilli à l'aéroport vinrent le chercher pour le dîner. Ils sortirent de la propriété, descendirent la rue et prirent à gauche avant de remonter la route escarpée qui les mènerait dans la montagne. Ils passèrent devant un bar dont le nom était encadré d'une guirlande d'ampoules brillamment colorées. La Coupole. Six ou sept Blancs, bouteille de bière à la main, glandaient à l'extérieur et bavardaient avec des Haïtiennes en jupes ou robes courtes bien moulantes. Max reconnut immédiatement ses compatriotes à leurs vêtements : pantalon kaki comme le sien, chemises et T-shirts de même coupe que ceux qu'il avait dans sa valise. Des GI en permission, l'armée conquérante gaspillant l'argent des contribuables américains. Il se fit note de s'arrêter au bar quand il aurait vu ses clients. La traque de Charlie Carver commencerait ce soir.

La propriété des Carver était également une bananeraie — une des entreprises les plus prospères d'Haïti. D'après une note du rapport de la CIA, la famille investissait la manne financière qu'elle tirait des bananes dans des œuvres philanthropiques, en particulier dans l'Arche de Noé, une école réservée aux enfants les plus démunis de l'île.

Les Carver habitaient une impressionnante maison de planteurs à trois étages, blanc et bleu pastel, avec un perron majestueux menant à un hall d'entrée brillamment éclairé. Devant la maison s'étendait une pelouse bien entretenue avec, au centre, une fontaine d'eau bouillonnante et un bassin d'eau salée plein de poissons. Une série de bancs de jardin était disposée tout autour. Des projecteurs installés dans des sortes de miradors juchés dans les arbres avoisinants illuminaient le lieu comme un stade de football.

Un agent de sécurité armé d'un Uzi, accompagné d'un doberman à laisse automatique, les accueillit au moment où ils contournaient la pelouse pour s'avancer jusqu'au perron. Max détestait les chiens. Il les avait toujours détestés depuis qu'enfant il s'était fait poursuivre par un d'entre eux. Les plus idiots avaient tendance à sentir sa peur et grondaient, aboyaient et lui montraient les dents. Ceux qui étaient dressés se retenaient, dans l'attente du signal d'attaque. Le doberman lui fit penser à un chien policier qui se tient en arrêt, aux ordres de son maître, alignant des pensées assassines et dressé à vous sauter aux couilles et à la gorge. Dans cet ordre-là.

Une bonne fit entrer Max dans le salon où l'attendaient trois membres de la famille Carver : Allain, un vieil homme, qu'il devina être Gustav, et une blonde qui devait être la mère de Charlie — et donc la femme d'Allain.

La main tendue, ses talons de cuir claquant sur le carrelage noir et blanc bien ciré, Allain s'avança vers Max. Il affichait le même sourire professionnel qu'à New York, mais il lui parut très différent de l'homme calme qu'il avait rencontré cette fois-là. Il n'avait plus de brillantine dans les cheveux et, de ce fait, avait gagné cinq bonnes années et perdu une partie de sa gravité.

« Bienvenue, Max, fit-il en lui serrant la main. Bon voyage ?

— Oui, je vous remercie.

— Votre maison, ça va ?

— Parfaite, merci. »

Carver ressemblait à un directeur d'hôtel BCBG avec ses mocassins marron, son pantalon kaki et sa chemise Oxford bleu clair à manches courtes, assortie à son regard éteint. Il avait des bras minces parsemés de taches de rousseur.

« Venez par ici », dit-il en précédant Max vers l'autre bout de la pièce.

Les Carver étaient assis autour d'une longue table basse en verre. Sur l'étagère du bas, il y avait cinq piles bien rangées de magazines et, sur le plateau, un vase garni de lis jaunes, roses et orange. Gustav était assis dans un fauteuil de cuir noir frappé d'or. La femme était assise sur un canapé assorti.

La pièce sentait l'encaustique, le produit à vitres, la cire et le désinfectant qu'on utilise dans les couloirs d'hôpital. Max renifla également un vague relent de tabac froid.

Il avait mis un costume prêt-à-porter en lin beige (acheté chez Saks Fifth Avenue, au centre commercial de Dadeland), une chemise blanche à col ouvert, des chaussures de cuir noir et il portait son Beretta accroché à la taille, à gauche. On ne l'avait pas fouillé avant d'entrer dans la maison. Il faudrait le signaler aux Carver, s'il était encore en bons termes avec eux une fois sa mission accomplie.

« Francesca, ma femme… » dit Allain.

Francesca lui adressa un pauvre sourire forcé, comme si une paire de doigts invisibles lui étirait péniblement les commissures des lèvres. Elle serra la main de Max d'une main froide et moite qui lui rappela brièvement ses patrouilles en compagnie de Joe, lorsqu'ils avaient « filtré la merde » — autrement dit, farfouillé du bout des doigts au fond des cuvettes de waters, en quête de drogue planquée. La plupart du temps, ils y étaient allés à main nue parce qu'ils n'avaient pas emporté de gants. Il se rappela comme le contenu vieux d'un mois des siphons avait la même texture que des hamburgers crus et froids. Il venait d'éprouver la même sensation en serrant la main de Mme Carver.

Leurs regards se croisèrent sans se quitter immédiatement. Elle avait l'iris d'un bleu clair délavé qui ressortait à peine sur le blanc de l'œil, telle la trace fantomatique d'une tache d'encre oubliée sur un tissu sortant du nettoyage. Un vrai regard de flic faisant sa ronde : agressif, pénétrant, dubitatif et furtif.

Francesca était belle mais de ce genre de beauté qui le laissait toujours indifférent — une beauté distinguée et distante, qui exprimait sa supériorité sociale plutôt qu'un quelconque sex-appeal.

Une peau fine, blanche comme de la porcelaine, et des traits parfaitement réguliers et bien proportionnés. Tout chez elle était symétrique et exactement là où il fallait : elle avait les pommettes hautes et bien dessinées, le menton pointu, et un nez légèrement retroussé, idéal pour souligner un regard dédaigneux ou méprisant. WASP de Manhattan, belle de Floride, princesse de Palm Springs, sang bleu de Bel Air : Francesca Carver avait un visage à inaugurer une douzaine de country clubs, un air inaccessible à moins d'en être membre bienfaiteur ou doté d'un bon carnet d'adresses. Et une vie facile à imaginer : déjeuners interminables, régimes draconiens, lavages du colon mensuels, séances de manucure et de pédicure, esthéticienne, massages, injections de Botox, le coiffeur deux fois par semaine, une gouvernante, un coach, une rente quotidienne, hebdomadaire ou mensuelle, et des réserves illimitées de conversation oiseuse. Un parfait faire-valoir pour Allain Carver.

Mais il y avait quand même quelque chose qui clochait. Quelques éléments qui la faisaient descendre de son piédestal et cassaient cette image. Elle était en train de boire quatre doses de vodka pure ou pas loin dans un grand verre à whisky, ses cheveux blond foncé étaient ramassés en un austère chignon serré qui lui dégageait le visage et attirait l'attention sur ses traits maigres et pâles, ses cernes et la veine qui battait vite et fort sous la peau de sa tempe gauche.

Elle ne dit rien, ils échangèrent un regard muet. Manifestement, Max ne lui plaisait pas, ce qui était étrange car les parents qui lui demandaient de rechercher leurs enfants disparus le considéraient, en général, comme rien de moins qu'un super-héros.

« Et voici mon père, Gustav Carver.

— Enchanté de faire votre connaissance », dit ce dernier d'une voix rocailleuse et forte, celle d'un fumeur à grande gueule.

Ils se serrèrent la main. Carver senior faisait montre d'une force peu commune pour un homme de son âge et qui venait, de surcroît, d'être victime d'une attaque. Sa poignée de main, donnée pourtant en mesurant son énergie, vous broyait les os. Il était doté d'une paire de pognes menaçantes et aussi grosses que des gants de base-ball.

Il souleva la lourde canne noire à pommeau d'argent posée sur les accoudoirs de son fauteuil et en tapota le canapé placé à sa gauche.

« Venez vous asseoir à côté de moi, monsieur Mingus ! » grommela-t-il.

Max s'assit suffisamment près du vieillard pour sentir l'odeur de menthe douce qui émanait de lui. Entre père et fils, il n'y avait rien de commun. Gustav Carver ressemblait à une gargouille qui se repose entre des éruptions démoniaques. Son énorme tête était surmontée d'une crinière argentée, brillantinée et coiffée en arrière. Il avait un large nez crochu, une bouche proéminente et charnue et de petits yeux marron foncé qui vous scrutaient par-dessus les plis de ses orbites flasques et brillaient comme deux grains de café fraîchement grillés.

« Vous prendrez bien un verre ? demanda-t-il d'un ton plus impératif qu'engageant.

— Oui, merci, fit Max qui s'apprêtait à demander de l'eau, lorsque Gustav l'interrompit.

— Vous devriez essayer notre rhum. C'est le meilleur du monde. Je vous accompagnerais bien, mais j'ai eu quelques petits problèmes de plomberie, fit-il avec un gloussement en se tapant sur la poitrine. Vous en boirez pour moi.

— Du Barbancourt ? demanda Max. Mais on en trouve à Miami.

— Pas de cette qualité, répliqua sèchement Gustav. Ce n'est pas pour les étrangers. Il ne quitte jamais l'île.

— Je ne bois pas, monsieur Carver, dit Max.

— Vous n'avez pourtant pas l'air d'un alcoolique en lutte contre son vice », dit Gustav en le dévisageant. Il avait des intonations plus britanniques que son fils.

« J'ai arrêté avant d'en arriver à ce stade.

— Quel dommage… Notre rhum aurait pu vous plaire.

— Le rhum, c'était pas trop mon truc. Moi, j'étais plutôt du genre bourbon-bière.

— Alors, que puis-je vous offrir ?

— De l'eau, s'il vous plaît.

— Encore une boisson de luxe, ici », dit Carver.

Max se mit à rire.

Gustav aboya un ordre à un domestique qui quitta prestement son poste auprès de la porte. Max ne l'avait pas remarqué en arrivant. Carver lui ordonna d'apporter de l'eau en des termes qui jaillirent de sa bouche comme d'un canon de pistolet de starter.

En regardant le domestique quitter la pièce comme s'il s'enfuyait, Max aperçut Allain. Assis à l'autre bout du canapé, le regard perdu dans le vide, il jouait avec ses doigts. Max se rendit compte qu'il n'avait pas senti sa présence dans la pièce depuis qu'il lui avait présenté son père. Il lança un regard dérobé à Francesca, assise sur le canapé en face, et vit qu'elle avait la même position — le dos bien droit, les mains croisées sur les genoux et le regard perdu, mais dans un autre vide.

La dynamique de la famille se mettait en place. Gustav Carver y régnait en maître absolu, sans contestation ni opposition. C'était son show, tous ceux qui l'entouraient n'étaient que des figurants ou des extra, famille comprise.

Le vieil homme absorbait et s'appropriait toute l'énergie et la personnalité des personnes présentes. Voilà pourquoi Allain était si différent de l'homme qu'il avait rencontré la première fois : il était passé du trône au tapis. Voilà également pourquoi Francesca devait jouer les ravissantes idiotes, alors que son regard proclamait exactement le contraire. Gustav avait dû être un père effrayant, pensa Max. Grandir sous sa houlette, c'était céder et courber l'échine, ou se faire renier.

Le salon était vaste. Trois des murs étaient couverts de livres anciens. Des centaines de reliures estompées d'or se succédaient sur les rayonnages en formant des masses colorées de bon goût : grenat, vertes, bleu roi, brun chocolat. Le mobilier avait été soigneusement choisi pour mettre en valeur ces arrangements subtils. Max se demanda combien de ces livres les Carver avaient réellement lus.

N'importe qui ne se plonge pas dans un livre. Max n'était pas de cette espèce. Il préférait l'activité physique à la position assise et, enfant, il avait rapidement dépassé le stade des fariboles. Avant d'aller en prison, il s'était contenté de lire les journaux et les documents liés aux affaires qui le concernaient professionnellement.

Chez eux, le rat de bibliothèque, c'était Sandra et elle était vorace.

La pièce était éclairée par des lustres et quatre lampadaires disposés aux quatre coins. La lumière était d'un ocre doré, chaud et agréable, qui donnait à l'atmosphère un caractère intime, comme si elle était produite par un feu de cheminée, des bougies ou des lampes à huile. À droite, Max aperçut deux plastrons de cuirasse et casques à pointe, montés sur piédestal et disposés à l'extrémité des bibliothèques. Sur le mur en face, entre deux fenêtres à arcade, un grand portrait de femme surmontait un long manteau de cheminée couvert de photos encadrées de dimensions et formes diverses.

« Vous vous appelez Mingus. C'est un nom afro-américain, non ? dit Gustav.

— Mon père était originaire de La Nouvelle-Orléans. Un musicien de jazz raté. Il a changé de nom avant de rencontrer ma mère.

— À cause de Charlie Mingus ?

— Ouais.

— Un de ses morceaux s'intitule…

— *Haitian Fight Song* — je sais, l'interrompit Max.

— Ça parle de *la Gague*, nos combats de coqs locaux, l'informa Carver.

— On en a à Miami aussi.

— Mais ici, ils sont plus féroces, plus primitifs », dit Carver en lui adressant un large sourire. Il avait les dents jaunes, et noires à la racine.

Le regard de Max se posa sur le bouquet de lis. Il avait quelque chose qui clochait, quelque chose qui jurait avec la noblesse de la pièce.

« Vous aimez le jazz ? demanda Carver.

— Oui. Et vous ?

— Ça dépend. Mingus est venu donner un concert à l'hôtel Olffson, à Port-au-Prince. Il y a bien longtemps de ça. »

Gustav se tut et lança un regard au portrait qui était accroché au mur.

« Venez », dit-il, s'extirpant de son fauteuil en prenant appui sur sa canne. Max se leva pour l'aider, mais Gustav le repoussa. Il était à peu près de sa taille, mais légèrement voûté et plus étroit au niveau des épaules et du cou.

Carver le précéda vers le manteau de la cheminée.

« C'est ici que nous exposons nos trophées — ou nos atrophies… à vous de choisir en fonction de vos opinions politiques », annonça Carver avec un gros rire en balayant d'un geste le dessus de la cheminée.

Le manteau était une plaque de granit, parcourue d'une fine guirlande de feuilles de laurier dorées. Il était bien plus imposant qu'il ne l'avait imaginé et ressemblait plus à un rebord de fenêtre qu'à un dessus de cheminée. Max parcourut du regard la série de photographies. Il y en avait une bonne centaine, sur cinq rangées, chacune disposée selon un angle différent de sorte que les personnages principaux restent visibles.

Les clichés étaient tous encadrés de noir, la même guirlande dorée à la feuille ornant le bord interne du cadre. Au premier coup d'œil, Max ne reconnut personne parmi les visages noir et blanc ou sépia qui le regardaient. Il y avait là, pêle-mêle, des ancêtres de Carver, des hommes âgés, voire des vieillards, et des femmes, en général jeunes, tous de type européen et, soudain, entre ces profils aristocratiques et ces vénérables photographies de jadis, il aperçut des instantanés du jeune Gustav jouant au croquet en culotte de golf, ou avec sa femme, le jour de leur mariage, et surtout, échangeant une poignée de main avec des célébrités ou des icônes de toutes sortes.

Parmi celles-ci, Max reconnut J.F.K., Fidel Castro (les deux photos étaient côte à côte), John Wayne, Marilyn Monroe, Norman Mailer, William Holden, Ann-Margret, Clark Gable, Mick Jagger, Jerry Hall, Truman Capote, John Gielgud, Graham Greene, Richard Burton, Elizabeth Taylor. Carver ne paraissait ni ridiculement petit ni incongru, au voisinage de toutes ces stars. Bien au contraire, c'était comme s'il en imposait à ses compagnons, comme si c'était lui qui avait consenti à poser pour *eux*.

Il y avait aussi deux photos de Sinatra, une où le Chairman se trouvait avec Gustav et une autre où il faisait une bise sur la joue à une Judith Carver terrifiée.

« Vous l'avez trouvé comment, Sinatra ? demanda Max.

— Un crapaud qui se prenait pour un requin. Aucune allure, répondit Carver. Mais comme ma femme lui vouait une adoration éperdue, j'ai fini par tout lui pardonner. Il continue à m'écrire. À moins que ce ne soit sa secrétaire... Il m'a envoyé son dernier CD.

— *L.A. Is My Lady ?*

— Non, *Duets*.

— Un *nouvel* album ? » s'exclama Max, sur un ton trop excité pour son goût. Il n'avait pas eu l'idée de faire les disquaires au moment de partir. Avant d'être incarcéré, il allait s'acheter des disques tous les mardis et vendredis.

« Prenez-le, si vous voulez, fit Carver avec un sourire. Je ne l'ai même pas ouvert.

— Non, je n'oserais pas.

— Osez ! » lui dit Carver.

Il lui donna une tape sur l'épaule, puis leva les yeux en direction du portrait. En regardant le tableau de plus près, Max reconnut Judith Carver, plus jeune que sur la photo de la cheminée. Son visage, pratiquement sans lèvres, trahissait son lien de parenté avec Allain. Elle était assise jambes croisées, les mains posées sur les genoux. Derrière elle, sur un guéridon, se trouvait le même bouquet de lis que sur la table basse du salon. Max comprit à ce moment pourquoi ces fleurs l'avaient dérangé : elles étaient fausses.

« Ma femme, Judith, dit Carver en lui indiquant le portrait.

— Quand l'avez-vous perdue ?

— Il y a cinq ans. Le cancer… dit-il, puis, se tournant vers Max, il ajouta : ce n'est pas normal que les maris enterrent leurs femmes. »

Max acquiesça. En lui lançant un regard de côté, il vit que Gustav avait les larmes aux yeux et se mordait la lèvre pour l'empêcher de trembler. Max avait envie de lui dire quelque chose pour le consoler ou le distraire de sa douleur, mais les mots lui manquèrent, d'autant plus qu'il doutait de ses propres motivations.

Pour la première fois, il se rendit compte qu'ils étaient tous deux habillés de la même façon. Gustav portait un costume en lin beige, une chemise blanche et des chaussures noires impeccablement cirées.

« *Excusez-moi, Monsieur Gustav ?* *» dit le domestique qui se tenait derrière eux. Il avait apporté de l'eau pour Max — un grand verre avec des glaçons et une rondelle de citron, trônant au centre d'un immense plateau d'argent circulaire.

Max prit le verre et remercia celui qui le lui tendait d'un signe de tête.

Carver lui montra une photo de famille, manifestement prise dans ce même salon. Assis dans un fauteuil, un bébé dans ses bras, Gustav arborait un sourire radieux. Max reconnut vaguement le bébé : c'était Charlie.

« Elle a été prise juste après le baptême du petit, dit Carver. Il n'a pas arrêté de péter pendant la cérémonie. »

Carver s'esclaffa de sa propre plaisanterie. C'était évident, Gustav adorait son petit-fils. Cela se voyait rien qu'à la manière dont il tenait l'enfant sur la photo et au regard nostalgique qu'il lui lançait aujourd'hui.

Il tendit le cliché à Max, longea la cheminée jusqu'à son extrémité et prit sur la rangée du fond une autre photo qu'il examina de plus près.

Max regarda la photographie. Elle représentait la famille Carver au complet, rassemblée autour du patriarche et de son petit-fils. Sur les quatre filles, trois ressemblaient à leur mère — des beautés façonnées dans le même moule que Francesca. La dernière, en revanche, petite et boulotte, était une réplique travestie de son père, en plus jeune. Francesca était assise à ses côtés, et Allain se tenait au bout de la rangée, à droite. Il y avait également un autre homme, du même âge qu'Allain mais beaucoup plus grand et avec des cheveux bruns et courts. Un gendre, sans doute.

Quand Carver se rapprocha, Max remarqua qu'il boitait légèrement de la jambe gauche.

Il reprit la photo du baptême à Max et se pencha vers lui.

« Je suis ravi que vous ayez accepté cette affaire, dit-il dans un murmure. Je me sens honoré de votre présence ici. Un homme en accord avec nos propres valeurs et principes.

— Comme je l'ai déjà dit à votre fils, il est possible que je ne trouve rien », répondit Max en chuchotant lui aussi.

D'habitude, il contrôlait ses émotions devant ses clients mais, il fallait bien l'admettre, en dépit de tout ce qu'il avait lu à son propos, ce vieil homme lui plaisait.

« Monsieur Mingus...

— Appelez-moi Max, monsieur Carver.

— D'accord. Écoutez, Max, je suis vieux, j'ai eu une attaque. Il me reste peu de temps à vivre. Un an peut-être, mais guère plus. Il faut que le petit revienne. C'est mon unique petit-fils. Je veux le revoir. »

À nouveau, ses yeux se mouillaient de larmes.

« Je ferai de mon mieux, monsieur Carver », dit Max avec sincérité. Pourtant, il était quasiment certain que Charlie était mort et il craignait déjà le moment où il devrait l'annoncer au vieil homme.

« Je vous crois », dit Carver en lui lançant un regard admiratif.

Max se sentit soudainement grandi, prêt à se mettre au travail. Il retrouverait Charlie Carver, et si ce n'était pas physiquement, il trouverait son fantôme et le lieu qu'il hantait. Il découvrirait ce qui lui était arrivé et qui en était responsable. Ensuite, il trouverait le motif du crime. Mais il s'arrêterait là. Il n'avait rien d'un justicier. La justice, ce n'était pas son affaire. Mais les Carver voudraient certainement l'obtenir pour eux-mêmes.

Son regard tomba sur quelque chose qui lui avait échappé et qui ne sautait pas aux yeux, à moins de l'avoir sous le nez. Une inscription gravée en lettres d'or sur les piliers de la cheminée, le psaume 23, le plus connu, celui qui commence par *: « Le Seigneur est mon berger…* » Mais ici, il s'agissait du cinquième verset :

« *Tu dresses devant moi une table en face de mes ennemis ; Tu oins d'huile ma tête ; ma coupe déborde.* »

Une domestique s'approcha :

« *Le dîner est servi**.

— *Merci**, Karine, dit Carver. Allons dîner. J'espère que vous êtes arrivé l'estomac vide. »

Tandis que Max et Carver s'avançaient vers la porte, Francesca et Allain quittèrent leurs sièges pour leur emboîter le pas. Pendant un moment, Max avait complètement oublié qu'ils se trouvaient dans la pièce.

11

Le dîner fut servi par deux soubrettes en uniforme noir et tablier blanc. Silencieuses et discrètes, elles apportèrent les hors-d'œuvre : deux tranches de jambon de Parme disposées en croix et garnies de melon glacé, cantaloupe, galia et pastèque. Ils étaient servis dans des coupelles individuelles et découpés en forme de carrés, d'étoiles, et de triangles, disposés entre les branches de la croix. Les deux femmes passaient derrière les convives telles des ombres furtives, à peine perceptibles.

La salle à manger était revêtue du même carrelage noir et blanc que celui du salon. Elle était brillamment éclairée par deux énormes lustres, et au centre se trouvait une table de banquet qui pouvait accueillir jusqu'à vingt-quatre convives. Sur le mur de gauche était accroché un portrait de Judith, dont le buste et le visage semblaient apparaître au bout de la table, occupant symboliquement la place où elle s'était certainement assise de son vivant. La table était décorée de trois vases de lis artificiels. Max et les Carver étaient assis à l'autre bout de la table, tout près les uns des autres. Gustav présidait, Francesca faisait face à Allain et avait Max pour voisin.

Max regarda la table. Il avait débarqué en terre étrangère. Il n'était pas très à l'aise avec l'étiquette ou les bonnes manières. À part les restaurants où il avait emmené sa femme ou ses petites amies, les seuls dîners un peu officiels auxquels il avait assisté étaient des banquets de flics, qui relevaient plutôt du genre dîner entre copains et se terminaient en bagarres de petits pains et concours de découpages alimentaires divers.

Tout en attaquant son jambon, Max observa les Carver. Ils en étaient toujours au melon. Ils mangeaient en silence, sans échanger un regard. Seul le cliquetis du métal contre la porcelaine résonnait dans cette vaste salle à manger. Gustav gardait les yeux rivés sur son assiette. Max remarqua que sa fourchette tremblait lorsqu'il la portait à sa bouche. Allain piquait sa nourriture comme s'il essayait en vain d'écraser une fourmi zigzagante avec la pointe d'un crayon. Il portait des morceaux de melon à sa bouche sans lèvres et les enfournait, tel un lézard qui avale une mouche. Francesca, elle, tenait ses couverts comme des aiguilles à tricoter et disséquait le melon en tout petits morceaux qu'elle se mettait dans la bouche sans presque écarter les lèvres. Elle avait des bras minces et pâles, sans veines apparentes. Elle aussi tremblait, agitée de secousses nerveuses comme de soucis intérieurs. Il lança un nouveau coup d'œil à Allain, puis à sa femme. Aucun courant ne passait entre ces deux-là. Il ne subsistait rien. Chambres séparées ? Triste couple... Est-ce qu'ils se disputaient encore ou tout se faisait-il en silence ? Il n'y avait pas que l'enfant. Ces deux-là restaient collés ensemble comme des insectes sur de la glu. Max était persuadé qu'Allain avait quelqu'un d'autre. Il prenait soin de lui, faisait bonne figure, tout pour épater la galerie. Francesca, elle, avait baissé les bras. La pauvre.

« Madame Carver, depuis combien de temps êtes-vous en Haïti ? » demanda Max, d'une voix qui résonna démesurément dans la pièce. Le père et le fils se tournèrent vers lui, puis vers Francesca.

« Depuis trop longtemps », dit-elle dans un souffle, comme pour lui signifier que sa question était déplacée. Elle ne se tourna pas de son côté et se contenta de lui lancer un bref regard du coin de l'œil.

Max avala bruyamment son jambon, qui lui fit mal en passant. Il en restait un morceau, mais il n'y toucha pas.

« Dites-moi donc, Max, c'était comment, la prison ? aboya Gustav de l'autre côté de la table.

— *Père !* s'écria Allain, le souffle coupé par la grossièreté indiscrète de son père.

— Ça ne me gêne pas d'en parler, répondit Max, qui s'attendait à ce que le vieillard l'interroge sur son passé.

« Je n'aurais jamais dû accepter l'affaire Garcia, commença-t-il. C'était trop proche, trop personnel. Nous connaissions la famille, ma femme et moi. On était amis. D'abord ma femme, puis moi. Il nous arrivait de garder leur fille. »

Soudain, il revit Manuela comme si elle était devant lui. À quatre ans, ses traits d'adulte se dessinaient déjà. Elle avait le nez busqué, les yeux noirs, un sourire impudent et la langue bien pendue. Une vraie petite Inca. Elle adorait Sandra, qu'elle appelait Tatie. Parfois, elle venait passer la nuit chez eux, même quand ses parents étaient à la maison.

« Richard et Luisa avaient tout ce qu'on peut rêver. Ils étaient millionnaires et, pendant des années, ils avaient essayé d'avoir un enfant. Mais c'était compliqué. Luisa avait fait trois fausses couches et les médecins lui avaient dit qu'elle ne pouvait plus avoir de grossesses. Quand Manuela est arrivée, ils ont cru au miracle. Ils l'adoraient, cette petite fille. »

Manuela n'appréciait guère Max, mais elle avait hérité de la diplomatie de son père et, malgré son jeune âge, elle avait compris qu'il était important de ne blesser personne, à moins de savoir gérer le problème. Elle était polie en sa présence et l'appelait « oncle Max » mais, dès qu'il avait le dos tourné, elle se contentait de « Max » ou même de « il ». La chose amusait beaucoup Max, qui imaginait sans peine l'adulte qu'elle allait devenir.

« Ils m'ont contacté dès qu'ils ont reçu la demande de rançon. Je leur ai dit d'aller voir les flics, mais les kidnappeurs les avaient mis en garde, en menaçant de tuer la fillette. Exactement comme dans toutes ces merdes qu'on voit à la télé... dit Max à la cantonade. Il ne faut jamais faire confiance à un kidnappeur, et encore moins à ceux qui vous disent de ne pas alerter la police. On s'aperçoit vite qu'ils ne savent pas ce qu'ils font et, neuf fois sur dix, c'est la victime qui écope. J'ai eu beau dire tout ça à Richard, il n'a pas voulu les contrarier. Ensuite, il m'a demandé de porter la rançon. Il était convenu que je la dépose et que j'attende l'appel des ravisseurs m'indiquant où se trouvait Manuela. J'ai laissé l'argent à Orlando, près d'une cabine téléphonique. Un type à moto est passé le prendre. Il ne m'a pas vu, j'étais caché de l'autre côté de la route. J'ai relevé son numéro minéralogique, la marque de la moto et les caractéristiques physiques du conducteur. Mais il n'y a pas eu d'appel. J'ai transmis mes informations sur le deux-roues à un copain qui était dans le commerce. La moto appartenait à un des employés de Richard. Je lui ai demandé ce qu'il savait et je l'ai balancé aux flics. Il m'avait dit que Manuela était enfermée dans une maison, à Orlando. Quand j'y suis arrivé, elle avait disparu. »

Francesca tortillait sa serviette sous la table, elle la serrait et la desserrait d'un geste violent, nerveux.

« Le rançonneur m'avait livré le nom de ses complices. Il y en avait trois, des ados. Dix-sept ans. Deux garçons et une fille. Tous noirs et tous avec un casier judiciaire. La fille était une fugueuse qui avait fini sur le trottoir. Un des gars était le cousin d'un caïd local. »

Les bonnes revinrent. Elles débarrassèrent la table et leur servirent de l'eau et du jus de fruits. Allain et Gustav écoutaient Max de toutes leurs oreilles. Il les sentait suspendus à ses lèvres. Francesca ne le regardait pas. La veine sur sa tempe s'était remise à battre.

« La chasse à l'homme a commencé, d'abord au niveau de l'État de Floride, puis au plan national. Ils ont passé six mois à rechercher Manuela et ses kidnappeurs, sans succès. Moi aussi, je me suis lancé à sa recherche. Richard m'avait offert un million de dollars. Mais je ne lui ai pas pris un seul *cent*. »

De cette enquête, Max gardait un souvenir plus que vif. Des kilomètres de routes et d'autoroutes ponctuées de pointillés noir et blanc, des heures, des jours entiers passés à rouler, à faire le guet dans des véhicules de location défectueux. Il y avait toujours quelque chose qui clochait : la clim', le chauffage ou le clignotant gauche, le changement de vitesse, la radio trop forte ou au contraire muette, les odeurs de fast-food laissées par les occupants précédents, les chambres de motel, les télés, les voyages en avion. Et puis les anabolisants autorisés, engloutis avec des litres de café, les appels à Sandra, à la famille Garcia, le désespoir qui s'approfondissait comme un après-midi où la nuit tombe trop vite. Tout lui revenait en mémoire, ce passé lointain, dilué dans le temps, mais qui avait conservé une certaine force.

« J'en ai vu des horreurs, à cette époque. Des gens se traiter entre eux comme vous ne pourriez même pas l'imaginer. Mais bon, c'était du connu, ça faisait partie du métier, du normal, du tout-venant. À la fin de la journée, je pouvais tout laisser derrière moi et l'oublier avant d'avoir à m'y replonger. Mais voilà, quand cela vous affecte personnellement, c'est différent, ça fait mal. Ce moment de grâce, cette trêve entre le travail et le non-travail est abolie. C'est fini, vous n'êtes plus un professionnel. Vous êtes impliqué, vous vivez en empathie avec les proches : les mamans, les papas, les maris, les femmes, les petits amis et petites amies, les copains, les chiens-chiens, vous partagez leurs chagrins et leurs larmes. Je ne sais pas si vous le savez mais, à l'école des détectives, on vous enseigne comment annoncer les mauvaises nouvelles. On vous apprend un type de compassion d'ordre professionnel. Moi, j'ai été formé par un coach, un raté d'Hollywood. J'étais le meilleur de la classe. Un super-pro de la compassion : en un clin d'œil, *j'exsudais* une compassion professionnelle. J'ai tenté de me *l'exsuder* pour moi-même. En vain. Cela n'a pas marché. J'ai retrouvé Manuela Garcia presque un an après son enlèvement. À New York. Elle était morte depuis six ou sept mois. Ils lui avaient fait subir des tas de choses. Très moches », dit Max, s'arrêtant juste à temps pour leur épargner certains détails.

Les domestiques apportèrent la suite : un repas haïtien. Du *grillot* — des morceaux de porc sautés avec de l'ail, du poivre et du piment, et servis avec une sauce au citron. Des tranches de bananes plantains dorées à la poêle avec, soit de la farine de maïs et une sauce aux haricots noirs, soit du riz *dion-dion*, garni de champignons locaux. Et de la salade de tomates.

Max ignorait si les Carver mangeaient d'ordinaire des plats haïtiens ou si tout cela avait été préparé à son intention, en guise de bienvenue. Ils se servirent avec parcimonie. Lui-même prit du riz, des plantains, du *grillot* et une bonne cuillerée de tomates qu'il ajouta au reste, négligeant la petite assiette réservée à cet effet. Il comprit sa bévue en voyant Francesca poser quelques rondelles de tomates sur son assiette à salade et un seul morceau de *grillot* sur sa grande assiette. Mais il décida de s'en ficher.

Allain Carver prit la même chose que lui. Quant à Francesca, elle découpa son morceau de porc en minuscules morceaux qu'elle disposa en éventail sur son assiette pour les contempler fixement, comme si elle y déchiffrait son avenir.

Ils mangèrent en silence pendant quelques minutes. Max s'efforça de prendre son temps, mais il avait faim et tout était délicieux. Cela faisait plus de huit ans qu'il n'avait rien mangé d'aussi succulent.

Son assiette était presque vide lorsque la conversation reprit.

« Et ensuite, Max, que s'est-il passé ? demanda Gustav.

— Eh bien, commença celui-ci en avalant une gorgée d'eau, vous savez qu'il y a tout un commerce de psys qui s'intéressent aux esprits capables de concocter la pire torture qu'ils puissent infliger à autrui. C'est le même genre de rigolos que certains avocats amènent en fauteuil roulant en expliquant que s'ils ont commis de telles horreurs, c'est à cause des sévices subis dans leur enfance que leur ont infligés des parents aussi pétés qu'eux. Moi, je ne crois pas à ces salades-là. Je n'y ai jamais cru. À mon avis, la plupart d'entre nous savent très bien faire la différence entre le bien et le mal. Si vous avez été victime du mal dans votre enfance, à l'âge adulte, c'est le bien que vous recherchez. Mais pour la majorité des Américains, faire une thérapie, c'est comme aller à confesse. Ils prennent les psys pour des curés. Au lieu de réciter des *Je vous salue Marie*, ils déblatèrent sur leurs parents. »

Gustav Carter se mit à rire et applaudit. Allain esquissa un sourire contraint. Francesca s'était remise à étrangler sa serviette.

« Je le savais, que ces mômes allaient s'en tirer. Il n'y a pas de peine de mort dans l'État de New York. Ils allaient jouer la carte de la maladie mentale et c'était gagné. Deux d'entre eux étant accros au crack, leur responsabilité était considérée comme limitée. Le principal coupable serait le caïd, le plus âgé, celui qui avait tout organisé — en un mot, l'employé de Richard. Entre-temps, Manuela serait oubliée et le procès serait centré sur les mômes. Les médias s'en empareraient et en feraient un acte d'accusation contre les jeunes Noirs américains. Ils écoperaient de quinze à vingt ans. Bien sûr, ils se feraient violer en prison. Les garçons attraperaient le sida. Sans doute. Ils auraient des vies pourries, gâchées, mais, pour Manuela, ce serait comme si elle n'avait jamais vécu. C'est la fille que j'ai retrouvée en premier. Ça n'était pas bien difficile. Elle tapinait pour de la coke. C'est elle qui m'a conduit aux deux autres. Ils se planquaient à Harlem. Ils m'ont pris pour un flic. Ils m'ont tout avoué, y compris les détails les plus crapuleux. J'ai écouté jusqu'au bout pour m'assurer que c'était bien eux… et je les ai butés.

— Comme ça ? demanda Allain d'un ton horrifié.

— Comme ça », fit Max.

Il n'en avait jamais autant dit sur cette affaire, et il se sentait bien. Il ne cherchait ni absolution ni empathie, ni même à être compris. Il voulait simplement que la vérité sorte.

Gustav le regardait avec un sourire radieux. Il avait l'œil brillant, comme si le récit l'avait à la fois ému et revigoré.

« Et donc, vous avez plaidé coupable, mais pour un homicide, alors qu'il s'agissait d'un meurtre prémédité et commis de sang-froid. Vous avez écopé d'une peine très légère. Grâce à ce même système que vous critiquez tant.

— J'avais un bon avocat, répliqua Max, *plus* un psy génial. »

Gustav se mit à rire.

Allain l'imita.

« *Bra*-voh ! » aboya Gustav d'un ton réjoui. Son cri d'approbation rebondit en écho contre les murs de la pièce et revint comme surmultiplié, fournissant à Max un auditoire fantomatique restreint, certes, mais enthousiaste.

Allain se leva et applaudit.

Max se sentit à la fois amusé, embarrassé et saisi d'une sacrée envie de filer. Ces deux Carver ne valaient guère mieux que ces brutes des réseaux d'autodéfense qui lui avaient écrit en prison. Il regrettait de ne pas pouvoir se rétracter, de ne pas leur avoir raconté la même salade qu'aux flics et à son avocat : cette histoire d'autodéfense bien intentionnée.

Francesca se mit à jouer les rabat-joie.

« Je le *savais* ! dit-elle d'un ton venimeux, les yeux plissés, se tournant vers Max. Charlie n'a rien à voir là-dedans, c'est *eux* qui vous intéressent.

— Voyons, Francesca, tu *sais* très bien que ce n'est pas vrai », lui répondit Allain d'un ton protecteur, comme s'il réprimandait un enfant qui vient de proférer un gros mensonge. Il la foudroya du regard, comme pour la remettre à sa place. Elle baissa la tête.

« Francesca est perturbée. Rien de plus normal, dit Allain en se penchant vers Max, pour court-circuiter sa femme.

— *Perturbée ?* Je ne suis pas *per-turbée* ! Vous n'y êtes pas du tout, j'ai dépassé ce stade ! » hurla Francesca d'une voix stridente. Écarlate, ses yeux bleus lui sortant de la tête, elle avait l'air plus épuisée que jamais. La veine qui battait sur sa tempe avait changé de couleur ; c'était devenu un tortillon violacé. Elle avait un accent anglais, comme son mari, mais le sien, c'était du vrai de vrai, du pur jus — ni voyelle traînante ni rien qui trahisse des imitations du style Côte Est.

« Vous savez pourquoi vous êtes ici, j'imagine ? dit-elle à Max. Ce n'est pas pour *Charlie* qu'ils vous ont fait venir. Pour eux, il est *mort.* Ils l'ont toujours pensé. Ce qu'ils veulent, c'est que vous retrouviez les ravisseurs — que vous découvriez qui a osé les défier, eux, les tout-puissants, ceux qui savent tout, qui possèdent tout, en un mot, le clan Carver. Votre récit vient de me le confirmer. Vous n'êtes pas un "détective privé". Vous n'êtes qu'un vulgaire tueur à gages. »

Max la regarda, il se sentait réprimandé, mal à l'aise. Ce n'était pas ce à quoi il s'attendait.

Dans un sens, Francesca avait raison. Il était soupe au lait. Il agissait de manière impulsive. Il se laissait emporter et, oui, cela avait parfois altéré son jugement. Mais ça, c'était avant, quand il se souciait encore des gens et des choses, avant qu'il se mette à dos son propre système.

« Francesca, je t'en prie, lui dit Allain, d'un ton suppliant cette fois.

— Va te faire *voir,* Allain ! » hurla-t-elle en jetant sa serviette. Elle se leva brusquement et repoussa sa chaise avec une telle violence qu'elle en tomba par terre. « Je croyais que tu avais *promis* de retrouver Charlie.

— Mais c'est exactement ce qu'on *essaie* de faire, dit Allain d'un ton implorant.

— Avec *lui* ? fit Francesca en montrant Max du doigt.

— Francesca, je t'en conjure, assieds-toi, fit Allain.

— Va te faire voir, Allain ! Et *vous* aussi, Gustav, allez vous faire voir, vous et votre foutue famille. »

Elle jeta à Max un regard plein de larmes et de haine. Au coin de ses yeux, les veines se gonflaient sous la peau. On aurait dit des vers de terre en chasse. Ses lèvres tremblaient de rage et de peur.

Dans sa colère, elle paraissait rajeunie, moins marquée et plus vulnérable.

Elle fit volte-face et quitta la pièce à toutes jambes. Max remarqua qu'elle était pieds nus et portait un petit tatouage à la cheville gauche.

Un grand silence suivit cette explosion, comme si un vide oppressant pesait sur la scène. Le calme était si absolu, la pièce si tranquille que Max entendit les pattes du doberman gratter le gravier au-dehors et les grillons chanter au loin, dans la nuit.

Allain avait l'air humilié. Il rougissait. Son père se renfonça sur son siège et contempla le malaise de son fils, une expression amusée jouant sur sa bouche épaisse.

« Je vous en prie, excusez ma femme, dit Allain à Max, elle a pris toute cette affaire très à cœur. Comme nous tous, d'ailleurs, mais elle… comment dire ?… elle a été *particulièrement* affectée.

— Je comprends », dit Max.

Et c'était vrai. Les parents victimes étaient de deux sortes : ceux qui redoutaient le pire et ceux qui vivaient d'espoir. Les premiers tenaient bon, ils assumaient leur perte, se blindaient, devenaient méfiants, intolérants. Les autres ne s'en remettaient jamais. Ils avaient perdu ce qu'ils avaient de plus cher, leur seule raison de vivre. Ils mouraient jeunes, tués par le cancer, la drogue ou l'alcool. Au premier regard, Max était capable de faire la différence entre les éclopés et les survivants, ceux qui se tenaient encore au seuil de leur chagrin, sans l'avoir franchi. Il ne s'était jamais trompé — en tout cas, pas jusqu'ici. Il avait cru que les Carver s'en sortiraient. L'attitude de Francesca l'avait détrompé.

Il porta un autre morceau de *grillot* à sa bouche.

« Elle était dans la voiture avec Charlie quand on l'a kidnappé, dit Allain.

— Racontez-moi ça, répliqua Max.

— C'était juste avant l'intervention américaine. Francesca conduisait Charlie chez le dentiste à Port-au-Prince. En chemin, la voiture a été encerclée par une foule hostile. Ils ont défoncé la bagnole et emmené le petit.

— Et elle, que lui est-il arrivé ?

— Ils l'ont assommée. Quand elle est revenue à elle, elle gisait au milieu de la route.

— Pas de gardes du corps ?

— Si, le chauffeur.

— Personne d'autre ?

— Il était très bien.

— Et lui, que lui est-il arrivé ?

— On pense qu'il est mort ce jour-là, dit Allain.

— Dites-moi, lui demanda Max, est-ce qu'on a beaucoup vu votre femme à la télévision ou dans la presse ?

— Non. Une fois peut-être, il y a quelques années, lors d'une réception pour l'ambassadeur des États-Unis. Pourquoi ?

— Et votre fils, les journaux en ont parlé ?

— Jamais. Où voulez-vous en venir, Max ?

— Votre chauffeur.

— Qu'est-ce que vous voulez savoir ?

— Son nom, déjà, fit Max.

— Eddie. Eddie Faustin, répondit Allain.

— *Faustin ?* » Max sentit les battements de son cœur s'accélérer. Y avait-il un rapport entre cet homme et Salazar Faustin, celui du *Saturday Night Barons Club* ? Il n'avait pas envie de s'engager trop vite sur cette piste-là.

« Est-ce qu'il aurait été capable d'organiser l'enlèvement de Charlie ?

— Eddie Faustin était incapable de lacer ses chaussures, alors organiser un kidnapping, vous pensez ! dit Gustav. Mais c'était un bon type. Et d'une loyauté inébranlable. Capable de se casser un bras pour vous, sans même réclamer une aspirine pour calmer la douleur. Un jour, il a pris une balle à ma place, vous savez. Sans se plaindre. Et il est revenu travailler au bout d'une semaine. Lui et son frère avaient été des tontons macoutes, vous savez, la milice des Duvalier… Ils n'étaient pas très appréciés, à cause de ce passé, justement, mais *tout le monde* les redoutait. »

Eh oui, c'étaient bien les mêmes, se souvint Max. *Salazar Faustin appartenait à la police secrète haïtienne. Formé aux pires vilenies. Il leur en avait raconté, des histoires, lors des interrogatoires : les cérémonies d'initiation où ils avaient dû affronter physiquement des pitbulls et battre des gens à mort, à main nue. C'étaient les mêmes. Une grande famille de gens heureux. Surtout, Max, bouche cousue.*

« C'est peut-être lui que la foule voulait attraper, dit Max.

— On y a pensé mais, lui, ils auraient pu l'enlever à n'importe quel moment. Tout le monde savait qu'il travaillait pour nous. Et tout le monde sait où nous trouver, répliqua Allain.

— Y compris les kidnappeurs, non ? Vous êtes sûr qu'il ne pouvait pas tirer les ficelles, dans cette histoire, ou au moins y être impliqué ? dit Max en s'adressant à Gustav.

— Non. Eddie n'y était pour rien. J'en mettrais ma main au feu, dit le vieil homme. Même si cela a l'air de crever les yeux. »

Max faisait confiance au jugement de Gustav, mais jusqu'à un certain point. Il fallait beaucoup d'ingrédients pour réussir un kidnapping : trouver un lieu sûr, avoir un plan précis, prévoir un système de surveillance, réussir l'enlèvement lui-même et, ensuite, agencer la fuite. Il fallait un cerveau calme, avisé, qui soit bien organisé et assez rationnel pour parvenir à mélanger tous ces ingrédients pour faire fonctionner l'ensemble. Il fallait être impitoyable, insensible. Jamais Gustav Carver n'aurait eu une personnalité de ce genre dans son entourage. La plupart des gardes du corps sont des crétins pourvus de bons réflexes et d'une veine de cocu. Et Eddie Faustin avait dû être aussi bête que le disait son ex-patron pour avoir repris son travail après s'être pris une balle dans le corps.

Donc, si Eddie avait été impliqué dans le kidnapping, c'était à son insu. La foule avait sans doute eu pour fonction de distraire l'attention, de neutraliser Eddie et de le mettre définitivement hors d'état de nuire pendant que les kidnappeurs filaient tranquillement avec l'enfant. Mais ceux-ci s'étaient-ils mêlés à la foule ou étaient-ils venus de leur côté pour enlever l'enfant ?

Attends une minute.

« Où se trouvait le corps d'Eddie, par rapport à Mme Carver ?

— Il n'y avait pas de corps, répondit Allain.

— Pas de corps ?

— Une mare de sang près de la voiture, c'est tout. Nous pensons que c'était le sien.

— Tous les sangs se ressemblent. Ça pouvait être celui de n'importe qui, dit Max.

— C'est juste.

— À partir de maintenant, pour moi, Eddie fait partie des personnes disparues, dit Max. Et les témoins ? Votre épouse ?

— Elle ne se souvient pas de ce qui s'est passé avant que la foule attaque la voiture.

— Donc, si Eddie est vivant, il devrait savoir qui a emmené Charlie.

— C'est un bien grand "si", intervint Gustav. Eddie est mort. Tué par la foule. J'en suis convaincu. »

Peut-être, se dit Max, mais ce n'est pas avec des peut-être qu'on résout les énigmes…

« Comment s'appelait le frère d'Eddie ?

— Salazar, répondit Allain en lançant un regard vers son père.

— Celui-là même que vous avez arrêté, quand vous avez alpagué Boukman, dit Gustav, fort à propos.

— Vous êtes bien informé, fit Max. J'imagine que vous savez également qu'ils ont tous été renvoyés ici.

— Oui, dit Gustav. C'est un problème ?

— Seulement s'ils me voient les premiers. »

Il y eut un moment de silence. Gustav sourit à Max.

« Vous aurez une guide, dit Allain. Elle vous accompagnera partout où vous irez et elle vous servira d'interprète. D'ailleurs vous la connaissez, c'est Chantale.

— *Chantale ?* fit Max.

— Elle sera votre assistante. »

Gustav éclata d'un rire gras et lança un clin d'œil à Max.

« Je vois, fit Max. Elle n'est pas vraiment du genre à avoir ses entrées dans le ghetto.

— Elle connaît le terrain, dit Allain.

— Là-dessus, aucun doute ! » confirma Gustav dans un rire.

Max se demanda lequel des deux elle avait baisé. Allain, sans doute, car il avait rougi jusqu'aux oreilles. Max se sentit bêtement jaloux. L'argent et la position des Carver agissaient comme un aphrodisiaque. Pourtant, Max n'arrivait pas à s'imaginer Chantale et Allain ensemble. Il y avait quelque chose qui clochait, là encore. Il la chassa de ses pensées, se tança et s'efforça de la considérer comme une collègue, une partenaire, ou même une unité d'assistance respiratoire, comme quand il était flic. Le parfait tue-l'amour.

Il essaya un autre *grillot*, mais la viande était froide et dure comme du bois. Il avait encore faim et se contenta de manger les tomates.

« Mon fils n'a pas eu beaucoup de chances avec ses assistants, dit Gustav.

— *Père !* commença Allain.

— À mon avis, tu devrais raconter à Max ce à quoi il peut s'attendre, tu ne crois pas ? Ce serait plus correct, non ? dit Gustav.

— J'ai vu Clyde Beeson, si c'est ce que vous voulez dire, fit Max.

— Non, je pensais plutôt à ce malheureux M. Medd », répondit Gustav.

Allain paraissait mal à l'aise. Il regardait son père d'un air courroucé.

« Quand est-il entré en scène, celui-là ? demanda Max.

— Au mois de janvier cette année, dit Allain. Darwen Medd. Un ancien des Forces Spéciales. Il avait fait la traque des membres du cartel de la drogue en Amérique du Sud. Il n'a pas eu le temps d'aller bien loin avant de… »

Allain ne finit pas sa phrase et regarda ailleurs.

« Medd a disparu sans laisser de traces, dit Gustav. La veille de sa disparition, il nous a dit qu'il se rendait à Saut d'Eau, le Lourdes du vaudou. C'est une chute d'eau où on va pour se purifier. Apparemment, Charlie avait été repéré dans le coin.

— Et vous n'avez jamais plus entendu parler de lui ? »

Allain acquiesça.

« Vous savez qui lui avait fourni le renseignement ?

— Non.

— Et vous avez remonté la piste — celle de la chute d'eau ?

— Oui. Mais elle était fausse.

— Vous aviez versé une grosse avance à Medd ?

— Moins qu'à vous.

— Et à l'aéroport, vous avez vérifié ?

— Oui, les ports, la frontière… mais aucune trace de lui. »

Max ne dit rien. Dans n'importe quel pays, il existe des sorties clandestines, et Haïti ne faisait pas exception. Tous les *boat people* qui échouaient sur la côte de Floride en étaient bien la preuve. Et puis, Medd avait peut-être filé en République dominicaine, profitant des zones non gardées de la frontière.

Pourtant, à supposer qu'il fût toujours vivant, s'il avait quitté le pays, pourquoi avait-il voulu partir si vite, sans prévenir Carver ?

« Allain, tu ne lui racontes pas tout, grogna Gustav en s'adressant à son fils.

— Père, *ceci* n'a rien à voir, dit Allain en évitant de les regarder.

— Mais bien sûr que si ! fit Gustav. Voyez-vous, Max, Medd et Beeson avaient eu un prédécesseur…

— Père, cela n'est *pas* important ! cracha Allain, toutes dents dehors, les poings serrés et le regard foudroyant.

— Emmanuel Michelange ! tonna Gustav.

— Et lui aussi, il a disparu ? » demanda Max à Allain, tentant de l'éloigner de l'orbite paternelle et de désamorcer un nouveau conflit familial.

Mais la question avait désarçonné Allain, la panique se lisait dans son regard.

Gustav s'agita. Il allait parler, mais Max le réduisit rapidement au silence, un doigt sur les lèvres.

Allain ne remarqua rien. Il avait pâli. Le regard fixe, mais dans le vague, il était ailleurs, il fouillait le passé. Il ne lui fallut guère de temps pour en exhumer un mauvais souvenir. La sueur gouttait des rides qui lui barraient le front.

« Non, il n'y a que Medd qui ait disparu, dit Allain d'une voix hésitante. On a retrouvé Manno — Emmanuel — à Port-au-Prince.

— Mort ? » demanda Max.

Allain allait répondre, mais l'effort l'étrangla.

« Ouvert en deux ? » suggéra Max.

Allain baissa la tête et se prit le front entre le pouce et l'index.

« Que s'est-il donc passé, monsieur Carver ? » demanda Max d'un ton ferme, mais moyennement empathique.

Allain secoua la tête. Max crut qu'il allait se mettre à pleurer. Emmanuel Michelange avait dû être un de ses amis intimes.

« Monsieur Carver, je vous en prie », reprit Max sur le même ton en se penchant vers Allain pour se rapprocher de lui. « Je sais que c'est difficile, mais il *faut* que je sache ce qui s'est passé. »

Allain gardait le silence.

Max entendit quelque chose racler le plancher, près du siège occupé par Gustav.

Max et Allain levèrent les yeux à temps pour voir le vieillard se lever et abaisser sa canne avec un mouvement circulaire.

Elle vint heurter la table et la nappe dans un énorme fracas. Les verres, la vaisselle volèrent à travers la pièce et explosèrent en mille morceaux.

Gustav se tenait debout devant la table, en rage, titubant, et l'air mauvais. Sa présence envahissait l'espace, tel un gaz toxique.

« Fais ce que je te *dis* et *raconte-lui* », dit Gustav d'une voix lente et forte. Il leva sa canne et la pointa vers Allain. Max remarqua des haricots et des grains de riz qui étaient restés collés dessus.

« Non ! » hurla Allain. Prenant appui sur ses poings, il se leva de son siège et fusilla son père du regard. La rage lui faisait battre les joues. Max se tint prêt à séparer les deux hommes si jamais le fils attaquait le père.

Gustav lui rendit son regard, avec défi, un petit rire suffisant et imperturbable sur les babines.

« Emmanuel Michelange, dit-il en essuyant sa canne sur la nappe avant de la poser près de sa chaise, était la seule et unique personne *du cru* que nous ayons engagée. » Il cracha le mot comme si c'était une boule de poils qu'il régurgitait. « Personnellement, je ne voulais pas engager d'Haïtiens — ils sont trop bêtes, trop flemmards —, mais Carver junior ici présent a tellement *insisté* que j'ai cédé. Le type était un incapable. Cette histoire a duré deux semaines. On l'a retrouvé dans sa Jeep à Port-au-Prince. Elle n'avait plus ni roues ni moteur, etc. Emmanuel était assis au volant. Pénis et testicules coupés, bien proprement. Enfin, pas exactement, car ils avaient fait ça avec des *ciseaux*. »

Max sentit une boule de peur lui gonfler l'estomac, puis se liquéfier pour lui descendre jusque dans les couilles.

Tout en parlant, Gustav avait les yeux rivés sur Allain qui le regardait, les poings serrés, mais Max savait qu'il ne s'en servirait plus. Son père, lui, n'en avait jamais douté.

« Michelange était mort, asphyxié avec ses propres organes génitaux, dit Gustav. Son pénis lui bloquait la gorge, et il avait un testicule dans chaque joue, si bien que... »

Pour illustrer son propos, Gustav se fourra les deux index dans la bouche et se gonfla les joues. Il avait l'air franchement grotesque, mais comique. Puis il tira la langue à son fils et l'agita entre ses lèvres. Sa ressemblance avec une gargouille devenait troublante.

« Au moins, voilà une crainte qui devrait être épargnée à Chantale », lança Max.

Gustav éclata d'un rire léonin et tapa sur la table.

« *Enfin quelqu'un qui a du punch !* s'écria-t-il.

— Espèce de salaud ! » hurla Allain. Max crut qu'il s'adressait à lui, mais non, il regardait toujours son père et se précipita hors de la pièce, tel un ouragan.

Un calme sinistre redescendit sur la pièce, un néant dans un autre néant. Max fixa son assiette en regrettant de ne pas être ailleurs.

Gustav se rassit et appela les soubrettes. Elles entrèrent, nettoyèrent autour de Gustav, puis débarrassèrent la table.

Peu après, une des bonnes revint avec l'étui à cigarettes en argent, le briquet et un cendrier qui étaient dans le salon. Carver lui adressa quelques mots d'un ton si confidentiel qu'elle fut obligée de se pencher vers lui pour l'entendre. Le vieillard la tenait par l'épaule tout en lui parlant.

La bonne quitta la pièce. Gustav tira une cigarette sans filtre de l'étui et l'alluma.

« Avant ma première attaque, je fumais deux paquets par jour, dit Gustav. Maintenant je n'en fume plus qu'une, juste pour en garder le souvenir vivant. Et vous ?

— J'ai arrêté. »

Gustav sourit et secoua la tête.

Il y a des gens qui sont des fumeurs-nés. Gustav en faisait partie. Il adorait son vice. Il inhalait la fumée et la gardait dans les poumons, jouissant au maximum de chaque bouffée avant de l'exhaler le plus lentement possible.

« Je regrette que vous ayez été témoin de cette scène, tout à l'heure. Dans toutes les familles, on se dispute. C'est pénible, mais enfin, c'est sain. Vous avez de la famille, monsieur Mingus ?

— Non. Ma mère est morte et je ne sais pas où est mon père. Probablement mort, lui aussi… J'ai des cousins, des neveux, et cetera, mais je ne les connais pas.

— Et la famille de votre femme ? Vous restez en contact ?

— De temps à autre », répondit Max.

Gustav opina.

« La mort d'Emmanuel a bouleversé Allain parce qu'ils étaient amis d'enfance. Grâce à moi, Emmanuel est allé à l'école, puis au collège. Sa mère était la gouvernante d'Allain. Il l'aimait plus que sa propre mère, expliqua Carver. En Haïti, la domesticité est une culture. En créole, on appelle ça le *restavec* — un terme qui vient de deux mots français : "rester" et "avec". Voyez-vous, ici, nous ne payons pas les domestiques. Ils vivent avec nous, ils *restent avec* nous. Nous leur fournissons le gîte, le couvert et de quoi s'habiller. En échange, ils font le ménage et la cuisine, ils s'occupent de la maison et du jardin. C'est un système féodal, je le sais. » Carver sourit en découvrant ses dents couleur caramel. « Mais regardez ce pays… Quatre-vingt-dix-huit pour cent de la population en est encore à faire du feu en frottant deux morceaux de bois. Je vous choque ?

— Non, dit Max. C'était un peu comme ça en prison. La culture de la servilité. Des gens se laissent acheter ou se vendent pour un paquet de cigarettes. Avec un magnétophone on peut s'assurer une rente de pipes à perpétuité. »

Gustav gloussa.

« Ici, c'est moins barbare. C'est un mode de vie. Les Haïtiens ont la servitude dans les gènes. Inutile de tenter de changer la nature, dit Carver. Moi, je traite mes gens aussi bien que possible. Je fais scolariser tous leurs enfants. Bon nombre d'entre eux ont réussi et font maintenant partie de la classe moyenne — en Amérique, bien sûr.

— Et Emmanuel ?

— Un homme très brillant, mais avec un faible pour les femmes. Ça l'empêchait de se concentrer.

— Sa mère a dû être fière de lui.

— Elle l'aurait sûrement été. Elle est morte quand il avait quinze ans.

— Ça, c'est carrément moche », dit Max.

Gustav écrasa sa cigarette dans le cendrier. La bonne revint, lui apportant quelque chose qu'elle posa sur la table.

C'était le CD des *Duets* de Sinatra, dédicacé pour Gustav à l'encre bleue.

« Merci beaucoup, fit Max.

— J'espère qu'il vous plaira, dit Carver. Il devrait y avoir un lecteur de CD là où vous logez. »

Ils échangèrent des regards par-dessus la table. Malgré la cruauté qu'il percevait chez le vieil homme, Max l'aimait bien. Il ne pouvait s'en empêcher. Il y avait chez ce vieillard une franchise absolue qui vous permettait de vous situer.

« Je vous offrirais volontiers du café, mais j'ai envie d'aller me coucher.

— Pas de problème, dit Max. J'ai juste une dernière question : que pouvez-vous me dire sur Vincent Paul ?

— Je pourrais y passer la nuit, mais la majeure partie de ce que je vous raconterais ne vous intéresserait pas. Cependant, laissez-moi vous dire une chose : pour moi, c'est lui qui est derrière cette affaire de kidnapping. Non seulement je pense qu'il aurait été *capable* de l'organiser, mais je crois que lui seul aurait été capable de le *faire*.

— Et pourquoi donc ?

— Il me hait. Comme bien d'autres. Ça relève du risque existentiel, fit Carver avec un grand sourire.

— On l'a interrogé ?

— Ce n'est pas l'Amérique, ici, s'esclaffa Gustav. En outre, qui donc oserait lui adresser la parole ? Rien qu'à entendre le nom de ce grand singe, les plus courageux se mettent à chier dans leur froc.

— Mais enfin, monsieur Carver, un homme dans votre position… Vous auriez pu payer des gens pour…

— Pour quoi *faire*, Max ? Le tuer ? L'arrêter ? Et pour quel "motif", suivant votre terminologie ? Parce qu'il est *soupçonné* d'avoir enlevé mon petit-fils ? Ça ne tient pas la route. Croyez-moi, j'ai réfléchi à toutes les façons possibles de le faire venir, de l'interroger, comme vous dites. Rien à faire. Vincent Paul est une trop grosse pointure, ici, il est trop puissant. Faites-le tomber pour un mauvais motif et vous vous trouvez avec une guerre civile sur les bras. Mais si j'ai des preuves, je peux m'en occuper. Alors, allez-y, fournissez-m'en, des preuves ! Et ramenez-nous le petit. *S'il vous plaît*, je vous en *supplie*. »

12

Dans la voiture qui le redescendait vers Pétionville, Max poussa un ouf de soulagement. Content de sortir de cette baraque. Espérant ne plus jamais avoir à dîner avec les Carver.

Il découvrait soudain combien cette soirée lui avait pesé. Sa chemise collait à la doublure de sa veste et il sentait poindre une méchante migraine à l'arrière de ses yeux. Il fallait qu'il marche, qu'il décompresse, qu'il soit seul, qu'il respire et qu'il réfléchisse pour mettre tout ça en ordre.

Il demanda à ses gardes du corps de le déposer devant le bar qu'il avait repéré à l'aller. L'idée ne leur plut guère. « L'endroit n'est pas sûr », dirent-ils, et ils avaient ordre de le ramener chez lui. Max envisagea de leur montrer son flingue, histoire de les rassurer, mais, au lieu de ça, il leur dit de ne pas s'inquiéter, que ça irait, et qu'il était presque arrivé.

Ils démarrèrent sans même lui faire un signe d'adieu. Max regarda les feux de la voiture s'enfoncer dans la nuit plus vite que des pièces de monnaie dans l'eau d'un puits. Il lança un regard autour de lui afin de pouvoir se repérer.

En bas de la rue, c'était le centre de Pétionville — le rond-point et la place du marché —, baigné dans un éclairage de néon ambré, complètement désert. Entre les deux, une obscurité quasi totale, rompue çà et là par de rares ampoules orphelines, placées au-dessus des portes ou sur les fenêtres, ou par quelques feux brûlant au bord de la route et d'occasionnels phares de voiture. Max savait qu'il devait tourner dans une rue adjacente, la descendre jusqu'au bout, tourner dans l'impasse Carver et la suivre jusque chez lui. Il se rendit compte qu'il aurait dû se laisser raccompagner. Non seulement ce serait la galère pour trouver l'entrée de la villa dans le noir, mais déjà, là, il ne savait plus trop quelle rue y conduisait. Il en voyait au moins quatre susceptibles de le faire.

Il fallait qu'il descende, et qu'il essaie chaque rue transversale, jusqu'à ce qu'il trouve la bonne. Étant jeune, il s'était souvent retrouvé dans ce genre de situation ridicule, bourré et camé les soirs où il n'avait pas emballé. Et il était toujours rentré chez lui. Sain et sauf. Donc, pas de souci.

Mais d'abord, il fallait qu'il boive un verre. Un seul. Pourquoi pas une giclée de ce Barbancourt de luxe six étoiles que Carver lui avait offert un peu plus tôt ? Avec ça dans le ventre, il pourrait rentrer chez lui, ça l'aiderait à tenir à distance la trouille qui commençait à s'insinuer dans sa tête. Il revoyait Clyde Beeson avec sa couche, et s'inquiétait de ce qui était arrivé à Darwen Medd. Il imaginait Emmanuel Michelange, le pénis tranché, fourré au fond de sa gorge, et se demandait s'il était encore vivant au moment où on lui avait fait ça. Et puis il pensait à Boukman, assis là, quelque part dans cette rue, peut-être à côté d'un feu, et qui le guettait, qui attendait.

Vue du dehors, La Coupole était une petite maison bleu vif, avec un toit en tôle ondulée rouillée ourlé d'une guirlande d'ampoules multicolores. L'enseigne, bordée des mêmes lumières, était constituée de deux planches de bois où le nom du bar s'étalait en lettres blanches frustes et irrégulières — des capitales, des attachées ou des déliées, certaines droites, d'autres obliques. De petits spots accrochés aux murs éclairaient la peinture qui s'écaillait et le ciment tout fissuré. Les fenêtres étaient bouchées. Sur une planche, quelqu'un avait bombé en noir : « BienvenUS à La Coupole », et peint la liste des boissons et des prix sur un autre morceau de bois : Bud, Jack et Coca, point final.

De la musique pulsait à l'intérieur du bar, mais elle n'était pas assez forte pour qu'il puisse en déceler autre chose que le rythme. Il n'y avait pas d'autres bruits dans cette rue pourtant pleine de monde, tous des gens du quartier qui traînaient devant le bar en bavardant.

Un ado au crâne chauve, vêtu d'un costume blanc, sans chemise ni chaussures, était perché sur une moto sans garde-boue. Des quatre coins de la selle défoncée s'échappaient des bouts de ressorts et des morceaux de mousse. Devant le gosse, un groupe de gamins en demi-cercle, tous chauves, le regardait avec une crainte mêlée de dévotion. On se serait cru dans une église où un môme des ghettos haïtiens, en costume Travolta disco cradingue, aurait tenu le rôle de Jésus.

Max entra dans le bar. La pénombre rougeoyante ambiante ne l'empêcha pas de voir clairement la salle. Elle était bien plus grande qu'il ne s'y attendait. Aussitôt, il repéra que le propriétaire avait abattu le mur de la maison adjacente pour agrandir le bar au fait qu'il n'avait pas repeint les murs de la même couleur — faute d'argent ou d'énergie, qui sait ? Un tiers de la salle était du même bleu que la façade, le reste se réduisant à des parpaings gris, bruts, sans aucun effort de décoration. Le sol était en ciment.

Tout autour de la pièce, des tables et des chaises étaient réparties en désordre, mais plus serrées dans les coins. Il n'y en avait pas deux identiques. Certaines chaises étaient hautes et rondes, d'autres trapues et carrées. Une table, constituée de quatre pupitres d'écolier raboutés ensemble, voisinait avec une moitié de table sciée en deux, tandis qu'une autre, dont les coins étaient bordés de cuivre ou de laiton, avait tout l'air d'un meuble ancien.

Le bar était plein, en majorité d'hommes, des Blancs. Tous étaient des Américains en permission ou, supposa-t-il, des soldats des forces de l'ONU. Max reconnut immédiatement ses compatriotes. Ils étaient deux fois plus imposants que leurs homologues d'origine différente, grâce à la gym, à un régime hypercalorique et à leurs gènes. Ils avaient tous de gros biceps, de larges épaules, une petite tête et pas de cou. Comme lui. Les rares femmes qui se trouvaient là s'étaient regroupées de la même façon. Elles discutaient entre elles, se racontaient des histoires et des blagues et rigolaient en s'abreuvant exclusivement de Bud et de Coca, qu'elles buvaient au goulot. Quand il passa près d'elles, elles le jaugèrent d'un seul coup d'œil, direct. Il faut dire qu'il ne passait pas inaperçu avec son costume et ses chaussures noires bien cirées, au milieu de cette foule en jeans, shorts, T-shirts et baskets.

Il se dirigea vers le bar. Pas de tabourets : il fallait consommer debout ou accoudé au comptoir. Une unique bouteille trônait derrière le bar, un rhum Barbancourt ordinaire, intact, encore dans son emballage de papier jaune. Les bières et le Coca étaient conservés dans une glacière.

Max prit le barman au dépourvu en commandant du rhum. Le type attrapa la bouteille, l'ouvrit et lui versa une généreuse double dose dans un gobelet en plastique transparent. Il s'apprêtait à y mettre une poignée de glaçons lorsque Max, se rappelant les mises en garde contre l'eau du robinet, lui fit non de la tête. Il paya en dollars. Deux. Pas de monnaie.

La musique venait de la cour, à sa gauche, par une ouverture sans porte. Derrière une table, le sourire aux lèvres, un DJ haïtien manipulait un lecteur de CD qui déversait une atroce musique électronique — un chanteur androgyne à l'accent germanique, faisant rimer « amour » avec « toujours ». Face à lui, quelques dizaines de soldats de la paix en permission dansaient comme des épileptiques en crise sur une patinoire.

Max sentit un regard posé sur lui. Il tourna la tête et remonta la trajectoire jusqu'à un coin sombre, situé derrière le bar. Deux Haïtiennes, tout sourires, accrochèrent son regard et lui firent des signes. Des prostituées. Elles sont partout les mêmes. Il sentit un tiraillement au niveau de l'aine, puis des couilles. Les Noires et les métisses étaient ses préférées, celles qui lui faisaient tourner la tête et autour desquelles il avait toujours tourné.

Une des putes s'avança de son côté, la démarche embarrassée par sa robe trop serrée et ses talons aiguilles argentés. Il se rendit compte qu'il avait regardé les filles fixement sans même les voir, plongé qu'il était dans ses souvenirs et ses fantasmes. Elles, elles avaient immédiatement perçu son manque et reniflé le désir sclérosé qui l'habitait. Max regarda la femme dans les yeux et l'arrêta du regard. Son sourire se figea en une grimace inquiète. Il secoua la tête et regarda ailleurs, derrière, vers le DJ et les danseurs.

Et il sirota son verre. Le rhum était étonnamment bon. Il coulait, doux et velouté, sur la langue avant de vous glisser dans le gosier. À la place du coup de fouet acéré auquel il s'attendait, il n'éprouva qu'un sentiment de profond réconfort. Son premier verre depuis plus de dix ans. Le contact était chaleureux, familier.

On ne guérit jamais complètement d'une dépendance. Même si on s'en garde toute sa vie, l'envie est toujours présente, elle vous poursuit, vous accompagne et vous guette, prête à vous rattraper au moindre faux pas. Mieux vaut rompre avec une habitude quand les hauts sont plus nombreux que les bas et que le plaisir est encore plus intense que la douleur. De cette façon, on ne conserve que les bons souvenirs et pas de regrets, comme pour les rencontres de vacances.

Max n'était pas alcoolique, mais il avait été sur la mauvaise pente. Chaque journée de travail se terminait par un verre, quelle que soit l'heure. À sept ou huit heures du matin, avec Joe, ils dénichaient le premier bar ouvert et se mêlaient aux gens qui se tapaient un godet avant d'aller au boulot et à ceux qui allaient prendre leur petit déjeuner après une nuit de beuverie. Ils buvaient toujours la même chose, le matin : du whiskey irlandais pur, sans glaçons.

Les soirs où il sortait, il ne s'était pas privé de boire, mais jamais au point de perdre le contrôle. Ça l'avait aidé à oublier qu'il était dans la police, à perdre cette aura révélatrice, toute de rectitude meurtrie et d'altérité en alerte, qui caractérise les flics. Ça l'avait aidé à se tirer de situations socialement critiques. Et puis ça accompagnait bien ses repas et ses nuits solitaires. Et ça l'aidait aussi à s'envoyer en l'air. Sans compter.

Max n'avait jamais été du genre à économiser son plaisir. Il fumait son paquet de Marlboro par jour, davantage quand il buvait, et davantage encore quand il était sur le point de résoudre une affaire. Avec Joe, il avait fumé pas mal de pétards, de la bonne marchandise jamaïcaine qui vous expédiait toujours là où il fallait. Joe s'était arrêté quand il avait lu que l'abus de fumette vous rendait psychotique et vous faisait pousser les tétons. Considérant que tout ça, c'était des bobards inventés par le FBI, Max avait continué sans y prêter la moindre attention.

Sandra l'avait aidé à tout arrêter. La bibine, les pétards, les clopes et son boulot.

À ce moment-là, elle avait consenti à l'épouser.

La veille de son mariage, il avait fait un écart délibéré. Il s'était acheté une bouteille de whiskey et un paquet de Marlboro. Cela faisait un an qu'il n'y touchait plus, mais il voulait passer une soirée d'adieu avec ses trois anciennes connaissances — les clopes, l'alcool et la solitude.

Il avait pris sa voiture jusqu'à Ocean Drive et s'était assis au bord de l'eau, histoire de renouer le contact. La cigarette avait un goût dégueulasse, l'alcool lui avait brûlé la gorge et il s'était senti comme un imbécile à chercher des embrouilles, seul sur cette plage, au milieu des cruisers, des criminels minables, des culs bronzés et des connards de touristes prêts à se faire détrousser. Il avait jeté sa cigarette dans la bouteille, qu'il avait rebouchée et flanquée à la mer. Puis il avait rebroussé chemin, se sentant plus bête que satisfait.

Mais voilà que la bouteille était venue s'échouer jusqu'ici.

Personne ne fumait dans le bar. Max finit son verre et en commanda un autre.

L'alcool le détendait, l'aidait à se relâcher et à réfléchir.

Les Carver : Gustav était effrayant, mais remarquable. Max l'admirait. Le vieux tenait la route, malgré sa maladie. Il allait falloir lui arracher les ficelles qu'il tenait dans sa vieille main glacée.

Allain était sans doute quelqu'un de plus fréquentable. Il avait eu des idées pour mener autrement leurs affaires, de manière plus collective. Écrasé dans son propre foyer, il faisait preuve d'un certain courage.

S'il n'y avait guère d'amour entre le père et le fils, peut-être pas du tout, en revanche il y avait du respect. Du moins de la part d'Allain. Et puis il y avait Charlie. C'était lui qui unissait cette famille, qui les soudait.

Et c'était la même chose pour Francesca Carver. Elle le haïssait, mais il comprenait tout ce qu'elle avait vécu, se sentait en empathie avec elle, éprouvait même de la pitié. Elle voulait filer, fuir son mari, les Carver et Haïti, mais elle ne partirait pas sans son petit garçon, au sens propre comme au figuré. Il fallait qu'elle sache ce qui lui était arrivé, qu'elle tourne la page.

D'accord, les Carver étaient une famille à problèmes, mais il en avait vu de bien pires. Ils se serraient les coudes dans l'adversité, à leur façon, ils se soutenaient mutuellement.

Selon toute vraisemblance, c'était pour atteindre Gustav et non son fils que Charlie avait été enlevé. La liste de ses ennemis aurait sans aucun doute pu remplir tout un annuaire téléphonique. S'il s'agissait de gens riches, ils avaient certainement assez d'argent et d'influence pour déléguer cet enlèvement à des types vénaux, qui ne sauraient pas pour qui ils travaillaient.

À moins que ? Trois détectives privés étaient venus enquêter et ils avaient tiré leur révérence : le premier était mort, le deuxième avait disparu (présumé mort) et le troisième avait raté son coup. Ils avaient dû tous trois être près de retrouver le gamin ou faire croire qu'ils l'étaient.

Il avait vraiment fallu que Beeson ait eu la trouille de sa vie pour refuser de revenir. Une fois, il avait chopé une balle au cours d'une enquête mais, à peine sorti de l'hôpital, il s'était remis au boulot. Entre lui et le fric, rien n'existait.

Mais qu'était-il arrivé à Darwen Medd ? Où était-il, celui-là ?

Max engloutit son troisième verre de rhum. Les gens se tenaient à l'écart. Deux Américains discutaient avec les prostituées. Ils s'appelaient tous par leurs prénoms, sans faire affaire pour autant. Les filles n'avaient pas l'air intéressées. Les soldats n'avaient sans doute pas envie d'attraper le sida et il n'existait pas de préservatifs assez épais pour dissiper le mythe selon lequel la maladie est apparue en Haïti.

Un Haïtien était pendu aux basques d'un petit groupe d'Américains, dont il écoutait la conversation avec attention, buvant leurs paroles et répétant les mots qu'il arrivait à saisir. Si l'un d'entre eux disait « *fuck* », ou « *shit* », ou laissait tomber le nom d'une marque ou d'une célébrité, l'Haïtien le répétait et se tapait sur les cuisses en rigolant comme à une obscénité. Ou alors il hochait la tête en disant « *Yes, man !* » ou « *That's right, yo !* » avec ce qu'il pensait être un accent américain, mais qui tenait plutôt d'une tyrolienne à la chinoise. De temps à autre, le groupe lui lançait un regard et ils riaient, certains avec indulgence, d'autres avec ironie. Quelques-uns ne réagissaient pas, visiblement agacés par ce parasite. Max le voyait à leurs visages, à leur attitude, au rétrécissement de leurs yeux quand ils s'efforçaient de ne pas le regarder, à leur grimace quand ils l'entendaient les imiter. Ce qu'ils devaient vouloir avant tout, c'était passer une soirée tranquille.

L'Haïtien portait une casquette de base-ball à l'envers, un T-shirt trop grand, avec le drapeau américain sur le devant, un jean baggy et une paire de Nike. Un fan de ses conquérants.

Et là, Max comprit ce qui se passait.

En fait, l'Haïtien discutait avec quelqu'un que Max n'avait pas vu et qui se tenait au milieu du groupe, caché par ses camarades.

Max ne le remarqua qu'au moment où l'un des Américains alla au bar chercher des boissons.

C'était un blond au crâne rasé, avec un nez minuscule et une moustache épaisse. Il s'amusait avec l'Haïtien, prétendant lui enseigner l'anglais alors qu'il ne faisait que l'humilier.

Max écouta.

« Répète après moi, dit Crâne Rasé en remuant les mains à la manière d'un chef d'orchestre. *I...*

— Aïe...

— *Live...*

— Liiiive...

— *In...*

— Iiine...

— *A...*

— Eille...

— *Zoo...*

— Zou...

— *Called*

— Caul...

— Non ! Call-*dah...*

— Caull-*deu...*

— C'est bien — *I live in a zoo called Haïti*[1].

— Haïllety ?

— Quoi ? Ouais, ouais, c'est ça, *High tits*[2] — peu importe le nom que vous, les bamboulas, vous donnez à ce trou du cul de pays. » Crâne Rasé rigola, imité par le chœur de ses congénères, à l'exception des dissidents dont l'un, ayant croisé le regard de Max, lui lançait des regards suppliants comme pour dire « excusez-les, moi, je n'y suis pour rien ».

1. « J'habite dans un zoo qui s'appelle Haïti. »

2. Jeu de mots : la manière dont l'Haïtien prononce « Haïti » en anglais ressemble à : *High Tits* (les tétons hauts).

Max n'en avait rien à foutre de ce type et de sa mauvaise conscience bien-pensante. C'était l'Haïtien qui l'intéressait. Le spectacle était pitoyable et ça le rendait fou. Ça lui rappelait Sammy Davis Jr et son numéro du Bon Nègre dans les shows du Rat Pack[1] à Las Vegas, qu'il avait en cassettes vidéo. Frank et Dean humiliaient Sammy sur scène en le traitant de toutes les épithètes racistes acceptables. Le public criait et s'esclaffait tandis que Sammy se tapait sur les cuisses et applaudissait en ouvrant grand la bouche, comme s'il s'agissait d'une bonne blague. Mais son regard restait froid et détaché, son âme était ailleurs et sa bouche ouverte semblait tout à coup émettre un hurlement de douleur et, surtout, de colère, un cri noyé dans un roulement de batterie et de cymbales et les rires du public qui s'esclaffait de plus belle. L'Haïtien ressemblait à Sammy mais, pour lui, c'était moins cruel parce que au moins lui ne comprenait pas ce que lui disait et lui faisait ce con de Crâne Rasé.

À ce moment précis et pour la première fois de sa vie, Max eut furtivement honte d'être américain.

Il se tourna vers le bar et agita son verre pour que le barman le remplisse. Celui-ci lui servit un quatrième Barbancourt et lui demanda comment il le trouvait. « Superbe », lui répondit Max.

Un type s'approcha du bar et commanda un verre, en créole. Il échangea quelques mots avec le barman, qui rigola.

Il se tourna vers Max, lui fit un sourire poli et un signe de tête.

Max répondit à son salut.

« Vous venez d'arriver ? » demanda le type.

Max ne comprit pas s'il parlait de La Coupole ou du pays. Le rhum commençait à cogner sec. Max était encore au bord de la mer de la sobriété, hésitant à piquer un plongeon.

« Max Mingus, c'est bien ça ? » demanda le type.

1. Numéros de cabaret célèbres, dont Frank Sinatra, Dean Martin et Sammy Davis Jr ont été les vedettes en leur temps.

Max le regarda trop longtemps pour pouvoir prétendre autre chose. Il ne dit rien et attendit que le gars fasse un nouveau pas.

« Shawn Huxley. » Le type sourit et lui tendit une main que Max ne serra pas.

« Relax, fit l'autre, je suis journaliste. »

Ton doucereux, sourire doucereux, postures doucereuses, toute la sincérité maniérée du serpent déguisé en vendeur de bagnoles d'occasion.

« Écoutez, quelqu'un me fournit la liste journalière des arrivées, à l'aéroport. Mingus, Max, AA147. Le nom n'est pas banal. »

Accent franco-américain. Ni Haïtien ni Cajun. Alors, Canadien ?

Pas mal, le type, presque mignon. La peau lisse, marron clair, l'œil oriental, une moustache fine lui ourlant la lèvre supérieure, coupe de cheveux dégradée, bien dégagée autour du front et des tempes. Il portait un pantalon en treillis, une chemisette blanche et des mocassins noirs. Il était de la taille de Max, mais faisait le tiers de sa carrure.

« C'est pas moi, grommela Max.

— Allons, c'est pas bien grave. Je vous offre un verre et je vous dis tout sur ma personne.

— Non, dit Max en se détournant face au bar.

— Je sais ce que vous ressentez vis-à-vis de la presse, Max. Tout ce que ces types du *Herald* ont déniché sur vous avant votre procès et les ennuis qu'ils ont causés à votre femme… »

Max lui lança un regard glacial. Il n'aimait pas les journalistes, il ne les avait jamais aimés. Quand son procès avait pris une ampleur nationale, la presse avait exhumé la moindre merde le concernant, un monceau de saloperies suffisant pour l'enterrer une bonne vingtaine de fois. C'était du gâteau, évidemment : un des détectives les plus décorés et respectés de Floride, le flic héros, avait en réalité bâti sa carrière fulgurante sur des aveux soutirés de force, sur des preuves douteuses. Ils avaient campé devant chez lui, par dizaines. À force, ils ne savaient plus que dire de ce mariage mixte. Les journalistes blancs demandaient à Sandra si elle était sa femme de ménage, les Noirs la traitaient de vendue, de Tante Jemima, et lui reprochaient, à lui, d'avoir une mentalité d'esclavagiste.

« Écoutez, moi, je ne vous emmerdais pas, mais *vous,* vous *m'emmerdez* ! aboya Max, assez fort pour que certains cessent leurs conversations pour les regarder. Un mot de plus sur ma femme et je vous arrache la tête et je chie dessus. Compris ? »

Huxley acquiesça, l'air pétrifié. Max aurait peut-être pu jouer avec la peur du journaliste, s'en amuser, y ajouter un grain de terreur et, grâce à ça, décharger quelques anciennes rancunes mais là, pause, il lâcha les rênes. Le gars, comme tous ces mecs des médias, n'avait fait que son boulot et couru après des promotions, à l'instar de tous ces ambitieux-nés qui écraseraient n'importe qui pour réussir. S'il avait été le flic parfait, sans peur et sans reproche, docile à la déontologie policière, la presse aurait pris son parti, elle aurait défendu sa cause — mais il se serait quand même fait coffrer. Pour homicide, au lieu de meurtre. De toute manière, il était perdant.

Max avait besoin d'aller pisser. Il n'y était pas allé depuis chez les Carver. La tension de la soirée lui avait fait oublier sa vessie. Il jeta un regard circulaire dans le bar, mais il ne semblait pas y avoir de porte par laquelle les gens disparaissaient, et encore moins d'indications. Répondant à son interrogation, le barman lui indiqua d'un signe de tête un coin au fond de la salle, derrière les prostituées.

Max se dirigea vers l'endroit. Les filles se ragaillardirent, passèrent une main rapide sur les plis de leurs robes et lui lancèrent des regards effrontés, engageants. Comme chez Huxley, il y décela une offre d'amitié immédiate et sans chichis, de confiance et de discrétion, le tout offert sur un plateau, du moment qu'on n'en discutait pas le prix. Comme un voyageur de commerce qui vend un morceau de son âme à chacune de ses transactions. Les journalistes et les putes partagent la même couche. Remarque, se dit-il, et toi, t'es différent, peut-être ? Avec les gens pour qui tu as travaillé ? En regardant ailleurs pendant qu'ils nettoyaient leurs saloperies ? Pour de l'argent, on fait tous des trucs qu'on n'a pas envie de faire. C'est comme ça que va le monde : à un moment ou à un autre, tout et tout le monde est à vendre.

Il y avait deux toilettes. Les symboles des deux sexes avaient été peints à la va-vite en bleu et en rose vifs sur des portes qui s'arrêtaient à hauteur de cheville, au-dessus d'un plancher poussiéreux posé de guingois. Entre les deux portes, une pièce fermée par un rideau de perles en bois. À l'intérieur, un simple lit de camp avec un oreiller sans taie et une caisse de Bud renversée où était posée une lampe à pétrole. Ce devait être là que dormait le barman ou le gardien.

Dans le cabinet lui-même, il y avait une citerne vernissée noire qui lui arrivait au niveau des yeux, mais pas de siège sur les toilettes ni d'eau dans la cuvette, juste un trou noir. Il pissa un bon coup et entendit son jet d'urine gargouiller en tombant sur quelque chose de mou et de creux, quelques dizaines de centimètres plus bas. Ça sentait légèrement l'ammoniaque et la fleur pourrie, l'odeur de la chaux et du désinfectant industriel qu'on y jetait à la fin de la journée.

Max entendit quelqu'un passer devant la porte, allumer une cigarette et en tirer une longue bouffée. En sortant, il vit Shawn Huxley dans le couloir, tout près, adossé au mur, une jambe repliée.

« C'était intéressant ? De m'entendre pisser ? Vous avez enregistré ? » ricana Max. Il était soûl, mais pas trop, juste assez pour avoir à rétablir son centre de gravité.

« Le gosse Carver, dit Huxley, c'est pour ça que vous êtes venu, non ?

— Et alors ? » répondit Max en s'approchant de Huxley et en lui envoyant sans le vouloir des postillons plein la figure. Huxley ferma les yeux, mais ne s'essuya pas. Max concentra son regard sur une minuscule gouttelette qui était restée accrochée à la moustache du journaliste, tout près de sa lèvre. Il l'attraperait s'il tirait la langue.

Max était plus bourré qu'il ne le pensait. Il avait confondu le moment où on peut encore faire demi-tour avec le point de non-retour. Et ça faisait une bonne paye. Quand il se mettait à cracher à la gueule des gens, c'est qu'il avait perdu le contrôle de ses actes.

« Je peux vous aider, dit Huxley en tirant sur sa cigarette.

— Pas besoin de vous », répondit Max en le toisant. Le journaliste était encore plus malingre en pleine lumière. Comme s'il se nourrissait de céleri, de cigarettes et de flotte.

« Ça fait presque trois ans que je suis ici. Je suis arrivé quelques mois avant l'intervention. Je connais les lieux. Je connais les gens, je sais comment déjouer leurs manigances et les obliger à s'ouvrir.

— J'en ai une plus experte que vous, fit Max avec un sourire, songeant à Chantale.

— C'est bien possible, mais je pense être sur une piste qui pourrait mener au kidnapping.

— Ah ouais ? Et c'est quoi, ce truc ? Comment se fait-il que vous ne l'ayez pas suivie, cette piste, jusqu'à la récompense promise ?

— Ce n'est pas un truc qu'on peut faire tout seul », dit Huxley en jetant par terre la cigarette qu'il avait fumée jusqu'au filtre et en l'écrasant du talon.

Max hésitait, est-ce que le type était sérieux ? C'est ça l'ennui avec les journalistes. Impossible de leur faire confiance. Jamais. Ils sont capables de vous poignarder dans le dos, ces faux derches.

En plus, pourquoi Huxley lui proposait-il de *l'aider* ? Les journalistes n'aident jamais personne, à part eux-mêmes. C'était quoi, son intérêt, à celui-là ? Sans doute le fric, se dit Max. Ce n'était pas avec l'affaire Carver qu'il allait faire un scoop en Amérique du Nord.

Max décida de discuter avec Huxley, tout en restant sur ses gardes. Il se trouvait dans un pays étranger qui semblait s'éloigner du XXe siècle, mais à reculons. Huxley pouvait lui être utile.

« Vous avez rencontré l'un ou l'autre de mes prédécesseurs ? demanda Max.

— Oui, le petit, le mec pas clair.

— Clyde Beeson ?

— C'est ça. Il traînait pas mal autour de mon hôtel.

— Votre hôtel ?

— L'hôtel Olffson. C'est là que j'habite.

— Et qu'est-ce qu'il y faisait ?

— Il glandait avec les journalistes, pour ramasser des bribes d'infos.

— Ça me paraît vraisemblable, marmonna Max. Et comment avez-vous su ce qui l'intéressait ?

— Un soir, je l'ai entendu demander comment on allait aux chutes.

— Les chutes ? l'interrompit Max, se rappelant l'endroit où Medd s'était rendu. Le pèlerinage vaudou ?

— Ouais. Il disait qu'il était sur une piste. C'est la dernière fois que je l'ai vu, dit Huxley. Vous le connaissiez ?

— Un privé de Floride, qu'est-ce que vous croyez ? »

Beeson aussi s'était rendu aux chutes. C'était quoi, cette piste ?

« Vous étiez copains ? demanda Huxley.

— Non, exactement le contraire, répondit Max. Je suis allé le voir avant de venir ici. Il était plutôt du genre perturbé, c'est le moins qu'on puisse dire.

— Qu'est-ce qui lui est arrivé ?

— Posez pas de questions. »

Huxley regarda Max droit dans les yeux et lui lança un sourire ambigu, mi-entendu, mi-amusé, le genre de mimique qu'on fait quand on veut faire croire à quelqu'un qu'on en sait plus qu'il ne le pense. Mais avec Max, c'était peine perdue. Ce n'est pas à un vieux singe qu'on apprend à faire la grimace.

« Est-ce que Beeson vous a parlé de Vincent Paul ? demanda Huxley.

— Ouais, répondit Max.

— Vincent Paul, *le Roi de Cité Soleil**. C'est comme ça qu'ils l'appellent, les pétochards bourrés de thune, par référence à Louis XIV, le glorieux roi de France. Mais c'est une insulte, en fait.

— Pourquoi ?

— Vincent Paul habite à Cité Soleil ou dans les parages. Cité de Merde, c'est comme ça que je l'appelle, moi... C'est un énorme bidonville dans la banlieue de Port-au-Prince, sur la côte. Comparé à ça, vos quartiers, c'est Park Avenue. En réalité, il n'existe pas un endroit *au monde* comparable à Cité Soleil. J'en ai vu des bidonvilles, à Bombay, à Rio, à Mexico, mais c'est le *paradis*, à côté de ça. Ici, c'est près d'un demi-million de personnes, presque dix pour cent de la population, qui vivent entassées sur neuf kilomètres carrés de merde et de maladie. À la lettre. Il y a même un canal, le canal de Boston, qu'ils l'appellent. Il est plein d'huiles usagées provenant de la centrale électrique. »

Max avait tout imprimé. Le fait de se concentrer pour avaler ce flot de renseignements l'avait dessoûlé et aidé à se clarifier les idées.

« Et d'après vous, c'est là que je peux rencontrer Vincent Paul ?

— Ouais. On dit que celui qui règne sur Cité Soleil règne sur Haïti. Les gens sont tellement pauvres que si vous leur promettez de quoi manger, de l'eau propre et des vêtements, ils caillasseront n'importe qui, du moment que vous le leur demandez. Certains disent que Paul est payé par la CIA. Chaque fois qu'ils veulent virer un président, ils lui demandent d'organiser une insurrection à Cité Soleil.

— Et vous pensez que c'est vrai ?

— La seule façon de le savoir, ce serait de lui poser la question personnellement, mais ça ne se passe pas comme ça. C'est *lui* qui vous adresse la parole, jamais l'inverse.

— Et vous, il vous a déjà parlé ?

— J'ai obtenu un rendez-vous, il y a longtemps de ça, mais ensuite, il a changé d'avis.

— Pourquoi ?

— Il ne me l'a pas dit, gloussa Huxley.

— Vous savez quelque chose sur cette ville qu'il aurait construite ? demanda Max.

— Seulement que personne ne sait où elle se trouve. Personne n'y est jamais allé.

— À votre avis, elle existe ?

— P'têt bien que oui, p'têt bien que non. Ici, en Haïti, on n'est jamais sûr de rien. C'est un pays qui se nourrit de mythes, de rumeurs, de bruits et de ragots. La vérité se perd et devient incroyable.

— Vous croyez que Vincent Paul pourrait être impliqué dans la disparition de Charlie Carver ? demanda Max.

— Pourquoi ne pas nous retrouver demain ou après-demain ? On pourrait bavarder plus longtemps et voir comment on pourrait s'aider mutuellement », proposa Huxley avec un sourire. Il écrasa sa cigarette.

Et voilà ! Il s'était fait avoir. Huxley l'avait mené par le bout du nez, il lui avait jeté en pâture des infos de plus en plus importantes avant de fermer boutique et de reprendre les rênes.

« C'est quoi, votre intérêt, à vous ?

— Mon Pulitzer », fit Huxley avec un sourire.

À ce moment précis, Crâne Rasé entra. Il toisa les deux hommes et leur sourit d'un air narquois, découvrant une paire de canines acérées.

« Mesdames… » fit-il, railleur.

Il jeta à Max un regard de dégoût. Ses yeux gris-vert auraient pu être beaux, s'ils n'avaient pas été si petits et si froids. Deux minuscules pointes d'épingle dans un visage qui respirait la méchanceté.

Il entra dans la petite pièce coincée entre les deux toilettes. Ils l'entendirent se soulager la vessie sur le lit, la caisse et le plancher. Ils échangèrent un regard. Max décela du mépris dans celui d'Huxley, un mépris qui venait de bien loin, du tréfonds de son cœur.

Le soldat finit de pisser et sortit en remontant sa braguette. Avec un nouveau regard, il lança un long rot bien sonore dans leur direction.

Max lui prêta une certaine attention mais prudemment, sans accrocher son regard. Dans la plupart des cas, les gens baissent les yeux si vous leur faites comprendre que vous n'avez rien à perdre, mais avec d'autres il faut accepter de se laisser fixer, même en sachant qu'on pourrait les emmerder. Question de timing et de psychologie. Sauf que là le moment n'avait rien de propice.

Crâne Rasé quitta le couloir et réintégra le bar.

Huxley prit une nouvelle cigarette. Il essaya de l'allumer, mais ses mains tremblaient plus que celles d'un ivrogne en cure de désintoxication. Max lui prit son briquet et l'alluma.

« C'est sur cette merde, sur des merdes comme *lui*, que j'écris, éructa Huxley en crachant sa première bouffée, la voix tremblant de colère. Ces putains d'Amerloques ! Ils devraient avoir honte que des saloperies dans son genre combattent en leur nom. »

Max était d'accord mais il n'en dit mot.

« Alors, vous-même, vous *êtes* haïtien, Shawn ? »

Huxley tressaillit.

« Vous en voyez, des choses, hein, Max ?

— Celles qui sont devant moi », dit Max. En réalité, il venait juste de comprendre.

« Vous avez raison, je suis né ici. J'ai été adopté par un couple de Canadiens quand j'avais quatre ans, après la mort de mes parents. Ils m'ont raconté mon histoire il y a quelques années, avant que j'aille à la fac, expliqua Huxley.

— Alors, c'est du genre retour aux *sources*, ce séjour ?

— Non, plutôt comme un goût de revenez-y. Je sais d'où je viens, dit Huxley. Disons que je suis en train de… restituer quelque chose, si vous voulez. »

Max se sentit plus proche de lui. Pas seulement à cause du rhum et de leur haine partagée pour Crâne Rasé. Huxley avait une sorte de sincérité qu'on ne trouve pas dans les milieux des médias. Il était peut-être novice en la matière et il avait encore son pucelage, ou alors il n'avait pas compris qu'il *s'agissait* bien d'un jeu et se croyait en mission, en quête de vérité. Max aussi avait eu un idéal, jadis. Quand il était entré dans la police et qu'il était encore assez jeunot pour croire que les gens ont un bon fond, qu'on peut améliorer les choses, les changer. C'était l'époque où il s'imaginait en superhéros. Une courte semaine sur le terrain avait suffi pour le transformer en cynique bon teint.

« Où est-ce que je peux vous joindre ?

— J'habite à l'hôtel Olffson, le plus célèbre d'Haïti.

— Et alors ?

— Graham Greene y a résidé.

— Qui ?

— Mick Jagger aussi. J'occupe la chambre où il a écrit *Emotional Rescue*. Ça n'a pas l'air de vous faire grande impression, Max, vous n'êtes pas fan des Stones ?

— Et y a pas eu de gens importants, comme clients, dans votre hôtel ? fit Max avec un sourire narquois.

— Pas dans vos connaissances », dit Huxley avec un rire. Il lui tendit sa carte de visite. Elle portait son nom, sa profession, l'adresse de l'hôtel et son numéro de téléphone.

Max prit la carte et la glissa dans sa poche de veste, avec le CD de Sinatra que Carver lui avait offert.

« Je vous contacte dès que j'ai trouvé mes repères, promit Max.

— Oui, je vous en prie », répondit Huxley.

13

Max quitta La Coupole aux environs de deux heures du matin. Le Barbancourt lui donnait le tournis. Pas de manière désagréable, cela dit. L'alcool lui promettait le septième ciel, mais il perdait toujours les pédales et se retrouvait largué à mi-chemin, prêt à la catastrophe. Cette fois-ci, c'était différent, ça ressemblait davantage à un état post-opiacé. Il avait le sourire aux lèvres et il se sentait bien, persuadé que tout allait bien se passer, que le monde n'était pas si moche que ça, finalement. Cette gnôle était *tellement* bonne.

Des poteaux téléphoniques plantés dans le béton s'inclinaient doucement en avant, vers le centre illuminé de Pétionville. Les fils pendaient, si lâches et si bas que Max aurait pu les toucher s'il avait voulu. Il avançait dans la rue comme sur un nuage, luttant contre la force qui l'attirait irrésistiblement vers le bas et menaçait de le jeter à plat ventre sur la chaussée. Derrière lui, les gens sortaient du bar. Leurs paroles et leurs rires s'éteignaient en murmures et en bafouillages en pénétrant le profond silence qui les attendait. Certains Américains testaient la résistance du silence en poussant un cri isolé, un aboiement ou un miaou, mais le calme ambiant absorbait le bruit, et le silence n'en devenait que plus dense.

Max ne savait pas trop dans quelle rue il fallait qu'il tourne. Impossible de se rappeler combien il en avait dépassé avant de repérer le bar. Il n'était pas loin du centre-ville, mais pas si près que ça, quand même — quelque part au milieu. Il passa une rue, la scruta : ce n'était pas la bonne. Il y avait un supermarché à gauche et un mur couvert de graffitis à droite. C'était peut-être la suivante, ou celle d'après. Ou celle d'avant. Il avait eu l'intention de demander son chemin à Huxley entre deux verres — ou peut-être entre quatre ou cinq, d'ailleurs. Le Barbancourt lui avait soufflé qu'il retrouverait son chemin, alors *pas de souci*. Il continua d'avancer.

Ses chaussures commençaient à lui pincer les pieds et à lui arracher la peau des chevilles. Il les détestait, ces belles godasses en cuir bien cirées qu'il avait achetées chez Saks Fifth Avenue, au centre commercial de Dade. Il aurait dû les faire avant de les mettre. Il n'aimait pas le clic-clac des talons sur la chaussée. On aurait dit une pouliche essayant *ses* premiers sabots.

Et puis il y avait les tambours, pas tellement plus proches que la première fois, mais plus clairs. On entendait leurs roulements dévaler la montagne comme un bruit de couverts rouillés. Toute une batterie de timbres, tam-tams, grosses caisses et cymbales. Les coups suivaient un rythme irrégulier, en dents de scie. Ils lui tapaient directement dans la partie de son cerveau qui était cuite, celle qui faisait une OD de Barbancourt, celle qui lui ferait un mal de chien dès le matin.

Il sentit quelqu'un lui tirer la manche gauche.

« Blan, blan. »

C'était une voix d'enfant, rauque, presque cassée, une voix de petit garçon.

Max regarda de tous côtés, mais il ne vit rien. Il se retourna et scruta la route derrière lui. Il aperçut les lumières du bar et les gens, au loin, mais rien d'autre.

« Blan, *blan* ! »

Ça venait de derrière lui, de l'autre côté, en bas de la côte. Max se retourna, doucement.

Il avait le cerveau en veilleuse, il fallait du temps pour que les choses se mettent en place, s'ajustent, s'ordonnent. Il voyait des vagues danser devant ses yeux, comme s'il était au fond d'un lac et qu'il regardait des cailloux tomber dans l'eau.

Il distinguait à peine le gosse dans le noir, juste une vague silhouette se détachant sur le néon ambré.

« Oui ? fit Max.

— Ban mwen dollah ! cria le gamin.

— Quoi ?

— *Kob*, ban mwen ti kob !

— Tu es blessé ? » demanda Max d'un ton mi-flic mi-normal.

Le gamin surgit devant lui. Il tendait les mains.

« Dollah ! Ban mwen *dollaaarrrggh* ! » hurla-t-il.

Max se boucha les oreilles. Il savait gueuler, ce petit salopiot.

Dollah ? De l'argent. Il voulait de l'argent.

« *No dinero*, fit Max en levant les mains pour lui montrer qu'elles étaient vides. Pas d'argent.

— Ban mwen dollah donc, geignit le gamin, son souffle brûlant passant sur les mains toujours ouvertes de Max.

— Pas de dollars. Pas de pesos, pas un seul putain de cent », fit Max en reprenant sa route.

Le gamin le suivit. Max accéléra le pas. Le gosse lui collait aux basques et l'interpellait, plus fort, cette fois.

« *Blan, blan !* »

Max ne se retourna pas. Il entendait le gosse lui courir après, un bruit de pas mat qui contrastait avec les claquements de ses propres talons. Le gosse était pieds nus.

Il accéléra encore mais le gamin lui filait le train.

Il passa devant une rue qui lui rappela quelque chose et il s'arrêta brusquement. Le gosse se cogna dans ses jambes et le poussa en avant. Max trébucha, perdant à la fois son équilibre et ses repères. Il fit deux pas hésitants, tentant de se stabiliser, mais, au lieu de la chaussée, son pied rencontra soudain le vide. Sa jambe s'enfonça, profond, profond. Puis son pied tomba dans une flaque.

Mais il était trop déséquilibré et il se cassa la figure. Son front heurta le sol et il s'érafla le menton. Il entendit quelque chose glisser vers le bas de la pente en raclant le goudron.

Il resta quelques secondes immobile afin d'évaluer les dégâts. Les jambes, ça allait. Pas de douleur. Le torse et le menton ne lui faisaient pas trop mal. Il ressentait bien quelque chose de mauvais, comme une douleur qui lui faisait signe derrière une vitre opaque, mais ce n'était encore qu'une ombre tordue se fondant dans une brume superbe et soyeuse. Avant la découverte de l'anesthésie générale, ils avaient dû se servir du Barbancourt pour les amputations.

Au-dessus de sa tête, il entendit un rire de grenouille : le gosse.

« Blan sa sou ! Blan sa sou ! »

Aucune idée de ce qu'il pouvait bien raconter. Max se leva, extirpa sa jambe du cratère et se retourna vers le haut de la côte. Il était pété comme un coing et il avait mal à la poitrine, maintenant. Le charme du rhum était rompu, tous ses cauchemars lui revenaient au grand galop. Le bas de son pantalon était trempé d'un mélange de pisse, d'huile usagée et d'eaux grasses.

« Casse-toi ! » gueula-t-il.

Mais il ne voyait plus le gamin. Il avait disparu. À sa place, devant lui, se tenait une dizaine de gosses des rues, âgés de dix ans, maximum. Il distinguait juste le contour de leurs têtes, leurs dents — quand ils en avaient ou qu'ils les montraient — et le blanc de leurs yeux. Ils n'étaient pas bien grands, à peine s'ils lui arrivaient à l'épaule. Ils dégageaient une odeur forte, un mélange de fumée de cigarette froide, de légumes bouillis, de terre, d'alcool frelaté, de sueur et de pourriture. Il sentit leurs regards perçants le détailler dans le noir.

Aucun lampadaire, sur cette portion de route, et aucune voiture, ni dans un sens ni dans un autre. Les lumières du bar n'étaient plus que de minuscules points lumineux au loin. Où était-il ? À quelle distance ? Il jeta un regard rapide vers la rue, à sa gauche. Deux rangs de gamins la barraient. Il n'était pas certain que ce soit celle qu'il voulait prendre. Il fallait qu'il revienne sur ses pas, qu'il retourne jusqu'au bar, peut-être, et qu'il reparte. Et qu'il demande son chemin, cette fois.

Il s'avança, mais stoppa net. Il avait perdu sa chaussure dans le cratère. Il regarda en arrière, sans réussir à repérer le trou où il était tombé. En tâtant la chaussée du talon, il ne sentit que du macadam.

Les tambours s'étaient arrêtés tout à coup, comme si les batteurs avaient vu ce qui se passait et étaient venus s'en assurer. Max eut l'impression d'être devenu sourd.

Il enleva sa deuxième chaussure, la glissa dans sa poche et avança sur la route. Puis il s'arrêta. Les gosses étaient plus nombreux qu'il ne l'avait cru. Ils s'étiraient sur une file qui lui coupait la route. Lui se tenait debout, devant eux, assez près pour ne sentir que la puanteur qu'ils exhalaient. Il s'apprêtait à dire quelque chose quand il perçut des chuchotements par-derrière, des paroles qui s'évaporaient dans l'air comme des gouttes de pluie sur un toit brûlant.

Il se retourna : un autre cordon de gamins lui barrait le chemin. Des silhouettes venant du centre de Pétionville. Encore des enfants, marchant dans sa direction. Ils avaient des choses à la main, des bâtons, semblait-il, de gros bâtons, des gourdins.

Ils étaient après lui. Pour le tuer.

Il entendit une pierre se détacher sur sa gauche et dévaler la route. Les murmures qui l'enveloppaient se muaient en reproches. Tous provenant de la même direction. À l'oreille, il en localisa l'origine : l'entrée d'un bâtiment vide. En regardant plus attentivement, en tentant de distinguer les différentes nuances de noir ou de gris, il s'aperçut que les gosses faisaient la chaîne pour se passer des cailloux. Un sur deux en avait déjà un dans la main et le tenait bien serré. Ils attendaient sans doute d'en avoir tous un pour le lapider. Et ensuite, les plus âgés l'achèveraient à coups de gourdin.

Il avait la bouche sèche. Ne savait que faire. Impossible de réfléchir. Impossible de se dessoûler.

Le rhum revenait, par vagues. Il se sentait bien tout à coup, la douleur s'apaisait, sa tête devenait plus légère. Il était courageux, invincible.

Ça ne paraissait pas si terrible, finalement. Il en avait vu d'autres. Il s'en sortirait. Allez, suffisait d'essayer. Merde !

Il fit deux pas en arrière et gonfla le torse pour foncer comme un bulldozer. Il les entendait derrière lui. Mais il ne regarda pas. Est-ce qu'ils voyaient ce qu'il faisait ? Probablement. Ces gosses-là vivaient dans le noir. Est-ce qu'ils avaient subodoré ses intentions ?

En les attaquant, il en ferait bien tomber trois ou quatre. Ils lui enverraient une pluie de cailloux mais, en se protégeant la tête et en courant de toutes ses jambes, il arriverait bien à se faufiler à travers leur barrage.

Se carapater en côte, bourré, et plus si jeune que ça, mais il allait où, comme ça ?

Ils se lanceraient à sa poursuite et lui ne saurait même pas où il fallait tourner. Tant pis, il verrait plus tard.

Ils étaient combien ?

Une centaine. Facilement.

Il était mort.

Le rhum l'abandonna. Et son optimisme avec.

Les roulements de tambour reprirent. Exactement le rythme qu'il avait entendu dans la cour, plus tôt dans la soirée. Mais là, on aurait dit un bombardement lointain ou un bélier frappant contre les portes d'une ville. Cette fois, le rythme ne lui pénétrait pas jusqu'au cœur. Il se tapissait derrière ses oreilles et chaque note était comme une grenade qui lui explosait sous le crâne et lui envoyait des ondes de choc le long de la moelle épinière. Max n'était plus que tremblements et tressaillements.

Réfléchis encore, se dit-il. Une fois de plus. Si ça ne marche pas, tu files.

« C'est de l'argent, que vous voulez ? » plaida-t-il, à contrecœur. Aucune réaction. Ils se passaient les cailloux sans mot dire, les mains meurtrières se garnissaient, le cercle était presque fini. C'était sans espoir.

Et puis il se rappela son flingue. Il était armé, prêt à tirer.

Soudain, une moto vrombit au sommet de la côte, son moteur violant le silence de la nuit comme une tronçonneuse dans une chapelle. C'était le gosse en costume blanc.

Il descendit la pente, ralentit l'allure, et la moto se mit à ronronner en arrivant devant les gosses qui encerclaient Max.

« *Sa wap feh là, blan ?* dit-il d'une voix rauque qui semblait appartenir à un homme de cinq fois son âge.

— Je ne comprends pas, fit Max d'un ton traînant. Vous parlez l'anglais ?

— Ainglais ?

— Oui, anglais, vous parlez ? »

Pas impressionné, le gosse le regarda.

Max l'entendit venir avant de le voir. Quelque chose fendait l'air, quelque chose de lourd, qui lui arrivait droit sur la tête. Il l'esquiva et le gosse en costume blanc pivota en l'air.

Max lui balança un gauche-droite dans les côtes et le plexus solaire. Le souffle coupé, le gosse cria en se pliant comme une feuille de papier et pointa le menton en avant comme pour recevoir un coup — que Max lui allongea sans hésiter. Il s'aplatit sur la route.

Max l'attrapa par le collet, sortit son Beretta et lui fourra le canon dans la bouche.

« Barrez-vous vite fait ou il est mort », hurla-t-il à la cantonade. Le gosse battait des mains en l'air et des pieds par terre, tentant de renverser Max. Celui-ci lui écrasa la main d'un coup de son talon nu. Il entendit des os craquer et un cri étouffé gargouiller dans la gorge du gosse.

Personne ne bougeait.

Et maintenant ?

Que faire du gosse ? Le traîner avec lui en cherchant la baraque ? En s'arrêtant dans chaque rue ? Impossible. À la rigueur, il pouvait s'en faire un bouclier, s'éloigner au maximum de la foule et le relâcher avant de continuer sa route.

Non, ils ne le laisseraient jamais faire.

Ou alors, il pouvait se frayer un chemin à coups de revolver.

Mais non, il ne tirerait pas. Pas sur des putains *d'enfants.*

Il allait tirer en l'air et filer à toutes jambes pendant qu'ils se cassaient la figure, s'éparpillaient ou paniquaient.

« *Rangez votre revolver !* »

Max sursauta.

La voix de tonnerre venait d'au-dessus, du ciel noir, derrière lui. Tout en maintenant le gosse, Max se tourna péniblement vers Pétionville. La vue était complètement bouchée par le corps du type que Max ne pouvait que deviner, massif, lourd, comme un orage grondant dans un ciel plombé.

« Je ne vous le répéterai *pas* », insista le type.

Max ôta son flingue de la bouche du gamin et le remit dans son étui.

« Maintenant, lâchez-le.

— Mais il a essayé de me tuer, merde ! hurla Max.

— *Lâchez-le !* » tonna le type, faisant sursauter des gosses qui en laissèrent tomber les cailloux qu'ils avaient dans les mains.

Max libéra son assaillant.

Le type aboya quelques mots en créole et des projecteurs éclairèrent la scène. Aveuglé, Max regarda ailleurs en se protégeant les yeux. Il vit que le gosse était par terre et qu'il avait du sang sur le devant de sa chemise.

Soudain, il distinguait clairement le moindre centimètre carré de la route. Les enfants étaient debout, devant lui, sur trois rangs. Tous maigres comme des clous, dans leurs haillons crasseux. Beaucoup n'avaient qu'un short. Ils évitaient la lumière en se protégeant les yeux, eux aussi.

La même voix aboya de nouveau quelque chose en créole.

D'un seul mouvement, tous les gosses lâchèrent leurs cailloux. Les pierres roulèrent le long de la pente, certaines heurtèrent ses pieds nus.

Max loucha vers les projecteurs. La voix venait de plus haut.

La voix tonna de nouveau et les gosses décampèrent, un martèlement de petits pieds, la plupart nus, volant sur la route et filant à toute vitesse. Max les vit traverser en courant la place de Pétionville. Il y en avait une bonne centaine. Ils l'auraient mis en pièces.

Il entendit tourner un puissant moteur et vit deux jets de gaz d'échappement qui s'élevaient au-dessus des projecteurs, comme des pins renversés. Ça ressemblait à une Jeep militaire. Il ne l'avait pas entendue arriver.

L'homme parlait un anglais britannique, sans une touche d'accent français ou américain.

Max se sentit observé. Le type avait bien trente centimètres de plus que lui. Et il devinait sa présence, forte, magnétique et écrasante, suffisante pour remplir tout l'espace.

Il s'approcha de Max.

Max le regarda, mais sans parvenir à voir son visage.

Le type se pencha, attrapa le gosse par le milieu de sa veste et le releva, comme s'il ramassait quelque chose qu'il avait fait tomber et était revenu chercher. Max n'aperçut d'abord que son avant-bras, sillonné de grosses veines, bien musclé, plus gros qu'un des biceps de Joe, puis son poing, massif, lourd et brut comme un marteau de forgeron. Il aurait juré que le type avait six doigts. Il avait compté cinq articulations et non quatre quand le type avait attrapé la veste du gosse d'une main.

C'était un véritable colosse.

De plus, Max l'aurait juré, il n'était autre que Vincent Paul.

Les projecteurs s'éteignirent et les phares s'allumèrent d'un coup, éblouissant Max à nouveau. Le moteur vrombit.

Max réussit à concentrer son regard pour voir la Jeep faire demi-tour un peu plus bas. Arrivée au rond-point, elle vira à gauche et fonça vers le bas de la côte. Max tenta de distinguer ses occupants, mais en vain. D'où il se tenait, on aurait dit qu'elle était vide, qu'elle était conduite par des esprits.

14

Quand ils eurent disparu, Max se mit à errer dans les rues à présent désertes, en quête du chemin de retour qui prenait un malin plaisir à lui échapper. Son ivresse montait et refluait par vagues successives, les phases de flou et d'hébétude se superposant aux moments de lucidité.

À la longue, au terme d'un processus d'élimination qui l'amena à rebrousser chemin jusqu'au bar avant de reprendre un à un les quatre virages à droite qui menaient au centre-ville, il finit par retomber sur l'impasse Carver.

C'était, en fait, la plus proche de l'endroit où il se trouvait quand il s'était fait cerner par les gamins.

Une fois dans la maison, il fila à sa chambre, sortit son portefeuille, se débarrassa de son arme et de son holster et les balança sur le lit. Puis il s'extirpa de son costume dont le tissu beige, trempé de sueur du haut en bas, avait viré au brun. Il était foutu. Son pantalon, dont la jambe gauche était noire, raide et visqueuse jusqu'au genou, puait.

Il faisait une chaleur d'étuve. Il alluma le ventilateur pour mettre en mouvement l'air confiné de la chambre et tâcher d'y faire souffler un peu de fraîcheur. Ses mains tremblaient. Ses veines et ses artères charriaient un flux de rage, de peur. Son cœur s'emballait, lui pompant de l'adrénaline dans le corps à jet continu. Quand il repensait à ces gamins, une part de lui aurait aimé retourner botter leurs petits culs vêtus par l'aide humanitaire et les expédier au paradis vaudou. Une autre part ne demandait qu'à se tirer de ce satané pays honni de Dieu, quitte à embarquer sur le prochain rafiot de *boat people*. Et la troisième partie, recroquevillée, se faisait toute petite, crevant d'envie de se planquer dans le premier trou de souris venu.

Il se souvint de la carte de visite d'Huxley et du CD de Sinatra, au fond de sa poche. La carte y était toujours, mais pas le CD. Il avait dû le perdre au moment où il était tombé dans le cratère. Il fit un vague paquet de son costard et le balança par terre, dans un coin. Il enleva sa chemise et s'essuya avec, ôta son slip, roula tout ça en boule et passa dans la salle de bains. Là, il fit disparaître l'ensemble dans le panier à linge sale et se glissa sous la douche.

Il ouvrit le robinet et un jet glacial le heurta de plein fouet. Le choc thermique lui tira un hoquet et son premier mouvement fut de refermer le robinet, mais il sentit soudain toute cette frustration, cette rage et cette peur accumulées bouillonner en lui, le genre de cocktail explosif qui lui empoisonnerait la vie chaque fois qu'il mettrait le nez dehors, s'il ne lui trouvait pas rapidement un exutoire. Il ouvrit donc le robinet à fond. Les tuyaux mugirent, prêts à sauter de leurs fixations. Il laissa l'eau froide le cingler, lui marteler les muscles et les os jusqu'à ce que sa peau demande grâce. Il se cramponna à cette sensation douloureuse, pendant que sa conscience se concentrait sur cette humiliation à laquelle il n'avait échappé que de justesse, et à quatre pattes, encore.

Il s'était fait ridiculiser par une volée de *gamins*. Et sans le type de la Jeep, ils auraient eu sa peau. Comment réagir face à des *gosses* qui menacent de vous lapider ? Les descendre, c'était aller droit en enfer. Si vous vous en absteniez, c'était eux qui se chargeaient de vous y expédier…

Pas de solution. Pas d'issue. Il laissa sa colère s'écouler jusqu'à ce qu'elle trouve un trou où se planquer, guettant ce pauvre connard inconscient qui l'avait provoquée.

Il s'essuya et revint dans sa chambre. Mais il était trop énervé pour pouvoir fermer l'œil. Quelques verres de rhum auraient été les bienvenus. Bien sûr, c'était la dernière chose à faire et la pire façon de boire. Se laisser aller, c'était s'engager sur la pente savonneuse, si familière, qui menait à l'alcoolisme — mais là, sur le moment, il n'en avait vraiment rien à cirer.

Il enfila un pantalon kaki et un T-shirt blanc, et passa dans la cuisine. Il ouvrit la porte, alluma la lumière.

Francesca Carver était assise à la table.

« Putain ! Mais qu'est-ce que vous foutez là ? lâcha Max, accusant le choc.

— Je suis venue vous parler.

— Comment êtes-vous entrée ?

— Vous avez déjà oublié que cette maison nous appartient ? riposta-t-elle d'un ton altier mâtiné d'impatience.

— De quoi voulez-vous me parler ?

— De Charlie. De certaines choses qu'il faut que vous sachiez, avant de poursuivre votre enquête. »

Max sortit pour aller chercher son calepin et son magnéto, laissant Francesca installée à la table, devant un verre d'eau minérale qu'elle avait dû trouver dans le frigo. Elle tenait entre ses doigts une Gitane qu'elle avait sortie d'un paquet d'allure exotique, bleu, noir et blanc. Ça lui allait bien, malgré l'odeur qui empestait. C'était le genre de grosses cigarettes sans filtre que fumaient les héroïnes des films des années quarante ou cinquante, généralement avec un fume-cigarette.

Les relents des Gitane ne l'avaient pas frappé, quand il était entré dans la maison — mais ceux qu'il dégageait, lui, étaient autrement nauséabonds…

« Avant tout, je voudrais que vous me promettiez une chose, lui dit-elle, à son retour.

— Ça dépend », répliqua Max. Ce n'était plus la même femme.

Elle était presque méconnaissable — plus jolie, plus détendue, moins ravagée. Elle portait un chemisier bleu pastel, une longue jupe en jean et des baskets. Elle avait les cheveux sur les épaules et très peu de maquillage — juste un soupçon d'eye-liner et de mascara.

« Vous ne répéterez rien à Gustav de tout ce que je vais vous dire.

— Pourquoi ?

— Parce qu'il en aurait le cœur brisé. Sa vie ne tient déjà plus qu'à un fil. J'ai votre parole ? »

Foutaises, se dit Max. Elle ne portait pas particulièrement Gustav Carver dans son cœur. Et lui, il fallait vraiment qu'elle le prenne pour un con, pour lui sortir ça sur ce ton mièvre et pleurnichard, en cherchant à jouer sur la corde sensible. Elle devait avoir appris ça dans un cours de théâtre — cette modulation qui lui faisait vibrer la voix, cette façon d'envelopper chaque mot d'un petit sanglot avant de vous le servir assorti d'une petite larme.

« C'est quoi, la vraie raison ? » demanda-t-il d'emblée en la regardant droit dans les yeux. Ses pupilles avaient trouvé les siennes et ne les lâchaient plus.

Elle ne se déroba pas. Son regard soutint le sien. Un regard dur, froid, sans l'ombre d'un remords, et qui disait : J'ai tout vu, y compris le pire. J'en ai même trop vu et ça continue — alors, va te faire foutre !

« Si Gustav savait ce que je vais vous dire, il serait fou.

— Que Charlie n'est pas son petit-fils, vous voulez dire ?

— Absolument pas ! Mais comment osez-vous ? » s'écria-t-elle d'un air qui parut indigné. Ses joues s'étaient empourprées et ses yeux le fusillaient. Elle tira une brève bouffée de sa cigarette avant de l'éteindre dans la tasse à demi pleine d'eau qui lui tenait lieu de cendrier. Son mégot s'éteignit dans un sifflement.

« Désolé, fit Max avec un sourire. C'était juste pour en avoir le cœur net. »

Elle avait foncé tête baissée. Parfait. Une brèche dans la cuirasse.

Ce qu'il ignorait, c'était s'il avait touché un nerf à vif, tapi sous une vérité, ou juste bousculé une charretée de pruderie. Il avançait à tâtons, tâchant de sonder les limites de sa sincérité. Jusqu'à présent, elle tenait le coup.

« Dites-moi ce que vous avez à dire, madame Carver.

— Je veux votre parole.

— En êtes-vous si sûre ? s'enquit Max.

— Vous n'avez pas grand-chose de mieux à m'offrir, n'est-ce pas ? »

Il éclata de rire. Pour qui elle se prenait, cette pétasse ? Elle voulait sa parole ? Ben voyons, pourquoi pas ? Qu'est-ce qui l'obligeait à la tenir ? Il pourrait toujours se dédire, ça ne serait pas la première fois. Les serments, les promesses, les marchés scellés par des poignées de main, en dehors des relations amicales, ça ne signifiait pas grand-chose, pour lui.

« D'accord, vous avez ma parole, madame Carver », dit-il avec une sincérité qui se refléta dans le regard résolu qu'il lui lança.

Elle le jaugea et parut satisfaite.

Le magnéto tournait, engrangeant tout ce qu'elle disait. Max avait toujours fait ça. Il enregistrait toutes ses conversations avec ses clients, ses témoins et même les suspects, à leur insu.

« Vous aviez vu juste, tout à l'heure, à la maison, pour Eddie Faustin, attaqua-t-elle. Il a bien participé à l'enlèvement. C'était leur taupe.

— Et c'est pour me dire ça que vous êtes venue ici en pleine nuit ?

— Je tenais à vous parler librement, or c'est impossible en présence de Gustav. Il ne supporte pas la moindre critique concernant Faustin. Eddie s'est pris une balle qui lui était destinée et, aux yeux de Gustav, ça suffit à le mettre au-dessus de tout soupçon. » Elle tira vigoureusement sur la cigarette qu'elle venait d'allumer. « Et il n'en démordra pas. Quoi que je lui raconte sur le kidnapping et la façon dont ça s'est passé, il n'en a que faire. Pour lui, je ne peux pas en avoir de souvenirs, puisque j'ai perdu connaissance. Et même bien après, lorsque nous avons fouillé le logement de Faustin et que nous avons découvert ce qu'il cachait chez lui... »

Elle s'interrompit et se prit le front à deux mains en décrivant de petits cercles du bout de ses doigts. L'effet était sans doute plus spectaculaire que thérapeutique.

« Qu'est-ce que vous avez trouvé ?

— Faustin était logé dans le bâtiment principal de la plantation. On y avait aménagé quelques petits appartements pour les *restavecs* les plus proches de la famille, des gens de confiance. Après le kidnapping, son appartement a été vidé et on a retrouvé une boîte, sous son lit. Elle contenait une poupée vaudoue à mon effigie.

— Il vous détestait, vous voulez dire ?

— Non. Au contraire. C'était un genre de philtre d'amour — enfin, de désir... La figurine était faite avec mes vrais cheveux et des fragments de mes ongles de main et de pied, incrustés dans la cire. Il les avait ramassés lui-même — à moins qu'il n'ait payé une de mes domestiques pour le faire.

— Et vous le soupçonniez de ce genre de choses ?

— Pas une seconde. Faustin était un homme de confiance. Un employé modèle. La correction même.

— Vous n'aviez jamais senti qu'il vous désirait ? Vous n'avez jamais surpris d'attitude ou de regard déplacés ?

— Non. Ici, les domestiques savent parfaitement quelle est leur place.

— Sûr qu'ils le savent, madame Carver. C'est même ce qui expliquerait que Faustin ait accepté de collaborer au rapt de votre fils », glissa Max d'un ton sarcastique.

Le visage de Francesca s'embrasa de colère.

Craignant qu'elle ne se referme comme une huître s'il poussait trop loin le sarcasme, Max préféra changer de sujet.

« Racontez-moi ce qui s'est passé le jour de l'enlèvement. »

Elle écrasa sa cigarette, et en ralluma une autre presque instantanément.

« C'était le matin de son troisième anniversaire. À l'horizon, juste en face du port, on voyait arriver les bateaux de guerre qui transportaient les troupes américaines. Tout le monde s'attendait à ce que le palais présidentiel soit bombardé d'un moment à l'autre. Il y avait des émeutes partout dans Port-au-Prince. Les boutiques et les maisons étaient livrées au pillage. Les gens des montagnes descendaient en ville avec des brouettes et des charrettes pour emporter leur butin, tout ce qu'ils pourraient voler dans la capitale. C'était l'anarchie. Il suffisait de respirer l'air ambiant pour poser un diagnostic : la densité de l'odeur de caoutchouc brûlé dans l'atmosphère vous donnait une idée du nombre des émeutiers et des pilleurs. Ils bloquaient les rues avec des barricades de pneus enflammés. Par moments, on voyait deux ou trois grosses colonnes de fumée noire s'élever dans le ciel, au-dessus de la ville. Et ça, c'était très mauvais signe. Ça voulait dire que les choses allaient *vraiment* très mal.

« C'était le cas, quand on est descendus en ville dans le 4 x 4 blindé, ce matin-là. Rose, la nurse, était assise à l'arrière, avec Charlie et moi. Il était de bonne humeur. Il me laissait jouer avec ses cheveux, y passer les doigts. On allait rue du Champ-de-Mars, dans le quartier du Palais. Le jour était mal choisi pour s'aventurer en ville. Les coups de feu, ça n'arrêtait pas. J'ai vite renoncé à compter les cadavres. Faustin a dit qu'il fallait qu'on s'arrête dans un endroit discret, pour attendre une accalmie. On s'est garés sur le boulevard des Veuves. D'habitude, il n'y a jamais de place libre, mais, ce jour-là, c'était le désert. J'avais senti quelque chose d'anormal chez Faustin. Il transpirait à grosses gouttes. Il n'avait pas cessé de me regarder dans le rétroviseur, depuis notre départ.

« Dans toutes nos voitures, il y a des armes chargées sous les sièges. J'ai passé la main sous le mien. Rien. Faustin a surpris mon mouvement et, quand nos regards se sont croisés, il a souri, l'air de dire : “Eh non ! elles ne sont plus là…” Et il a verrouillé les portières. J'ai tâché de garder contenance, pour ne pas lui montrer à quel point j'avais peur. Les coups de feu ont cessé, mais quand Rose lui a demandé pourquoi il ne repartait pas, Faustin lui a dit de s'occuper de ses affaires — en des termes nettement moins aimables. Je l'ai prié de surveiller son langage, et il m'a carrément enjoint de me taire. Là, j'ai compris qu'il se passait quelque chose. J'ai cédé à la panique. Je me suis mise à hurler en lui ordonnant de nous laisser sortir de la voiture, mais il faisait la sourde oreille. À ce moment-là, j'ai vu arriver une bande de gamins — des gosses des rues, qui ont repéré notre voiture et ont lorgné à l'intérieur. L'un d'eux a reconnu Faustin et s'est mis à crier en nous montrant du doigt.

« Un petit attroupement s'est formé autour de nous — des adultes, à présent, qui arrivaient armés de bâtons, de machettes, de pneus et de bidons d'essence. Ils criaient : “Faustin–*Assassin* ! Faustin–*Assassin* !” Il s'était fait des ennemis, du temps qu'il était tonton macoute. Pas mal de gens voulaient sa peau.

« La foule s'agglutinait autour de la voiture. Quelqu'un a dû jeter un caillou dans la lunette arrière… Le projectile a rebondi sans faire de dégâts, mais ça a été comme un signal parce que, à ce moment précis, ils nous ont pris d'assaut. Faustin a démarré et nous a sortis de là, mais nous ne sommes pas allés bien loin : les émeutiers avaient dressé une barricade au bout de la rue. Il a tenté de faire demi-tour, mais la foule nous a rattrapés. On était bloqués… »

Francesca marqua une pause. Elle prit une profonde inspiration, les yeux baissés. Elle avait perdu ses couleurs.

« Prenez votre temps, dit Max.

— Les gens ont surgi de derrière la barricade et se sont rués sur la voiture, poursuivit-elle. En un instant, nous avons été submergés. La foule hurlait sans discontinuer : “Faustin–*Assassin* ! Faustin–*Assassin* !” Ils cognaient sur la voiture avec tout ce qui leur tombait sous la main — cailloux, bâtons, pavés. Ils ont fait voler les vitres en éclats puis, quand ils se sont attaqués au toit avec je ne sais quoi,

Faustin a sorti une mitraillette de sous son siège. Rose s'était mise à hurler. Moi aussi, je suppose. Mais Charlie restait très calme. Il regardait tout ça comme si ce n'était qu'une mise en scène. La dernière chose dont je me souvienne, c'est de lui avoir caressé les cheveux et de l'avoir serré dans mes bras en lui promettant que tout allait s'arranger. Après… eh bien, je suis revenue à moi, couchée par terre, au milieu de la chaussée.

« J'étais toujours dans la même rue, mais à plusieurs centaines de mètres de la voiture. Je n'ai aucune idée de la façon dont j'ai pu franchir cette distance. J'ai aperçu une vieille femme, vêtue d'une robe rose. Elle était assise de l'autre côté de la rue, devant l'échoppe d'un savetier, et avait les yeux fixés sur moi.

— Où dites-vous qu'elle était assise ?

— Devant la boutique d'un savetier — d'un cordonnier, répéta-t-elle.

— Et après, qu'avez-vous fait ?

— Je suis retournée à la voiture. Elle était sur le toit, les roues en l'air. Il y avait du sang partout.

— Et vous, vous étiez blessée ?

— En état de choc, surtout. Juste quelques bleus et des égratignures. Mais Rose était morte et Faustin avait disparu. Tout comme mon petit garçon », acheva-t-elle en baissant la tête.

Elle se mit à pleurer. D'abord silencieusement, puis en reniflant, et enfin ce fut le déluge.

Max arrêta la cassette et alla chercher du papier aux toilettes. Il le lui tendit, se rassit et laissa s'éloigner l'orage. Il lui tenait la main, ce qui parut l'aider à émerger. Il n'avait plus autant de préventions contre elle, à présent, et quelque chose lui disait qu'elle aussi s'était calmée, de ce côté-là. Elle n'avait pas le choix.

« Je vais faire du café », dit-elle en se levant.

Carré contre son dossier, il la regarda s'activer. Elle sortit une cafetière chromée et une boîte de l'un des éléments vitrés fixés au-dessus de l'évier. Les murs étaient enduits d'une laque épaisse couleur crème facile à entretenir.

Elle versa du café et de l'eau minérale dans la cafetière, qu'elle posa sur le feu. Puis elle sortit deux tasses et deux soucoupes d'un autre placard et les essuya avec un torchon propre qu'elle prit sur le frigo. Cela ne semblait pas lui déplaire. Un petit sourire joua sur ses lèvres et lui fit briller les yeux tandis qu'elle s'affairait. Peut-être regrettait-elle une vie sans domesticité ?

Il jeta un œil à sa montre. Quatre heures un quart passées. Il faisait toujours nuit, mais il entendait les premiers oiseaux s'éveiller dans le jardin, rivalisant avec le bourdonnement des insectes. Chantale devait arriver à huit heures. Trop tard pour se mettre au lit. Il allait devoir enchaîner directement, sans dormir.

Le café percolait en sifflant doucement. Francesca le transvasa dans une Thermos qu'elle posa sur la table avant d'apporter tasses, soucoupes, cuillers, pot de crème et sucrier, le tout sur un plateau. Max goûta le café. C'était le même que celui qu'on lui avait servi au club des Carver, à Manhattan. Produit dans les plantations familiales, présuma-t-il.

Ils gardèrent un moment le silence. Max la complimenta pour son café. Elle alluma une cigarette, puis une autre.

« Madame Carver… ?

— Et si vous m'appeliez Francesca ?

— Francesca… — qu'alliez-vous faire à Port-au-Prince ce jour-là, vous et votre fils ? »

Max libéra le bouton « Pause » du magnéto.

« Nous avions rendez-vous.

— Avec qui ?

— Avec un certain Filius Dufour. Ce n'est pas n'importe qui, c'est un *houngan* : un prêtre vaudou.

— Vous emmeniez votre fils consulter un *prêtre vaudou* le jour de son *anniversaire* ? » s'exclama Max. Mais ça ne le surprenait pas outre mesure. La religion locale était bien implantée dans la maison Carver. Il n'avait pas oublié l'attitude défensive d'Allain quand ils en avaient parlé.

« Je l'y ai emmené toutes les semaines, pendant six mois.

— Pourquoi ?

— Filius nous était d'un grand secours, à moi et à Charlie.

— Comment ça ?

— Vous avez combien de temps ?

— Autant qu'il vous en faudra », répondit-il.

Francesca consulta la montre de Max, tandis qu'il retournait la cassette dans le magnéto. Il appuya sur la touche « Record » dès qu'elle se remit à parler.

« Charlie est né à Miami, le 4 septembre 1991. En voyant sa tête, l'infirmière a laissé échapper un cri. On aurait dit qu'il était né coiffé, mais coiffé de noir... En fait, ce n'était que ses cheveux. Ils avaient déjà beaucoup poussé, voyez. Ça arrive parfois.

« Trois semaines plus tard, nous sommes revenus en Haïti. À l'époque, Aristide était au pouvoir — une bande de malfrats qui essayait de se faire passer pour une équipe gouvernementale. Les gens quittaient le pays, et pas seulement les pauvres ou les *boat people*, mais aussi les nantis — les cerveaux aux commandes de l'économie. Gustav, lui, s'était bien gardé de lever le petit doigt, bien qu'Aristide nous ait déjà épinglés à deux reprises dans ses discours publics, nous accusant d'être des oppresseurs blancs qui "volaient" le peuple haïtien. Gustav savait qu'Aristide allait se faire renverser. Il avait des amis dans l'armée, comme parmi les proches d'Aristide, ceux qui étaient aux postes clés.

— Il a le bras long.

— Disons qu'il fait sienne la maxime : "Seigneur, protégez-moi de mes amis. Mes ennemis, je m'en charge."

— Parce qu'il a des amis ? » glissa Max.

Francesca partit d'un éclat de rire, puis son regard rencontra celui de Max et le soutint. L'espace d'un instant, il eut le sentiment qu'elle le sondait, qu'elle tentait de voir d'où venait ce commentaire — sans parvenir à une quelconque certitude.

« Aristide s'est fait renverser le 30 septembre. Ce soir-là, Gustav a donné une grande fête. À l'origine, Aristide devait être assassiné mais, finalement, ça ne s'est pas fait — ce qui n'a en rien gâché la fête.

« Charlie a été baptisé un mois plus tard. J'ai tout de suite vu que quelque chose n'allait pas. Immédiatement. Quand j'avais une quinzaine d'années et que mes neveux et nièces étaient petits, on me confiait parfois leur garde : ils étaient très différents de Charlie. Ils me reconnaissaient. Ils réagissaient. Charlie, lui, ne me regardait jamais directement. Il avait l'air de ne s'intéresser à rien de particulier. Il ne me tendait jamais les bras, ne souriait pas. Rien. Et le plus bizarre, c'est qu'il ne pleurait pas non plus.

— Jamais ?

— Pas une fois. Il produisait toutes sortes de bruits — des gargouillis, du babillage. Mais jamais je ne l'ai entendu pleurer. Vous savez, un bébé, ça pleure sans arrêt — dès qu'il est mouillé, qu'il a faim ou qu'il veut qu'on s'occupe de lui. Mais pas Charlie. À certains moments, on aurait presque oublié qu'il était là. Toutes les semaines, on le faisait examiner par un médecin à qui j'avais signalé que mon fils ne pleurait pas. Il avait pris la chose à la légère et m'avait répondu d'une boutade : "Profitez-en, ça ne va pas durer !"

« Mais bien sûr, ça a duré. Allain me disait de ne pas m'inquiéter, que Gustav lui-même n'avait parlé que quelques semaines avant son quatrième anniversaire. »

Elle s'interrompit pour allumer une autre cigarette. Il commençait à s'habituer à leur odeur.

« Je vous ai dit que Charlie ne souriait pas, mais en fait il y avait une exception : son grand-père. À Gustav, il souriait. Et je l'ai même entendu rire aux éclats, quand Gustav lui faisait des grimaces ou le chatouillait. Entre eux, le courant passait. Gustav était tellement fier de son petit-fils. Pour lui, il avait toujours le temps. Il l'a emmené plusieurs fois à la banque. Le soir, il le bordait, lui donnait à manger, le changeait. C'était touchant de les voir ensemble. Gustav n'avait jamais été aussi heureux. Il n'avait jamais eu autant d'égards pour aucun de ses autres petits-enfants. Ni autant d'attention. Charlie est son seul descendant mâle. Je pense qu'il tient à mourir assuré que son nom lui survivra. Il est un peu vieux jeu sur ce plan mais, somme toute, pas plus que le reste de ce pays... »

Max reprit une tasse de café. La première avait dissipé la fatigue qui s'était accumulée dans ses os et derrière ses yeux.

« C'était donc ça — l'équilibre de votre fils — qui vous préoccupait... C'était la raison de votre visite à ce prêtre vaudou. Ce n'était pas pour vous que vous y alliez, c'était pour Charlie. Vous craigniez que quelque chose ne tourne pas rond chez lui et vous l'emmeniez chez ce prêtre pour qu'il vous donne des conseils ?

— Oui et non. Ça ne se posait pas vraiment en ces termes. Charlie avait un problème avec ses cheveux...

— Oui, j'ai vu la photo, fit Max sans s'appesantir. Avec cette robe...

— Il ne supportait pas qu'on les lui coupe.

— C'est ce que m'a expliqué votre mari, rétorqua Max d'un ton critique.

— Nous n'avions pas le choix. Les réactions des gens rendaient la vie impossible à Charlie.

— Avant ou après que vous lui avez mis une robe ? ironisa Max.

— C'était pour son *bien*, insista Francesca avec humeur. Vous savez qu'il se mettait à hurler dès qu'on approchait de lui avec des ciseaux ?

— Oui. Allain m'a raconté ça.

— Mais est-ce qu'il vous a vraiment décrit ses hurlements ? Ça n'avait rien à voir avec des cris de bébé, ni même des cris d'enfant. C'était de la *douleur* à l'état brut. Un son à vous glacer les sangs, à vous crever les tympans. Imaginez toute une caverne de chauves-souris hurlant à tue-tête. Il paraît que ça s'entendait à des kilomètres. »

Max appuya sur « Pause ». L'évocation de ces souvenirs avait à nouveau ébranlé Francesca qui se mordillait la lèvre, au bord des larmes. Il aurait voulu la prendre dans ses bras et la laisser s'épancher sur son épaule, mais cela lui parut déplacé. Son boulot consistait à l'entendre pour trouver des indices — pas à lui tenir lieu de psy ou de confesseur.

« Pourquoi ces robes ? » demanda-t-il, lorsqu'elle eut retrouvé un semblant de calme. Il connaissait déjà la réponse, mais c'était pour la remettre sur les rails du dialogue.

« Les cheveux de Charlie n'étaient jamais coupés. Ça devenait gênant. On les lui a attachés en queue-de-cheval avec des rubans, et on a fini par lui faire des couettes. Il était plus simple de lui mettre une robe et de le présenter comme une fille que d'expliquer le pourquoi et le comment de sa coiffure. Et ça fonctionnait, vous savez. Il s'était habitué à ne plus sortir qu'en robe.

— Et ce prêtre vaudou, comment l'avez-vous rencontré ?

— Par hasard. Un jour, Rose m'a apporté un message de lui, une lettre manuscrite où il parlait de certaines choses qui nous concernaient, moi et Charlie — des choses que personne, et je dis bien *personne*, n'aurait pu savoir.

— Vous pourriez préciser un peu ?

— Non, répondit-elle aussitôt. Mais si vous êtes aussi efficace que le pense Allain, vous allez finir par le découvrir. »

Max préféra poursuivre.

« Comment Rose connaissait-elle ce prêtre ?

— Par Eliane, une amie qui travaillait chez lui.

— Je vois... fit Max en dressant déjà mentalement une liste de suspects potentiels. Et cette Rose, aurait-elle pu avoir eu vent de ces choses dont vous ne voulez pas parler ?

— Non.

— Même pas dans une si petite ville ?

— Non.

— D'accord. Ainsi, Charlie et vous êtes allés consulter ce prêtre. Et alors ? Que s'est-il passé ?

— Nous avons eu une conversation, lui et moi, puis il a demandé à parler à Charlie en privé.

— Quel âge avait Charlie, à l'époque ? Deux ans ?

— Deux ans et demi.

— Il avait commencé à parler ?

— Non. Pas un mot.

— Et comment communiquaient-ils ?

— Je n'en sais rien, mais ça a été efficace, parce que l'attitude de mon fils envers moi a radicalement changé. Il s'est épanoui. Il me regardait. Il a même commencé à sourire — et je peux vous dire que c'était quelque chose, quand il souriait. Le genre de sourire qui vous illuminait la journée. »

La voix de Francesca s'était soudain réduite à un murmure, comme si ses paroles s'étaient progressivement amenuisées sous le poids d'un chagrin qui, lui, allait croissant.

Elle se moucha bruyamment, claironnant comme un phoque, puis alluma une cigarette — la dernière du paquet, dont elle écrasa l'emballage entre ses doigts.

« Et vous alliez souvent le voir, ce prêtre ?

— Une fois par semaine.

— Toujours le même jour, à la même heure ?

— Non. Ça variait. C'était Rose qui me donnait l'heure et la date du rendez-vous.

— Il va falloir que je lui parle, à ce type. »

Francesca sortit de sa poche un papier plié en quatre qu'elle fit glisser vers lui.

« C'est l'adresse de Filius et le chemin pour y aller. Il vous attend cet après-midi, à deux heures.

— Il *m'attend* ?

— Il vous a vu venir. Il me l'a dit il y a deux mois.

— Qu'est-ce que vous voulez dire ? Comment aurait-il pu me "voir venir" il y a deux mois ? Je ne savais pas moi-même que je serais ici.

— Il voit les choses.

— Comme un voyant ?

— Si on veut, oui. Mais ce n'est pas tout à fait pareil.

— Pourquoi avez-vous réagi comme ça, au dîner ?

— Je n'avais pas compris que c'était vous.

— Vous avez donc parlé à ce *Doofoor*, depuis ?

— Oui.

— Et c'est pour ça que vous êtes venue me voir ? »

Elle acquiesça.

« Il semble avoir une grande influence sur vous.

— Pas comme vous le pensez.

— Vous avez raconté tout ça à mes prédécesseurs ?

— Non. Je ne leur ai parlé que de l'enlèvement.

— Pourquoi ?

— Emmanuel, c'était quelqu'un de bien, mais il était incapable de tenir sa langue. Une vraie pipelette. Je détestais Clyde Beeson. Medd non plus, je ne l'appréciais pas des masses. Ils n'étaient là que pour l'argent, l'un comme l'autre.

— Pour gagner leur vie, madame Carver. Comme tout un chacun. On peut travailler dans un bureau ou dans une station-service, on peut être flic ou pompier — mais la plupart des gens font ce qu'ils font pour de l'argent. Ceux qui échappent à cette règle sont des veinards ou des crétins.

— En ce cas, Max, vous devez relever de cette dernière catégorie, lui dit-elle avec le sourire, mais en le regardant dans le blanc de l'œil. Car on ne peut pas dire que vous ayez beaucoup de chance... »

Après ça, elle n'avait guère autre chose à ajouter.

Max la raccompagna jusqu'au portail. Elle lui serra la main et, après lui avoir renouvelé ses excuses pour son éclat du dîner, le supplia de retrouver Charlie. Il lui promit de faire de son mieux et la regarda s'éloigner vers le bout de l'allée où, avait-elle dit, l'attendait une voiture.

L'aube commençait à poindre. Une lumière d'un gris bleuté s'était répandue dans le jardin et la cour. L'air vibrait du raffut matinal des oiseaux, qui se gorgeaient d'insectes encore ensommeillés. Plus loin, là-bas, la rue commençait à s'animer.

Comme il regagnait la maison, il entendit une voiture démarrer au bout de l'allée. Une portière s'ouvrit puis se referma et la voiture s'éloigna.

15

Max se passa de l'eau sur la figure, se rasa et se refit un café. Puis, sa tasse à la main, il sortit sous la véranda. Le soleil était levé. En l'espace de quelques instants, tout ce qui l'entourait se retrouva submergé de lumière comme si, d'en haut, on avait braqué un projecteur sur tout le pays.

Il but son café. Sa fatigue semblait s'être envolée avec sa gueule de bois.

Il consulta sa montre. Six heures trente. Même heure qu'à Miami. Joe devait être levé. À cette heure-là, il commençait à préparer le petit déjeuner pour sa femme et ses gosses.

Max retourna dans sa chambre et composa le numéro de Joe sur le cadran du vieux téléphone en bakélite.

« Joe ? C'est Max.

— Hey ! Qu'est-ce que tu fous, mon pote ? J'étais justement en train de penser à toi.

— Ça doit être ce brave vieux vaudou qui commence à faire son effet », dit Max avec une petite pensée pour Charlie et son prêtre.

Joe éclata de rire.

« T'es où, là, vieux ? Dans ta cuisine ?

— Non. J'ai un bureau dans mon appart'. Avec isolation phonique, pour pouvoir écouter Bruce sans que ma femme l'entende. Elle le déteste. Encore pire que toi.

— Pour une fois, elle a bien raison. Écoute, j'aurais besoin d'avoir des infos sur un type. Ça te poserait un problème ?

— Non. Je peux même te faire ça ici et illico. J'ai accès à la base de données.

— Tu rigoles ? fit Max, incrédule.

— Maintenant, tout est sur Internet, tu sais. Je fais tout mon travail de recherche ici, à domicile. Nos bureaux, au boulot, ça sert plus qu'à garder un œil sur les juniors, à faire ami-ami avec les huiles et à prendre nos distances avec la famille, de temps en temps. Les choses ont pas mal bougé depuis que t'es parti, Max. La technologie, c'est comme la rouille, ça s'arrête jamais. Ça gagne de proche en proche et ça grignote, lentement mais sûrement, tout ce que t'as la flemme de faire. Sauf que ta recherche, là, ça peut prendre un certain temps. Tout dépend du nombre d'utilisateurs qui interrogent le système.

— Si t'as le temps, moi aussi, Joe. T'aurais peut-être intérêt à lancer une recherche croisée dans les fichiers d'Interpol.

— O.K. Je t'écoute…

— Nom : Paul. Prénom : Vincent — comme ça se prononce.

— Il est quoi — haïtien ?

— Oui. »

Max entendit Joe pianoter sur son clavier avec, en arrière-plan et en sourdine, la voix de Springsteen et quelques maigres accords de guitare acoustique. Il eut une pensée pour le CD de Sinatra — était-il toujours dans la rue ?

« Max ? Rien dans la base de données de chez nous, mais j'ai trouvé un Vincent Paul dans les fichiers d'Interpol. Basse priorité. Catégorie “portés disparus”. C'est les British qui le recherchent. Scotland Yard. »

Il pianota encore un peu.

« Tiens, j'ai même sa photo. Pas l'air commode, ce salopard. Un genre d'Isaac Hayes[1], mais carrément dans ses mauvais jours. Et,

1. Pianiste et acteur noir, originaire de la région de Memphis.

dis donc… c'est pas un nain, le mec ! Deux mètres cinq et des poussières, qu'ils disent. Et sans doute une pointure à l'avenant. Un vrai Goliath ! Là, j'aurais pas mal de pistes de recherches annexes… Il a un complice connu. Mais j'ai pas encore sa fiche d'identification. Le réseau est chargé, ce matin. Écoute, je dois en avoir pour encore une heure mais là, faudrait que j'aille m'occuper des petites. C'est quoi, ton numéro ? »

Max le lui donna.

« Mais je préfère te rappeler, Joe. Je ne sais pas quand je serai de retour ici.

— O.K.

— Et si nécessaire, tu pourrais me faire faire quelques tests, au labo ?

— Ça dépend quoi.

— ADN, groupe sanguin, empreintes digitales, recherches comparatives…

— Ça, ça va. Des petits trucs. Essaie juste de ne pas m'envoyer un macchabée complet — ni même un poulet !

— Ça risque pas, rigola Max.

— Et ton affaire, comment ça se présente ? s'enquit Joe.

— J'en suis qu'à la phase d'approche, fit Max.

— Rappelle-toi que si tu laisses tomber maintenant, tout ce que t'y perdras, ce sera un peu de fric. D'ac' ? »

Max avait oublié que Joe le connaissait si bien. Son pote avait perçu le doute dans sa voix. Max fut tenté de lui parler des gamins devant La Coupole, mais il préféra passer l'incident sous silence, le laisser s'évaporer, s'enfoncer dans sa mémoire. S'il le laissait s'incruster dans sa conscience, il finirait par lui boucher la vue et embrouiller sa perception des choses. Toujours garder une vision limpide des choses.

« Je m'en souviendrai, Joe. Te bile pas. »

Max entendit de la musique. Bruce qui chatouillait sa guitare acoustique en faisant couiner son harmonica comme un Dylan sous stéroïdes. Il se dit que Joe vivait là ses meilleures années, en musique et en famille. Il aurait toujours quelqu'un pour l'entourer d'affection et s'occuper de lui. Il aurait aimé pouvoir s'attarder encore un peu au téléphone. Écouter vivre la maisonnée de Joe, écouter ces bruits chargés de chaleur humaine et de nostalgie, la voix de la mère patrie, qui le rendait aussi tendre que des couilles de nouveau-né.

TROISIÈME PARTIE

16

« *Wow !* Vous empestez, Max ! » s'écria Chantale en partant de son rire canaille.

Elle disait vrai. Il avait beau s'être douché et brossé les dents, l'odeur d'une nuit de beuverie n'était pas facile à éliminer, sous ces latitudes. Le rhum, dont il était encore en train de s'imbiber à peine quelques heures plus tôt, s'exhalait par tous les pores de sa peau et empuantissait l'intérieur du Landcruiser de relents aigrelets qui piquaient le nez, comme du sucre qu'on fait bouillir dans du vinaigre.

« Désolé », fit-il en se tournant vers sa vitre derrière laquelle défilait, dans une sorte de brouillard marron, jaune et, çà et là, vert, le paysage qui bordait la route sinueuse descendant des hauteurs vers Port-au-Prince.

« Vous n'êtes pas vexé, j'espère, fit-elle avec un sourire.

— Pas du tout. J'aime bien les gens qui disent ce qu'ils pensent — au moins, on est tout de suite fixé sur eux. »

Chantale, elle, sentait divinement bon : un nuage de parfum à la bergamote, aux notes à la fois fraîches et délicates, l'environnait, l'isolant de l'odeur *sui generis* de Max. Ce matin, elle était en tenue de campagne : chemisier turquoise à manches courtes, jean délavé, rangers et petite queue-de-cheval sévère. Des lunettes de soleil, un

Bic et un petit carnet dépassaient de sa poche poitrine. À l'évidence, elle n'était pas venue que pour lui servir de chauffeur. Elle était là pour bosser avec lui, que ça lui plaise ou non.

Elle avait débarqué à la villa à sept heures et demie — en avance d'une demi-heure sur l'horaire prévu — au volant d'une Honda Civic couverte de poussière, dont le pare-brise n'avait pas dû voir passer une raclette depuis au moins un an. Max était encore attablé devant le petit déjeuner que Rubie, la femme de ménage, lui avait préparé. Il avait eu envie d'œufs *sunny side over*[1], à l'américaine, mais quand il avait essayé de lui décrire la chose, ses explications combinant anglais petit nègre, bruitages et gesticulations avaient dû totalement échapper à Rubie car il avait vu arriver une omelette sur un lit de galettes de manioc — le tout aussi délicieux que roboratif, au demeurant... Il l'avait fait descendre à l'aide d'un café noir bien corsé et d'un grand verre de jus de fruits — une espèce de pamplemousse très peu acide, qu'elle avait appelé *chadec*.

« Rude nuit ? s'enquit Chantale.

— Courte, en tout cas.

— Vous êtes allé à La Coupole ?

— Qu'est-ce qui vous fait dire ça ?

— Le quartier où vous habitez ne grouille pas vraiment de bars...

— Vous y êtes déjà allée ?

— Non, s'esclaffa-t-elle. On m'y prendrait pour une pute.

— Ça, ça m'étonnerait, fit Max. Vous êtes beaucoup trop classe. »

Et voilà ! Il venait de commencer les travaux d'approche — et, sans avoir eu à prendre son élan, à rassembler ses forces en sommeil ou à préparer son baratin : il lui avait suffi d'ouvrir la bouche, et les mots qu'il fallait en étaient sortis tout ronds tout chauds. Le genre de compliment ambigu, qui restait dans les limites du badinage platonique. Il était retombé en souplesse dans le mode prédateur-

1. Œufs sur le plat retournés et cuits des deux côtés.

en-gant-de-velours, comme s'il ne l'avait jamais quitté. À partir de là, les choses pouvaient évoluer dans deux directions : soit elle prenait la balle au bond et la lui renvoyait avec un effet personnel indiquant qu'elle souhaitait prolonger l'échange, soit elle l'envoyait bouler.

Chantale crispa les mains sur son volant un poil trop fort et garda les yeux résolument fixés devant elle.

« Je ne crois pas que vos compatriotes qui fréquentent La Coupole soient capables de faire la différence », dit-elle d'un ton amer.

Elle se défilait. Ce n'était pas une fin de non-recevoir claire et nette, mais ce n'était pas non plus un signe d'ouverture. Max se demanda combien d'hommes elle avait eus dans sa vie. Il devinait dans ses paroles une amertume corrosive, le genre de défense qu'on développe après un grand chagrin d'amour. Peut-être qu'elle avait vu clair dans son jeu parce qu'elle avait déjà cédé à ce genre d'avances — et s'était fait échauder.

« Il a dû vous faire beaucoup souffrir, Chantale, dit-il.

— Exact », répliqua-t-elle sèchement au pare-brise et, coupant court à la conversation, elle mit la radio et poussa le volume.

La route serpentait à flanc de montagne et, à la sortie d'un virage serré, Max découvrit soudain tout Port-au-Prince, à quelques kilomètres en contrebas, étalée en éventail jusqu'à la côte, telle une flaque de vomissures séchées attendant que la mer l'emporte.

L'armée américaine était omniprésente dans le centre de Port-au-Prince : barrages de *humvees*, Jeep équipées de mitrailleuses et fantassins en gilets d'armes déployés en face et tout autour du Palais national où résidait le président René Préval — un ancien proche d'Aristide, auquel il avait succédé — et d'où cet ex-boulanger à la solide réputation d'alcoolique dirigeait le pays, du moins aussi librement que ses fils de marionnette le lui permettaient.

D'après Huxley, de qui Max tenait ses informations, l'actuelle constitution d'Haïti n'autorisait pas le président à être élu pour deux mandats successifs, mais ne lui interdisait pas d'en briguer un autre plus tard. Beaucoup voyaient en Préval le simple bouche-trou d'Aristide, chargé de chauffer la place pour son boss jusqu'à son retour programmé. La démocratie était encore très élastique, dans ce pays.

« Ces putains d'Américains ! cracha Chantale, comme ils croisaient une Jeep pleine de marines. Oh ! pardon ! Je ne disais pas ça pour vous.

— Y a pas de mal. Vous n'êtes pas d'accord avec ce qui se passe ?

— Au début, si. Jusqu'à ce que je me rende compte que, pour Clinton, l'invasion n'était qu'une vaste opération de propagande préélectorale. L'intervention américaine en Somalie s'était achevée en fiasco, les États-Unis étaient humiliés, leur crédibilité amoindrie sur la scène internationale. Qu'est-ce qu'on fait dans ce cas-là ? On s'en prend à un petit État noir pratiquement sans défense et on l'envahit au nom de la "démocratie" et de la "liberté", fit-elle toujours aussi amère, avant d'éclater de rire. Vous avez vu qui ils ont envoyé ici pour négocier avec la junte militaire qui refusait de quitter le pouvoir ? Jimmy Carter…

— Ouais, j'ai vu ça… » fit Max. *En taule*, acheva-t-il *in petto*. « Monsieur Droits de l'Homme en personne. J'ai jamais pu le saquer, ce connard. C'est lui qui a fait de Miami une ville pourrie.

— En 1980. Quand Castro a vidé ses prisons…

— Exactement. Avant ça, Miami était une ville sans problèmes, pleine de vieux juifs retraités et de Cubains de droite qui rêvaient d'assassiner Castro. Un endroit peinard, très conservateur, avec un taux de criminalité très bas et peu ou pas de violence. Et subitement, Castro décide de nous expédier ses droits communs et ses malades mentaux, planqués au milieu de bons citoyens bien rangés qui ne voulaient qu'une chance de recommencer leur vie en Amérique, et, grâce à El Jimbo, on s'est retrouvés paumés sans mode d'emploi. Ça a été galère d'être flic, à l'époque, j'aime mieux vous dire. On ne savait plus où donner de la tête. La minute d'avant, Miami était une ville de rêve pour élever ses gosses, celle d'après, c'était devenu la capitale du crime des États-Unis.

— J'imagine que vous avez voté Reagan ?

— Y a pas un flic de Miami qui ne l'ait pas fait, en 1980. À part ceux qui étaient trop malades pour aller mettre leur bulletin dans l'urne ou qui ne s'étaient pas inscrits sur les listes électorales... fit Max avec un sourire.

— Moi, j'ai longtemps été démocrate. J'avais soutenu Dukakis et j'ai voté Clinton, en 1992. Mais on ne m'y reprendra pas, dit Chantale. Vous avez entendu parler de ce qui s'est passé pendant les prétendues négociations de paix entre Carter et Cédras, le général qui était à la tête de la junte ?

— Non. Racontez-moi.

— À son arrivée — très médiatisée... —, Carter est accueilli par Cédras et sa femme. Ils s'enferment tous les trois. Mais c'est Mme Cédras qui mène les négociations. Elle convainc Carter d'accepter de verser dix millions de dollars par tête de pipe à tous les putschistes et de leur garantir la protection des États-Unis pour quitter le pays, plus l'immunité contre toutes poursuites éventuelles. Et tope là !

« Non contente de ça, elle demande que leurs maisons soient protégées par l'armée américaine, après leur départ. Dans la foulée, elle obtient aussi de Carter que le gouvernement américain loue ces mêmes maisons pour y loger ses diplomates. Et re-tope là ! Enfin, pour couronner le tout — et c'est là que le deal a failli capoter —, Mme Cédras exige que son canapé en cuir noir soit expédié au Venezuela, où toute la junte partait en exil. Mais là, Carter a dit : "Pas question !" Et vous savez pourquoi ? Parce qu'il n'était pas autorisé à verser de l'argent à une entreprise de déménagement. Tout le reste était O.K., mais ça, non.

« Alors, ils ont ergoté, discutaillé et marchandé en se renvoyant la balle. Finalement, alors que tout laissait penser que les négociations allaient achopper sur ce canapé, Carter a décroché son téléphone et a tiré Clinton du lit pour lui expliquer la situation. Clinton était furax. Il a passé un savon à Carter, et il gueulait si fort qu'on entendait tout ce qu'il lui disait de la pièce d'à côté. Bref, Clinton a donné son accord et le canapé a suivi la junte en exil.

— Foutaises ! fit Max en souriant.

— Non, rumeur fondée », rétorqua Chantale.

Ils éclatèrent de rire.

Le Palais national était un vaste édifice d'un étage, dont la façade d'un blanc éclatant réfléchissait si bien la lumière du soleil que, sur le noir des montagnes qui lui servaient de toile de fond, on l'aurait cru lumineux. Le drapeau rouge et bleu d'Haïti flottait au bout du mât qui surmontait son entrée monumentale.

Ils firent le tour d'une statue équestre — le général Henri Christophe, un des premiers artisans de l'indépendance haïtienne, expliqua Chantale — qui se dressait face au Palais et aux forces d'occupation américaines. Debout ou assis aux pieds de ce héros de la liberté, des groupes de jeunes Port-au-Princiens, leurs vêtements flottant sur leurs corps maigres, observaient leurs néo-occupants blancs ou regardaient passer les voitures d'un regard vide.

Le reste de la capitale — du moins, ce que Max en voyait — était un vaste dépotoir : une ville puante, pouilleuse, pourrie, en pleine déliquescence. Port-au-Prince n'avait pas seulement triste apparence. Elle ne sauvait même plus du tout les apparences. Branlant, croulant ou menaçant de tomber en poussière, presque tout ici exigeait d'urgence un ravalement d'un million de dollars ou, mieux encore, une démolition complète et une reconstruction de A à Z. Dans une rue qui avait dû être une des plus huppées de la ville, des maisons en dentelles de bois — qui avaient depuis longtemps perdu portes et fenêtres et dont les volets pendaient de guingois sur un seul gond — s'alignaient, crasseuses et à demi en ruine, squattées par Dieu savait combien de personnes, dont Max apercevait quelques spécimens, penchés à leur balcon.

Il n'y avait plus un seul feu rouge. Entre Pétionville et ici, Max n'en avait vu qu'un — et encore, il était en panne. Les rues, comme toutes celles qu'il avait empruntées jusque-là, étaient défoncées et truffées de nids-de-poule. Les véhicules qui s'y risquaient étaient de vraies épaves bonnes pour la casse, rafistolées de bric et de broc, et qui hoquetaient et pétaradaient, chargées de passagers jusqu'à la gueule. Quelques *tap-taps* aux couleurs pétantes passaient en klaxonnant, surchargés de passagers et de leurs possessions — des ballots faits d'un drap ou d'un vêtement noué par les quatre coins, entassés sur le toit du taxi, en compagnie d'autant de passagers supplémentaires qu'il était possible d'y loger. Et, de loin en loin, une limousine haut de gamme, de la technologie de pointe importée à coups de dizaines de milliers de dollars, se profilait, slalomant prudemment entre les trous et les bosses qui jonchaient les rues sinistrées.

À voir la ville dans cet état, Max se sentait accablé de tristesse comme jamais. Au milieu des détritus et des décombres émergeaient, çà et là, de beaux vieux édifices aux façades pleines de noblesse, qui avaient dû jadis être magnifiques et qui pourraient le redevenir, s'ils étaient restaurés. Mais ce n'était pas près d'arriver, à son avis. Si les capitales étaient les vitrines de leur pays, alors Port-au-Prince était celle d'un concessionnaire automobile qui avait été pillé et vandalisé, puis incendié et abandonné aux flammes dans l'indifférence générale, jusqu'à ce qu'une averse vienne éteindre le feu.

« Je me rappelle le voyage du pape en Haïti, dit Chantale en éteignant la radio. C'était en 1983, un an avant que je parte pour les États-Unis. Jean-Claude Duvalier — Baby Doc — était encore au pouvoir. Enfin, sa femme Michèle, plutôt… C'était elle qui gouvernait le pays, à cette époque.

« Elle a fait nettoyer les rues de la ville — toutes celles que vous voyez là. Elles étaient pleines de petits marchands qui vendaient leurs bricoles sur de grandes tables en bois. Michèle leur a fait remballer leur marchandise et les a virés là où le pape ne les verrait pas. Il y avait aussi pas mal d'handicapés — physiques et mentaux —

qui campaient dans le secteur et qui vivaient de mendicité. Eux aussi, elle les a fait déhotter. Les rues ont été regoudronnées et les maisons blanchies à la chaux. Quelques heures avant que le pape passe dans sa papamobile, Michèle a fait arroser la chaussée de parfum Chanel. Je me trouvais là par hasard. L'odeur était si forte que ça m'a donné mal au crâne et qu'elle est restée des mois et des mois incrustée dans mes vêtements, malgré toutes les lessives de ma mère. Depuis, je suis allergique au N° 5. Il suffit que quelqu'un qui en porte m'approche pour que j'aie la migraine.

— Et qu'est-ce qu'ils ont fait des handicapés ?

— La même chose que ce qu'ils en avaient déjà fait au milieu des années 1970, quand ils avaient décidé de jouer la carte du tourisme : ils les ont tous ramassés — les pauvres, les malades, les tordus, les bancals… — et les ont déportés à la Gonâve, une petite île au large de Port-au-Prince.

— Je vois… fit Max en se tâtant les poches pour sortir son bloc-notes — qui brillait par son absence. Qu'est-ce qu'ils sont devenus ? Ils sont toujours là-bas ?

— Je ne sais pas. Certains ont dû rester à la Gonâve, je suppose. C'était vraiment les pauvres d'entre les pauvres, qui vivaient comme des rats. Tout le monde se désintéressait de leur sort », répondit Chantale, tandis que Max se penchait pour ramasser le petit sac à dos de l'US Army où il avait mis son magnétophone et son appareil photo. Il avait bien emporté un stylo à bille, mais pas de papier.

Chantale lui tendit son carnet.

« Il ne faut jamais oublier la base de l'équipement ! » fit-elle en souriant.

Max nota rapidement ce qu'elle venait de lui dire.

« Est-ce que vous avez entendu parler de… *Ton Ton Clarinet* ?

— On dit *Tonton**, en un mot, Max, pas "tonnn-tonnn" ! s'esclaffa-t-elle. On dirait que vous imitez un éléphant en marche ! Tonton Clarinette, c'est une légende urbaine, une histoire que les parents racontent aux enfants pour leur faire peur. “Sois sage ou Tonton Clarinette va venir te chercher !” Il fait comme le joueur de flûte d’Hamelin : avec sa musique, il ensorcelle les gamins, les entraîne à sa suite, et ils disparaissent à jamais.

— Les gens croient que c’est Tonton Clarinette qui a enlevé Charlie, alors ?

— Oui, bien sûr. Pendant qu’on collait les affiches, les passants venaient nous dire : “Vous ne le retrouverez jamais, ce petit — Tonton Clarinette l’a pris, comme il nous vole nos gosses à nous.” »

Max hocha la tête en repensant à Claudette Thodore.

« Vous voyez, là-bas ? » demanda Chantale en montrant une rue minable, bordée de petites bicoques avec des enseignes délavées peintes sur le toit ou en façade. Des types sautaient d’un camion à benne arrêté au beau milieu de la rue. « Avant, c’était le quartier chaud de Port-au-Prince. Ça regorgeait de bars gays, de bordels et de boîtes. Une ambiance complètement délirante, mais bon enfant. Toutes les nuits, c’était la fête, ici. Les gens venaient s’éclater. Ils n’avaient peut-être pas grand-chose, mais ils savaient s’amuser. Maintenant, il n’est pas conseillé de passer dans cette rue en voiture, à moins que ce soit un blindé de l’armée.

— Que sont devenus les bars ?

— Baby Doc les a tous fermés, en 1983, quand le sida est arrivé dans l’île. La plupart des gays américains bourrés de fric qui venaient s’encanailler ici le week-end ont cessé de le faire, parce que vos médias ont accusé à tort Haïti d’être la source de l’épidémie. Baby Doc en a profité pour arrêter tous les homos, en prime.

— Il les a envoyés à la Gonâve ?

— Non. Personne ne sait ce qu’ils sont devenus.

— Autrement dit, ils ont été éliminés ?

— C’est probable. On n’en est pas vraiment sûr. Personne n’a suivi l’affaire — pas au grand jour, en tout cas. Les gens ne voulaient pas s’exposer à des racontars. L’homosexualité est vue d’un très mauvais œil, ici. Les homos se font traiter de *massissi* et les lesbiennes de *madivine,* en créole. Et comme on dit, maintenant : “Il n'y a pas de pédés en Haïti : ils sont tous mariés et pères de famille.” La communauté gay est une vraie société secrète. D'un autre côté, le bruit court que Baby Doc a été bi, fut un temps. À mon avis, c'était à cause de toute la coke qu'il se collait dans le pif. Et probablement, aussi, parce qu'il s'était tapé toutes les Haïtiennes qui lui plaisaient. Mais les gens disaient qu'il était très intime avec René Sylvestre, un garçon de la haute société — un gros lard qui conduisait une Rolls plaquée or et adorait s'habiller en femme.

— Ça me fait penser à Liberace[1].

— Les gens avaient surnommé Sylvestre “Le *Mighty Real* ” — une allusion au tube disco de ce chanteur gay…

— *You Make Me Feel Mighty Real* ?

— Vous connaissez ce truc-là ?

— Je veux ! J'ai encore le 30 centimètres dans mon grenier.

— *Vous ?* s'esclaffa Chantale.

— Ouais.

— Vrai ?

— Oui ! Et alors ? Qu'est-ce que ça a de surprenant ? Je suis Tony Manero, le seul, le vrai. *You Make Me Feel Mighty Real,* c'est *ma* chanson !

— Ça ne me saute pas aux yeux, en tout cas. » Elle partit de son rire canaille, une fois de plus.

« Regardez-y d'un peu plus près, fit Max.

— Une autre fois, peut-être… »

1. Walter Valentino Liberace (1919-1987), pianiste et fantaisiste américain surnommé « Mr. Showmanship », qui fut le roi de Las Vegas pendant les années 1950 et 1960.

17

Ils s'engagèrent sur le boulevard Harry-Truman, une grande avenue bordée de palmiers — et au revêtement étonnamment bon — qui longeait le front de mer. Un tanker croisait au large et Max distingua un bateau de guerre, minuscule sur la ligne d'horizon. Devant eux se profilaient les installations du port et les bassins encombrés de cargos rouillés à demi coulés. Une procession de « casques bleus » de l'ONU les croisa, de l'autre côté de la route.

La Banque Populaire d'Haïti, le cœur de l'empire commercial des Carver, était un imposant cube couleur crème, qui aurait mieux convenu à une bibliothèque ou à un tribunal. En l'apercevant, Max pensa à l'Arc de Triomphe de Paris, qu'il avait vu en carte postale.

L'immeuble se dressait en retrait de la rue, au sommet d'un petit mamelon, qu'entourait un gazon d'un vert éclatant. Il était ceint d'un mur de grès, couronné de fleurs blanches et rose vif qui dissimulaient mal les pointes acérées et les fils barbelés qui le hérissaient. Une haute grille métallique, gardée par deux vigiles armés, isolait la banque de la rue. En voyant approcher la voiture de Chantale, l'un d'eux prononça quelques mots dans son talkie-walkie et les battants de la grille s'ouvrirent.

« C'est l'entrée des VIP, l'informa Chantale en s'engageant dans une allée qui scindait la pelouse en deux carrés égaux. Seuls la famille, certains membres du personnel et les clients privilégiés ont le droit de passer par là…

— Vous faites partie de quelle catégorie ? » s'enquit Max, remarquant une Mercedes gris métallisé aux vitres fumées qui franchissait la grille derrière eux.

Ils suivirent l'allée jusqu'à un parking à moitié vide. Un flot continu de clients entrait et sortait de la banque par la porte à tambour.

Comme ils mettaient pied à terre, Max vit la Mercedes se garer à quelques emplacements du leur. Il l'examina juste ce qu'il fallait pour piger la situation sans être pris en flagrant délit de curiosité. Quatre hommes au type hispanique fortement marqué en émergèrent. Ils firent le tour de la voiture pour ouvrir le coffre.

Max avait vu tout ce qu'il voulait savoir. Il devina ce qui allait se passer avant même que les quatre types les rattrapent, lui et Chantale, et foncent vers l'entrée de la banque, deux pas courus, deux pas marchés, chacun chargé de deux valises qui avaient l'air très lourdes.

« Des clients privilégiés ? lança Max.

— L'argent ne sait pas d'où il vient. Et mes employeurs non plus », répondit Chantale, sans manifester plus d'embarras que de surprise ou d'inquiétude, comme si ce n'était pas la première fois qu'elle avait à faire face à ce genre de remarque — ou qu'on l'avait formée à y faire face.

Max n'insista pas. Il se doutait que des montagnes de narcodollars étaient blanchies *via* la Banque Populaire. Depuis le début des années 1980, entre dix et quinze pour cent au moins de la cocaïne vendue dans le monde transitaient par Haïti, et la plupart des barons du cartel sud-américain avaient noué des liens solides avec le pays, certains l'utilisant comme base de repli lorsqu'ils avaient besoin de se faire oublier un an ou deux. Certes, les Carver ne démarchaient pas activement ce genre de clientèle — Gustav était trop habile homme d'affaires pour ça —, mais de là à éconduire les clients qui venaient frapper à leur porte…

Max avait tenu à débuter ses investigations à la banque, sur le fief même des Carver. Ç'avait toujours été sa méthode de travail : partir du client, puis élargir le cercle. Plus il en savait sur les gens qui le payaient, mieux il comprenait comment leurs ennemis pensaient. Il voyait ce qu'ils détestaient ou convoitaient, ce qu'ils rêvaient de prendre et de détruire. Il commençait par établir le mobile, puis il lançait son filet sur les suspects potentiels et le ramenait. Ensuite, il procédait par élimination, jusqu'à ce qu'il ne reste plus que le coupable.

Sur les talons des porteurs de valises, Chantale et lui entrèrent dans le bâtiment. Comme il s'y attendait, l'intérieur était impressionnant : un croisement entre un hangar à avions et un mausolée à la gloire de l'Entreprise, où les P.-D.G. défunts reposeraient sous des plaques de cuivre commémoratives incrustées dans le dallage, foulés aux pieds, dans l'indifférence, par les générations suivantes. Le plafond, orné d'une fresque, culminait à près de trente mètres du sol, soutenu par d'énormes piliers oraculaires de granit noir. La fresque représentait, sur un fond de ciel azuréen où flottaient de petits nuages cotonneux, les mains de Dieu le Père s'ouvrant pour faire pleuvoir des billets de banque de toutes les devises fortes du monde, des dollars aux roubles, des francs aux yens, des livres sterling aux pesetas. La gourde haïtienne brillait par son absence.

Une trentaine de guichets numérotés — des petits compartiments cloisonnés en granit et verre blindé — occupait le fond du hall. Max fut frappé par la tenue soignée des clients, comme s'ils avaient écumé les boutiques et étaient passés chez le coiffeur avant de venir traiter leurs affaires. En Haïti, se douta-t-il, avoir un compte en banque vous conférait un certain statut social, vous permettait d'appartenir à un petit cercle très fermé. Et tout le rituel entourant vos retraits et vos dépôts d'argent était l'équivalent social de la messe du dimanche, où vous receviez la communion et où vous versiez votre obole à la quête.

Les quatre porteurs de valises furent dirigés vers une porte, à droite des comptoirs, par laquelle ils disparurent. Deux agents de sécurité, le fusil à pompe négligemment posé au creux du coude, montaient la garde de part et d'autre de la porte.

Au centre du dallage de granit noir, poli comme un miroir, était incrusté un drapeau haïtien qui occupait la moitié de l'espace disponible. Max en fit le tour pour l'examiner : deux bandes horizontales, bleu foncé en haut et rouge en bas, frappées d'un écusson représentant un palmier flanqué de canons, d'étendards et de fusils à baïonnette. Un bonnet phrygien couronnait le palmier, au pied duquel figurait un bandeau à volutes portant la devise *L'Union Fait La Force* *.

« Le drapeau en jetait nettement plus, du temps des Duvalier : il était rouge et noir. Ça vous avait un petit côté nazi, bien à l'image du régime, dit Chantale, qui regardait Max l'étudier. On a rétabli le drapeau rouge et bleu d'origine il y a dix ans, à la chute de Baby Doc. Du coup, il a fallu entièrement refaire ce pavement. En fait, ce n'est rien d'autre que le drapeau tricolore français dont le blanc, où on voyait le symbole de l'oppression des maîtres blancs, a été retiré à l'indépendance. La devise et les armes sont, elles aussi, des symboles de la façon dont les Haïtiens ont conquis leur liberté par l'unité et l'insurrection armée.

— Une nation guerrière… dit Max.

— Jadis, oui. Mais nous ne luttons plus. On se couche et on subit.

— *Max !* » lança la voix d'Allain Carver. Dans la queue, quelques-unes des dames BCBG qui attendaient qu'un guichet se libère se retournèrent et suivirent des yeux Carver qui traversait le hall d'un pas énergique en faisant claquer ses talons, les bras tendus devant lui comme s'il cherchait à attraper quelque chose.

Max et lui se serrèrent la main.

« Bienvenue ! » fit Carver. Sourire cordial, costume impec qui tombait de même, cheveux plaqués en arrière. Il était à nouveau le grand patron, très seigneur et maître.

Max jeta un autre regard circulaire dans le hall, se demandant à quelle hauteur tout cela avait été financé par l'argent de la drogue.

« J'aurais bien aimé vous faire faire le tour du propriétaire moi-même, fit Carver, l'air navré, mais je vais être en rendez-vous avec des clients toute la matinée. Notre chef de la sécurité — M. Codada — va vous servir de guide. »

Retraversant le hall, Carver entraîna Chantale et Max vers une porte solidement gardée. Elle donnait sur un long couloir très frais, moquetté de bleu, au bout duquel se trouvait un ascenseur.

Ils s'arrêtèrent devant la porte du seul bureau du couloir. Carver y frappa deux petits coups secs et l'ouvrit à la volée, comme s'il espérait surprendre l'occupant des lieux en train de faire quelque chose d'interdit ou de compromettant.

Un pied sur son bureau, le téléphone à l'oreille, M. Codada était en train de rire à gorge déployée, son hilarité faisant danser en rythme les petits glands qui ornaient ses mocassins pur cuir. Il jeta un coup d'œil vers eux par-dessus son épaule, leur adressa un vague signe de la main et, sans rectifier la position, poursuivit tranquillement sa conversation.

Son bureau était spacieux. Un de ses murs s'ornait d'une toile encadrée représentant un édifice moderne, tout blanc, surplombant une chute d'eau, ainsi que d'une peinture naïve — elle aussi encadrée — montrant une fête de rue devant une église. Il n'y avait rien devant Codada en dehors du téléphone, d'un buvard et de quelques figurines de bois noir.

« *À bientôt, ma chérie** », dit-il, joignant des bruits de baisers à ses adieux avant de raccrocher. Il fit pivoter son fauteuil et se tourna vers ses trois visiteurs.

Depuis la porte, Carver lui lança quelques mots en créole d'un ton bref, pointant le menton vers Max en même temps qu'il prononçait son nom. Codada hocha la tête en silence, affichant un masque de sérieux professionnel sous lequel perçaient des traces rémanentes de sa récente hilarité. Max pigea aussitôt la situation :

Codada était l'homme de Gustav et ne prenait pas du tout Carver fils au sérieux.

Puis, son sourire retrouvé et sur un ton nettement radouci, Carver dit quelques mots à Chantale, avant d'en remettre encore une couche, côté charme superficiel, pour prendre congé de Max.

« Eh bien, bonne visite, lança-t-il. Il faudra que nous nous revoyions pour parler. »

Maurice Codada se leva et contourna son bureau.

Il fit claquer un baiser à côté des joues de Chantale et lui secoua les bras avec effusion. Elle lui présenta Max.

« *Bienvenue à la Banque Populaire d'Haïti, monsieur Mainguss** », s'écria Codada avec enthousiasme, avant de s'incliner, révélant la curieuse tonsure rose couverte de taches de rousseur qu'il avait sur le haut du crâne. Sur ce, il s'empara de ses mains et les lui serra avec énergie. Bien que fluet et nettement moins grand et baraqué que Max, il avait de la poigne. Chantale expliqua à Max qu'elle allait devoir leur servir d'interprète, car le chef de la sécurité ne parlait pas un mot d'anglais.

Sous la conduite de Codada, ils regagnèrent presto le hall d'entrée, que Codada se mit à arpenter en les gratifiant — en créole — d'un commentaire roulant, qui lui jaillissait des lèvres en crépitant, tel un téléscripteur en folie.

Chantale condensait ses geysers verbaux en formules lapidaires : « Les colonnes viennent d'Italie » — « Le pavement aussi » — « Le drapeau haïtien » — « Les comptoirs viennent d'Italie » — « Mais pas le personnel — ha ! ha ! ha ! ».

Codada papillonnait le long de la queue, serrait des mains, tapait sur l'épaule des hommes, faisait claquer des baisers à l'oreille des dames, travaillant la foule avec la fougue d'un politicien en campagne électorale. Il alla jusqu'à soulever un marmot pour l'embrasser.

Codada faisait penser à un lion grimé en auguste — un personnage humoristique en quête d'une BD. Il avait un large nez épaté, une coupe afro carotte et une peau blanche de rouquin, constellée de taches de rousseur. Le bout de sa langue rose dardait en permanence entre ses lèvres rouges et humides pour les lécher, à la façon d'une mante religieuse qui aurait visé et raté une fourmi trop ingambe. Ses paupières tombantes, sillonnées d'un réseau serré de veinules et de vaisseaux style vermicelle, voilaient à demi ses yeux, en grains de café grillés.

Des tas de choses détonnaient chez Codada. Ses bijoux, pour commencer. Il était couvert d'or : deux grosses gourmettes à chaque poignet, une chevalière à chaque petit doigt. Au moindre sourire, il découvrait une incisive en or, et tandis qu'il arpentait le hall de son pas sautillant, Max entendait sous sa chemise un cliquetis suggérant la présence d'au moins trois chaînes du même métal autour de son cou.

Plus ça allait, plus Max trouvait que Codada n'avait absolument pas le profil requis pour bosser dans la sécurité. Un bon agent de sécurité est réservé, et surtout discret. Il parle peu, observe, analyse et réagit vite. Codada était tout le contraire. Il aimait les contacts humains et adorait attirer l'attention, alors que les agents de sécurité se fondent dans la foule, mais voient en chacun de ceux qui la composent une menace potentielle. Jusqu'à la tenue de Codada qui ne collait pas : dans la sécurité, on préfère les couleurs éteintes ou les uniformes foncés, mais avec son pantalon de toile blanc, son blazer bleu marine et sa cravate rayée bordeaux et blanc, Codada avait tout du maître d'hôtel d'un bateau de croisière gay.

Ils prirent un ascenseur tapissé de miroirs pour monter à l'étage du dessus, où se trouvaient les services commerciaux. Codada resta à gauche des portes, d'où il jouissait d'une vue tridimensionnelle sur Chantale. Max le soupçonnait vaguement d'être homo, mais Codada consacra les quelques secondes que dura le trajet à reluquer les rondeurs de la poitrine de Chantale, s'imprégnant de leurs moindres détails sans en perdre une goutte. Juste avant que l'ascenseur s'arrête, il dut se sentir observé car il releva les yeux à hauteur d'homme, avant de les baisser en douce vers la croupe de Chantale et de les ramener sur Max avec un infime hochement de tête, histoire de lui indiquer qu'ils étaient sur la même longueur d'onde. Son petit manège échappa totalement à Chantale.

La direction commerciale, tendue de dalles de moquette et dotée de l'air conditionné, sentait vaguement la pâte à modeler. Le couloir était décoré de vieilles photos noir et blanc montrant les constructions et les grands travaux que la Banque Nationale avait financés. Ça allait d'une église jusqu'à un supermarché. Sous la houlette de Codada, ils défilèrent devant une succession de pièces où, installés à des bureaux munis d'ordinateurs et de téléphones, trois ou quatre employés des deux sexes très élégamment vêtus avaient l'air de se tourner les pouces. En fait, rien ne semblait se passer dans tout l'étage : nombre d'écrans d'ordinateur étaient noirs, pas un téléphone ne sonnait et certains employés ne se fatiguaient même pas à faire semblant de travailler. Les fesses sur un coin de bureau, ils papotaient, lisaient le journal ou discutaient. Max jeta un regard interrogateur à Chantale, espérant une explication, mais elle ne lui en fournit aucune. Dans le silence ambiant, la voix de Codada sonnait haut et clair. Plusieurs employés levèrent la tête pour écouter les explications de leur guide improvisé, et quelques-uns s'esclaffèrent en entendant certaines des choses qu'il disait, mais ou bien Chantale ne se fatigua pas à les traduire, ou bien le comique créole ne marchait pas du tout en anglais.

Max commençait à comprendre la mentalité de Gustav, sa façon de traiter les gens. Il y avait là-dedans autant à louer qu'à condamner.

L'étage suivant — Prêts immobiliers et Crédits personnels — était un peu plus animé. La disposition des lieux était identique, mais Max entendait quelques téléphones sonner et constata que certains ordinateurs étaient allumés — et même que quelqu'un travaillait dessus. Par l'intermédiaire de Chantale, Codada lui expliqua que les Haïtiens préféraient se bâtir une maison petit bout par petit bout plutôt que d'en acheter une toute faite à son précédent propriétaire, si bien qu'ils avaient souvent besoin d'un financement pour s'acheter un terrain, engager un architecte ou recruter une équipe de maçons.

La direction occupait le dernier étage. Codada profita des miroirs de l'ascenseur pour rectifier sa tenue et tapoter sa coupe afro. Chantale accrocha le regard de Max et lui sourit, l'air de dire « non, mais quel taré ! ». Max se mit à tapoter son crâne rasé.

Les portes de l'ascenseur s'ouvrirent sur une grande antichambre avec coin accueil — où une jeune femme trônait derrière un énorme bureau d'acajou — et salon d'attente avec canapés profonds de cuir noir, table basse et distributeur d'eau glacée. Deux agents de sécurité équipés d'un gilet pare-balles et d'un Uzi faisaient les cent pas aux deux extrémités de la pièce. Codada précéda Max et Chantale jusqu'à une lourde double porte et pianota son code sur le clavier incrusté dans le montant. L'objectif d'une caméra de surveillance, fixée en haut à droite, était braqué sur eux. La porte donnait sur un couloir, au fond duquel se dressait une porte identique.

Ils se dirigèrent vers le bureau personnel de Gustav Carver. Codada donna leurs noms dans un interphone et la porte s'ouvrit avec un « bzzz ».

La secrétaire de Gustav, une femme imposante à la peau mate qui devait avoisiner la cinquantaine, accueillit Codada avec une tiédeur polie.

Ce dernier lui présenta Max mais s'abstint de la réciproque, si bien que, en l'absence de toute plaque de bureau, Max continua d'ignorer son nom. La secrétaire lui serra la main en inclinant sèchement la tête.

Codada lui posa une question en créole, à laquelle la femme répondit « *Non** ». Il la remercia et, faisant retraverser la pièce à Max et Chantale, les ramena dans le couloir.

« Il a demandé à Jeanne s'il pouvait nous montrer le bureau de Gustav Carver, mais elle a dit non, murmura Chantale.

— Et celui d'Allain ?

— Allain est vice-président. Son bureau est au premier. On est passés devant tout à l'heure. »

Codada les raccompagna au rez-de-chaussée. Une fois là, Max lui demanda de lui changer deux cents dollars en monnaie haïtienne. Codada s'éloigna d'un pas glissant en direction des comptoirs, distribuant au passage baisers et poignées de main.

Il revint quelques minutes plus tard, tenant entre le pouce et l'index une honnête brique de billets marronnasses. L'invasion américaine avait entraîné une telle dévaluation de la monnaie locale et la situation économique d'Haïti était si critique qu'un dollar s'échangeait contre cinquante à cent gourdes, selon la banque à laquelle on s'adressait. La Banque Populaire pratiquait le taux de change le plus favorable de l'île.

Max délesta Codada de la liasse et la feuilleta d'un coup de pouce. Les billets étaient humides et graisseux, et leurs différentes couleurs d'origine — bleu, vert, violet ou rouge — se fondaient en un camaïeu de bruns grisâtres. Plus leur valeur était faible (les billets de cinq gourdes), plus les chiffres et les dessins qui les ornaient disparaissaient sous une pellicule de crasse. Les grosses coupures (celles de cinq cents gourdes) n'étaient que modérément polluées et leurs détails clairement visibles. La pile de fric dégageait une forte odeur de pieds pas nets.

Codada les escorta jusqu'à la porte à tambour. Pendant qu'il prenait congé d'eux, les quatre porteurs de valises — désormais vides — sortirent de la banque. Codada abrégea ses adieux pour les saluer, gratifiant même l'un d'entre eux d'une chaleureuse accolade.

Max et Chantale regagnèrent leur voiture.

« Alors ? Quelles sont vos impressions ? lui demanda-t-elle.

— Gustav est un homme très généreux.

— Comment ça ?

— Il paie un tas d'employés à rien foutre », répondit Max. Il aurait bien voulu mettre Codada dans le même sac, mais s'en abstint. Juger quelqu'un sur les apparences et en se fiant uniquement à son instinct n'avançait pas à grand-chose — même si, jusque-là, ni les premières ni le second ne l'avaient jamais trompé.

« Gustav comprend la mentalité des Haïtiens. Comme on dit ici, "rends service à quelqu'un aujourd'hui et tu t'en feras un ami pour la vie", dit Chantale.

— J'imagine que l'argument est à double tranchant ?

— Effectivement. Ici, nous n'hésitons pas à faire un kilomètre supplémentaire pour aider un ami et vingt pour enterrer un ennemi. »

18

Après la banque, ils se rendirent boulevard des Veuves, l'endroit où Charlie avait été enlevé.

Ils se garèrent et, à peine descendu de voiture, Max eut l'impression qu'un filet de lave en fusion s'abattait sur lui. La peau grillée par le soleil, l'intérieur du corps en ébullition, il se mit à ruisseler de sueur et, en quelques secondes, se retrouva avec le dos trempé et sa chemise à tordre. Devant la banque, la brise qui soufflait de la mer avait un peu fait baisser la température mais, dans cette rue, l'air stagnait, plus sec qu'un vieil os et comme dépourvu d'oxygène. Et la chaleur était si intense qu'il la voyait onduler devant lui en nappes palpables qui lui brouillaient la vue.

Les trottoirs étaient très hauts et le passage de milliards de pieds — et des décennies de crasse accumulée — avait donné à leur surface périlleuse le poli de la glace qui fond et l'éclat d'un miroir. Ils descendirent lentement la rue qui grouillait de gens — vendant, marchandant, achetant, ou simplement là pour flâner ou tailler une bavette. Max entendait ses semelles de crêpe couiner sur le ciment brûlant. Tout le monde les regardait et les suivait des yeux — surtout Max, conscient de soulever la curiosité et l'étonnement général, plutôt que la méfiance et l'hostilité dont il avait eu l'habitude, dans les ghettos de Miami. Se souvenant de sa mésaventure de la nuit, il évitait soigneusement de croiser le regard des passants. Chantale et lui préférèrent bientôt abandonner le trottoir pour marcher au milieu de la rue, légèrement moins embouteillée.

Si la ville tout entière n'avait d'ores et déjà été à l'agonie, Max se serait sans doute dit que le quartier où ils étaient filait un mauvais coton. Le boulevard des Veuves avait été jadis revêtu de petits pavés hexagonaux. À part les rares qui s'accrochaient encore désespérément à la bordure des trottoirs, tous avaient disparu, arrachés tantôt avec un certain professionnalisme, par bandes géométriques, tantôt n'importe comment, une douzaine par-ci, deux douzaines par-là. Tous les deux mètres s'ouvraient des bouches d'égouts — des trous carrés béants qui entaillaient le trottoir — et tous les quatre ou cinq mètres, une portion de chaussée effondrée créait un énorme cratère noir infesté de mouches et dégageant une odeur méphitique, qui servait à la fois de vide-ordures et de toilettes publiques où hommes, femmes et enfants venaient uriner et déféquer au vu et au su de tout le monde, sans se laisser le moins du monde troubler par les véhicules qui passaient. Ça puait la merde, l'eau croupie, les fruits pourris et la charogne en décomposition.

Une poussière omniprésente, charriée par le vent depuis les hauteurs qui ceinturaient la capitale, recouvrait et envahissait tout. Les montagnes avaient autrefois été couvertes d'épaisses forêts, mais des générations d'Haïtiens avaient abattu les arbres pour en faire des cases, des charrettes ou du bois à brûler. Le soleil avait desséché une terre jadis riche et fertile et aujourd'hui, c'était cette même terre, désormais à nu et inculte, que le vent renvoyait à la figure des Haïtiens. Max en avait le goût dans la bouche, et il sentait qu'il lui suffirait de fermer les yeux un instant et de laisser le lieu parler en lui pour savoir exactement ce que ça vous faisait d'être enterré vivant sur cette île pourrie abandonnée de Dieu.

Le visage de Charlie était placardé dans toute la rue et les austères affiches en noir et blanc offrant une récompense pour toute information sur son enlèvement disputaient le moindre espace à de grands posters bariolés signalant les concerts d'artistes haïtiens à Miami, en Martinique, en Guadeloupe ou à New York.

Comme Max en arrachait une pour la montrer aux gens qu'il interrogerait, il remarqua, dans la marge gauche, un petit symbole dessiné à l'encre noire : une croix à tête ronde, légèrement incurvée au milieu et se terminant en fourche, avec une barre transversale deux fois moins longue à droite qu'à gauche. Il examina d'autres affiches. Toutes comportaient le même signe.

Il montra le petit dessin à Chantale.

« C'est Tonton Clarinette », dit-elle.

Ils entamèrent leur enquête de voisinage, dans l'espoir de retrouver un témoin de l'enlèvement. Ils commencèrent par les boutiques — de minuscules épiceries sans clim' et aux étagères presque vides ; des bazars vendant marmites et poêles à frire, louches et cuillers en bois ; des gargotes débitant du tord-boyaux ; une boulangerie ; une boucherie où ne pendait qu'un poulet à demi plumé ; une échoppe qui ne vendait que des œufs de poule d'un blanc immaculé —, mais, partout, ils n'obtinrent que des variantes de la même réponse : « *Mpas weh en rien* » — je n'ai rien vu.

Ils se mirent à interroger des passants au hasard. Cette fois encore, ce fut Chantale qui leur montra l'affiche et posa les questions.

Personne n'était au courant de rien. Les gens secouaient la tête, haussaient les épaules, et répondaient en deux ou trois phrases ou se lançaient dans de longues tirades gutturales. Max se contentait d'observer sans intervenir, scrutant leur visage d'un œil d'inquisiteur pendant qu'ils parlaient, à l'affût d'un signe révélateur prouvant qu'ils mentaient ou qu'ils cachaient quelque chose, mais tout ce qu'il voyait était des hommes et des femmes sans âge, épuisés, à moitié endormis, perturbés par l'attention que leur portaient ce Blanc et cette femme à la peau claire.

Au bout de plus d'une heure du même refrain, Max décida de se mettre en quête de l'échoppe de cordonnier dont Francesca lui avait parlé. Depuis qu'ils rôdaient dans la rue, il avait tenté de la repérer sans rien voir qui y ressemblât peu ou prou. Peut-être qu'ils étaient passés devant sans la remarquer ou qu'elle n'existait plus... Une bonne moitié des passants n'avait pas de chaussures et à voir leurs pieds larges et déformés, et l'épaisseur du cal qu'ils avaient sous la plante et au talon, il était peu probable qu'ils en aient jamais porté.

Ils rebroussèrent chemin pour regagner la voiture. Non loin, un vieux vendeur de sorbets avait arrêté sa carriole en bois chargée d'une glacière et de bouteilles de sirops multicolores et était en train de remplir un verre en carton de glace pilée.

Max était sûr qu'il les attendait. Il l'avait remarqué du coin de l'œil tandis qu'ils interrogeaient les passants, toujours à proximité où qu'ils aillent, poussant sa carriole et grattant son pain de glace sans cesser de les observer.

Comme Max arrivait à sa hauteur, le vieux lui dit quelque chose en créole. Pensant qu'il cherchait à leur vendre un de ses rafraîchissements à haute teneur microbienne, Max lui fit signe de le laisser tranquille.

« Vous feriez bien d'écouter ce qu'il dit, Max ! lui lança Chantale. Il parle du kidnapping. »

L'homme leur expliqua qu'il avait tout vu, que ça s'était passé pas loin de l'endroit où était leur voiture, mais de l'autre côté de la rue. Sa version des faits collait étroitement à celle de Francesca. Faustin — le chauffeur — s'était garé là et avait attendu longtemps. Le vendeur de sorbets l'avait entendu se disputer avec les deux femmes.

À ce moment-là, un petit groupe de gens avait commencé à se former autour de la voiture. Faustin avait baissé sa vitre et leur avait dit de s'occuper de leurs oignons et de dégager. Voyant qu'ils ne bougeaient pas, il avait sorti une arme et tiré deux coups en l'air. Pendant qu'il tirait, Rose lui avait attrapé la tête par-derrière et avait essayé de lui arracher les yeux. C'est là qu'il l'avait tuée.

Dans la foule, beaucoup avaient reconnu Faustin et s'étaient rués sur la voiture. Armés de machettes, de couteaux, de bâtons, de cailloux et de barres de fer, ils avaient cassé les vitres, retourné deux fois la voiture puis, sautant sur le toit, s'étaient mis à s'acharner dessus pour le percer. D'après l'homme, ils étaient près de trois cents à grouiller autour de la voiture.

Faustin en avait été extrait par le toit, couvert de sang, mais toujours en vie et criant grâce. Ils l'avaient jeté en pâture aux émeutiers. D'après le vendeur de glaces, la foule avait dû le hacher menu car, lorsqu'elle s'était dispersée, tout ce qu'il en restait était une grande flaque de sang et de boyaux, où flottaient des esquilles d'os brisés et des lambeaux de tissu ensanglanté. En riant, l'homme leur raconta comment les gens lui avaient coupé la tête avant de la ficher au bout d'un manche à balai et de repartir avec en direction de La Saline. Faustin, dit-il, avait une langue anormalement grosse — de la taille de celle d'un âne ou d'une vache, facilement. Ils avaient essayé de la lui arracher, comme ils l'avaient déjà fait avec ses yeux, mais elle avait si bien résisté à leurs efforts qu'ils s'étaient résignés à la laisser pendre sur son menton, où elle ballottait et tressautait au rythme des chants et des danses de la foule qui regagnait le bidonville en la brandissant comme un trophée.

Le vendeur de sorbets était assez flou sur la suite des événements. Quelques attardés avaient entrepris de désosser la voiture pour récupérer des pièces détachées. C'est là que Vincent Paul et ses hommes étaient arrivés à bord de trois Jeep et les pillards avaient décampé. Puis Vincent Paul s'était mis à hurler et à courir dans la rue comme un fou en demandant où étaient passés le garçon et la femme. Quelqu'un lui avait indiqué de quel côté la foule était partie avec la tête de Faustin. Paul et ses hommes avaient chargé le cadavre de Rose à l'arrière d'une des Jeep et démarré sur les chapeaux de roue.

L'homme affirma qu'il n'avait jamais réussi à savoir ce qui s'était passé ensuite. Les faits s'étaient produits quelques jours avant l'invasion américaine, leur expliqua-t-il, alors que l'armée haïtienne et les tontons macoutes mettaient la ville à feu et à sang. Au milieu de ce chaos et dans ce climat de terreur, bien des choses avaient été négligées ou étaient passées inaperçues.

Max remercia le vieil homme et lui donna cinq cents gourdes. Le vendeur de sorbets regarda les billets et, secouant énergiquement la main de Max, lui promit d'offrir un petit sacrifice en son honneur, la prochaine fois qu'il se rendrait dans un temple vaudou.

19

La vieille femme était bien telle que Francesca l'avait décrite : vêtue d'une robe d'un rose fané et assise sous l'auvent d'une échoppe de cordonnier, tout au bout du boulevard des Veuves. La boutique occupait le rez-de-chaussée d'une maison dont la façade s'ornait d'un mural représentant un Noir en salopette et chemise blanche aux manches retroussées qui, marteau en main, reclouait la semelle d'un gros godillot sous l'œil d'un gamin pieds nus, tous deux veillés du haut du ciel par un ange. Hormis la fresque, rien ne signalait qu'il s'agissait d'une cordonnerie. Bien qu'ouverte, la porte d'entrée ne révélait qu'un antre obscur où même les rayons du soleil ne parvenaient pas à pénétrer. Une des affiches de Charlie était placardée de l'autre côté de la rue, juste en face de la vieille femme.

Les présentations faites, Chantale lui expliqua les raisons de leur présence. La vieille Haïtienne lui dit de se rapprocher et de lui parler bien dans l'oreille. La demande était justifiée : Max lui-même avait du mal à entendre ce que disait Chantale, au milieu du tintamarre causé par des centaines de voix qui s'égosillaient pour couvrir les vrombissements et les coups de klaxon frénétiques des voitures qui tentaient de se frayer un passage dans la rue embouteillée.

La femme écouta Chantale et lui répondit en claironnant, comme les gens durs d'oreille, mais même ainsi, sa voix était étouffée, comme si les mots restaient coincés dans ses bajoues.

« Elle dit qu'elle a tout vu. Qu'elle était assise ici même, expliqua Chantale.

— Et qu'est-ce qu'elle a vu ? » demanda Max.

À peine la réponse était-elle tombée des lèvres de la vieille femme que Chantale la traduisit : « Elle a entendu dire que vous achetez leurs souvenirs aux gens… »

La vieille femme sourit à Max, découvrant ce qu'il lui restait de dents — deux grosses canines marron en croc, qui n'auraient pas déparé la mâchoire d'un molosse. Par-dessus son épaule, elle fixa un moment la porte ouverte, hocha la tête puis, regardant successivement Max et Chantale, s'adressa à son interprète un ton plus bas. Chantale eut une petite grimace amusée et secoua la tête avant de traduire ses paroles à Max.

« Elle veut plus d'argent que vous n'en avez donné au marchand de glaces.

— Seulement si ce qu'elle a à dire est vrai et vaut quelque chose. »

La vieille accueillit la réponse de Max d'un éclat de rire. Elle pointa un index aussi tordu et décharné qu'une brindille sur l'affiche de Charlie placardée sur le mur d'en face.

« C'est là qu'il était, dit-elle, par l'intermédiaire de Chantale.

— Qui ça ? s'enquit Max.

— Un homme grand… très très grand. »

Vincent Paul ?

« Vous l'aviez déjà vu, avant ça ?

— Non.

— Et depuis, vous l'avez revu ?

— Non.

— Vous connaissez Vincent Paul ?

— Non.

— Comment vous l'appelez, vous, les Haïtiens ? fit Max.

— *Le Roi Soleil* ?* » demanda Chantale à la femme, n'obtenant d'elle pour toute réponse qu'un regard ahuri. Elle ne savait manifestement pas de quoi Chantale voulait parler.

« O.K... Cet homme, qu'est-ce qu'il faisait ?

— Il courait », répondit la vieille, puis, tendant le menton vers le trottoir opposé et l'affiche, elle ajouta : « Avec ce garçon.

— Ce garçon-*là* ? fit Max en lui montrant son affiche. Vous en êtes sûre ?

— Oui. L'homme le portait sur son épaule, comme un sac à charbon vide. Le garçon gigotait et se débattait.

— Et ensuite ? Qu'est-ce qui s'est passé ? »

La femme gratifia Max d'un nouvel aperçu de ses crocs jaunâtres. Max sortit sa liasse de gourdes graisseuses de sa poche. La vieille avança la main en se frottant le pouce et l'index : « *Par ici la monnaie.* »

Max secoua la tête en souriant et, faisant un bec avec ses doigts, les lui agita sous le nez, façon poule qui caquette : « *Parlez d'abord.* »

La femme gloussa avant de lancer, en rigolant, une remarque qui devait le concerner à Chantale — laquelle s'abstint de la lui traduire, bien qu'elle lui eût tiré un sourire.

La vieille avait déjà bien écorné son dernier quart de siècle. Ses cheveux — du moins le peu qu'il en voyait dépasser de son foulard vert — étaient du même blanc de neige que ses sourcils mités. Elle avait le nez écrasé d'un boxeur et les yeux, au blanc tirant sur le beige, qu'elle braquait sur Max étaient à peine plus foncés que sa peau.

« Une voiture est arrivée par la route de Cité Soleil, dit-elle à Chantale en joignant le geste à la parole. Le grand homme y est monté avec le garçon et ils sont partis.

— Vous avez vu qui conduisait ?

— Non. La voiture avait des vitres noires.

— Quel genre de voiture était-ce ?

— Une belle voiture — une voiture de riche, traduisit Chantale.

— Est-ce qu'elle pourrait être un peu plus précise ? Une grosse voiture ? De quelle couleur ?

— Une voiture foncée avec des vitres foncées », traduisit Chantale. La femme se remit à parler. « Elle dit qu'elle l'avait déjà vue quelques fois dans le quartier avant ce jour-là, et qu'elle venait toujours de la même direction.

— Elle l'a revue depuis ? »

Chantale posa la question. La femme dit que non, puis ajouta qu'elle était fatiguée, que de chercher à se rappeler des choses qui remontaient à si loin lui donnait envie de dormir.

Max lui tendit huit cents gourdes. Elle compta rapidement les billets et jeta à Max un clin d'œil complice, comme s'ils partageaient un secret intime. Puis, glissant à nouveau un regard par-dessus son épaule, elle tria les billets, laissa tomber celui de cinq cents gourdes dans l'échancrure de sa robe et fit disparaître les autres dans une de ses chaussures, avec des gestes si vifs que c'est à peine si Max vit ses mains et ses doigts bouger. Il regarda le devant de sa robe — déteinte, élimée, couverte de pièces et de reprises — et baissa les yeux vers ses pieds. Elle portait des chaussures dépareillées, de taille et de couleur différentes. L'une, noire mais si éraflée qu'elle en était devenue grise, tenait avec un bout de ficelle effiloché ; l'autre, ornée d'une bride déchirée à la boucle tordue, avait dû être bordeaux. Elles étaient si petites qu'elles auraient pu aller à un enfant. Comment avait-elle réussi à y fourrer les billets ?

Max scruta l'intérieur de la boutique, curieux de savoir ce que la femme avait bien pu regarder, mais il y faisait trop sombre pour qu'il distingue quoi que ce soit et aucun bruit n'en émanait. Malgré ça, il eut la sensation que quelqu'un était là, embusqué, en train de les surveiller.

« La boutique a fermé, dit la vieille femme, comme si elle lisait dans ses pensées. Tout a une fin… »

20

« Alors ? C'est Vincent Paul qui a kidnappé Charlie, à votre avis ?

— J'en sais rien, fit Max. Rien ne le prouve, mais rien ne l'infirme. »

Assis dans la voiture, rue du Docteur-Aubry, ils se partageaient une des bouteilles d'eau que Max avait eu la prévoyance de mettre au frais dans une glacière portative.

Chantale, qui mâchait un Chiclet à la cannelle, ne but qu'une petite gorgée d'eau. Une Jeep estampillée « UN » passa près d'eux, un *tap-tap* en remorque.

« Les gens accusent Vincent Paul de tout ce qui arrive ici — tout ce qui arrive de *mal*, dit Chantale. Les crimes, les délits… Un braquage de banque ? — c'est Vincent Paul. Un vol de voiture ? — c'est Vincent Paul. Une attaque de station-service ? — C'est Vincent Paul. Un casse chez des particuliers ? — c'est Vincent Paul. Mais tout ça, c'est conneries et compagnie ! Ce n'est pas lui. Mais les gens d'ici sont tellement *bêtes*, tellement amorphes et terrorisés, tellement… *arriérés* qu'ils sont prêts à croire n'importe quoi, si stupide, si aberrant que ce soit. Et ce ne sont pas des analphabètes qui colportent ces sornettes, mais des gens *cultivés*, qui devraient pourtant avoir un peu plus de jugeote — nos industriels, nos dirigeants !

— Ben, à voir la situation du pays, ça ne me surprend guère…

glousse Max. Qu'est-ce que vous en pensez, vous, de ce Vincent Paul ?

— Je pense qu'il est mêlé à quelque chose de gros, quelque chose qui pèse lourd.

— La drogue ?

— Quoi d'autre ? Vous avez entendu parler de tous les droits communs que Clinton nous réexpédie ici ? Eh bien, Vincent Paul envoie quelqu'un cueillir à l'aéroport tous ceux qui débarquent.

— Et ils vont où ?

— À Cité Soleil — vous savez, le bidonville dont je vous ai parlé hier…

— "Qui est roi à *Sitay So-lay* est roi d'Haïti", fit Max en se rappelant ce qu'Huxley lui avait raconté. C'est bien ça ?

— Très impressionnant ! sourit Chantale en lui repassant la bouteille d'eau. Mais qu'est-ce que vous savez au juste de Cité Soleil ?

— Pas mal de choses. » Et Max lui répéta ce qu'Huxley lui en avait dit.

« N'allez jamais là-bas sans être accompagné d'un guide — et sans un masque à oxygène. Vous y allez et vous vous perdez ? Si ce ne sont pas les gens qui vous tuent, l'air le fera.

— Vous m'y accompagneriez ?

— *Pas question !* Je ne connais pas ce trou, mais je n'ai *aucune envie* de le connaître ! rétorqua-t-elle, presque avec colère.

— C'est dommage parce que j'ai l'intention d'y aller demain. Histoire de voir à quoi ça ressemble.

— Vous ne trouverez rien — pas uniquement en regardant… Vous avez intérêt à savoir ce que vous cherchez.

— Ah bon ? fit Max en riant. O.K. ! J'irai seul. Dites-moi juste comment m'y rendre. Je me débrouillerai très bien. » Chantale le regarda, l'air inquiet. « Ne vous en faites pas. Je ne dirai rien à votre patron. »

Elle sourit. Il avala une gorgée d'eau. Le goulot gardait le goût de cannelle que ses lèvres y avaient laissé.

« Qu'est-ce que vous pouvez me dire de plus sur Vincent Paul ? Qu'est-ce qu'il y a entre lui et les Carver ? demanda-t-il.

— Gustav a acculé son père à la faillite. Perry Paul était un riche négociant. Il avait un tas de contrats d'exclusivité avec le Venezuela et Cuba, et revendait ses marchandises à bas prix. Gustav s'est servi de son influence dans les sphères du pouvoir pour le ruiner. Perry a tout perdu et s'est tiré une balle dans la tête. À l'époque, Vincent était en Angleterre. Il était très jeune, mais la haine est pour ainsi dire génétique, ici. Des familles entières se vouent une haine éternelle parce que leurs arrière-grands-pères ne pouvaient pas se sentir.

— C'est dingue !

— C'est Haïti…

— Qu'est-ce qu'il faisait en Angleterre ?

— Ses études — primaires et secondaires. »

Max se rappela l'accent britannique de l'homme, la nuit précédente.

« Vous le connaissez ? demanda Max.

— Non, fit-elle en riant. Je ne fais que vous répéter ce qu'on m'a raconté. Ce n'est pas du vécu, juste du ouï-dire. »

Max griffonna quelques notes dans son carnet.

« Où allons-nous, monsieur le détective privé ?

— Roo doo Chumps da Mars, dit Max.

— Ah ! *Rue du Champ-de-Mars** ! Et qu'est-ce qu'on va voir, là-bas ?

— Fee-lius Doo-foor », ânonna Max, penché sur son carnet.

Chantale resta muette. Il lui jeta un coup d'œil. Elle était toute pâle et avait l'air effrayé.

« Qu'est-ce qui vous arrive ?

— Filius *Dufour* ? *Le grand voyant* ?*

— Vous pouvez traduire ?

— Chez nous, ce ne sont pas les hommes politiques ou les gens comme Carver qui détiennent le *véritable* pouvoir. Ce n'est même pas votre président. Ce sont des hommes comme celui chez qui vous voulez aller. Filius Dufour était le voyant personnel de Papa Doc. Duvalier ne prenait aucune décision importante avant de l'avoir consulté. » Chantale baissa la voix, comme si elle craignait qu'on puisse l'entendre. « Vous savez, Papa Doc est mort deux mois avant l'annonce officielle de son décès. Il avait si peur que ses ennemis découvrent sa tombe qu'il avait exigé que le lieu de sa sépulture soit tenu secret. Aujourd'hui encore, personne ne sait où il est enterré — sauf Filius Dufour. Le bruit a couru, à l'époque, que c'était lui qui avait pratiqué les rites funéraires. Et aussi que, le jour même de la mort de Papa Doc, il a marié Baby Doc et sa mère près des chutes sacrées — un rite vaudou extrêmement rare, que très peu de gens au monde savent pratiquer, et qui est censé assurer le transfert du pouvoir d'un père à son fils. Après la chute de Baby Doc, tous ceux qui avaient été proches du régime se sont exilés, ont été jetés en prison ou se sont fait assassiner — excepté Filius Dufour. Il ne lui est rien arrivé du tout. Les gens avaient trop peur de lui, de ce qu'il pourrait leur faire.

— Je croyais que c'était juste un prêtre vaudou.

— Un *houngan* ? *Lui* ? Pas du tout. Un *voyant** est un peu comme un devin, mais il a des pouvoirs beaucoup plus étendus. Par exemple, si vous convoitez une femme inaccessible — qui est mariée à un homme qu'elle aime ou qui ne s'intéresse pas du tout à vous —, vous pouvez aller consulter votre *houngan*, qui essaiera d'arranger vos affaires.

— Comment ?

— Par des charmes, des prières, des invocations, des sacrifices… Tout cela étant personnel, c'est très variable. C'est le *houngan* qui en décide. Le rituel comporte pas mal de pratiques pas très ragoûtantes, style faire bouillir un Tampax usagé de la dame de vos pensées et boire cette "tisane"…

— Ça marche ?

— Je ne connais personne qui ait essayé, dit Chantale en s'esclaffant. Mais j'ai souvent croisé des types laids comme les sept péchés capitaux avec une fille sublime au bras, alors je vous laisse en tirer vos conclusions.

— Et ça fait quoi, alors, un *voyeur** ?

— *Voyant** ! Les voyants sont très différents. Rien à voir avec le vaudou — mais essayez de dire ça à un non-Haïtien... Jamais il ne vous croira. » Chantale lui jeta un coup d'œil pour voir s'il la prenait au sérieux et eut la satisfaction de constater qu'il griffonnait dans son carnet. « Partout dans le monde, il y a des gens qui vous prédisent l'avenir — des cartomanciennes, des chiromanciens, des gitanes, des médiums, des illuminés... Les *voyants** font un peu ça, mais ils ne s'en tiennent pas là. Et ils ne se servent pas de gimmicks. Ils n'en ont pas besoin. Supposez que vous alliez consulter un *voyant** parce qu'un problème vous préoccupe — disons que vous devez vous marier dans un mois et que vous avez des doutes... Eh bien, il lui suffit de vous regarder pour vous dire, dans les grandes lignes, ce qui va se passer. Comme ça, sur le ton de la conversation. Il — ou elle, parce qu'il y a des femmes, aussi... — ne peut pas vous dicter la conduite à adopter. Juste vous indiquer ce que l'avenir vous réserve. Ensuite, à vous de prendre votre décision tout seul.

— Ça fait un peu "SOS Parapsychologie", jusque-là...

— C'est vrai, mais les *grands voyants** — il y en a peut-être deux dans tout Haïti, et le plus puissant est sans conteste Filius Dufour — sont capables de *modifier* votre avenir. Si ce qu'ils vous disent ne vous satisfait pas, ils ont le pouvoir de s'adresser directement aux esprits. Pour en revenir à mon exemple de la femme qui ne veut pas de vous... — dans le vaudou, vous avez des esprits qui veillent sur vous.

— Des genres d'anges gardiens ?

— Oui. Les *grands voyants** peuvent s'adresser directement à ces esprits et passer des marchés avec eux.

— Des *marchés* ?

— Si la femme en question a négligé ses esprits, n'a pas suivi sa destinée ou a fait du mal autour d'elle, alors ils accepteront de laisser le *voyant** la pousser vers l'homme qui la désire.

— Ah bon ! fit Max. Et naturellement, la réussite de tout ça dépend du fait qu'on croie à tout ce que vous venez de me dire ?

— Ça marche même pour ceux qui n'y croient pas. C'est pire pour eux, parce qu'ils ne comprennent pas ce qui leur arrive — les malheurs en série qui s'abattent sur eux, leur femme qui les quitte pour leur ennemi juré au bout de quinze ans de mariage, leur fille mineure qui tombe enceinte — ce genre de choses…

— Comment se fait-il que vous soyez si bien informée ?

— Ma mère est une *mambo* — une prêtresse du vaudou. Filius Dufour l'a initiée à l'âge de treize ans. Il m'a initiée, moi aussi.

— Comment ?

— Au cours d'une cérémonie. »

Max la regarda, mais son visage était indéchiffrable.

« Quel genre ?

— Ma mère m'a fait boire une potion et je me suis retrouvée hors de mon corps, au-dessus de lui. Pas très haut — quelque chose comme cinquante centimètres… Vous avez idée de ce à quoi ressemble votre enveloppe corporelle lorsque vous la quittez ? »

Max fit non de la tête. Ça ne lui était jamais arrivé, pas même au cours d'une défonce à la meilleure herbe de Colombie ou de la Jamaïque.

« À une vieille grappe de raisin — toute ridée, flasque, complètement ratatinée, même si vous êtes jeune, comme je l'étais ce jour-là.

— Qu'est-ce qu'a fait Dufour ?

— Pas du tout ce que vous croyez, répliqua-t-elle, devinant à quoi il pensait rien qu'au ton de sa voix. Notre religion est peut-être primitive, mais elle n'a rien de sauvage. »

Max hocha la tête. « Depuis quand n'avez-vous pas vu Dufour ?

— Depuis mon initiation. Qu'est-ce que vous lui voulez ?

— Juste le rencontrer dans le cadre de mon enquête.

— Et... ?

— Secret professionnel. Je dois protéger mes clients, fit Max d'un ton sec.

— Je vois, répliqua Chantale tout aussi sèchement. Je vous ai confié quelque chose de très personnel, quelque chose que je ne clame pas exactement sur les toits, mais vous refusez de me dire...

— Vous me les avez *livrées* de vous-même, ces confidences ! » Max n'avait pas refermé la bouche qu'il regretta ses paroles. C'était une connerie.

« Je ne vous ai rien *livré* du tout, fit Chantale, sarcastique, avant d'ajouter, d'un ton radouci : J'ai eu envie de vous le raconter.

— Pourquoi ?

— Comme ça... Vous avez le don d'attirer les confidences. Vous écoutez, mais vous ne jugez pas.

— Ma formation de flic, sans doute... » dit Max. Elle se trompait lourdement sur son compte : il jugeait *en permanence.* Mais elle flirtait avec lui — pas ouvertement, plutôt de façon ambiguë et détournée, sans rien faire qu'elle ne puisse nier en l'accusant de prendre ses désirs pour des réalités. Sandra s'était comportée de la même manière, au début. Elle avait eu une attitude qui pouvait faire croire qu'elle s'intéressait à lui, mais avait laissé le doute planer jusqu'à ce qu'elle soit sûre de lui. Il se demanda fugacement ce que Sandra aurait pensé de Chantale, si elles se seraient bien entendues. Est-ce qu'elle l'aurait jugée digne de lui succéder ? Il préféra chasser cette pensée de son esprit.

« O.K., Chantale ! Je peux tout de même vous dire ceci : pendant les six mois qui ont précédé sa disparition, Charlie est allé voir Filius Dufour une fois par semaine. Il s'y rendait, le jour où il a été kidnappé.

— En ce cas, allons parler à Filius Dufour », dit-elle en tournant la clef de contact.

21

La rue Boyer avait autrefois été une voie privée, fermée par des grilles et bordée de superbes demeures traditionnelles à dentelles de bois, qui se cachaient derrière des cocotiers et des hibiscus. Durant son règne, Papa Doc y avait installé ses plus fidèles amis. Baby Doc, quant à lui, avait reconverti deux des maisons en bordels de luxe, qu'il avait remplis de filles à cinq cents dollars la passe — des blondes venues de L. A. — afin de divertir les barons du cartel colombien qui multipliaient les allers-retours en Haïti pour y surveiller la distribution de la drogue et blanchir leurs bénéfices dans les banques du pays. À la chute des Duvalier, les vieux amis et les belles blondes avaient fui dans les fourgons du régime et les pauvres avaient pris possession de la rue Boyer, commençant par piller les maisons et les vider de tout, jusqu'aux lames de parquet, avant de squatter leurs carcasses vides, qu'ils occupaient toujours.

Max ne comprenait pas pourquoi Dufour avait choisi de rester. La rue était un vrai cloaque, plus misérable encore que les pires ghettos et les plus miteux villages de mobil homes qu'il connaissait.

Ils franchirent les derniers vestiges des grilles — un ventail tordu dont un coin replié en deux pointait vers le sol et dont les gonds arrachés pendaient, enroulés en torsades qui évoquaient des papillons maléfiques, dotés de pointes acérées en guise d'antennes et de rasoirs en ferraille en guise d'ailes. La chaussée était l'habituelle course d'obstacles à base de nids-de-poule, de cratères, de bosses et de crevasses. Les maisons — de grandes bâtisses de deux étages qui jadis avaient dû être de nobles demeures d'une élégance raffinée — semblaient vouloir échapper à la vue, noires présences indistinctes dressées de part et d'autre de la rue, dépouillées de leur personnalité, rongées par une pauvreté galopante, tout juste bonnes pour le boulet de démolition. Chacune d'elles abritait l'équivalent d'un petit village — tous, des plus âgés aux plus jeunes, uniformément vêtus de haillons qui préservaient à peine leur dignité et brouillaient, à de rares exceptions près, toute différenciation entre les sexes. Massés aux fenêtres, ils regardaient passer la voiture du même regard vide et mort.

Dufour vivait tout au fond de l'impasse. Sa maison était aux antipodes des autres, avec sa façade d'un rose éteint, ses balcons soulignés en haut et en bas d'une frise bleue, et ses volets — tous fermés — d'un blanc éclatant. Un gazon vert recouvrait la petite cour de devant et une allée bordée de plantes menait au perron d'entrée.

Un groupe d'une douzaine d'enfants jouait dans la rue. Ils s'interrompirent et regardèrent Max et Chantale mettre pied à terre.

Un sifflement s'éleva dans le dos de Max. Il vit un gamin traverser la pelouse en courant et disparaître au coin de la maison.

Comme Chantale et lui allaient s'engager dans l'allée, les gosses convergèrent vers eux en rangs serrés et leur barrèrent le chemin, les mains pleines de cailloux.

À la différence des gamins qu'il avait vus ailleurs dans Port-au-Prince, ceux-ci avaient des vêtements corrects sur le dos et des chaussures aux pieds, et semblaient propres et en bonne santé. Ils pouvaient avoir huit ans au plus, mais sur leurs visages durs se lisaient une expérience et une sagesse qui n'étaient pas de leur âge. Max lança un sourire à une petite fille avec des rubans dans les cheveux dans l'espoir de l'amadouer, mais elle le fixa d'un œil féroce.

Chantale tenta d'engager la conversation avec les enfants, mais pas un ne lui répondit ou ne fit un geste. Leurs doigts ne firent que se crisper sur les cailloux. Leurs petits corps tendus tremblaient d'agressivité contenue. Max baissa les yeux et constata que ce n'étaient pas les munitions qui leur manquaient. La rue était une vraie carrière à ciel ouvert.

Il prit Chantale par le bras et la fit reculer de quelques pas.

Soudain, un sifflement jaillit de la maison. Le gamin revint au galop en criant quelque chose. Chantale poussa un soupir de soulagement. Les enfants laissèrent tomber leurs cailloux et se remirent à jouer comme si de rien n'était.

22

Avec un sourire chaleureux — un peu gâché par un appareil dentaire —, une jeune fille leur ouvrit la porte et les fit entrer. Sans un mot, elle leur fit signe d'attendre dans un vestibule carrelé en jaune et vert et disparut en courant dans l'imposant escalier qui menait au premier.

Après la chaleur de four qui régnait dehors, la maison leur parut délicieusement fraîche mais, une fois habitués à la température, ils ne tardèrent pas à avoir presque froid. Chantale se frictionna les bras pour se réchauffer.

Le jour qui tombait par une imposte éclairait le vestibule, mais Max remarqua l'absence totale de tout moyen d'éclairage — électrique ou autre — et il n'y avait pas l'ombre d'un interrupteur sur les murs. C'est tout juste s'il distinguait quelque chose au-delà d'un rayon d'un mètre cinquante. L'obscurité les cernait, presque palpable, quasi vivante, embusquée à la lisière de la lumière, prête à investir le coin qu'ils occupaient dès qu'ils en partiraient.

Max eut l'œil attiré par un grand tableau accroché au mur — une huile représentant deux hommes de type hispanique au visage très maigre, presque osseux, debout derrière une jolie femme noire. Tous trois étaient vêtus à la mode des années 1850, les hommes en redingote noire et pantalon gris rayé, comme les joueurs professionnels qui sévissaient sur les bateaux à aubes du Mississippi, et la femme, une ombrelle à la main, en robe orange avec des ruchés blancs à l'encolure.

« Lequel est Doo-foor ? demanda Max à Chantale, qui fixait le tableau avec attention.

— Les deux, chuchota-t-elle.

— Il a un frère jumeau ?

— Pas à ma connaissance. »

La jeune fille apparut en haut des marches et leur fit signe de la rejoindre.

La cage d'escalier était décorée de photos encadrées, des clichés anciens en noir et blanc, certains même sépia, mais tous assez indéchiffrables vu la lumière, qui semblait diminuer au fur et à mesure qu'ils s'éloignaient du rez-de-chaussée malgré la relative proximité de l'imposte. Une photo attira plus spécialement l'attention de Max : celle d'un Noir à lunettes en blouse blanche, parlant à un groupe d'enfants assis par terre.

« Papa Doc — à l'époque où il faisait le bien... » expliqua Chantale, remarquant ce que Max regardait.

La jeune fille les précéda jusqu'à une pièce dont la porte était grande ouverte. Il y régnait un noir de poix. Toujours souriante, elle s'empara de la main de Chantale, lui dit de prendre celle de Max, et ils entrèrent à la queue leu leu, sans même voir où ils mettaient les pieds.

La jeune fille les guida jusqu'à un canapé où elle les fit asseoir, puis craqua une allumette qui éclaira fugitivement la pièce. Max eut le temps d'apercevoir Dufour assis dans un fauteuil juste en face d'eux, une couverture jetée sur les genoux. Il le regardait droit dans les yeux, un sourire aux lèvres. Puis l'obscurité retomba tandis que la flamme de l'allumette, pas plus grosse qu'un ongle, était transférée à la mèche d'une lampe à huile. Max ne distinguait plus Dufour, ce qu'il ne regretta pas vraiment car le peu qu'il en avait vu manquait singulièrement de séduction : avec son long nez busqué qui semblait greffé entre ses deux yeux et la grosse poche de chair flasque qui lui pendouillait sous le menton, on aurait dit un dindon monstrueux. S'il n'avait pas cent ans, il ne devait pas en être loin.

À la faible lueur vert bronze que jetait la lampe, Max discernait tout juste Chantale, la table d'acajou posée devant eux, et un plateau d'argent chargé d'une carafe de citronnade glacée et de deux verres décorés à mi-hauteur de motifs bleus. Le reste de la pièce était tout aussi invisible que leur hôte.

Dufour prit la parole — en français, pas en créole. Il expliqua, d'une voix si douce qu'elle était presque inaudible, que tout son anglais tenait en trois mots : « *hello* », « *thank you* » et « *goodbye* ». Chantale relaya ses paroles à Max, puis demanda à Dufour s'il n'avait pas d'objection à ce qu'elle serve d'interprète. Il lui répondit que non en l'appelant « *mademoiselle** ». L'espace d'un instant, Max crut être transporté dans le passé, à l'époque où les hommes se découvraient et se levaient en présence d'une dame, lui approchaient sa chaise et lui ouvraient les portes, mais ses préoccupations le ramenèrent vite au présent.

« Veuillez m'excuser de vous recevoir dans l'obscurité, mais mes yeux ne sont plus ce qu'ils étaient. La lumière trop vive me cause d'atroces migraines », dit Dufour en français — ce que Chantale traduisit. « Soyez le bienvenu dans cette maison, monsieur Mingus.

— Nous allons tâcher de ne pas vous retenir trop longtemps », fit Max tout en disposant son magnétophone, son carnet et son Bic sur la table.

Dufour remarqua en plaisantant que plus il avançait en âge, plus les objets rapetissaient, qu'il se souvenait d'un temps où les enregistreurs étaient d'encombrants bazars à bobines. Puis il les invita à goûter la citronnade, qu'il avait fait préparer tout exprès à leur intention.

Chantale leur en versa un verre chacun. En prenant le sien, Max constata, amusé, que la frise qui l'ornait représentait des couples orientaux dans différentes positions érotiques, certaines très classiques, d'autres plus exotiques, et un petit nombre exigeant même une souplesse de contorsionniste pour être essayées. Il se demanda depuis combien de temps Dufour n'avait pas fait l'amour.

Ils échangèrent des banalités avec leur hôte tout en sirotant leur citronnade. Elle était légèrement amère, mais très désaltérante — un mélange de jus de citrons verts et jaunes, additionné d'eau et de sucre, décida Max. Dufour lui demanda depuis quand il était en Haïti et ce qu'il pensait du pays. Ce à quoi Max répondit qu'il était là depuis trop peu de temps pour s'être forgé une opinion. Dufour s'esclaffa bruyamment, mais sans expliciter la cause de son hilarité par une plaisanterie ou une repartie.

« *Bien, bien**, fit-il. Si nous commencions… »

23

Max ouvrit son carnet et enfonça la touche « Record » de son magnétophone.

« Quand avez-vous vu Charlie Carver pour la première fois ?

— Sa mère me l'a amené quelques mois avant sa disparition. Je ne me souviens pas de la date exacte, dit Dufour.

— Comment l'avez-vous connue ?

— Elle est venue me trouver. Elle était *très* inquiète.

— Pour quelle raison ?

— Si elle ne vous l'a pas dit, je ne le peux pas non plus. »

La réponse avait été polie, mais ferme. Même s'il ne restait plus beaucoup de vie en Dufour, Max devinait la volonté de fer qui soutenait son corps affaibli. Max menait son interview sur le ton de la conversation, gardant sa voix neutre et son attitude détendue et amicale — ni coudes sur la table ni buste penché en avant, mais une pose décontractée au fond du canapé, genre « dites-moi tout, j'attends vos confidences »...

À l'inverse de Max, Chantale était posée à l'extrême bord de son coussin, l'oreille tendue pour saisir ce que disait le vieil homme, car le filet de voix qui restait à Dufour était sujet à de subites variations de volume et ne dépassait pas, au mieux, le chuintement étouffé d'une pelletée de sable tiède tombant sur une chaussée enneigée.

« Qu'avez-vous pensé de Charlie ?
— C'était un petit garçon très intelligent et très joyeux.
— Vous le voyiez souvent ?
— Une fois par semaine.
— Toujours le même jour et à la même heure ?
— Non, ça changeait d'une fois sur l'autre.
— Toutes les semaines ?
— *Toutes* les semaines. »

Le bruit d'un couvercle qu'on dévisse s'éleva dans la direction de Dufour, et des relents de kérosène et de légumes pourris supplantèrent bientôt l'agréable odeur de citron vert qui avait jusque-là parfumé toute la pièce. Avec une grimace, Chantale détourna la tête pour éviter la zone où la puanteur était la plus forte. Max mit son magnéto sur « Pause ».

Sans leur fournir la moindre explication, Dufour se frictionna les mains, les poignets et les avant-bras, puis les doigts, un à un, avant d'en faire craquer chaque articulation. De mauvaise, l'odeur devint repoussante, puis presque insoutenable. Max en sentait le goût âcre et caoutchouteux jusqu'au fond de sa gorge.

Se détournant du vieillard, il promena son regard dans la pièce. Ses yeux s'étaient accoutumés à la pénombre et il distinguait beaucoup plus de détails. Autour de lui, des surfaces lisses réfléchissaient de minuscules reflets de la lampe à huile, et il repensa à ces photos de milliers de fans brandissant un briquet allumé, pendant les concerts de rock, telle une voie lactée de butane. Sur sa gauche se trouvaient des fenêtres aux volets fermés et le soleil ardent qui filtrait à travers les moindres interstices dessinait dans la pièce une sorte d'alphabet morse aveuglant, fait de traits et de points phosphorescents.

Dufour revissa le couvercle et adressa quelques mots à Chantale.

« Il dit que nous pouvons reprendre, traduisit-elle.

— O.K. » Max relâcha la touche « Pause » et regarda droit devant lui, là où il devinait vaguement la tête de son hôte et la tache plus pâle qui devait être son visage. « Qui fixait les rendez-vous ? Vous ou Mme Carver ?

— Moi.

— Comment l'en avisiez-vous ?

— Par téléphone. Eliane — ma petite bonne, que vous avez vue en arrivant — appelait Rose, la nounou de Charlie.

— Combien de temps à l'avance ?

— Quatre ou cinq jours. »

Max nota la chose dans son carnet.

« Y avait-il quelqu'un d'autre dans la maison, ces jours-là ?

— Juste Eliane.

— Personne ne venait chez vous, lorsque vous étiez avec Charlie ? Vous n'aviez aucun autre visiteur ?

— Non.

— Est-ce que quelqu'un était au courant que vous receviez Charlie ?

— Non.

— Des gens ont vu Charlie venir chez vous ?

— Toute la rue. »

Dès que Chantale eut fini sa traduction, Dufour se mit à glousser pour bien montrer qu'il plaisantait.

« Est-ce que les gens du quartier savaient qui il était ? demanda Max.

— Non. Je ne pense pas.

— Avez-vous aperçu un individu suspect en train de surveiller votre maison ? Quelqu'un que vous n'auriez jamais vu auparavant ?

— Non.

— Quelqu'un qui traînait dans le coin ?

— Je l'aurais vu.

— Je croyais que vous ne supportiez pas la lumière du jour...

— Il y a plus d'une façon de voir », traduisit Chantale.

Attachez vos ceintures et cramponnez-vous ! On tombe dans le galimatias mystique. Disneyland, nous voici ! fut tenté de lancer Max. Mais il n'en fit rien. Il connaissait la chanson. À l'époque où il recherchait Boukman, il avait rencontré un prêtre vaudou censé posséder des pouvoirs surnaturels. Ce que ce prêtre vaudou avait eu de plus puissant, c'était son fumet — des baquets de rhum, et des mois et des mois sans douche. Il avait caressé le type dans le sens du poil, l'avait mis en confiance et était ressorti de l'entretien avec une assez bonne connaissance de la religion nationale haïtienne. Parfois — mais c'était rare —, ça payait d'avoir l'esprit large et de se montrer tolérant.

« Vous ne me posez pas les bonnes questions, lui dit Dufour par l'entremise de Chantale.

— Ah bon ? Et lesquelles devrais-je vous poser ?

— C'est vous, le détective.

— Savez-vous qui a kidnappé Charlie ?

— Non.

— Je croyais que vous pouviez prédire l'avenir...

— Pas tout. »

Pratique, ça, hein, Dufour ? J'imagine que c'est ce que tu sors aux gens qui voient un proche mourir brutalement...

« Par exemple, enchaîna Dufour, je ne suis pas capable de prédire à quelqu'un la mort d'un être cher. »

Max sentit son cœur manquer un battement. Il déglutit péniblement.

Pure coïncidence : la télépathie, ça n'existe pas.

Quelque chose — quelqu'un ? — bougea derrière lui. Il entendit une lame de parquet craquer tout doucement, comme si on y posait le pied avec précaution. Il jeta un coup d'œil par-dessus son épaule. Rien. Il tourna la tête vers Chantale, mais elle n'avait apparemment rien remarqué.

Il rendit son attention à Dufour.

« Parlez-moi de Charlie. De vos rencontres. Que faisiez-vous avec lui ?

— Nous parlions.

— Vous parliez ?

— Oui. Nous parlions. Sans faire usage de la parole.

— Je vois, fit Max. Alors, vous... — vous faisiez quoi, au juste ? De la transmission de pensée ? De la perception extrasensorielle, comme dans *ET* ? C'est ça ?

— Nos esprits se parlaient.

— Vos *esprits* se parlaient ? » répéta Max du ton le plus neutre qu'il pouvait. Il crevait d'envie de rire.

Cette fois, ils avaient officiellement franchi la frontière du royaume d'Absurdie, où tout était possible et où il y avait encore un irrationnel après l'irrationnel. O.K. ! Il allait jouer le jeu, du moins jusqu'à ce que les règles deviennent trop insensées et que la situation menace de changer de main. Et là, il réagirait et reprendrait l'avantage.

« C'est ça. Nos esprits. Qui nous sommes, à l'intérieur. Vous aussi, vous en avez un. Ne confondez pas votre corps et votre âme. Votre corps n'est que la maison que vous occupez le temps de votre passage sur cette terre. »

Et toi, ne me confonds pas avec un crétin...

« Alors, comment vous avez fait ça — parlé à son esprit ?

— C'est un pouvoir que j'ai, même si... je n'avais encore jamais fait cela avec quelqu'un de vivant, jusque-là. Charlie était unique.

— De quoi parliez-vous ensemble ?

— De lui.

— Qu'est-ce qu'il vous racontait de beau ?

— On vous a dit pourquoi il venait me voir ?

— Parce qu'il ne parlait pas, oui — *alors...* ?

— Il m'a expliqué la raison pour laquelle il ne le faisait pas. »

Du coin de l'œil, Max vit quelque chose passer sur sa droite, à la limite de son champ visuel. Il tourna vivement la tête, mais il n'y avait rien.

« Bon, voyons si j'ai bien compris : Charlie vous a dit — enfin, son "esprit" vous a dit — ce qui clochait chez lui ? Pourquoi il ne parlait pas ?

— C'est ça.

— Et… ?

— Et quoi ?

— Qu'est-ce qui *cloche* chez lui ?

— Je l'ai dit à sa mère. Étant donné qu'elle ne vous l'a pas dit à vous, je ne le ferai pas non plus.

— Ça pourrait faciliter mes recherches, dit Max.

— Absolument pas.

— Ça, c'est à moi d'en juger.

— Je vous dis que *non*, répéta Dufour d'un ton ferme.

— Et sa mère vous a cru sur parole lorsque vous lui avez appris ce que vous prétendez tenir de Charlie — quoi que ce soit ?

— Non. Comme vous, elle était sceptique. En fait, elle ne m'a pas cru », traduisit Chantale d'un ton hésitant, une note d'incertitude et de désarroi dans la voix. Ce qu'elle entendait n'avait aucun sens pour elle.

« Qu'est-ce qui l'a décidée à changer d'avis ?

— Si elle souhaite vous le dire, elle le fera. Mais n'espérez pas que je m'en charge. »

À cela, Max comprit qu'il n'obtiendrait rien de plus de Dufour — pas de cette façon, en tout cas. Quoi que ce soit, c'est de Francesca ou d'Allain Carver qu'il devrait obtenir l'info. Il passa à autre chose.

« Vos "esprits se parlaient", avez-vous dit. Le vôtre et celui de Charlie, c'est bien ça ? Est-ce que vous vous parlez encore ? Êtes-vous toujours en communication avec Charlie ? »

Chantale fit l'interprète. Dufour ne répondit pas.

Max se rendit soudain compte qu'il n'avait pas vu la petite bonne quitter la pièce. Était-elle toujours là, avec eux ? Il jeta un regard en direction de la porte, mais l'obscurité était trop opaque, trop décidée à ne pas révéler plus qu'elle ne le devait.

« *Oui**, finit par articuler Dufour en s'agitant sur son siège.

— Oui ? Vous lui avez parlé récemment ?

— Oui.
— Quand ça ?
— Ce matin.
— Il est vivant ?
— Oui. »

Max sentit sa bouche s'assécher. L'excitation dissipa provisoirement tous ses doutes et son incrédulité.

« Où est-il ?
— Il ne le sait pas.
— Il est capable de vous décrire quelque chose ?
— Non — il dit juste qu'un homme et une femme s'occupent de lui. Comme s'ils étaient ses parents. »

Malgré le magnéto qui enregistrait leur conversation, Max nota ce détail dans son carnet.

« Est-ce qu'il vous donne des détails sur l'endroit où il se trouve ?
— Aucun.
— Il est maltraité ?
— Il dit qu'on s'occupe très bien de lui.
— Vous a-t-il dit qui l'a enlevé ?
— Ça, c'est à vous de le découvrir. C'est pour ça que vous êtes ici. C'est votre finalité, déclara Dufour en haussant le ton, une note de colère dans la voix.
— Ma *finalité* ? » Max posa son bloc. Il n'appréciait pas du tout ce qu'il venait d'entendre. Cette arrogance ! Cette suffisance !

« Chacun de nous vient au monde dans un but bien précis, Max. Toute existence a une *finalité*, reprit Dufour calmement.
— Et… *alors* ?
— Ceci — ici et maintenant — est *votre finalité*. Le cours des événements dépend de vous, pas de moi.
— Êtes-vous en train de me dire que je suis "*né*" pour retrouver Charlie ?
— Je n'ai jamais dit que vous alliez le retrouver. Ça n'est pas encore décidé.

— Ah bon ? Et qui décide de *ça* ?

— Nous ne savons pas encore pourquoi *vous* êtes ici.

— Qui ça "nous" ?

— Nous ne savons pas ce qui vous fait rester. S'agissant des autres, c'était facile à deviner. Ils étaient là pour l'argent. C'était des mercenaires. Pas les hommes qu'il fallait. Mais ce n'est pas ce qui vous a décidé, vous, à venir en Haïti.

— En tout cas, ce n'est sûrement pas le climat ! » ironisa Max. Et brusquement, il se rappela le rêve qu'il avait fait, à New York, ce rêve où Sandra lui disait d'accepter cette affaire parce qu'il n'avait « pas le choix ». Il se revit en train de recenser les options qui lui restaient et d'envisager l'avenir qui l'attendait — et combien sinistre il s'annonçait… Ce vieux avait raison — il n'était pas là uniquement pour sauver Charlie, mais aussi pour se sauver *lui.*

Qu'est-ce que ce « voyant » savait déjà de lui, avant aujourd'hui ? Il s'apprêtait à lui poser la question quand Dufour reprit :

« Dieu donne à tout homme sa part de libre arbitre et de clairvoyance. Quelques-uns reçoivent les deux en abondance, beaucoup les possèdent de façon inégale, mais au plus grand nombre Dieu mesure ce qu'Il donne. Les individus qui sont riches des deux sentent à quoi l'avenir les appelle. Un homme politique se voit président ; un employé, cadre ; un soldat, général ; un acteur, superstar ; et cetera, et cetera… Et, très tôt, il est facile de les reconnaître : ils n'ont pas vingt ans qu'ils savent déjà ce qu'ils veulent faire de leur vie. Ceci dit, comment et quand nous accomplissons notre destinée — notre *finalité* — dépend en grande partie de nous et, dans une moindre mesure, des autres. Si Dieu forme de grands projets pour nous et qu'Il nous voit perdre notre temps à des entreprises moins ambitieuses, Il interviendra pour nous remettre sur la bonne voie. Parfois Son intervention est douloureuse mais, d'autres fois, elle a juste l'air d'un "accident" ou d'une "coïncidence". Les plus clairvoyants y reconnaissent l'action de Sa main qui oriente leur vie et s'engagent sur la voie qu'ils sont destinés à suivre. Vous, Max, vous étiez *destiné* à venir ici. »

Max prit une profonde inspiration. L'odeur nauséabonde s'était dissipée et, à nouveau, la pièce sentait bon le citron vert. Il ne savait que penser.

Ne t'occupe que de ce que tu sais, pas de ce que tu aimerais savoir. Tu enquêtes sur une personne disparue, un petit garçon. C'est tout ce qui compte — tout ce dont tu dois te soucier. « Fais ce que tu fais et fous-toi du reste », comme disait Eldon Burns.

Max sortit l'affiche de Charlie de sa poche et l'étala sur la table. Il pointa le doigt sur le dessin tracé dans la marge.

« Vous arrivez à voir ce que je vous montre, là ? demanda-t-il à Dufour.

— Oui. Tonton Clarinette. C'est son signe.

— Je croyais que c'était un mythe.

— En Haïti, tous les faits se fondent sur des mythes.

— Vous voulez dire que Tonton Clarinette existe, alors ?

— Ça, c'est à vous de le découvrir. » Dufour sourit. « Remontez à la source du mythe. Découvrez comment il est né et pourquoi — et qui l'a créé. »

Max pensa à Beeson et à Medd, et à l'endroit où Huxley lui avait dit qu'ils étaient allés : les fameuses chutes. Il fallait qu'il ait une autre conversation avec Huxley.

« Pour en revenir à Charlie, dit Max, est-ce qu'il a vu Tonton Clarinette ?

— Oui. »

Max jeta un regard à Chantale, qui le fixa un instant. Il y avait de la peur dans ses yeux.

« Quand ?

— La dernière fois qu'il est venu ici, il m'a dit qu'il l'avait vu.

— Où ça ? demanda Max en se penchant vers Dufour.

— Il ne l'a pas précisé. Il m'a juste dit qu'il l'avait vu. »

Max nota « *interroger les domestiques des Carver* » dans son carnet.

« Les enlèvements d'enfants sont fréquents en Haïti, non ? s'enquit Max.

— Très fréquents, en effet.

— Pour quelle raison les gens font-ils ça ?

— Pour quoi le font-ils dans votre pays ?

— Le sexe, surtout. Quatre-vingt-dix-neuf fois sur cent. Le reste le fait pour le fric, ou il s'agit de couples qui ne peuvent pas avoir d'enfant et qui décident de se passer des circuits officiels de l'adoption, ou encore de femmes seules qui ont un désir de maternité frustré, ce genre de choses...

— Chez nous, les enfants ont d'autres usages. »

Max fouilla dans sa mémoire et aboutit tout de suite à Boukman.

« Le vaudou ? »

Dufour eut un petit gloussement ironique.

« Non, pas le vaudou. Le vaudou n'est pas une religion barbare. Comme l'hindouisme, son panthéon comporte différentes divinités qui ont des pouvoirs spécifiques, et un Dieu suprême, plus universel. Le vaudou ne pratique en aucun cas les sacrifices d'enfants. Cherchez encore, Max...

— Le satanisme ? La magie noire ?

— La magie noire. Exact.

— Pourquoi la magie noire a-t-elle recours aux sacrifices d'enfants ?

— Pour diverses raisons, irrationnelles pour la plupart. La magie noire est le domaine réservé de quelques idiots dévoyés, des individus qui s'imaginent que s'ils commettent un acte abominable, Satan en personne enfourchera sa monture et surgira de l'Enfer pour leur serrer la main et leur accorder trois souhaits. Mais chez nous, c'est différent. Ici, les gens savent *exactement* ce qu'ils font. Voyez-vous, moi, vous, nous tous, nous sommes gardés, surveillés, protégés par des esprits.

— Des anges gardiens ?

— Oui — appelez-les comme vous voulez... Cela dit, la meilleure protection dont quelqu'un puisse bénéficier, c'est celle d'un enfant. Les enfants sont innocents. Purs. Très peu de malheurs durables vous arrivent lorsqu'un enfant veille sur vous — et les problèmes qui persistent sont le genre d'épreuves qui enrichissent votre expérience et vous aident à mûrir. »

Max prit un moment pour faire le point. C'était ni plus ni moins une réédition de l'affaire Boukman… Boukman avait sacrifié des enfants pour les offrir en pâture à un démon qu'il était censé avoir fait apparaître.

« Vous dites qu'il n'y a pas de meilleurs anges gardiens que les enfants parce qu'ils sont purs et innocents, c'est bien ça ? demanda Max. Mais Charlie là-dedans ? Qu'est-ce qui a pu les intéresser en lui — en dehors du fait que c'est un enfant ?

— Charlie est *très* spécial, dit Dufour. La protection qu'il offre est plus grande parce qu'il fait partie des esprits les plus purs — ceux que certains appellent les Perpétuellement Purs, ceux qui ne connaîtront jamais le mal. Tous les autres esprits se fient à eux. Ils sont capables d'ouvrir de nombreuses portes. Très peu de gens en ont comme ange gardien. Ceux dont c'est le cas sont en général des gens comme moi, qui peuvent voir au-delà du présent.

— Alors, il est possible de… "capturer un esprit" ?

— Oui, bien sûr. Mais ce n'est pas un rituel des plus faciles à pratiquer et ce n'est pas à la portée de n'importe qui. C'est très complexe.

— Vous en êtes capable, vous ?

— Oui.

— L'avez-vous déjà fait ?

— Pour faire le bien, il faut connaître le mal — et vous comprenez de quoi je parle mieux que la plupart des gens, Max… Ce que je fais a son revers obscur — une inversion de mes pratiques, une forme de magie noire qui nécessite d'asservir des âmes, de les contraindre à devenir les protecteurs du mal. Les enfants en sont un élément majeur. Ils sont hautement prisés et très recherchés chez nous, en Haïti. C'est une monnaie forte. »

À l'instant où Chantale finissait de traduire, la jeune bonne entra et s'approcha d'eux.

« Il est l'heure. »

Ils prirent congé de Dufour. La jeune fille prit la main de Chantale, qui s'empara de celle de Max, et ils sortirent de la pièce à la queue leu leu comme ils y étaient entrés. Sur le seuil, Max se retourna. Il aurait juré qu'il y avait non pas une silhouette, mais deux, debout près du fauteuil de Dufour. Mais peut-être ses sens l'abusaient-ils ?

24

Ils reprirent le chemin de la banque. Max, qui avait pris le volant, commençait à se faire aux rues défoncées de Port-au-Prince. Une fois qu'il aurait déposé Chantale, il retournerait à la villa. Il avait la tête lourde et ses tempes battaient. Il se sentait complètement claqué, incapable d'aligner deux idées. Il n'avait pas eu un moment pour se vider la tête de toutes les infos qu'il avait accumulées et son cerveau était à saturation. Il avait besoin d'analyser ses nouveaux renseignements, de faire le tri entre l'utile et l'inutile, de virer les scories pour ne garder que ce qui était valable, puis de tout passer une nouvelle fois au crible, pour l'étudier plus en profondeur, rechercher les convergences et les liens, et isoler les pistes prometteuses et les trucs qui n'avaient pas l'air de coller.

Chantale n'avait pratiquement pas dit un mot depuis qu'ils étaient sortis de chez Dufour.

« Merci mille fois, Chantale. Je ne sais pas ce que j'aurais fait sans votre aide », dit Max en se tournant vers elle. Son visage livide était couvert d'une rosée de sueur qui s'accumulait en minuscules gouttelettes et lui emperlait la lèvre du haut. Les muscles de son cou et de ses mâchoires saillaient, contractés.

« Ça va ?

— Non, coassa-t-elle. Arrêtez-vous. »

Max se gara en catastrophe le long du trottoir. Chantale sauta de la voiture, fit quelques pas et se mit à vomir dans le caniveau, s'attirant une exclamation de dégoût indigné de la part d'un homme scandalisé — lui-même en train de se soulager la vessie contre un mur, juste à côté.

Max la soutint tandis qu'un autre haut-le-cœur la pliait en deux.

Une fois son malaise passé, il l'adossa à la voiture et la fit respirer à fond, le temps qu'elle se remette. Puis il sortit la bouteille d'eau de la glacière, humecta son mouchoir et le lui passa sur le front en l'éventant de son carnet.

« Ouf ! Ça va mieux, dit-elle, quand elle eut un peu récupéré et retrouvé quelques couleurs.

— Ça a été à ce point éprouvant pour vous, là-bas ?

— J'étais hypertendue.

— On n'aurait pas dit.

— Pourtant je l'étais, croyez-moi.

— Vous avez été géniale, dit Max. Tellement que je vous accorde votre journée, demain.

— Vous allez à Cité Soleil, c'est ça ?

— On ne peut rien vous cacher ! »

De retour dans la voiture, elle lui dessina un plan. Elle lui conseilla de s'équiper d'un masque et de gants chirurgicaux — en vente dans un des deux supermarchés de la ville — et d'abandonner ses chaussures sur place, s'il avait l'intention de mettre pied à terre et de se balader dans le coin : le sol était pour ainsi dire tapissé de merde — animale et (majoritairement) humaine. Dans ce bidonville, tout ce qui respirait trimballait sur lui, en lui et autour de lui, le répertoire complet de toutes les maladies connues.

« Soyez vraiment très prudent. Emportez votre arme. Et n'arrêtez pas votre voiture, à moins que ce soit absolument indispensable.

— À vous entendre, on croirait que vous parlez de Liberty City[1].

1. Ghetto noir de Miami, qui détient des taux de pauvreté et de criminalité records.

— Cité Soleil, ce n'est pas de la rigolade, Max. C'est un endroit très très dangereux. »

Il la reconduisit à la banque et ne quitta ni elle ni son joli petit cul des yeux jusqu'à ce qu'ils aient disparu dans la porte à tambour. Elle ne se retourna pas. Max n'était pas sûr que cela veuille encore dire quelque chose…

25

De retour à la villa, il passa un coup de fil à Allain Carver et lui résuma ce qu'il avait fait, qui il avait vu et ce qu'il projetait ensuite. À la façon dont Carver l'écoutait — poussant périodiquement de petits grognements approbateurs pour lui prouver qu'il était toujours en ligne, mais sans poser la moindre question —, il devina que Chantale lui avait déjà transmis un rapport exhaustif de sa journée.

Cela fait, il appela Francesca. Personne ne répondit.

Installé sous la véranda, le carnet à la main, il réécouta ses enregistrements.

Plusieurs questions s'imposèrent à lui.

Et en tout premier lieu : pourquoi Charlie avait-il été kidnappé ?

L'argent ?

L'absence de toute demande de rançon excluait ce mobile.

La vengeance ?

C'était une forte probabilité. Les riches avaient toujours une bonne quantité d'ennemis mortels. Ça faisait partie des meubles. Et, vu leur passé, les Carver devaient en avoir assez pour remplir un annuaire.

Qu'est-ce qui clochait chez Charlie ?

Il ne parlait toujours pas à trois ans. Mais certains enfants sont plus lents que d'autres à s'y mettre.

Quid de sa fixation sur ses cheveux ?

Il était encore tout petit. Un des rares trucs que Max se souvenait avoir entendu raconter sur lui par son propre père, c'était la façon dont, bébé, il se mettait à pleurer dès que quelqu'un riait. On a tous des problèmes, mais ça se tasse en grandissant.

D'accord, sauf que Dufour avait découvert *quelque chose.*

Est-ce que les kidnappeurs savaient de quoi il s'agissait ?

Possible. Auquel cas, le chantage devenait le mobile. Les Carver n'avaient rien mentionné de tel, mais ça ne prouvait pas qu'on ne les faisait pas chanter. Si le petit avait vraiment quelque chose de pas normal, Allain et Francesca le cachaient probablement à Gustav, pour ménager son cœur.

Pour quelle raison Francesca ne lui avait-elle pas parlé de l'état de Charlie ?

Trop douloureux ? Ou alors elle jugeait que ça n'avait aucun rapport.

Est-ce que l'enlèvement du petit avait à voir avec la magie noire ?

Pas exclu.

Il allait devoir se renseigner sur les ennemis de Carver et vérifier si, dans le tas, certains s'intéressaient à la magie noire. Mais comment faire un truc pareil ? Le pays était dans le chaos complet et au bord du collapsus. La police était pour ainsi dire inexistante et il n'y avait sûrement pas plus d'archives que de dossiers criminels qu'il puisse consulter.

Il devrait faire ça à la dure — retourner toutes les pierres et courir après des ombres.

Et Eddie Faustin, dans tout ça ?

Le chauffeur était manifestement impliqué. Il tenait même un rôle majeur dans cette affaire. Il avait su qui préparait le kidnapping. *Vérifier ses fréquentations.*

Qui était ce « grand homme » que la vieille assise devant chez le cordonnier avait vu ?

Faustin ? Il était censé avoir été massacré et décapité près de la voiture, alors il ne s'agissait peut-être pas de lui. En plus, s'il avait le même patrimoine génétique que sa mère et son frère, il ne devait pas être bien grand. Les deux Faustin qu'il connaissait étaient de taille moyenne et du genre gros, limite obèse.

Vincent Paul s'était trouvé sur les lieux. Aucun doute là-dessus.

Est-ce que Charlie était toujours en vie ?

Oui, d'après Dufour, mais rien ne le prouvait, alors sauf si le voyant était le kidnappeur et retenait Charlie prisonnier, mieux valait ne pas tabler là-dessus et continuer à tenir le gosse pour mort.

Est-ce que Dufour savait vraiment qui avait enlevé Charlie ?

Idem.

Quelle emprise réelle Dufour avait-il sur Francesca ?

Elle était riche et vulnérable : mûre à point pour devenir une poire. C'était monnaie courante : les faux voyants et les mages de pacotille abusaient de la crédulité des esseulés, des endeuillés, des nombrilistes chroniques, des naïfs et des imbéciles purs et simples — à qui ils faisaient miroiter un avenir fabuleux pour 99.99 $ H.T.

Et si Dufour était un authentique voyant ?

Ne t'occupe que de ce que tu sais.

Fallait-il classer Dufour parmi les suspects ?

Problème. Oui et non. Un personnage qui avait été si bien en cour auprès de Papa et de Baby Doc devait avoir le bras assez long pour organiser un simple kidnapping. Il connaissait forcément quelques tontons macoutes au chômage, fauchés, crevant de faim et ayant la nostalgie de leur grande époque, qui l'auraient fait sans une hésitation. Les enlèvements, ça les connaissait. Mais quel mobile Dufour aurait-il eu ? À l'âge qu'il avait, et avec si peu d'années à vivre ? Est-ce que Gustav Carver lui avait fait des crasses — ou à quelqu'un de sa famille ? Peu probable. Gustav ne se serait pas attaqué à un des favoris de Papa Doc. Restait que, pour l'instant, c'était une éventualité à ne pas écarter.

Il tenta de dormir un peu mais, le sommeil le fuyant, il alla à la cuisine. En farfouillant dans les placards, il tomba sur une bouteille de Barbancourt intacte. Comme il la sortait, il remarqua un objet planqué dans le coin de l'étagère. C'était une figurine d'une quinzaine de centimètres de haut, représentant un homme jambes écartées, les mains dans le dos, coiffé d'un chapeau de paille.

Max posa l'objet sur la table et, tout en sirotant son verre de rhum, l'examina. Le visage du bonhomme était peint en noir et ses vêtements — chemise et pantalon — en bleu foncé. Il avait un foulard rouge et une espèce de besace, genre sacoche d'écolier, en bandoulière.

Malgré quelque chose de martial dans son attitude, la figurine faisait surtout penser à un épouvantail miniature qui aurait des vêtements coordonnés.

Le rhum glissait tout seul, lui emplissant le ventre d'une agréable chaleur qui ne tarda pas à se propager au reste de son corps et à faire naître en lui un solide optimisme totalement infondé. Il ne faudrait pas le pousser beaucoup pour qu'il devienne accro à ce truc-là…

26

Huxley et Chantale avaient beau lui avoir parlé de Cité Soleil, rien n'aurait pu le préparer aux horreurs qu'il voyait défiler à travers son pare-brise, tandis qu'il s'enfonçait au pas dans le bidonville. Un fragment de lui, jusque-là dur et intransigeant, fit sécession et dériva vers le recoin secret où se cachait sa compassion.

Sa première impression, tandis qu'il s'engageait sur l'étroite piste noire de suie qui tenait lieu d'artère principale, fut celle d'un dédale de milliers de bicoques à pièce unique s'étendant à perte de vue, d'un horizon à l'autre, sans possibilité apparente d'y trouver son chemin, sinon à force de tentatives, d'erreurs et d'heureux hasards. Plus il voyait d'échantillons de l'architecture locale, plus il se rendait compte qu'il existait une sorte de hiérarchie à l'intérieur du bidonville, un genre de système de castes à l'usage des laissés-pour-compte. Un quart environ des constructions consistait en cases d'adobe à toit de tôle ondulée, qui paraissaient relativement solides et habitables. Un cran au-dessous, on trouvait des cabanes en planches couvertes de feuilles de plastique bleu. Un vent moyen n'aurait aucun mal à les balayer, elles et leurs occupants, jusqu'à la mer. Mais ces cabanes étaient tout de même de loin préférables aux constructions qui occupaient le bas de la pyramide du logement, à Cité Soleil : des cahutes faites d'un patchwork de cartons d'emballage, dont quelques-unes semblaient prêtes à s'écrouler sous le seul poids de son regard. Il supposa que les cases en adobe appartenaient aux plus anciens résidents du bidonville, ceux qui avaient réussi à survivre et à se hisser au sommet du tas de fumier. Les cahutes en carton devaient être occupées par les derniers arrivés et les faibles, les démunis et les morts en sursis. Quant aux cabanes en bois, elles étaient le lot de l'entre-deux : ceux qui étaient sortis de l'égout, mais pas du ruisseau.

Par les trous pratiqués au milieu des toitures, la fumée du charbon de bois s'échappait en lourds panaches noirs qui se déversaient dans le ciel, formant un linceul de smog gris qui flottait au-dessus de tout le bidonville, tel un monstrueux Zeppelin que le vent ballottait sans parvenir à le disloquer. Depuis l'intérieur des cases, Max sentait des regards suivre sa voiture, des centaines et des centaines de paires d'yeux qui s'accrochaient à la carrosserie, transperçaient le pare-brise et le décortiquaient jusqu'au trognon — ami ou ennemi, riche ou pauvre ? Il voyait des gens — maigres, hâves, les os à fleur de peau, ne tenant plus à la vie que par un fil — adossés aux murs de leurs taudis.

Semés au hasard entre les groupes de cahutes, il subsistait des espaces inoccupés dont la surface était un croisement entre une gigantesque décharge publique et une vue des tranchées-charniers de la guerre de 1914 après une offensive — un sol labouré, couvert de gadoue, grêlé de cratères, puant la mort et le désespoir. À certains endroits, les amas d'ordures formaient de véritables collines sur lesquelles des enfants aux jambes d'insecte, au ventre distendu et à la tête trop grosse pour leur cou grêle jouaient ou fouissaient en quête de nourriture ou de trucs à récupérer.

Il passa devant deux chevaux, les sabots englués dans la boue, trop faibles pour bouger et si étiques qu'il aurait pu compter leurs côtes et leurs vertèbres.

Partout, des égouts à ciel ouvert et des carcasses de voitures, de bus ou de camions reconverties en « maisons ». Toutes les vitres de son Landcruiser avaient beau être remontées et la clim' branchée, la puanteur ambiante parvenait quand même à se faufiler à l'intérieur — un concentré de tous les relents les plus nauséabonds et les plus méphitiques à la puissance deux : charognes vieilles d'un mois, ordures en pleine fermentation, déjections humaines et animales, eau croupie, fumée froide, misère et pauvreté. Max sentit la nausée l'envahir. Il enfila un des masques qu'il avait achetés au supermarché.

Sur un pont de fortune fait de poutrelles métalliques attachées ensemble, il franchit le « canal de Boston », la rivière de vase lourde charriant des résidus d'huiles usées qui coupait Cité Soleil en deux, blessure inguérissable rongeant l'âme empoisonnée du bidonville et saignant son noir venin jusque dans la mer. C'était le pire endroit que Max eût jamais vu — un des cercles de l'Enfer, offert à la vue des hommes en guise d'avertissement. Il n'arrivait pas à comprendre que ni les Nations unies ni les États-Unis, qui pourtant occupaient le pays depuis deux ans déjà, n'aient rien fait pour Cité Soleil.

Il cherchait des signes de la présence de Vincent Paul — des voitures, des Jeep, des choses en état de marche, jurant dans ce décor. Mais tout ce qu'il voyait, c'était la misère survivant dans la misère, la maladie se nourrissant de la maladie, des malheureux titubant sous le poids de leur ombre.

Profitant de ce qu'il arrivait au sommet d'une petite butte dégagée, il arrêta la voiture et mit pied à terre pour se repérer. Se rappelant les conseils de Chantale, il avait acheté une vieille paire de Paraboots tout éraflées et aux talons éculés à une femme qui vendait des chaussures d'occasion, presque au coin de l'impasse Carver. Il se félicita de son achat car, à chaque pas, il sentait ses semelles aspirées par le sol mou et visqueux, que même l'ardeur caniculaire du soleil ne parvenait pas à durcir.

Il contempla le chaos sordide qui s'étendait tout autour de lui, la mer de baraques qui hérissaient le sol comme des pustules métalliques, conférant au paysage l'aspect corrodé d'une vieille râpe à fromage rongée de rouille. Cité Soleil abritait plus d'un demi-million d'âmes, mais il y régnait un calme irréel, au point que les rares bruits à s'élever ne couvraient même pas le ressac de la mer, distante de trois ou quatre cents mètres. C'était le même genre de silence que la peur faisait régner dans les secteurs les plus durs de Liberty City, ceux où la mort frappait une fois par heure. À Cité Soleil, ça devait être toutes les minutes.

Vincent Paul avait-il vraiment une base ici ? Arrivait-il vraiment à vivre dans un environnement aussi pollué ?

Sans crier gare, ses pieds sombrèrent dans le sol avec un grand bruit de succion, et il se retrouva enlisé jusqu'aux chevilles dans une boue fétide qui aspirait ses semelles par en dessous. Il s'extirpa fébrilement de la gadoue et reprit pied sur un coin de terre ferme. Les profondes empreintes qu'il avait laissées commencèrent aussitôt à se combler et le sol à reconstituer sa surface lisse et collante et à sécréter une sorte d'épais suc vénéneux à l'endroit des cicatrices.

Il entendit des voitures approcher.

Au loin, sur sa gauche, un petit convoi de véhicules militaires — trois camions précédés et suivis de Jeep — roulaient en direction de la mer.

Il regagna le Landcruiser au pas de course et lança le moteur.

27

Max suivit le convoi jusqu'à une petite clairière proche de la plage, où se dressait un demi-cercle de tentes vert olive. Sur deux d'entre elles flottait le drapeau de la Croix-Rouge.

Des centaines d'habitants de Cité Soleil faisaient la queue devant des tréteaux où des soldats armés de louches leur distribuaient de la nourriture. Les gens s'emparaient de leur assiette en carton et en dévoraient le contenu sur place. Nombre d'entre eux retournaient manger leur ration au bout de la file d'attente, dans l'espoir d'en recevoir une seconde.

Non loin, d'autres personnes attendaient leur tour devant un camion-citerne, un seau, une gamelle, une boîte de conserve ou un bidon de cinq litres à la main. Ailleurs, trois autres files de gens s'allongeaient devant des points de distribution de riz, de farine de maïs et de charbon de bois. Dans toutes les queues, les gens patientaient dans le calme et en silence. Sans l'ombre d'une bousculade, d'une bagarre ou d'une ruée. Comme à la sainte communion, chacun savait qu'il recevrait ce qu'il était venu attendre.

Max commençait à se dire qu'il avait eu tort, que les Nations unies faisaient bel et bien quelque chose pour soulager les souffrances de tous ces miséreux qu'elles avaient libérés au nom de la démocratie mais, en regardant de plus près les véhicules militaires, il remarqua qu'aucun d'eux n'arborait le sigle « UN ». Et pas un des soldats n'était doté du casque bleu des forces d'occupation, et pas davantage de l'armement *ad hoc*. Au lieu de ça, ils étaient équipés de l'arsenal hétéroclite de tous les gangs de rue — Uzi, fusils à pompe et AK 47.

Il venait à peine de comprendre qu'il avait sous le nez une bande de partisans de Vincent Paul qu'il vit leur chef sortir d'une tente médicale. Pas plus que ses hommes il ne portait de masque, de gants chirurgicaux ou de souliers à jeter. Il était en noir de la tête aux pieds — T-shirt, treillis et Paraboots. C'était un véritable colosse, baraqué, noir de peau et chauve. Max se demanda lequel de lui ou de Joe était le plus grand. Une chose était sûre : ce gaillard était bien plus impressionnant et avait nettement plus de présence que son pote, qui n'en manquait pourtant pas.

Le colosse se dirigea vers une des tables et se mit à servir les gens en bavardant et en plaisantant avec eux. Ce fut son rire — ces torrents d'hilarité profonds, résonnants, qui faisaient penser à une escadrille de chasseurs à réaction en approche — qui ôta à Max tout doute sur l'identité de l'homme : c'était Vincent Paul. Et il reconnaissait la voix qu'il avait entendue deux nuits plus tôt, celle qui l'avait sauvé des gamins qui s'apprêtaient à le dépouiller.

Paul servit encore quelques rations, puis se mit à circuler parmi la foule, n'hésitant pas à s'accroupir pour parler aux enfants et à courber la tête pour écouter les adultes. Il serrait des mains, se laissait embrasser ou taper dans le dos. Lorsqu'une vieille femme lui baisa la main, il s'empara aussitôt de la sienne et lui rendit la pareille. La petite vieille éclata de rire. Peu à peu, les gens s'immobilisèrent dans les queues pour le regarder. Certains commencèrent même à quitter leur place et à s'approcher de lui.

Tout à coup, Max prit conscience du bruit — un sifflement sourd, qui débuta tout bas, comme un fragment de chanson — « *ssssan-ssssan* / *ssssan-ssssan* / *ssssan-ssssan* » —, et qui s'enfla au fur et à mesure que de plus en plus de gens le reprenaient et donnaient du corps et de la netteté à la psalmodie — « Viiin-*ssssan* / Viiin-*ssssan* / Viiin-*ssssan* ». L'homme était soudain le centre de l'attention générale, le point de mire de tous les regards. Oubliant leur faim et leur misère, les habitants de Cité Soleil vinrent s'attrouper autour de lui jusqu'à l'encercler complètement, restant toutefois à distance respectueuse pour qu'il puisse bouger à sa guise, serrer d'autres mains, accepter les accolades. Max eut l'œil attiré par deux femmes en treillis qui l'encadraient, surveillant la foule, la main à la hauteur du pistolet qu'elles avaient sur la cuisse.

Paul leva les mains et, instantanément, le silence se fit. Il dépassait la mer de têtes de dix bons centimètres, si bien que tous avaient vue sur son énorme crâne chauve. Il s'adressa à eux d'une voix de basse-taille qui portait jusqu'à Max, même si ce qu'il disait lui demeurait incompréhensible. La foule buvait ses paroles, ponctuant son discours d'ovations, d'applaudissements, de sifflements, de tapements de pieds et de vivats. Même les hommes de Paul, qui pourtant devaient avoir entendu ce laïus des milliers de fois, applaudissaient spontanément.

Max avait déjà assisté à ce genre de mise en scène dans les rues de Miami. Tous les deux ou trois ans, les plus gros dealers locaux — ceux qui avaient réussi à rester en vie et en liberté, grâce à leur bonne étoile, leur sauvagerie, leurs pots-de-vin et leurs accointances haut placées — décidaient de « faire un geste » pour la communauté qu'ils avaient contribué à décimer avec leur came et leurs guerres des gangs. Le jour de Noël, eux et leur bande débarquaient en bagnole dans les rues des ghettos et distribuaient dindes rôties et cadeaux, voire billets de banque. Ça les prenait quand ils touchaient à la fin de leur espérance de vie de petit truand — leur dernière largesse avant de tomber sous les balles d'un rival ou de la police. Ils possédaient tout ce que leur cerveau borné avait jamais convoité : le fric, les belles nanas, un semblant de pouvoir, les grosses bagnoles, les fringues à la mode — et la capacité de semer la terreur. Et ils voulaient en plus de l'amour et du respect.

Mais là, Max admirait la philanthropie dont Paul faisait preuve, indépendamment des motifs secrets qu'il nourrissait peut-être à long terme. Il commençait à comprendre que, ici, il était dans un monde où tout ce qu'il savait et tenait pour acquis était depuis longtemps caduc, voire n'avait même jamais existé. La seule façon qu'avaient les gens de s'en sortir, c'était de quitter le pays, comme le faisaient chaque année les milliers d'entre eux qui se lançaient sur la mer au péril de leur vie pour gagner la Floride. Ceux qui restaient étaient condamnés à vivre à genoux, esclaves de la générosité et de la compassion de la communauté internationale. *Quelqu'un* devait leur venir en aide — et vu que tout indiquait que ce ne serait sûrement ni les Nations unies ni les États-Unis, pourquoi pas l'homme qui passait aux yeux de tous pour le plus grand narcotrafiquant des Caraïbes ?

À voir Paul savourer l'adulation dont il était l'objet et serrer des mains à la pelle, Max eut la certitude qu'il avait devant lui l'homme qui avait kidnappé Charlie Carver. Enlever le gosse et le cacher à Cité Soleil était pour lui un jeu d'enfant. Il avait assez de pouvoir pour faire le coup et s'en tirer sans être inquiété. Assez de pouvoir pour se permettre pratiquement tout ce qu'il voulait.

28

L'après-midi s'achevait quand Vincent Paul sauta dans une Jeep et quitta Cité Soleil, suivi d'un camion et de deux autres véhicules.

Max fila discrètement le convoi, qui sortit de la ville et se mit à rouler à travers une plaine aride couverte de poussière, ponctuée de groupes de bâtiments dont on ne savait trop s'ils étaient en cours de construction ou à moitié en ruine. Vers la tombée du soir, ils piquèrent en direction des montagnes et s'engagèrent sur une piste escarpée, s'accrochant à la mince croûte de terre durcie qui la recouvrait et qui était tout ce qui les séparait de centaines de mètres de vide.

Le trajet s'acheva par la traversée d'un plateau qui devait être leur destination car ils se dirigèrent vers un grand brasier allumé près duquel les véhicules vinrent se garer face à face, de façon que les faisceaux croisés de leurs phares éclairent un carré de terre sèche, couvert de pierrailles.

Tous feux éteints, Max roula encore un peu vers l'endroit où ils s'étaient arrêtés et descendit de voiture. Il prit ses repères pour pouvoir la retrouver dans le noir, puis s'approcha du convoi.

L'arrière du camion était ouvert. Après un échange de cris et d'apostrophes entre l'intérieur et l'extérieur, un homme en fut jeté. Il s'écrasa sur le sol avec un bruit mou, un hurlement et un cliquetis de chaînes. Un des acolytes de Vincent Paul le releva et l'envoya valdinguer contre le flanc du camion.

Plusieurs hommes furent encore balancés hors du camion sans ménagement et s'empilèrent par terre les uns sur les autres. Max en compta huit. Tous furent poussés *manu militari* vers l'espace qu'éclairaient les phares.

Max en profita pour se rapprocher encore un peu. Un groupe d'une bonne douzaine d'individus en civil assistait à la scène.

Veillant à rester dans l'ombre, Max se déporta sur sa gauche. De là, il avait une vue dégagée sur les prisonniers, maintenant rangés à l'alignement. Ils portaient l'uniforme des forces des Nations unies et avaient l'air d'être indiens.

Les mains dans le dos, Paul les passa en revue, les toisant longuement un à un, l'œil mauvais. On aurait dit un père en pétard après sa couvée de rejetons turbulents : à côté de lui, les hommes paraissaient tout petits et mûrs pour une bonne engueulade.

« Y en a-t-il un parmi vous qui parle et qui comprend l'anglais ? s'enquit Paul.

— Oui ! s'écrièrent les prisonniers d'une seule voix.

— Qui est votre officier supérieur ? »

Un homme sortit du rang et se mit au garde-à-vous. Il tenta de regarder Paul dans les yeux, mais il devait tellement renverser la tête en arrière qu'on aurait dit qu'il cherchait une étoile dans le ciel.

« Votre nom ?

— Capitaine Ramesh Saggar.

— Ces hommes sont sous vos ordres ?

— Oui.

— Savez-vous pourquoi on vous a amenés ici ?

— Non. Qui êtes-vous ? » demanda l'officier avec un fort accent.

Paul jeta un regard en direction du groupe de civils et reporta les yeux sur le capitaine.

« Savez-vous pourquoi vous êtes dans ce pays ?

— Pardon ?

— Quel est le but de votre présence ici, en Haïti ? Qu'est-ce que vous *faites* ici ? Vous, vos hommes, le contingent bangladeshi de la force d'intervention des Nations unies ?

— J-j-je ne comprends pas.

— Vous ne comprenez pas *quoi* ? La question ? Ou ce que vous *faites* ici ?

— Pourquoi vous me demandez ça ?

— Parce que c'est moi qui pose les questions et que vous, vous y répondez. Ce sont des questions très simples, capitaine. Je ne vous demande pas exactement de me livrer des secrets militaires. »

Paul, très bizness bizness, parlait d'un ton ferme mais égal, dénué de toute émotion. S'il était bien en train d'utiliser le genre de technique d'interrogatoire que Max croyait, son calme et son attitude raisonnable étaient le prélude d'une explosion de colère. Joe avait été champion à ce petit jeu-là, usant de son physique impressionnant pour intimider et terroriser les suspects, et les déstabiliser complètement en se montrant soudain calme, rationnel et direct — « Écoute, dis-moi juste ce que je veux savoir et je verrai quel arrangement je peux négocier pour toi avec le procureur » — et là, si ça ne marchait pas ou que le suspect était vraiment un sale enfoiré, ou encore que Joe était dans un mauvais jour, VLAN ! il l'envoyait s'écraser la gueule par terre d'un revers de main.

« Répondez à ma question. S'il vous plaît.

— Nous sommes là pour maintenir la paix. »

Max entendit la voix du capitaine trembler légèrement.

« Pour "maintenir la paix"... répéta Paul. Et c'est ce que vous faites ?

— À quoi ça rime, tout ça ?

— Répondez à ma *question* ! Faites-vous votre *boulot* ? Est-ce que vous *"maintenez la paix"* ?

— Oui, je... je pense qu'on peut le dire.

— Pourquoi ?

— Il n'y a plus de guerre civile. Les gens ne se battent pas.

— C'est exact. Pour le moment. » Paul regarda les sept autres soldats, figés en position de repos. « Diriez-vous, capitaine, que votre boulot — ce fameux *"maintien de la paix"* que vous êtes persuadé de si bien faire —, diriez-vous qu'il consiste en partie à protéger les Haïtiens ?

— Pro-protéger ?

— Oui, protéger. Vous savez, empêcher qu'il leur arrive malheur, leur porter secours… Vous voyez ce que je veux dire ? »

Il y avait soudain une goutte de venin dans la voix de Paul.

« Oui.

— Eh bien ? Faites-vous votre boulot, ici ?

— J-j-j… je le pense.

— Vous le pensez… *Vous* le pensez ? »

Le capitaine hocha la tête. Paul le fusilla du regard. Le capitaine détourna les yeux. Sa belle assurance se fissurait.

« En ce cas, dites-moi, capitaine… Pensez-vous que "protéger les Haïtiens" consiste à violer des femmes ou *pas* ? — ou plutôt, non, laissez-moi être plus *précis*… Pensez-vous, capitaine Saggar, que "protéger les Haïtiens" consiste à violer et tabasser des *petites filles* ? »

Saggar resta muet. Ses lèvres tremblaient si fort que tout son visage en tressaillait.

« Alors ? » fit Paul en se penchant sur lui.

Pas de réponse.

« JE VOUS AI POSÉ UNE QUESTION, BORDEL ! RÉPONDEZ ! » rugit Paul. Tous les présents, ses hommes y compris, sursautèrent. Max sentit sa voix lui vibrer dans le ventre, comme les basses saturées d'un baffle.

« Je — je — je…

— Je-je-je… le singea Paul d'une voix de fausset. Vous avez mal quelque part, capitaine ? *Non* ? Alors, répondez.

— N-N-N… Non, ça non, mais — mais — mais… »

Paul leva la main pour le faire taire et Saggar rentra la tête dans les épaules.

« Ah ! *maintenant*, vous voyez à quoi ça rime, tout ça...

— Désolé ! bredouilla le capitaine.

— Quoi ?

— Nous avons dit que nous étions désolés. Nous avons écrit une *lettre*.

— Quoi, *ça* ? » Paul sortit une feuille de sa poche et se mit à lire à haute voix. « *"Cher Monsieur Le Fen"* — ça, c'est l'homme qui est là-bas, à côté de la Jeep, en chemise rouge, voyez ? — *"Je vous écris pour vous présenter mes excuses au nom de mon unité et de la Force d'Interposition des Nations Unies pour le regrettable incident auquel ont été mêlés votre fille et quelques-uns des hommes placés sous mon commandement. Nous allons faire tout notre possible pour éviter que ce genre d'impair se reproduise à l'avenir. Veuillez agréer, Monsieur, l'expression de mes salutations distinguées. Capitaine Ramesh Saggar."* »

Paul replia la lettre et la remit dans sa poche.

« Savez-vous que quatre-vingt-dix pour cent des Haïtiens ne savent pas lire ? Le *savez-vous*, capitaine ?

— N-n-non.

— Non ? Savez-vous que l'anglais n'est pas la langue nationale de ce pays ?

— Oui.

— En fait, c'est notre *troisième* langue, je vous l'accorde. Mais reste que quatre-vingt-dix-neuf Haïtiens sur cent *ne parlent pas un mot d'anglais*. Et M. Le Fen en fait partie. Alors à quoi une LETTRE EN ANGLAIS peut-elle l'avancer ? HEIN ? Et, plus précisément, à quoi une LETTRE AUSSI MERDIQUE peut-elle bien avancer Vérité Le Fen ? Vous savez de qui je parle ? »

Saggar ne répondit pas.

Paul tendit un bras en direction du groupe de civils et cria quelque chose. Une jeune fille se dirigea vers lui en boitant très bas. Elle s'arrêta face à Saggar. Elle était de la même taille que lui, malgré son déhanchement et son dos voûté. D'où il était, Max ne voyait pas son visage, mais, à en juger par l'expression du capitaine, elle devait vraiment avoir triste mine.

Max jeta un coup d'œil aux autres soldats. L'un d'eux — un chauve maigrichon à grosses moustaches — tremblait de tout son corps.

« Est-ce que vous la reconnaissez, capitaine ?

— Je suis *vraiment* désolé, dit Saggar à la jeune fille. Ce que nous vous avons fait était mal.

— Comme je viens de vous l'expliquer, capitaine, elle est *incapable de comprendre* ce que vous dites.

— T-T-Traduisez-le-lui, s-s-s'il vous plaît. »

Paul le fit. Elle lui dit quelque chose à l'oreille. Paul regarda Saggar.

« Qu'est-ce qu'elle a dit ?

— *"Get maman ou"* — mot à mot, en créole, "le clitoris de ta mère" — autrement dit, "va te faire foutre"…

— Qu'est-ce — qu'est-ce que vous avez l'intention de faire de nous ? »

Paul remit la main à sa poche mais, cette fois, tendit à Saggar ce qu'il en tira. Ce dernier y jeta les yeux avec une mine qui passa de la surprise à l'incrédulité, puis à la sidération. C'était une photo.

« Où — où est-ce que vous avez trouvé ça ?

— Dans votre bureau.

— Mais — mais…

— Elles sont vraiment ravissantes, vos filles. Comment s'appellent-elles ? »

Saggar reporta les yeux sur la photo et se mit à sangloter.

« Leurs *noms*, capitaine ?

— Si… — si vous… — si vous touchez à un seul de nos cheveux, vous risquez de vous attirer de très gros ennuis. »

Du doigt, Paul fit signe au dernier soldat de sortir du rang. L'ayant placé face à Saggar, il recula de quelques pas, sortit son pistolet et lui tira une balle dans la tempe. Le soldat s'effondra comme une poupée de chiffon. De gros bouillons de sang lui jaillirent du crâne. Saggar se mit à hurler.

Paul replaça son arme dans son holster, approcha du cadavre et, d'un coup de pied, l'envoya rouler à l'écart.

« *Les noms de vos filles*, capitaine ?

— M-M-M-Meena et Ssss-Su-Su-Sunita.

— Meena ? » Paul pointa l'index sur la photo. « C'est l'aînée ? Celle qui a le bandeau dans les cheveux ? »

Saggar fit oui de la tête.

« Quel âge a-t-elle ?

— Tr-tr-treize ans.

— Vous l'aimez ?

— Oui.

— Qu'est-ce que vous me feriez si je la violais ? »

Sans répondre, Saggar piqua du nez vers le sol.

« Ne regardez pas vos *pieds*, capitaine ! Regardez votre *fille* ! Bien… Et maintenant, imaginez que j'aie violé votre fille. C'est dans vos cordes ? » Paul fixa l'officier. « Représentez-vous la scène : moi et mes potes, on passe dans une rue en voiture. On est huit. On aperçoit Meena qui se promène toute seule. On s'arrête et on engage la conversation. On lui propose de venir faire un tour avec nous. Elle refuse, mais on l'embarque quand même. Là, dans la rue, en plein jour, sous les yeux de dizaines de témoins qui pourraient nous identifier, mais pas un ne lève le petit doigt parce qu'on est en uniforme et qu'on est armés.

« Ah ! J'oubliais de mentionner un détail : à nos moments perdus, nous faisons partie des forces des Nations unies chargées de *“maintenir la paix”*. Nous sommes ici pour vous *“protéger”*. Malheureusement, les gens que nous sommes chargés de protéger ont une *peur bleue* de nous. Et vous savez pourquoi ? Parce qu'on passe notre temps à enlever des filles comme Meena en pleine rue. »

Saggar avait repiqué du nez, la tête pendante, les épaules voûtées, sa prestance militaire en train de s'émietter : plein de peur et de remords, mais pas encore résigné à son sort. Il ne pouvait pas croire que Paul allait les tuer, lui et ses hommes. Il ne l'avait pas encore compris. Max, lui, en était sûr : il avait, lui-même, gratifié le chef de gang qui avait kidnappé Manuela du même genre de discours. Il avait pris la petite sœur du gars comme exemple pour essayer de lui faire prendre conscience de son crime, de le personnaliser, de lui faire sentir la douleur, les dégâts qu'il avait causés. Mais ça n'avait pas marché comme il l'escomptait : le voyou lui avait dit qu'un jour où il était défoncé au crack et à la PCP, il avait sodomisé sa petite sœur. Et que, cinq mois plus tard, il avait commencé à la prostituer aux pédophiles du quartier. Et là, Max lui avait collé une balle dans la tête. Sans regrets ni remords.

« Bref, on emmène votre fille dans un coin isolé. Elle est courageuse, votre fille — Meena —, elle a du cran. C'est pas le genre à se laisser faire sans résister. Elle mord un de mes potes au doigt, si fort qu'elle le lui arrache presque. Du coup, il lui balance un coup de crosse en pleine figure, qui lui casse les dents. Sur ce, il l'empoigne par les oreilles et lui enfourne sa queue dans la bouche, pendant qu'un autre de mes potes la tient en respect en lui pointant son flingue sur la tête. Ensuite, c'est chacun son tour. Tout le monde se la tape, sauf moi et le chauffeur. Moi, parce que ça ne m'intéresse pas. Quand j'ai envie de tirer un coup, j'enfile deux capotes l'une sur l'autre et je vais voir une des Dominicaines qui font le trottoir, à côté de la caserne. Quant au chauffeur, il *refuse* de prendre part aux réjouissances.

« Au bout d'un moment, mes potes commencent à se lasser des gâteries buccales, alors ils violent la petite Meena. Deux fois. *Chacun.* On lui prend sa virginité — on la *déchire*, cette petite garce, on lui laboure tout l'intérieur. Littéralement. Elle pisse le sang. Ça se voit — difficile de faire autrement... —, alors qu'est-ce qu'on fait ? On arrête et on l'emmène chez un toubib ? *Pas du tout.* On la retourne à plat ventre et on l'encule. Deux fois. *Chacun.* Et après, vous savez ce qu'on fait ? On lui pisse dessus et on repart dans notre bagnole, nous chercher une autre fille.

« Meena est retrouvée deux jours plus tard. Presque morte. Vous avez idée du nombre de points de suture qu'il faut lui faire, juste pour lui recoudre le vagin ? Cent quatre-vingt-trois ! Et elle a treize ans… »

Saggar se mit à chialer.

« J-j-j-j-je… Je n'ai rien *fait*, bredouilla-t-il d'un ton lamentable.

— Vous étiez là et vous avez *laissé faire*. C'étaient *vos* hommes, ils étaient sous *vos* ordres. Un mot de vous et ils auraient arrêté. Vous devez assumer l'entière responsabilité de ce qui s'est passé.

— Écoutez — dénoncez-moi à mes supérieurs. Je signerai des aveux. Ils…

— … "vous appliqueront les sanctions disciplinaires prévues par le Code militaire des Nations unies" ? ÇA, PAS QUESTION, BORDEL ! hurla Paul. La famille Le Fen s'est adressée à vos supérieurs avant de venir me trouver. Vous le saviez ? Et qu'est-ce que vos supérieurs ont fait ? Ils vous ont demandé d'envoyer une *lettre d'excuses* à la famille. Alors qu'est-ce qu'ils vont vous faire, cette fois-ci ? *Vous condamner à laver ma voiture ?*

— Je vous en supplie, fit Saggar en tombant à genoux, ne me tuez pas !

— Si ç'avait été votre fille, vous crèveriez d'envie de me tuer, non ?

— Je vous en prie, fit le capitaine entre deux sanglots.

— Répondez à ma *question* !

— Je vous livrerais à la *justice*, brama Saggar.

— Vous savez que nous n'avons pas de justice, chez nous, en Haïti ? Aucune loi pour sanctionner *quoi que ce soit* ? Bill Clinton a déchiré notre Constitution de façon à pouvoir rémunérer grassement sa clique de bons copains juristes de l'Arkansas pour nous en rédiger une toute neuve. Alors, en attendant que Bill nous joue Moïse descendant du Sinaï, pourquoi ne pas vous administrer un peu de *justice bangladeshi* ? Dites-moi, capitaine… De quelle peine punit-on le viol, dans votre pays ? »

Saggar resta muet.

« Allons… Vous le savez ! »

Seul un sanglot bruyant lui répondit.

« Vous devez vous douter que je le sais. J'ai vérifié, fit Paul. Je veux juste vous l'entendre dire.

— La m-m-m-mooort.

— Pardon ?

— La peine de mort.

— Si je comprends bien, le viol est tenu pour un crime si monstrueux, chez vous, qu'il est passible de la peine de mort, mais vous pensez que, ici, c'est sans gravité ? C'est ça ?

— Vous avez dit qu'il n'y avait pas de justice, en Haïti.

— Seulement pour les Haïtiens. Parce que nous sommes *chez nous*, ici, voyez. Pas *chez vous*. Vous ne pouvez pas débarquer dans ce pays et nous traiter comme ça. Pas sans encourir de représailles. Et les *représailles*, c'est *moi*.

— Mes hommes voulaient juste s'amuser un peu. Ils n'avaient pas l'intention de faire du mal à cette fille.

— Essayez donc de le lui expliquer… Est-ce que vous savez que les porcs que vous êtes ne se sont pas contentés de la défigurer à vie ? Vous lui avez aussi bousillé la colonne vertébrale, si bien qu'elle ne remarchera jamais normalement. Elle ne pourra plus porter quoi que ce soit sur son dos de toute son existence. Or, les femmes *portent tout*, dans ce pays. Autant dire qu'une fois adulte ce sera comme si elle était morte. Vous avez foutu sa *vie* en l'air. Vous auriez mieux fait de la tuer tout de suite. »

Le visage de Saggar luisait de larmes.

Paul tendit le bras vers la droite. « Allez vous mettre là-bas. » Saggar fit quelques pas en titubant. « Stop ! Arrêtez-vous. » Un des hommes de Paul pointa le canon de son arme sur la tête du capitaine.

Paul se dirigea vers les Bangladeshi et en empoigna un par le bras. Il lui examina la main et, d'une secousse, le fit sortir du rang si brutalement que les pieds du type n'eurent pas le temps de suivre. Il s'affala, les jambes molles, mais Paul le crocha par le plastron de sa chemise et le remorqua jusqu'à l'endroit que venait de libérer Saggar. Il le remit sur ses pieds.

« C'est toi, Sanjay Veja ?

— Affirmatif ! » cria le soldat. Il était chauve et rasé de frais. Sa voix était dure comme l'acier.

« Elle t'a mordu le doigt et tu lui as défoncé le visage d'un coup de crosse. C'est toi qui l'as violée le premier. Qui l'as fait souffrir le plus. Tu as quelque chose à dire ?

— Non, fit Veja, impassible.

— Enlève ton froc.

— Q-q-*quoi* ?

— Ton froc, fit Paul, le doigt pointé, avant d'ânonner : En-lève-le ! »

Veja se tourna vers ses frères d'armes. Pas un ne le regardait. Il s'exécuta. Paul s'éloigna de quelques pas et se mit à farfouiller par terre, ramassant des cailloux, les soupesant et les rejetant jusqu'à ce qu'il ait trouvé exactement ce qu'il cherchait : deux grandes pierres plates bien lisses, autour desquelles ses énormes mains se refermaient tout juste.

« Ton calecif. Lui aussi, tu l'enlèves », lança Paul sans même se retourner.

Après un nouveau regard à ses compatriotes, Veja ôta son caleçon blanc, une jambe après l'autre, pas rassuré.

Paul revint vers lui, les mains dans le dos.

« Soulève ta bite. » Paul le regarda pour voir s'il obéissait bien. « Et maintenant, repos ! Jambes écartées ! »

Max vit Paul s'accroupir devant le soldat, dans la position du receveur attendant la balle, au base-ball. Le fixant droit dans les yeux, il prit une profonde inspiration puis, en un éclair, ramena les mains devant lui et claqua les deux pierres sur les bourses pendantes de Veja. Max entendit deux sons distincts — le « crac ! » des pierres qui s'entrechoquaient et, tout de suite après, un petit « plop ! » humide.

La bouche du soldat s'ouvrit toute grande, comme si les muscles de ses joues avaient fondu d'un coup. Ses yeux faillirent jaillir de leurs orbites et toutes les veines et artères de sa tête se congestionnèrent, formant un lacis de grosses varices gorgées de sang.

Veja poussa un premier cri d'une voix anormalement grave. Puis, comme la compréhension de ce qui venait de lui arriver rattrapait la douleur, son cri se brisa en une série de ululements terrifiants, qui montaient par vagues déchirantes du tréfonds de son être. Secoué jusqu'au plus profond de lui-même par ces hurlements, Max crut qu'il allait vomir. Quelques-uns des Bangladeshi étaient justement en train de le faire et deux d'entre eux avaient même tourné de l'œil. Les autres, dont le capitaine Saggar, gémissaient, chialaient et pissaient dans leurs pantalons.

Paul n'en avait pas terminé. S'emparant des bras de Veja, il les fit pivoter brutalement vers la gauche et força jusqu'à ce que ses coudes soient dans l'alignement de son cou. Tout le corps du soldat en tremblait de douleur et de tension. Max vit sa jambe droite décoller du sol et son pied nu ballotter dans le vide. Paul recommença la même manœuvre à droite, puis, lui rabaissant les bras, se mit à les agiter violemment d'avant en arrière, comme s'il secouait un vêtement mouillé.

Paul marqua une pause. Il respira plusieurs fois à fond, gonflant et vidant ses poumons comme un soufflet de forge, et brusquement, avec un grand « han ! », empoigna les testicules mutilés de Veja et les lui arracha d'un seul geste. Avec un bruit style couture qui lâche ou poignée de plumes arrachée de façon synchrone à plusieurs poulets à la fois.

Veja vacilla à reculons — deux pas… trois… un… — tandis que sa bouche se tordait en silence et que sa pomme d'Adam faisait des allers-retours frénétiques, sans voix à force de hurler, incapable d'exprimer l'intolérable douleur qui le ravageait. Il fit une embardée vers l'avant puis, de nouveau, tangua en arrière.

Max ne pouvait détacher les yeux de la plaie sanguinolente qu'il avait entre les jambes et des ruisselets pourpres qui lui dégoulinaient le long des cuisses.

Veja porta les mains à son entrejambe martyrisé et tâta la bouillie de chairs, au-dessous de son sexe.

Paul balança son trophée et les deux pierres maculées de sang dans un coin.

Veja leva ses doigts ensanglantés devant ses yeux, les examina étroitement puis, à la seconde où son visage se plissait, prélude à un accès de larmes, il bascula en arrière et se fracassa le crâne par terre.

Raide mort.

Paul dégaina son pistolet et lui tira une balle dans la tête. Cela fait, il alla extraire un autre soldat qui hurlait, suppliait et chialait d'entre ses camarades hébétés. Paul le gifla d'un revers de ses gros battoirs rouges.

« Toi, tu restes ici et tu regardes tes potes. Exactement comme tu l'as fait le jour où ils ont violé cette petite fille ! » lui lança-t-il en le tournant face à eux. Il gueula un ordre et les deux gardes qui surveillaient Saggar le poussèrent vers ses hommes.

« Espèce de brute immonde ! *Monstre !* hurla Saggar à Paul. Vous serez *châtié* pour ce que vous venez de faire ! »

Paul alla se poster dans un angle du carré éclairé et poussa un sifflement. Les cailloux se mirent à pleuvoir.

L'honneur de la première volée revint à la famille de la fillette, qui avait pris position face aux violeurs. Certains les bombardèrent de gros cailloux, d'autres les canardaient au lance-pierres. Tous les projectiles faisaient mouche — ouvrant des têtes, fendant des fronts, crevant des yeux.

Les violeurs tentèrent de s'enfuir mais se heurtèrent aussitôt à une grêle de pierres surgies des ténèbres, lancées par des mains invisibles. Un des soldats s'écroula, assommé, un autre se recroquevilla par terre en position fœtale, la tête entre les genoux.

Crânes, visages, rotules, torses, rien n'échappait aux projectiles. Max vit un homme, qu'un caillou tiré au lance-pierres venait d'atteindre à la joue, pivoter sur lui-même dans la trajectoire d'une pierre qui arrivait en tournoyant : elle le cueillit en pleine tempe. Le type mourut sur le coup, le cerveau perforé par des esquilles d'os.

Saggar se traînait à quatre pattes, tâtonnant autour de lui, le front entaillé, le visage inondé de sang, un de ses yeux fermé par une masse de chair boursouflée.

Il ne restait plus un violeur debout quand les Le Fen, conduits par Vérité que soutenait son père, marchèrent sur eux, armés de bâtons et de machettes. Les autres caillasseurs sortirent de l'ombre et, ensemble, ils formèrent un cercle autour des hommes tombés.

Un instant plus tard, un bruit nourri de coups de bâton, de pied, de couteau et de machette s'éleva du centre du cercle. Des cris de douleur parvenaient à Max, mais ce n'était rien à côté des hurlements stridents de Veja, dont les échos résonnaient encore dans sa tête.

Les lyncheurs s'acharnèrent sur les Bangladeshi, laissant libre cours à leur haine, se gorgeant du plus de violence aveugle possible avant que leurs muscles demandent grâce et que la fatigue ait raison d'eux.

Lorsqu'ils s'éloignèrent en titubant, il ne restait des soldats qu'une masse de pulpe vermillon — une mare, luisante et visqueuse, vengeresse.

Un des hommes de Paul approcha et colla une balle symbolique dans les rares crânes encore intacts.

Paul se tourna vers le chauffeur.

« En ce qui te concerne, je veux que tu retournes à ton cantonnement, à Port-au-Prince, et que tu racontes à tout le monde ce qui s'est passé ici. Commence par tes potes et tes collègues, puis va voir ton commandant. Dis-lui que le responsable, c'est moi. Vincent Paul. T'as compris ? »

L'homme hocha la tête. Ses dents claquaient.

« Et quand tu leur raconteras ce qui est arrivé, dis-leur bien ça de ma part : si l'un d'entre vous s'avise encore de violer ou de faire le moindre mal à nos femmes et à nos enfants, nous vous tuerons — comme *eux,* fit-il en pointant le doigt sur l'amas de corps dépecés. Et si vous cherchez à vous venger en arrêtant nos frères, tout notre peuple se soulèvera et vous massacrera jusqu'au dernier. Ce n'est pas une menace, c'est une *promesse.* Et maintenant, fous le camp ! »

Le chauffeur se mit à s'éloigner, très lentement, la tête basse, le dos rond, la démarche hésitante, comme si c'étaient les premiers pas qu'il faisait depuis fort longtemps et qu'il s'attendait à ce que ses jambes se dérobent sous lui. Il mit ainsi plusieurs mètres entre lui et la scène du massacre, puis il prit ses jambes à son cou et disparut dans la nuit, comme un homme en feu qui a aperçu de l'eau.

Paul rejoignit la famille Le Fen.

Max était incapable de faire un geste. Il était abasourdi, choqué, dégoûté et son cerveau était paralysé par des sentiments contradictoires. Il avait les violeurs en haine et n'avait, en théorie, rien contre ce que Paul venait de commettre — jusqu'à ce que ça se produise sous ses yeux…

Bien sûr, ce que les soldats avaient commis était ignoble, et la « punition » officielle dont ils avaient écopé de la part de leurs supérieurs était une plaisanterie, une insulte à la victime, mais l'acte de Paul n'avait pas réparé l'injustice. La gamine n'avait pas retrouvé son innocence et sa vie était toujours fichue. Elle n'avait que la satisfaction de savoir que ses violeurs avaient été châtiés, et qu'ils avaient souffert avant de crever. Mais à quoi ça l'avancerait dans un an ou deux ? À quoi ça l'avançait, là, maintenant ?

Évidemment, le sort que Paul avait réservé aux violeurs aurait un effet dissuasif — *en Haïti* —, mais dès que les soldats de l'ONU partiraient d'ici, ils recommenceraient dans le nouveau pays où ils seraient envoyés « maintenir la paix ».

Il aurait été de loin plus utile et plus efficace que Paul ameute la presse, fasse tout un foin à propos du viol et force les Nations unies à juger ses militaires et à faire un exemple, pour qu'il soit bien clair qu'un tel comportement était inacceptable.

D'accord, se dit Max, mais si ç'avait été Sandra la victime ? Qu'est-ce qu'il aurait fait à la place de Paul ? Il aurait livré les coupables à la police et aurait attendu des mois et des mois qu'un juge leur colle quinze ans, ou peut-être la perpétuité, si les preuves et les témoignages tenaient debout ? *Bien sûr que non*. Lui aussi, il leur aurait arraché les couilles de ses propres mains, à ces salauds.

Qu'est-ce qu'il pensait, *exactement* ?

Paul avait eu raison. Qu'est-ce que ça pouvait lui foutre, ce que les casques bleus faisaient ailleurs ? Ici, c'était *son* pays et ces gens étaient *ses* compatriotes. Il ne voyait pas plus loin.

Oh ! et puis merde. Ras le bol !

Sans bruit, Max regagna sa voiture et décampa.

29

Ce qui tenait lieu de « vie nocturne » à Pétionville battait son plein lorsque Max s'engagea dans la rue principale qui menait à la place du marché. Quelques bars et restaurants avaient ouvert leurs portes en grand, côté rue, et éclairé leurs enseignes peintes à la main pour montrer qu'ils attendaient les noctambules. Apparemment, ils n'étaient pas légion.

Max avait grand besoin d'un verre et d'un peu de compagnie pour se remonter. Et d'un bain de lumière et de normalité pour chasser les répliques de faible magnitude qu'il sentait encore lui tordre périodiquement les tripes et lui parcourir les veines. Ça faisait des années qu'il n'avait pas vu quelqu'un mourir — depuis qu'il avait descendu ces gosses... Eux aussi avaient mérité leur sort, mais ça n'en rendait pas pour autant la chose plus facile à digérer ou à oublier. Un peu de mort restait à jamais en vous. Il était content que ça ne soit plus aussi dur à gérer aujourd'hui que ça ne l'avait été à l'époque où il avait plus de raisons de vivre et quelqu'un à chérir. Il avait vu quelques condamnés passer à la chaise électrique, vu leur tête prendre feu sous la cagoule et leur peau fondre et couler de leurs os comme de la cire chaude. Il avait aussi vu des flics abattre des criminels et des truands descendre des flics. Et puis, il y avait tous ceux qu'il avait tués, lui — dans l'exercice de ses fonctions, et en dehors aussi, parfois... Combien exactement, il n'en savait rien — il n'avait jamais eu la curiosité de compter —, mais leur visage et leurs expressions à tous étaient gravés dans sa mémoire : ceux qui l'avaient supplié de les épargner, ceux qui lui avaient dit d'aller se faire mettre, ceux qui avaient fait leurs prières, celui qui lui avait pardonné, celui qui lui avait demandé de lui tenir la main, et celui qui avait poussé son dernier soupir juste sous son nez — un mélange de poudre brûlée et de chewing-gum. Eldon Burns, son patron, avait tenu la comptabilité de tous les types qu'il avait dessoudés, mais Eldon avait un petit côté morbide et adorait les chiffres. Son arme de service trônait sur son bureau dans une petite vitrine. La crosse portait des encoches : une par victime. Du temps de Max, il y en avait eu seize.

En passant devant La Coupole, il aperçut Huxley sur le seuil, en train de bavarder avec trois gamins des rues. Il se gara et se dirigea vers le bar.

« Max ! Quel plaisir ! » fit Huxley d'un ton cordial en lui pompant énergiquement le bras. Les gamins s'étaient écartés, effarouchés, le plus petit des trois caché derrière le plus âgé.

Huxley leur dit quelque chose et le plus grand lui répondit. La main et les yeux braqués sur Max, il parlait vite et avec agitation, d'une voix rauque et entrecoupée qui faisait penser à un vol de moineaux se posant en pépiant sur un toit de tôle.

« Qu'est-ce qu'il dit ? s'enquit Max, devinant qu'il faisait partie de la bande qui avait essayé de l'agresser.

— Qu'il est désolé, pour l'autre nuit », fit Huxley avec une mimique d'incompréhension. Max regarda le gamin. Il avait une toute petite tête, presque pas de cheveux et de minuscules yeux qui luisaient comme des boutons d'onyx. Il paraissait plus effrayé que repentant. « Qu'il ne savait pas qui tu étais.

— Et qui je suis, selon lui ? »

Huxley traduisit. Dans la rafale de mots qui s'ensuivit, Max reconnut le nom de Vincent Paul.

« Il dit que tu es l'ami de Paul.

— Son *ami* ? Pas du... »

Une nouvelle rafale de mots l'interrompit.

« Il dit que Paul leur a demandé de te surveiller, traduisit Huxley, l'air impressionné. Tu le connais ? »

Max ne répondit pas.

« Demande au gosse quand il l'a vu pour la dernière fois.

— Hier, relaya Huxley. Tu entres bavarder un moment autour d'un verre ? »

En se marrant, Huxley écouta Max lui raconter ce qui lui était arrivé après qu'ils s'étaient quittés.

« Tout ce que tu avais à faire, c'était de traiter le gamin avec un peu de respect, et de lui dire non avec fermeté. Il t'aurait laissé tranquille. Ils n'insistent pas, expliqua Huxley. Offenser quelqu'un qui n'a rien à perdre n'est guère prudent, mais offenser cette personne dans son propre pays, dans sa propre rue, c'est de la connerie pure et simple, Max. T'as eu du bol que Vincent Paul débarque à ce moment-là. »

Le bar était pratiquement vide et, ce soir, il n'y avait pas de musique. Dans la cour, en revanche, il y avait des Américains. Des gars du Middle West à en juger par leur accent — le style cowboys, la paille entre les dents, en goguette un samedi soir. Max entendit le bruit sec de percuteurs qui retombaient à vide, puis le claquement de chargeurs qu'on remettait en place.

Max en était à son troisième Barbancourt sec. Et le barman ne lésinait pas... Cette fois encore, le rhum commençait à nouer ses sortilèges — et lui à se dénouer.

« Alors ? C'était comment, à Shitty City ? T'y es allé aujourd'hui, non ? » demanda Huxley en allumant une cigarette.

Max lui jeta un regard soupçonneux.

« Allons, Max ! Tu pues le pet de moufette à quinze pas ! se marra Huxley. Tu sais comment tout le monde devine qu'il y a de l'émeute dans l'air, ici ? Au fait que, d'un seul coup, l'air se met à sentir exactement comme toi — l'odeur de Shitty City... Quand les habitants de Cité Soleil sortent de leurs trous et marchent sur Port-au-Prince, les nuages se pincent le nez, le vent vire de cap lof pour lof et les oiseaux tombent du ciel. Je la *connais*, cette odeur, Mingus. Tu me la feras pas, à moi. Je suis haïtien. »

Max se rendit compte qu'il avait toujours aux pieds ses Paraboots d'occasion, encroûtées jusqu'aux chevilles de la fange de Cité Soleil.

« Désolé pour l'odeur...

— C'est pas grave. Alors, t'as trouvé quelque chose, là-bas ?

— Pas grand-chose. » Pas question de raconter à Huxley ce à quoi il avait assisté. « Juste une espèce d'antenne humanitaire — les bonnes œuvres de Vincent Paul...

— Ah ! les tentes vertes ? Ouais, il leur doit une partie de sa popularité. C'est pour ça qu'il est tant aimé, dans le bidonville. Il s'occupe des gens. Selon la rumeur, dans cette ville mythique qu'il est censé avoir construite, il y aurait des hôpitaux et des écoles pour les pauvres. Tout cela financé par les bénéfices qu'il tire de son trafic de drogue. Ce type est une espèce de Castro de la cocaïne. »

Max se mit à rire.

« Tu sais où elle se trouve, cette ville ?

— Non. C'est comme l'Eldorado. Personne ne sait ni où elle est ni comment y aller, mais *tout le monde* est prêt à jurer qu'elle existe. Tu sais comment sont les choses, ici... Alors, t'en es où de tes investigations ?

— Aux premiers balbutiements... » répliqua Max en vidant son verre d'un trait.

Les Américains — une trentaine de marines — réintégrèrent le bar et mirent le cap vers le trottoir en claquant du talon. Tous le fusil à la main, le visage tartiné de noir et en tenue de combat de la tête aux pieds.

« Qu'est-ce qui se passe ? Ils préparent un raid ? demanda Max.

— Pas du tout. » Huxley sourit et secoua la tête en regardant les marines défiler vers la porte. « Tu sais comment s'est déroulée cette fameuse "invasion" ? Sans tirer une balle. Sans rencontrer la moindre résistance. Du coup, beaucoup de soldats sont frustrés de ne pas avoir pu en découdre, alors, tous les quinze jours, ils viennent en ville et s'offrent des parties de wargames grandeur nature contre les troupes des Nations unies. Les casques bleus se retranchent dans la vieille caserne de Carrefour[1] et les marines doivent essayer de la prendre d'assaut.

— Ça a l'air vachement excitant… fit Max, sarcastique.

— Sauf qu'il y a un piège.

— Ah ouais ?

— Ils tirent à balles réelles.

— *Tu te fous de ma gueule ?*

— C'est la vérité vraie.

— *J'y crois pas !*

— Sur la tête de ma mère.

— Elle est vivante ?

— Je veux ! Et en bonne santé ! s'esclaffa Huxley.

— Y a pas de morts ?

— Pas autant qu'on pourrait s'y attendre. Il y a eu une paire de tués de chaque côté, mais le haut commandement a étouffé l'affaire — ils ont mis ça sur le compte d'une attaque ennemie ou d'un affrontement entre casques bleus de différents contingents.

— J'ai vraiment du mal à le croire, gloussa Max.

— J'étais pareil jusqu'à ce que je le voie de mes propres yeux, dit Huxley en se levant.

— Où tu vas ?

— J'ai un caméscope dans ma voiture. J'attends qu'un de ces zigues se choppe une balle et je vendrai les images à CNN.

1. Quartier populaire de Port-au-Prince.

— Je croyais que t'étais ici pour défendre une noble cause ? fit Max en riant.

— C'est la vérité. Mais il faut bien manger, rigola Huxley. Ça te dit de m'accompagner ?

— Pas ce soir. J'ai eu une journée chargée. Une autre fois, peut-être. Te fais pas descendre.

— Toi non plus. Allez, bye. »

Une poignée de main et Huxley fila sur les traces des marines. Max se commanda un autre rhum. Le mégot d'Huxley finissait de se consumer dans le cendrier. Peu importait que ce que le journaliste venait de lui raconter soit vrai ou faux, se dit-il en regardant les volutes de fumée monter vers le plafond. C'était une super-histoire et elle le faisait marrer. Et à cet instant, c'était tout ce qui comptait.

30

Le lendemain matin, Max appela Carver et lui dit qu'il aimerait interroger tous les domestiques qui étaient au service de la famille à l'époque de la disparition de Charlie.

Allain lui demanda vingt-quatre heures pour tout organiser.

La petite pièce du premier étage mise à la disposition de Max pour ses interviews donnait sur la pelouse et l'épais rideau d'arbres qui l'entourait. Elle ne contenait pour tous meubles que la table et les deux chaises où Chantale et lui étaient assis. Max ne tarda pas à comprendre que cet agencement était délibéré et visait à rappeler le code social en vigueur chez les Carver : ici, les domestiques restaient debout en présence des maîtres. Max mit un point d'honneur à offrir son siège à ceux qu'il interrogeait mais tous, jeunes ou vieux, déclinèrent poliment son offre et le remercièrent de cette attention en lorgnant d'un œil craintif le seul tableau présent dans la pièce : un portrait récent de Gustav Carver en costume beige et cravate noire, qui semblait fixer sa domesticité d'un regard menaçant par-dessus la tête des deux interviewers. À côté du patriarche, une laisse de cuir noir au cou, trônait un bulldog du même beige que le costume de Gustav et dont le mufle et l'expression rappelaient étrangement le masque de gargouille de son maître.

La domesticité des Carver se répartissait *grosso modo* en cinq catégories : cuisine, ménage, entretien/mécanique, jardinage et sécurité. Le gros du personnel était attaché au service de Gustav, Allain et Francesca ayant leurs propres employés.

Tous les interrogatoires furent conduits de la même façon. Max commença par les domestiques de Gustav. Il leur demanda leur nom, quelles étaient leurs attributions, avec qui ils travaillaient, depuis quand ils étaient chez les Carver, où ils se trouvaient le jour du kidnapping et s'ils avaient remarqué ou entendu quelque chose d'inhabituel au cours des semaines qui l'avaient précédé. En dehors de leur identité, de leur fonction et de leurs horaires, tous lui firent des réponses pratiquement identiques : le 4 septembre 1994, ils avaient travaillé à l'intérieur ou autour de la maison, en compagnie ou à portée de vue de plusieurs autres personnes.

De ses questions concernant Eddie Faustin, il ressortit que le garde du corps était pour eux ni plus ni moins qu'un inconnu. Tous se souvenaient relativement bien de lui, mais personne n'avait grand-chose à en dire. Ils ne l'avaient connu que de vue. Gustav Carver interdisait à ses gens de maison tout contact personnel avec son équipe de sécurité, et vice versa. Même s'ils avaient voulu se lier avec Faustin, la chose aurait été quasi impossible, étant donné qu'il passait le plus clair de son temps à l'extérieur de la maison. Et ils ne le voyaient pas davantage en dehors de ses heures de service car, contrairement à eux, il ne logeait pas dans les communs, mais dans la maison même, dans une des pièces en sous-sol réservées aux membres importants du personnel.

Tous, hommes et femmes, avaient une attitude tellement interchangeable — sourire, amabilité, déférence — que, le temps que le suivant entre, Max avait déjà du mal à se souvenir de celui qui venait de sortir.

Chantale et lui firent une pause à l'heure du déjeuner — qui leur fut monté sur un plateau : poisson grillé, si frais qu'il avait encore un goût de mer, et salade mixte aux tomates, haricots et poivrons rouges et verts.

La dernière bouchée avalée, Chantale agita la clochette qu'on leur avait montée avec le plateau et une servante entra pour débarrasser la table.

« Ah ! c'est vrai, l'Arche de Noé… fit Max, dont l'œil était tombé sur ce nom en cherchant une page vierge dans son bloc. Qu'est-ce que vous pouvez m'en dire, Chantale ?

— Demandez plutôt ça au prochain qui ouvrira la porte, fit-elle d'un ton sec. Ils en savent beaucoup plus long que moi là-dessus. Ils en sortent tous. »

Max s'empressa de mettre son conseil en pratique. Tous les interviewés suivants étaient au service d'Allain et de Francesca. Il ne tarda pas à apprendre d'eux que l'Arche de Noé, fondée et gérée par les Carver, était un orphelinat, doublé d'une école. La famille y recrutait non seulement ses gens de maison, mais aussi pratiquement tous ceux qui travaillaient pour elle.

À la différence des employés de Gustav, ceux qu'ils interviewaient à présent avaient des personnalités marquées.

Et eux avaient des choses à dire sur Eddie Faustin. Par exemple comment ils l'avaient vu fouiller dans ce que jetait Francesca et piquer dans les poubelles des trucs qu'il rapportait dans sa chambre. En la vidant, après sa disparition, ils y avaient trouvé une poupée vaudoue de sa fabrication, faite de cheveux et de rognures d'ongles, de mouchoirs en papier, de vieux tubes de rouge à lèvres et même de Tampax usagés de Francesca. Selon certains d'entre eux, le bruit courait à l'époque que le garde du corps avait l'habitude de lever des prostituées dominicaines à Pétionville, des filles à la peau très claire auxquelles il demandait, moyennant supplément, de mettre une perruque blonde pendant qu'il les sautait. Plusieurs déclarèrent avoir souvent vu Faustin entrer ou sortir du Nwoi et Rouge, un bar tenu par des copains à lui, tous ex-macoutes. Un ou deux marmonnèrent qu'ils avaient vu Faustin récupérer des couches sales de

Charlie dans les ordures. Le dernier qu'ils interviewèrent affirma avoir entendu Faustin parler d'une maison dont il était propriétaire, à Port-au-Prince.

L'après-midi s'achevait quand ils en terminèrent avec le dernier interrogatoire. Tandis qu'ils redescendaient en voiture à Pétionville, Max ouvrit les vitres en grand pour respirer un peu d'air frais. Chantale avait l'air épuisée.

« Merci de votre aide — une fois de plus... » lui dit-il, avant d'ajouter, gauchement : « Je ne sais pas ce que je ferais sans vous.

— Ça vous dit d'aller prendre un verre ? proposa-t-elle avec l'ombre d'un sourire.

— Volontiers. Qu'est-ce que vous suggérez ?

— Je suis sûre que vous avez déjà une idée derrière la tête, fit-elle avec un vrai sourire.

— Que diriez-vous de l'établissement préféré de feu Eddie Faustin ?

— Décidément, vous ne m'emmenez que dans des lieux *très* branchés ! » lança-t-elle en partant de son rire canaille.

31

Le Nwoi et Rouge devait son nom aux couleurs du drapeau national sous les Duvalier. Papa Doc avait abandonné le bleu au profit du noir afin de souligner le divorce complet du pays avec son passé colonial, de mieux refléter la composante majoritaire de la population et d'afficher son attachement indéfectible au *noirisme**, autrement dit à la suprématie de la race noire — attachement qui ne s'étendait apparemment pas à sa femme, Simone, une *mulâtresse** à la peau très blanche, ni aux États-Unis d'avant le *Civil Rights Act* [1], dont il acceptait sans états d'âme l'aide militaire et financière qui lui permettait de maintenir son régime au pouvoir. Pour bien des gens, le drapeau nouvelle manière en était venu à symboliser la période la plus sombre et la plus sanglante de l'histoire, pourtant passablement violente et troublée, de l'île.

C'était surtout le drapeau nazi que ces couleurs rappelaient à Max. Quant à l'écusson central — canons, mousquets et étendards entassés au pied d'un palmier couronné d'un bonnet de skieur —, il aurait pu être, selon lui, l'œuvre d'un surfer complètement stone et mordu d'histoire militaire du XVIIIe siècle. Qui est-ce qui pouvait prendre au sérieux un pays pareil ?

1. Voté en 1964 par le Congrès américain pour faire disparaître la discrimination raciale, le *Civil Rights Act* donne aux Noirs la plénitude de leurs droits civiques.

Le drapeau était fièrement exposé derrière le bar, entre les photos encadrées des Duvalier père et fils. Papa Doc, peau noire et cheveux blancs, portait des lunettes à grosse monture noire qui humanisaient un peu son visage pincé, dont les traits suggéraient une aptitude sans bornes à la cruauté. Son fils, Jean-Claude, était un gros lard aux traits mous, avec un teint de Levantin et des yeux de camé.

Le bar occupait l'unique pièce d'une maison isolée, située en bord de route entre le pied des montagnes et l'entrée de Pétionville. L'endroit facile à rater, mais qu'on trouvait sans problème, si on le cherchait.

Quand Max y entra avec Chantale, ce qui attira son attention ne fut ni la galerie de portraits ni le drapeau, mais le solide vieillard en train de balayer autour de la flaque de lumière que jetait une ampoule solitaire, qui brillait si fort au bout de son fil qu'on aurait dit une goutte d'acier en fusion en train de grossir avant d'aller s'écraser par terre et de forer un trou dans le ciment.

« Bond-joor, fit Max en inclinant la tête.

— Bon-*soir** », rectifia l'homme. Il était vêtu d'une chemisette blanche, d'un vieux jean délavé, soutenu par une paire de bretelles rouge vif, qui flottait sur lui et de sandales avachies. Ses balayures formaient un petit monticule brun, sur sa gauche.

Derrière le comptoir se trouvait un distributeur d'eau réfrigérée, à côté duquel s'alignait une longue rangée de bouteilles pleines d'un liquide transparent. Tout au bout, devant un ventilateur à pied, était posée une grande ardoise portant en majuscules maladroites le mot « TAFFIA » et, au-dessous, les tarifs maison imagés : le dessin d'un verre = une main aux doigts écartés, et le dessin d'une bouteille = deux mains aux doigts écartés.

Max explora la salle du regard, mais il n'y avait aucun tabouret de bar en vue. Des caisses de bois s'empilaient le long des murs. Il présuma que les clients s'en servaient de sièges et de tables. Ici, le confort du buveur était des plus rudimentaire, façon conquête de l'Ouest...

L'homme se tourna vers Chantale et lui lança quelques mots d'une voix rocailleuse. On aurait dit un train déraillé roulant au fond d'un ravin et perdant un peu de son chargement de billes de bois à chaque tonneau, à chaque rebond, à chaque choc. Au milieu de l'avalanche de mots, Max saisit deux fois le même : « Carver ».

« Il dit que si vous êtes, vous aussi, à la recherche du petit Carver, vous perdez votre temps avec lui, traduisit Chantale. Il ne peut que vous répéter ce qu'il a dit aux autres.

— Et qu'est-ce que c'est ? » demanda Max à l'homme en tâchant de le regarder dans les yeux — en vain car, placé comme il l'était, l'ombre que jetait l'ampoule en faisait deux trous noirs. L'homme répondit quelque chose en riant et agita la main en l'air.

« Ce n'est pas lui qui a Charlie. Alors, bye-bye ! traduisit Chantale.

— Très drôle ! » fit Max. Il commençait à suer à grosses gouttes. Il les sentait perler sur tout son crâne, les premières formées se liant à leurs voisines pour s'aventurer vers d'autres, s'y amalgamer et grossir, prêtes à dégouliner. Le bar puait le tabac froid, la sueur et surtout l'éther.

« Pourquoi ont-ils pensé que vous déteniez le gamin ? demanda Max.

— À cause de mon pote Eddie Faustin », expliqua l'homme en pointant la main vers la droite.

Max approcha d'un sous-verre, sur lequel la lumière de l'ampoule se reflétait. Il n'eut aucun mal à identifier Faustin. Il avait hérité du faciès de bourrique en colère qui était l'apanage de toute la famille : même grosse tête, même nez en patate, même menton en galoche, mêmes yeux globuleux, mêmes oreilles décollées, et même agressivité atavique, d'où ses naseaux dilatés et ses dents du haut largement découvertes. Faustin n'était pas du genre armoire à glace. Il était frêle, et sa tête paraissait trop grosse pour son corps. Max s'étonna *in petto* qu'il ait survécu à la balle destinée à Carver.

Sur la photo, il posait entre deux hommes — son frère, Salazar, et le patron du Nwoi et Rouge, le revolver au poing et un pied posé sur un cadavre. Des points d'exclamation de sang s'étoilaient autour de la tête et du dos du mort, qui avait les mains et les pieds liés. Le trio souriait avec orgueil à l'objectif.

« C'était le bon temps... » fit le barman.

Max se retourna. Le vieux lui souriait de toutes ses dents — enfin les rares chicots de traviole qui se battaient en duel dans sa bouche...

« Qui a pris cette photo ?

— Je me rappelle plus », dit l'homme qui lorgnait Chantale sans vergogne de haut en bas, ses yeux épousant les courbes de son corps tandis que ses mains se crispaient sur le manche de son balai.

Soudain, avec un *fff-ffut* étouffé, quelque chose heurta l'ampoule et tomba par terre, suivi d'un léger sillage de fumée. Un papillon de nuit aux ailes grillées. Il resta sur le dos, ses pattes pédalant désespérément dans l'air, avant de s'immobiliser.

Avec un gloussement satisfait, l'homme l'envoya grossir son tas de poussière d'un coup de balai. En y regardant mieux, Max s'aperçut que c'était un monceau de papillons morts. Le balai était primitif, visiblement fait main — un bout de bois, à l'extrémité duquel était ficelée une grosse botte de joncs séchés.

« Comment vous appelez-vous ?

— Bedouin, répondit l'homme en se redressant.

— Bedouin... *Désyr* ? demanda Chantale d'une voix qui était presque un murmure.

— *Oui. Lui-même**.

— *Dieu**... » souffla Chantale en faisant un pas en arrière.

— Qu'est-ce qu'il y a ? demanda Max, prêt à intervenir.

— Je vous expliquerai plus tard, fit-elle. Quand on sera sortis d'ici. »

Un autre papillon suicidaire se jeta sur l'ampoule. Il s'écrasa sur le crâne de Max, ricocha dessus et atterrit, gigotant et fumant, sur son épaule. Max le balança par terre d'une chiquenaude. Avec un «tsstt ! » de contrariété, Désyr s'avança en marmonnant et, d'un coup de balai expert, propulsa la bestiole à travers le ciment, tel un palet de hockey, en plein dans la pile de ses congénères morts.

« Tafia ? » lança-t-il à Max, faisant mine de vider un verre imaginaire.

Max hocha la tête et le suivit jusqu'au bar. Désyr sortit un gobelet en carton de sous son comptoir et le plaça sous le bec du distributeur d'eau. Le liquide gicla, libérant une grosse bulle d'air à l'intérieur de la bonbonne de plastique et une puissante odeur chimique, proche cousine de celle de l'essence ordinaire.

Désyr tendit le gobelet à Max. À peine s'en était-il emparé que ses yeux se mirent à larmoyer.

« Les gens *boivent* ce truc-là ? » demanda-t-il à Chantale.

Désyr gloussa.

« Oui. Ils s'en servent aussi pour nettoyer leur moteur, voire le faire tourner quand il y a pénurie de carburant. Ça marche presque aussi bien. C'est du rhum qui titre quatre-vingt-dix pour cent d'alcool. Méfiez-vous-en. Ça pourrait vous rendre aveugle. »

Max trempa à peine les lèvres dans le verre. Le tafia, si fort qu'il n'avait plus de goût, lui incendia la langue jusqu'au fond du gosier.

« Nom de Dieu ! » s'exclama-t-il, fortement tenté de recracher le tout.

Désyr éclata de rire et fit geste à Max de vider son verre d'un trait. Se doutant que c'était un test qui pouvait le poser aux yeux du patron et l'inciter à lui en dire un peu plus long sur Faustin et le kidnapping, Max jaugea son gobelet. Il ne contenait guère plus d'un doigt de tafia.

Il prit son souffle et avala le tafia cul sec. Il le sentit percuter le fond de sa bouche comme une bombe incendiaire et entreprendre de se brûler un passage en direction de ses entrailles.

Le coup de fouet de l'alcool fut quasi instantané : l'équivalent de l'impact de cinq bourbons bien tassés tombant en simultané dans un estomac vide le terrassa, et un mélange ivresse-euphorie lui monta à la tête. Sa vue se brouilla et tout se mit à tanguer, tandis que ses yeux s'efforçaient de ne voir que double. Il sentit les larmes lui dégouliner sur les joues et le sang lui monter à la tête. Ses tempes battaient. Son nez coulait. Le rush ! Comme de s'envoyer dans les naseaux un cocktail de sels, de cocaïne et de nitrite d'amyle. Sauf qu'il ne se sentait pas bien du tout. Il tenta de s'agripper au rebord du comptoir, mais ses paumes luisantes de sueur dérapèrent et ses mains retombèrent dans le vide. De sérieuses turbulences lui agitèrent l'estomac. Il respira à fond, mais même l'air sentait le tafia. *Qu'est-ce qui lui avait pris, bordel, de boire cette merde ?*

« *Bravo, blan !* s'écria Désyr en battant des mains.

— Ça va, Max ? » lui demanda Chantale à l'oreille en lui plaquant une main dans le dos pour le stabiliser.

Ça en a l'air, putain ? s'entendit-il penser, mais pas dire. Il prit une autre profonde inspiration, exhala très lentement, et recommença la manœuvre, une fois, deux fois. Le souffle qui sortait de ses lèvres était brûlant. Il poursuivit ses exercices respiratoires, sans quitter des yeux Désyr qui le regardait, hilare, attendant manifestement qu'il tombe raide.

La nausée s'estompa et sa tête cessa de tournoyer.

« Je suis O.K., dit-il à Chantale. Merci ! »

Désyr lui agita un autre gobelet sous le nez. Max fit non de la main. Désyr éclata de rire et débita une autre catastrophe ferroviaire à Chantale.

« Il dit que vous êtes le premier Blanc qu'il voit boire du tafia sans tourner de l'œil — et qu'il n'y a pas beaucoup d'Haïtiens, non plus, qui peuvent s'en vanter.

— Génial ! fit Max. Dites-lui que j'aimerais lui payer un verre.

— Il vous remercie, traduisit Chantale, mais pas du tafia. Il ne touche pas à ce truc-là. »

Max et Désyr éclatèrent de rire avec un bel ensemble.

« Eddie Faustin était client chez vous, non ?

— *Oui, bien sûr**, fit Désyr en sortant une bouteille de Barbancourt de sous son comptoir et en s'en versant dans un gobelet. Il buvait même plus sec que d'habitude, avant sa mort.

— Il vous a dit pourquoi ?

— Il arrivait au bout de son avenir et ça le rendait nerveux.

— Il savait qu'il allait mourir ?

— Non. Pas du tout. Il m'a dit que son *houngan* lui avait prédit des choses — de bonnes choses, du succès auprès des femmes », fit Désyr, qui se rinçait l'œil sur Chantale tout en sirotant son rhum. Il tira une blague à tabac de sa poche de pantalon et se roula une cigarette. « Il était fou amoureux de la blonde Mme Carver. Je lui ai dit qu'il était dingue, que c'était impossible — lui et *elle* ? » Désyr craqua une allumette sur le comptoir et alluma sa clope. « C'est là qu'il est allé voir Leballec.

— Son *hoone-gun*, c'est ça ?

— Ce Leballec ne pratique que la magie noire, lui expliqua Chantale. On dit que vous n'allez chez lui que si vous êtes prêt à vendre votre âme. Il ne vous prend pas d'argent, comme les autres sorciers qui font de la magie noire. Lui, il prend… — je ne sais pas… Personne ne le sait au juste, sauf ceux qui sont allés le consulter.

— Est-ce que Faustin vous a raconté ce qui s'est passé quand il est allé voir Leb… euh… — ce *hoone-gun* ? demanda Max à Désyr.

— Non. Mais il a changé. Avant ça, quand il venait, il rigolait et il parlait du bon vieux temps. Il jouait aux dominos et aux cartes avec nous, mais une fois qu'il est allé voir Leballec, ça a été fini. Il restait planté là, juste où vous êtes, et il picolait. Des fois, il descendait une bouteille entière.

— De cette merde-*là* ?

— Oui. Mais ça ne lui faisait rien du tout. »

Max commençait à se dire que le *hoone-gun* avait peut-être demandé à Faustin de kidnapper Charlie.

« Est-ce que vous l'avez entendu parler du gosse ? De Charlie ?

— Ça oui, fit Désyr en se marrant. Il disait que le gamin le détestait. Il prétendait qu'il était capable de lire dans ses pensées. Et il avait hâte d'en être débarrassé.

— Vous l'avez entendu dire *ça* ?

— Oui. Mais il n'a pas enlevé ce gamin.

— Qui l'a fait ?

— Personne ne l'a enlevé. Il est mort.

— Comment vous le savez ?

— J'ai entendu dire qu'il avait été tué par les gens qui avaient attaqué la voiture. Qu'ils l'avaient piétiné à mort.

— On n'a pas retrouvé son corps.

— *Cela se mange**, dit Désyr, qui éteignit sa cigarette en écrasant la braise entre le pouce et l'index.

— Qu'est-ce qu'il dit, Chantale ? fit Max.

— Il dit…

— *Le peuple avait faim. Tout le monde avait faim. Quand on a faim, on oublie nos obligations**.

— Il dit… fit Chantale d'une voix qui s'étranglait, il dit… que les gens l'ont mangé.

— Mon *cul* !

— C'est ce qu'il a dit… »

Le tafia avait mis l'estomac et la poitrine de Max en feu. Il entendait ses intestins faire des borborygmes, à mesure que les gaz stomacaux y faisaient leur chemin.

« Ce Le…

— … ballec, acheva Chantale.

— Oui. Ce Le-Ballack, où est-ce qu'il vit ? Où est-ce que je peux le trouver ?

— Très loin d'ici.

— Où ça ? »

Nouveau déraillement de train — prolongé, celui-là, car Chantale n'arrêtait pas d'interrompre Désyr ou de lui demander des précisions. Max tendait l'oreille, à l'affût d'un mot connu. Désyr fit « oh ! » un certain nombre de fois, et Chantale quelque chose qui ressemblait à « zur ». Soudain, il entendit des syllabes familières.

*Clarinette**.

« Qu'est-ce qu'il a dit, à propos de Clarinette ? demanda-t-il, mettant fin au déraillement.

— Il dit que vous trouverez Leballec à Saut d'Eau.

— Les chutes vaudoues ? » fit Max. *L'endroit où Beeson et Medd sont tous les deux allés avant de disparaître*... « Pourquoi est-ce qu'il parlait de Clarinette ?

— C'est une ville — une bourgade — tout près des chutes. Elle s'appelle Clarinette. Et c'est là que vit Leballec. Faustin allait l'y voir.

— Vous avez déjà entendu parler de cet endroit, Chantale ?

— Jamais, mais ça ne veut rien dire. Ici, n'importe qui s'installe sur un lopin de terre, lui donne un nom, et ça devient un village. »

Max regarda Désyr.

« Vous aviez parlé de cet endroit aux autres ? Les autres Blancs qui sont venus vous voir ? »

Désyr secoua la tête.

« *Non, monsieur**. » Sur ce, il se mit à glousser. « J'ai pas pu. Ils n'ont pas réussi le test du tafia.

— Ils sont tombés dans les vapes ?

— Non. Ils ont refusé de boire. Alors, je ne leur ai rien dit.

— Si c'est ça, comment se fait-il qu'ils soient allés à So... — aux chutes ?

— J'en sais rien. En tout cas, ce n'est pas *moi* qui leur en ai parlé. Quelqu'un d'autre, peut-être... Eddie n'avait pas que moi, comme copain. Est-ce qu'ils cherchaient Leballec ?

— Je ne sais pas.

— Alors peut-être qu'ils sont allés là-bas pour une autre raison.

— Possible », dit Max.

Un nouveau papillon se jeta sur l'ampoule et s'écrasa par terre. Presque tout de suite après, Max en entendit un autre partir en fumée de la même façon puis, pratiquement ensemble, deux papillons percutèrent l'ampoule et la firent vibrer au bout de son fil.

Désyr lui posa une grosse patte amicale sur l'épaule.

« Je t'aime bien, *Blanc**, alors laisse-moi te donner un conseil : si tu vas à Saut d'Eau, oublie pas d'en partir avant le douzième coup de minuit. »

Max éclata de rire.

« Sinon, quoi ? Les zombis vont s'emparer de moi ? »

Désyr le fixa, le regard noir.

« La magie blanche — la bonne magie —, la magie honnête, se pratique avant minuit, dit-il en s'adressant directement à Chantale. La magie noire, après minuit. Ne l'oublie pas.

— Pourquoi est-ce que vous m'aidez ?

— Pourquoi pas ? » fit Désyr en rigolant.

32

Chantale emmena Max dans un bar et lui commanda du café fort et une bouteille d'eau. Il consacra l'heure suivante à dessoûler et à évacuer les vapeurs de tafia qui lui embrumaient le cerveau.

« Vous êtes toujours aussi casse-cou ? Ç'aurait pu être de l'électrolyte, pour ce que vous en saviez.

— Je suis du genre à vouloir tout tenter au moins une fois… dit Max. De toute façon, pourquoi est-ce qu'il aurait pu vouloir m'empoisonner ?

— Bedouin Désyr ? Je le crois capable de tout. Fut un temps, on le surnommait *Bisou-Bisou**, en créole. Littéralement, *Bedouin le Baiseur**. Sauf que ce n'est pas à prendre au sens que vous croyez. À son époque tonton macoute, Bedouin Désyr était un violeur en série. Sa spécialité, c'était de violer les femmes en présence de leur mari, les mères sous les yeux de leurs enfants, les filles devant leur père — leur âge était accessoire.

— Comment se fait-il qu'il soit toujours vivant ? Et qu'il ait pignon sur rue ?

— Les mythes sont plus forts que la mort, Max. Bien des gens ont encore une peur bleue des macoutes. Très peu d'entre eux ont été jugés pour les crimes qu'ils avaient commis. Et même lorsqu'ils l'ont été, ils n'ont fait au pire qu'une semaine de prison avant d'être relâchés. Quelques-uns ont été lynchés, mais la majorité d'entre eux se sont évanouis dans la nature. Certains se sont simplement installés dans une autre région, d'autres ont choisi l'exil ou sont passés en République dominicaine. Les plus malins se sont engagés dans l'armée ou se sont ralliés à Aristide.

— *Aristide ?* s'étonna Max. Je croyais qu'il était contre tout ça. »

La nuit était complètement tombée. Ils étaient seuls dans le café. Un ventilateur tournait au-dessus de leurs têtes et la radio déversait du *kompas*, assez fort pour couvrir les bruits de la rue et les grincements des pales qui brassaient l'air stagnant de la salle. Mais, s'immisçant entre la musique et le tohu-bohu venant du trottoir, Max distingua les rythmes tâtonnants des premiers tambours qui commençaient à battre dans les montagnes.

« C'est comme ça qu'Aristide s'est présenté, au début, dit Chantale. J'ai cru en lui. Beaucoup de gens le faisaient. Pas seulement les pauvres.

— Laissez-moi deviner… fit Max en souriant. Nous autres salauds de racistes d'Américains blancs avons décidé qu'on ne voulait pas d'un autre rouge à nos portes — et un *Noir*, de surcroît… — alors, on a tout fait pour qu'il soit renversé.

— Pas exactement, rétorqua Chantale. Aristide s'est transformé en Papa Doc en moins de temps qu'il n'en avait fallu à Papa Doc pour devenir Papa Doc. Il s'est mis à soulever les foules et à les envoyer lyncher ou massacrer ses opposants. Lorsque le nonce apostolique a dénoncé ces exactions, il l'a fait tabasser et traîner nu dans les rues. Là, le peuple a jugé que la coupe était pleine et l'armée a pris le pouvoir — avec la bénédiction de Bush père et de la CIA.

— Si c'est ça, qu'est-ce qu'Aristide fiche encore ici ?

— Cette année-là, Bill Clinton arrivait en fin de mandat et comptait se représenter. En 1993, un an à peine après son arrivée à la Maison-Blanche, il s'était planté en beauté en Somalie. Son taux de popularité était en chute libre et l'Amérique paraissait soudain faible et vulnérable. Il fallait qu'il fasse quelque chose pour redorer son blason. Restaurer un président renversé par un putsch militaire avait l'air d'une bonne idée. L'Amérique, championne de la démocratie — même s'il s'agissait de sauver Aristide, un troisième Duvalier en puissance... expliqua Chantale. Pour l'instant, les États-Unis le tiennent en laisse, alors il va falloir qu'il se tienne à carreau jusqu'à la fin du mandat de Clinton. Mais là, qui sait ? » dit-elle en regardant vers la rue où était arrêté un véhicule des Nations unies, dont le chauffeur passait des cartouches de cigarettes à quelqu'un.

« Vous avez envisagé une base de repli ?

— Je retournerai aux États-Unis, j'imagine. Peut-être que je pousserai jusqu'à Los Angeles. La Floride, j'ai déjà donné, dit Chantale. Et vous ? Qu'est-ce que vous comptez faire quand vous en aurez terminé, ici ?

— Alors là, aucune idée, dit Max en riant.

— Vous avez pensé à vous installer ailleurs ?

— Vous voulez dire à L.A., par exemple ? » fit-il en la regardant dans les yeux. Elle baissa le regard. « Los Angeles, ce n'est pas pour moi, Chantale.

— Je croyais que vous étiez du genre à tout tenter au moins une fois...

— Oh ! mais je *connais* L.A. ! s'esclaffa-t-il. J'ai eu à y aller, pour certaines enquêtes. Et, chaque fois, j'ai détesté cette ville. C'est trop grand, trop étalé, trop désordonné. Je bossais en accéléré, jour et nuit, pour pouvoir me tirer plus vite. Le cinéma, les CV, les seins siliconés et la poudre aux yeux... Tout le monde s'efforçant de se faufiler par le même trou. Beaucoup d'appelés et peu d'élus. Des victimes et des rêves brisés. Ce genre de merde, j'en ai autant que je veux à Miami — sauf que là-bas y en a certains qui me font pitié. Le récit de leurs misères change un peu, de fois en fois. À L.A., tout le monde vous récite la même page. Vous feriez mieux de rester ici, Chantale, si c'est là que vous avez l'intention d'aller.

— Je ne resterai pas ici une minute de plus que nécessaire, dit-elle en secouant la tête.

— C'est vraiment invivable ?

— Non, mais pas loin, soupira-t-elle. J'avais des souvenirs formidables de mon enfance ici, mais quand je suis revenue, il ne restait plus rien de ce que j'avais connu. J'ai eu une enfance très heureuse. C'est ce qui a rendu mon retour ici d'autant plus pénible et ma déception d'autant plus grande. »

Un couple entra dans le café et échangea une poignée de main avec le garçon. Premier rendez-vous (troisième, grand maximum), jugea Max : encore en train de se renifler, de se tourner autour, tout cela très formel et très comme il faut, guettant l'ouverture. Pas loin de la trentaine et bien habillés. Le garçon avait fait un pli à son jean et la fille venait de s'acheter le sien — à moins qu'elle ne le réserve pour les grandes occasions. Tous deux étaient en chemise polo, turquoise pour elle, vert bouteille pour lui. Le garçon les installa à une table, dans un coin de la salle. Chantale les regardait, un rien de nostalgie dans le sourire.

« Parlez-moi un peu du *hoone-gun* d'Eddie Faustin.

— Leballec ? fit-elle en baissant la voix. Pour commencer, ce n'est pas un *houngan*. Les *houngan* font le bien. Leballec est un *boko* — un sorcier qui pratique la magie noire. Il a la réputation d'être aussi puissant que Dufour, mais cent fois plus néfaste.

« Dans la vie, il y a des choses qu'on voudrait et qu'on n'aura jamais. C'est le destin… Par exemple, vous êtes amoureux de quelqu'un que vous laissez indifférent ou vous voulez à tout prix décrocher un job et il vous passe sous le nez… — bref, on connaît tous des déceptions, des revers, des projets qui ne tournent pas comme on le souhaite. La plupart des gens haussent les épaules et passent à autre chose. Chez nous, ils vont voir leur *houngan* ou leur *mambo*, qui lit leur avenir et vérifie si, oui ou non, ce qu'ils désirent y est écrit. Si c'est non, le *houngan* ou la *mambo* peut essayer d'arranger les choses — du moment que ça ne changera pas le cours de la vie de la personne en question. Le problème c'est que bien des choses qu'on désire et qu'on ne peut pas avoir ne nous sont pas destinées.

— Et là, les gens s'adressent à Le Balek ?

— Ou à d'autres comme lui. On les appelle *les Ombres de Dieu**. Ceux qui marchent derrière Dieu, dans le noir, là où Il ne regarde pas. Eux vous donnent ce que vous n'êtes pas censé avoir, murmura Chantale, l'air effrayé.

— Comment ?

— Vous vous souvenez de ce que Dufour a dit à propos de la magie noire ? Comment ils se servent d'enfants pour duper vos anges gardiens ?

— Le Balek sacrifie des enfants ?

— Je ne veux pas parler de ça, dit Chantale en se redressant sur sa chaise. Personne ne sait exactement ce qu'ils font. Tout ça se passe entre Leballec et les gens qui ont recours à lui. Mais ce qui est sûr, c'est que ça va très loin.

— Quels sont les gens qui s'adressent à lui ? En général ?

— Ceux qui n'ont plus aucun espoir. Qui sont prêts à tout. Qui sont à l'article de la mort.

— C'est le cas de tout le monde, à un moment ou à un autre, fit Max.

— Faustin est allé le voir.

— Pour que Francesca tombe amoureuse de lui — ou je ne sais quoi… Peut-être est-ce pour ça qu'il a enlevé Charlie, fit Max, réfléchissant à haute voix. Dufour a dit que Charlie était *tout à fait spécial.* Le Balek le pensait aussi.

— Peut-être, dit Chantale. Ou peut-être que non. Peut-être que Charlie était un paiement.

— Un paiement ?

— *Les Ombres** ne vous réclament jamais d'argent. Elles vous demandent de faire quelque chose pour elles en échange.

— Genre un kidnapping ?

— Ou un assassinat.

— Qu'est-ce qui se passe si le sort n'opère pas ?

— Un *boko* n'exige rien de vous d'avance, avant que vous ayez obtenu ce que vous vouliez. Et *là*, vous devez payer. C'est comme ça que ça commence.

— Quoi ?

— Eh bien… tout ce que vous demandez qu'il arrive à quelqu'un, vous le subissez, vous, trois fois. C'est comme ça que les choses restent en équilibre. Aucune mauvaise action ne demeure impunie. Au début des années 1980, avant que le sida fasse les gros titres, Jean-Claude Duvalier avait une maîtresse, Véronique, et un amant, Robert. Véronique était jalouse de Robert, à qui Duvalier accordait plus d'attentions qu'à elle. Elle avait peur de perdre les faveurs de Jean-Claude et plus encore de se faire plaquer pour un garçon. Alors, elle s'est adressée à Leballec. J'ignore ce qu'elle lui a demandé, mais Robert est mort brutalement dans la rue. Comme ça, dit Chantale en claquant des doigts, au volant de sa voiture. À l'autopsie, on a trouvé de l'eau dans ses poumons, comme s'il s'était noyé.

— Est-ce que quelqu'un n'aurait pas pu le noyer et le coller ensuite dans sa voiture ?

— Des tas de témoins ont affirmé l'avoir vu passer au volant. Il s'était même arrêté pour acheter des cigarettes, quelques minutes avant de mourir, dit Chantale. Jean-Claude Duvalier a appris que Véronique avait été vue chez Leballec, à Saut d'Eau. Il a compris ce que ça signifiait. Il avait une peur bleue de Leballec. Même Papa Doc le redoutait, à ce qu'on dit. Bref, il a rompu avec Véronique. Et un mois plus tard, on l'a retrouvée noyée dans la piscine familiale, avec sa mère et deux de ses frères.

— Je ne vois pas la main du diable là-dedans », dit Max. Il s'était remis de son verre de tafia, mais il se sentait crevé. « Vous avez une idée d'à quoi ressemble ce Le Balek ?

— Non. Je ne connais personne qui l'ait vu. Quand se met-on à sa recherche ?

— Qu'est-ce que vous diriez de demain ?

— Pourquoi pas plutôt après-demain ? Le voyage est long et les routes sont mauvaises. Il faudra démarrer d'ici très tôt — vers trois ou quatre heures du matin, dit-elle en jetant un coup d'œil à sa montre. Deux jours, ça vous laisse le temps de vous reposer, de cuver votre tafia et de partir frais et dispos. »

C'était la voix de la raison. Il aurait besoin d'avoir les idées claires s'il se rendait à l'endroit où un de ses prédécesseurs avait disparu et d'où l'autre était revenu, le poitrail recousu de la gorge au nombril.

33

« Ne croyez pas qu'on s'en moque. Au contraire, nous prenons ça très à cœur, même si ça ne saute pas aux yeux. *Tout* est dans la manière dont on perçoit les choses, n'est-ce pas ? » fit Allain Carver avec un grand sourire. Il avait réveillé Max trois heures plus tôt, pour lui donner rendez-vous à l'Arche de Noé.

Max avait une gueule de bois carabinée, et ça n'avait fait qu'empirer depuis la veille. Il avait un sac plein de boulets graillonneux en guise d'estomac, et un bol mixer à la place du crâne. Incompréhensible. Au saut du lit, ça allait à peu près, mais son état s'était subitement aggravé. Il avait été pris de nausées et d'un sacré mal de crâne dès qu'il avait vidé sa première tasse de café. Il s'était envoyé quatre comprimés d'aspirine super-dosés, qui étaient restés sans effet.

L'Arche de Noé donnait sur une petite route adjacente au boulevard Harry-Truman. Carver accueillit Max et Chantale, et leur fit franchir une étroite grille en fer forgé, avant de les conduire le long d'une allée de gravier blanc, bordée de briques bleu sombre. Ils avaient traversé une pelouse verdoyante, partiellement ombragée par des palmiers penchés vers le gazon et semée de rampes d'arrosage dont le brouillard faisait naître des petits arcs-en-ciel au-dessus du sol. Sur la droite, il y avait un terrain de jeu avec des balançoires, des bascules, un tourniquet, un toboggan et une sorte de portique pour l'escalade.

L'allée aboutissait au pied d'une imposante bâtisse de deux étages, aux murs blanchis à la chaux. Les tuiles du toit étaient bleu marine, comme la porte et les fenêtres. Au-dessus de l'entrée, un bas-relief représentait l'emblème de l'institution : un bateau bleu nuit avec une maison, en lieu et place de sa voile.

Dans l'entrée, ils tombèrent le nez sur une fresque monumentale : un homme blanc avec un ensemble saharien, qui tenait par la main deux petits Haïtiens, un garçon et une fille en haillons, et les entraînait loin d'un village sombre dont les habitants étaient morts ou atrocement défigurés. La mâchoire volontaire et les traits figés, tel un héros, le Blanc fixait le spectateur d'un œil sévère. Derrière eux, le ciel était d'un gris d'étain, zébré d'éclairs, et une pluie torrentielle s'abattait sur le village dévasté, tandis que l'homme et ses pupilles étaient au sec, dans les reflets dorés du soleil levant.

« Mon père », dit Allain.

En y regardant de plus près, Max reconnut effectivement Gustav. Un Gustav dans sa prime jeunesse et vu sous un jour flatteur, qui ressemblait davantage à son fils qu'à lui-même.

Tout en les pilotant dans un couloir qui s'enfonçait dans les profondeurs du bâtiment, Carver lui expliqua que son père avait activement épaulé son ami François Duvalier pour éradiquer le pian, une maladie tropicale hautement contagieuse qui, faute d'un traitement adéquat, provoquait des lésions affreusement douloureuses sur tout le corps. Les victimes finissaient par perdre leur nez, leurs lèvres et jusqu'à leurs membres — lesquels se flétrissaient, prenant la couleur et la consistance d'une cendre de cigarette, avant de tomber. Gustav avait acheté en Amérique un stock de médicaments et de matériel médical, et avait veillé à ce que le tout parvienne à Duvalier. Lors d'une visite au village représenté sur la fresque, il avait recueilli ces deux orphelins, un garçon et une fillette, et avait résolu de leur venir en aide. Cela avait débouché, quelques années plus tard, sur la fondation de cet orphelinat, intégralement financé par la famille Carver.

Le long du couloir s'alignaient les photos des classes de chaque année, depuis 1962, et de grands tableaux de liège couverts de dessins d'enfants, regroupés par tranche d'âge, de quatre à douze ans. Les dessins de la catégorie treize ans et plus, beaucoup plus rares, n'occupaient qu'un seul tableau qu'ils ne remplissaient même pas à moitié, et semblaient être exclusivement l'œuvre de deux jeunes artistes exceptionnellement doués.

Carver poursuivit ses explications en précisant que l'Arche de Noé accueillait les enfants de la naissance à l'adolescence et, le cas échéant, jusqu'à l'obtention d'un éventuel diplôme universitaire. Ils étaient nourris, logés, vêtus et suivaient un enseignement correspondant aux programmes français ou américains.

Le français était la première langue parlée dans l'institution, mais les élèves qui manifestaient des aptitudes pour l'anglais (et ils ne devaient pas être rares, vu la place occupée par la télé et les variétés américaines) étaient orientés vers le système universitaire américain. Au rez-de-chaussée, les cours étaient dispensés en français et, au premier, c'était l'anglais qui prévalait. Leurs études secondaires achevées, ceux qui le désiraient étaient envoyés à l'université, aux frais des Carver.

Les classes s'alignaient de part et d'autre du couloir. En glissant un œil par les portes vitrées, Max aperçut des élèves réunis par petits groupes mixtes, impeccablement vêtus de l'uniforme de l'établissement : jupe ou short bleu marine et chemise ou corsage blancs. Ils étaient tous tirés à quatre épingles et tous, y compris ceux des derniers rangs, semblaient suspendus aux lèvres de leur prof. En Amérique, un tel degré de concentration et de discipline aurait été inimaginable.

« Alors, quel est l'intérêt pour vous ? demanda Max, comme ils montaient à l'étage.

— Comment ça, quel intérêt ?

— Vous, les Carver, vous êtes des hommes d'affaires. Vous n'êtes pas du style à jeter l'argent par les fenêtres. Qu'est-ce que ça vous rapporte ? Je suppose que ça n'est pas juste une histoire de pub... Vous êtes bien trop riches pour vous soucier de ce qu'on pense de vous.

— Eh bien, c'est fort simple, lui répondit Carver avec un sourire. Une fois leurs études terminées, ils viennent travailler chez nous.

— Tous ?

— Oui. Nous avons des succursales dans le monde entier, pas seulement ici. Nous pouvons les envoyer aux États-Unis, aussi bien qu'en Angleterre, en France, en Allemagne ou au Japon.

— Et si on leur propose mieux ailleurs ?

— Ah ! là, nous avons effectivement une mesure d'avance... ! s'esclaffa Carver. À partir de seize ans, tous les élèves de l'Arche signent un contrat par lequel ils s'engagent à travailler pour nous après leurs études, jusqu'à l'amortissement de notre investissement — c'est-à-dire les frais que nous avons engagés pour leur éducation.

— Amortir votre investissement ? Depuis quand les œuvres caritatives se soucient-elles de ce genre de détail ?

— Je vous ai parlé d'œuvre caritative ? » lui fit remarquer Carver.

Comme ils visitaient l'étage supérieur, Max aperçut d'autres classes, composées elles aussi d'élèves modèles, où l'on parlait anglais avec un mélange d'accent américain et franco-haïtien.

« Il faut prévoir en moyenne de six à sept ans, pour amortir les études — un peu plus pour les filles, huit ou neuf ans, dit Carver. Bien sûr, s'ils veulent tout nous rembourser d'un coup, libre à eux.

— Mais cela ne doit guère se produire, j'imagine... répliqua Max, qui sentait la moutarde lui monter au nez. D'où sortiraient-ils une telle somme ? Tout le monde n'est pas né comme vous avec une cuiller en argent dans la bouche, monsieur Carver.

— Je n'ai pas choisi de naître riche, pas plus qu'ils n'ont choisi de naître dans la misère, Max, répondit Carver, dont les lèvres avaient esquissé un petit sourire contraint. Je comprends vos scrupules, mais nos élèves, eux, n'ont pas à se plaindre de cet arrangement. Notre taux de fidélité avoisine les quatre-vingt-quinze pour cent. Prenez le cas de cette enseignante, là-bas... » Il pointa l'index sur une femme menue à la peau claire, vêtue d'une ample robe vert olive qui semblait inspirée de l'habit monastique, tant elle s'apparentait à une chasuble. « Eloise Krolak est une de nos anciennes élèves. Et à présent, c'est elle qui dirige cet établissement.

— Krolak ? C'est un nom polonais ? » s'enquit Max en regardant plus attentivement la directrice. Ses cheveux, tirés en arrière et réunis en un austère petit chignon, étaient noirs, avec quelques traces de gris à la racine. Elle avait la bouche petite mais protubérante, avec la mâchoire supérieure qui faisait saillie. Quand elle parlait, on aurait dit un rongeur s'attaquant à un morceau de bois tendre.

« Nous avons trouvé Eloise dans les faubourgs de Jérémie. Là-bas, une forte proportion de la population a le teint très clair. Et il y a même des gens qui ont les yeux bleus, comme elle. Ils descendent en droite ligne d'une garnison de soldats polonais qui avaient déserté l'armée napoléonienne pour rallier celle de Toussaint Louverture. Une fois débarrassé des Français, avec l'aide de ces Polonais, Toussaint leur a donné Jérémie, en compensation des services rendus. Les soldats se sont ensuite métissés avec la population locale, ce qui a donné d'admirables résultats. »

À quelques exceptions près... se dit Max en regardant la directrice.

Puis ils passèrent à l'étage suivant. Carver leur montra le réfectoire et les locaux réservés aux professeurs — une salle commune, donnant sur une série de bureaux.

« Où dorment les enfants ? lui demanda Max.

— À Pétionville. Nous avons un bus qui les amène à l'Arche tous les matins et les ramène le soir. Ici, c'est le bâtiment des juniors, jusqu'à douze ans. Il y en a un autre, à quelques rues d'ici, dit-il.

— Mais là, vous ne me parlez que des éléments les plus brillants, lui fit remarquer Max. De ceux qui réussissent…

— Je ne vois pas ce que vous voulez dire.

— Et votre personnel de service, ce sont d'anciens élèves, eux aussi ?

— Nous ne pouvons pas tous être des aigles, Max. Les hautes sphères ne sont pas pour tout le monde. Certains doivent se contenter de faire du rase-mottes.

— En ce cas, comment faites-vous le tri entre le haut et le bas, les volants et les rampants ? Ces derniers présentent une aptitude spéciale à cirer les pompes ? » fit Max en s'efforçant vainement de masquer son indignation. Il s'agissait de jeunes gens dont les ancêtres avaient pris les armes pour sortir d'un esclavage où les Carver s'empressaient de les renvoyer, à peu de chose près.

« Vous n'êtes pas d'ici, Max. Vous ne pouvez pas comprendre, riposta Allain Carver, d'un ton où filtrait un poil d'impatience. Nous nous engageons envers chacun de ces enfants et ce, pour la vie. Nous nous occupons d'eux. Nous assurons leur formation, nous leur trouvons un travail adapté à leurs capacités. Un métier qui leur permet à la fois de gagner leur vie et de conserver toute leur dignité. Grâce aux emplois que nous leur fournissons, ils peuvent se faire construire ou s'acheter une maison, se vêtir et se nourrir convenablement. Bref, s'assurer un niveau de vie incomparablement supérieur à celui des neuf dixièmes de ces pauvres diables que vous voyez traîner dans nos rues. Si nous pouvions tous les aider, croyez bien que nous le ferions. Mais nous ne sommes tout de même pas si riches que ça…

« Vous nous jugez, nous et notre action, à l'aune des critères américains et de principes tels que la liberté, les droits de l'homme ou la démocratie. Mais pour nous, toutes ces grandes idées sont des mots vides de sens. Avant de vous en gargariser, souvenez-vous que, dans votre pays, il a fallu attendre les années soixante pour que les Noirs jouissent des mêmes droits que vous », fit Carver en haussant le ton. Ayant enfoncé le clou avec une colère froide qui avait parfaitement fait mouche, il sortit son mouchoir pour éponger la sueur qui perlait sur sa lèvre supérieure.

Max aurait bien eu deux ou trois choses à lui balancer dans les gencives en défense de sa mère patrie, que les États-Unis laissaient tous leurs citoyens libres de leurs choix et que, là-bas, quiconque faisait montre de détermination, de jugeote et de discipline avait une chance de réussir, que l'Amérique demeurait une terre d'opportunités... Mais il préféra garder le silence. L'heure et le lieu étaient mal choisis pour entamer ce genre de débat.

« Et vous ne vous gourez jamais ? se borna-t-il à lui demander. Ça ne vous est jamais arrivé d'affecter à vie un petit Einstein à la corvée de chiottes ?

— Non, jamais, répliqua Carver avec un soupçon d'agacement. Faire l'imbécile, c'est à la portée de tout le monde. Les gens vraiment capables d'intelligence, c'est plus rare.

— Je vois, fit Max.

— Mais vous n'approuvez pas, n'est-ce pas ? Vous trouvez ça injuste ?

— Vous venez de le souligner, monsieur Carver — je ne suis pas chez moi. Ici, je ne suis qu'un petit con d'Américain, qui se gargarise de grands mots et qui n'a pas voix au chapitre pour trier le juste de l'injuste, railla Max.

— Ici, l'espérance de vie moyenne est d'environ quarante-huit ans, ce qui fait qu'à vingt-quatre vous êtes à mi-chemin de votre existence. » Carver avait retrouvé son rythme de croisière. « Mais les gens qui passent par chez nous peuvent espérer vivre bien au-delà. Vieillir, en voyant grandir leurs enfants et leurs petits-enfants, comme tout être humain est en droit de le faire. Nous sauvons des vies. Nous donnons la vie. Vous devez avoir du mal à comprendre ça, mais c'était généralement le cas sous l'Ancien Régime, avant la Révolution française. Les riches s'occupaient des pauvres.

« Savez-vous que les gens abandonnent leurs enfants sur notre passage, afin que nous puissions les recueillir et leur donner de meilleures chances de survie ? Cela arrive tous les jours. De loin, ce que vous découvrez ici peut vous sembler suspect, Max. Mais si vous y regardez d'un peu plus près, c'est tout le contraire. »

34

Le lendemain, dès quatre heures du matin, ils se mirent en route pour Saut d'Eau. Les chutes n'étaient qu'à une soixantaine de kilomètres de Port-au-Prince, mais la moitié du chemin était constituée par les pires routes de l'île. L'aller-retour en voiture pouvait prendre dix heures, si c'était un bon jour — et le double si le sort vous était contraire.

Chantale avait prévu un petit panier de provisions. Il y avait d'innombrables auberges le long de la route, et, près des chutes, il y avait même un village pour touristes baptisé Ville Bonheur, mais on ne savait jamais ce qu'on trouvait dans son assiette. Il arrivait que des animaux, de compagnie, voire nuisibles, soient servis sous l'appellation de bœuf, de porc ou de poulet.

« Pour quelle raison *exacte* tenez-vous à aller à Saut d'Eau ? lui demanda Chantale.

— D'abord, parce que je veux parler à ce *Le-bal-leck*. Faustin savait qui a kidnappé Charlie. Il a pu le lui dire, ou lui laisser un indice. Et ensuite, parce que Clarinette est le dernier endroit où sont allés mes prédécesseurs, avant de disparaître. Je veux savoir pourquoi. Je veux savoir ce qu'ils ont vu ou entendu. Ils ont dû découvrir *quelque chose*.

— Et vous ne pensez pas que celui ou ceux qui sont derrière

tout ça, quels qu'ils soient, se sont empressés d'effacer leurs traces ?

— Peut-être, fit Max en hochant la tête. Mais on ne sait jamais. Ils ont pu laisser un indice. Ça, on ne peut pas l'exclure. Il reste toujours une petite chance.

— Infime, fit Chantale.

— Oui, mais pas plus que d'habitude. On peut toujours tabler sur la bêtise et la négligence d'un suspect. Personne n'est à l'abri d'un coup de pot ! s'esclaffa-t-il.

— Vous ne parlez pas de Filius Dufour.

— Vous rigolez… Toutes ces conneries du "retour aux sources" ? C'est bien la dernière chose que j'ai envie de faire, de suivre les conseils d'un diseur de bonne aventure. Je travaille sur les faits, pas sur les fantasmes. Quand on commence à compter sur les forces occultes pour mener une enquête, c'est qu'on roule vraiment sur les jantes.

— Vous ne pensez pas ce que vous dites, répliqua Chantale.

— S'il se souciait du gamin et s'il savait vraiment quelque chose, il l'aurait dit.

— S'il avait pu parler. Mais imaginez que ça lui ait été interdit.

— Tiens donc ? Et par qui ? Par ces fantômes à qui il fait la conversation ! Bon Dieu, Chantale… Ce type en sait à peu près aussi long que moi, c'est-à-dire rien. *Nada, que dalle* ! »

Pendant la première heure du trajet, ils roulèrent dans l'obscurité vers les montagnes, à travers une plaine hérissée de panneaux publicitaires et de poteaux télégraphiques, en s'éloignant de Pétionville. Contre toute attente, la route était relativement bonne, jusqu'à ce qu'ils s'engagent dans un long virage en épingle à cheveux qui épousait les premiers contreforts. Puis le revêtement, d'abord du gravier, se mua en pierrailles, et Chantale dut rouler au pas. Elle alluma la radio. La Radio des Forces Américaines diffusait *I Wish I Could Fly*, par R. Kelly. Chantale changea aussitôt de station et tomba sur le Wu Tang Clan, un groupe de rappeurs qui psalmodiaient *America Is Dying Slowly*. Puis elle trouva une station haïtienne qui diffusait un débat en créole ; sur la suivante, c'était un service religieux et sur celle d'après, une radio de la République dominicaine, il y avait un cocktail de salsa, de causeries radiophoniques et de comptes rendus sportifs — la rediffusion d'un match de foot, à en juger par le rythme et le fond sonore —, puis un autre service religieux, le tout en espagnol. Ce salmigondis tira un sourire à Max. Ça lui rappelait la bande FM de Miami, mais en nettement plus bigarré que les stations américaines.

Tirant une cassette de son sac, Chantale la glissa dans le lecteur et appuya sur « Play ».

« Sweet Micky », annonça-t-elle.

C'était un concert live. La voix de Sweet Micky évoquait le bruit du papier de verre sur une râpe à fromage, et ses chansons étaient un catalogue de cris, de jappements, de couinements, de gloussements et, dès que ça montait dans l'aigu, de feulements de chats en colère. Derrière le fond musical, on entendait une sorte de funk déjanté martelé à un tempo frénétique qui ne ralentissait jamais. Ça ne ressemblait à rien de ce que Max avait pu entendre jusque-là. Mais Chantale, elle, se laissait prendre par la musique. Elle se trémoussait, tapait des mains sur le volant et des pieds sur les pédales, secouait frénétiquement la tête, ondulait du torse et des hanches. Elle finit par reprendre le refrain : *Tirer sur la gâchette — Bafff! Bafff! Bafff!** —, les doigts pointés comme un flingue imaginaire brandi en l'air, les lèvres étirées en un sourire d'extase, les yeux brillants d'une joie sauvage, tandis qu'elle s'immergeait dans la rythmique forcenée du morceau, comme si elle avait plongé ailleurs, très loin.

« Ça ne devait pas être "*Imagine all the people livin' life in peace...*" je suppose ? fit Max quand elle retira la cassette, à la fin du morceau.

— Ça, non ! dit-elle. Ça parle des *rara* — un genre de danse itinérante qui se pratique pendant le carnaval. Les gens défilent dans les rues, de village en village. Ça peut durer des jours entiers — et ça décoiffe. C'est l'occasion d'un tas d'orgies et de meurtres.

— Hmmm ! Sympa… ironisa Max.

— Vous aurez peut-être l'occasion d'en voir un.

— Et ça se passe quand ?

— Avant Pâques.

— J'espère que je serai loin, rigola-t-il.

— Vous pensez rester jusqu'à ce que vous ayez retrouvé Charlie ?

— Ça ne devrait pas me prendre aussi longtemps… mais oui — je ne partirai pas tant que je n'aurai pas fini. »

Max la vit sourire à la lueur des voyants rouges et verts du tableau de bord.

« Et si la piste débouchait sur le néant ? demanda-t-elle.

— Ce n'est pas exactement une piste. Pour l'instant, nous n'avons que des rumeurs à nous mettre sous la dent. Des histoires à dormir debout, des témoignages indirects. Rien de bien solide.

— Et quand nous en aurons fait le tour ?

— On verra.

— Et s'il est mort ?

— Il l'est probablement, à mon avis. En ce cas, il faudra retrouver le corps, et remonter la piste de celui ou de ceux qui l'ont tué, trouver le mobile. Il a toujours son importance, fit Max.

— C'est pas votre genre, de jeter l'éponge, hein ?

— Oui, j'ai horreur du travail mal fini.

— Et ça vous vient d'où ? De votre enfance ? fit-elle en le lorgnant de côté.

— Sans doute, oui. Mais pas de mes parents. Mon père s'est barré quand j'avais six ans et je ne l'ai jamais revu. Ensuite, le plus approchant d'une figure paternelle, ça a été un flic qui dirigeait une salle de boxe à Liberty City, un certain Eldon Burns. Il entraînait les mômes du quartier. J'y suis allé dès que j'ai eu douze ans et il m'a appris à me battre, entre autres choses. C'est le ring qui m'a inculqué certaines des leçons les plus essentielles. Eldon affichait ses règlements sur les murs du vestiaire, il fallait que tout le monde se les mette dans le crâne. Une de ses règles préférées, c'était : *Toujours finir ce qu'on a commencé.* Si c'est une course et que tu te retrouves en queue de peloton, ne laisse pas tomber, ne te contente pas de rejoindre la ligne d'arrivée à pied. Passe-la en courant, quoi qu'il arrive. Si c'est un combat de boxe et que tu risques de le perdre, ne baisse pas les bras sur ton tabouret. Serre les dents, tiens jusqu'à la dernière cloche. » Ce souvenir lui tira un sourire. « "Sors toujours la tête haute, disait-il. Un jour, tu en sortiras grandi." L'expérience m'a appris que c'était une bonne règle.

— Et c'est à cause de lui que vous êtes devenu flic ?

— Oui. À l'époque, il était mon chef.

— Vous avez gardé le contact ?

— Pas directement. »

Max et Eldon s'étaient brouillés avant son séjour en prison et cela faisait à peu près huit ans qu'ils ne s'étaient pas adressé la parole. Lors de son procès, Eldon était venu témoigner en sa faveur et avait assisté à l'enterrement de Sandra, mais sans doute par sens du devoir, pour se dédouaner. Maintenant, ils étaient quittes.

Sentant l'humeur de Max s'assombrir, Chantale ralluma la radio et fit glisser l'aiguille jusqu'à ce qu'elle trouve une mélodie intimiste — un piano qui égrenait les notes de *I Wanna Be Around.*

Le soleil se levait, les montagnes se dressaient droit devant eux. Leurs pics noirs se découpaient sur le fond sombre du ciel où venaient jouer les indigos et les mauves annonciateurs de l'aube.

« Et vous ? lui demanda-t-il. Comment va votre mère ?

— Elle se meurt, dit-elle. À petit feu. Parfois, c'est douloureux. Elle dit qu'elle sera contente d'en voir le bout.

— Votre père ?

— Je ne l'ai jamais connu, dit Chantale. Ma mère est tombée enceinte après une cérémonie. Elle était possédée par un esprit, tout comme mon père. Dans notre langue, ça s'appelle *faire chevalier*, ce qui signifie "se faire monter par les dieux".

— Alors comme ça, vous seriez la fille d'un dieu ? ironisa Max.

— Comme si nous ne l'étions pas tous, autant que nous sommes ! répliqua-t-elle avec un sourire.

— Et à vous, ça vous est déjà arrivé — de "faire chevrolet"?

— *Chevalier*, pas *chevrolet* ! le reprit-elle, feignant l'indignation. Non, jamais. Je n'ai plus assisté à une cérémonie depuis mon adolescence.

— Il n'est pas trop tard », dit Max.

En se retournant, elle lui lança un regard qui le sonda jusqu'au scrotum, un coup d'œil à la fois inquisiteur et suggestif. Impossible de détacher les yeux de sa bouche, de ce petit grain de beauté brun, sous sa lèvre inférieure. Pas vraiment rond, ni ovale. Plutôt l'allure d'une virgule, mais à l'envers. Et pour la énième fois, comme Max tentait d'imaginer ce que ça pouvait donner au lit avec elle, il se dit que ça devait être grandiose.

Il faisait grand jour, à présent. Leur route n'était plus qu'une piste, un simple chemin de terre taillé dans une plaine aride, couverte de cailloux et de rochers blancs avec, çà et là, quelques carcasses d'animaux délavées et recuites par les éléments. Pas un arbre, pas un buisson en vue. À peine quelques cactus. Ça lui rappelait certaines cartes postales envoyées par des amis partis en vacances dans les États du Sud-Ouest américain.

Puis ils s'enfoncèrent dans les montagnes. Rien à voir avec quoi que ce soit de connu. Il était allé dans les Rocheuses ou les Appalaches, mais celles-ci, c'était autre chose. Des masses brunes de terre stérile, lentement mais sûrement érodées par chaque souffle de vent et chaque goutte de pluie. On avait peine à se figurer que cette île désertique ait jadis pu être couverte d'une forêt tropicale grouillante de vie, que cette catastrophe écologique ait été le plus beau fleuron de l'empire colonial français. Tentant de se figurer à quoi pouvaient ressembler les habitants de ces montagnes, il ne parvenait à se représenter qu'un être hybride, mi-survivant des camps, mi-Éthiopien à demi mort de faim.

En quoi il se trompait lourdement. Les gens de la campagne étaient peut-être tout aussi pauvres que leurs concitoyens des villes, mais ils semblaient s'en tirer nettement mieux que les pauvres diables qui hantaient les zones urbaines. Ici, sans être vraiment dodus, les enfants n'avaient pas le corps bouffi ni le regard obsédant, hanté par la faim, des gamins de Port-au-Prince. Les maisons des villages qu'ils traversaient n'avaient rien à voir avec les taudis de Cité Soleil. C'étaient des petites huttes avec des toits en paille et des murs épais peints de toutes les couleurs : rouge, vert, bleu, jaune, ou rouge et blanc. Les animaux eux-mêmes étaient en meilleur état. Les cochons ne ressemblaient pas à des chèvres, les chèvres à des chiens, les chiens n'étaient pas comme des renards, et les poulets n'avaient pas l'air de pigeons anorexiques.

La route devenait franchement mauvaise. Ils devaient à présent contourner d'énormes nids-de-poule, de véritables cratères profonds d'un mètre cinquante, et prendre des virages en épingle à cheveux, en serrant à droite au cas où quelqu'un arriverait en sens inverse. Ils ne croisèrent pas d'autre véhicule, mais aperçurent quelques épaves abandonnées, réduites à l'état de simples ébauches, tels des croquis. Max se demanda ce qu'étaient devenus leurs conducteurs.

Malgré la climatisation qui maintenait un peu de fraîcheur dans la voiture, il sentait la chaleur que déversait ce ciel bleu pâle, sans l'ombre d'un nuage.

« Allain ne vous a pas tout raconté, sur l'école, lui dit Chantale. Il faut bien avouer que, vu votre attitude, le contraire m'aurait étonnée.

— Vous trouvez que mes remarques étaient à côté de la plaque ?

— Vous aviez raison tous les deux. C'est vrai, il y a un côté injuste. Mais vous avez vu à quoi ressemble ce pays… Il y a davantage de bouches à nourrir que de récoltes.

— De quoi a-t-il oublié de me parler ?

— De quelques menus détails, concernant les contrats. Pendant toute leur enfance et à la moindre occasion, ces gamins se voient rappeler qui ils sont, d'où ils viennent et qui les a arrachés à leur triste sort. On les emmène en excursion à Cité Soleil, à Carrefour ou ailleurs. On leur montre des gens qui crèvent de faim ou du sida — et ce, pour leur inculquer non pas de la compassion, mais le respect et la gratitude. Pour leur apprendre que les Carver sont leurs sauveurs, et qu'ils leur doivent la vie.

— Un lavage de cerveau, vous voulez dire ?

— Non, pas tout à fait. Ce serait plutôt de l'endoctrinement. On leur inculque le *credo* de la famille Carver en même temps que les conjugaisons et les verbes irréguliers. Ils grandissent avec la conviction que s'ils tentaient de quitter l'Arche, ils se retrouveraient du jour au lendemain dans un taudis, à crever la faim.

— Et donc, quand ils arrivent à l'âge de dix-sept ou dix-huit ans et qu'on leur présente leur contrat, ils ne sont que trop heureux de signer… conclut Max. Et de passer direct du statut d'élèves de l'Arche de Noé à celui de cadres ou d'employés de l'empire Carver.

— Exact.

— Comment se fait-il qu'ils vous aient engagée, vous ?

— Allain aime s'entourer de personnalités extérieures, dit-elle. Sauf pour ce qui concerne ses domestiques.

— Mais ces contrats n'ont aucune valeur en dehors de l'île, n'est-ce pas ? Imaginez que vous décidiez de partir faire vos études en Amérique et d'aller travailler pour J. P. Morgan, et non pour Gustav Carver. Légalement, ils ne pourraient pas vous en empêcher.

— Ils ne peuvent pas, mais ils le font, dit-elle en baissant la voix, comme si elle craignait de se faire entendre.

— Comment ça ?

— Ils sont riches, puissants, influents. Ils ont des contacts partout. Si vous essayez de rompre votre contrat, ils vous brisent.

— Et c'est déjà arrivé, à votre connaissance ?

— Si c'est le cas, ils ne s'en vantent pas. Je n'ai jamais rien entendu de tel, mais je parierais que ça s'est produit…

— Et que font-ils de ceux qui refusent de marcher droit ? s'enquit Max. Des fortes têtes ? Ceux qui chahutent, au dernier rang ?

— Ça non plus, ils n'en parlent guère. Mais un jour, Allain m'a dit que les enfants qui ne s'adaptent pas au programme sont tout simplement ramenés là d'où ils viennent.

— Alors ça, c'est de la philanthropie ! fit Max d'un ton amer.

— C'est la vie. Elle n'est facile nulle part… mais ici, c'est encore pire qu'ailleurs. Ce n'est pas comme si ces enfants n'avaient pas conscience de la chance qu'ils ont, d'échapper à cet enfer.

— Vous, il est grand temps que vous changiez de boulot ! On croirait entendre votre patron.

— Faites chier », fit-elle dans un souffle en montant le volume de la radio.

Pendant un moment, Max réfléchit à ce qu'elle venait de lui dire, puis il éteignit la radio.

« Merci, dit-il.

— De quoi ?

— D'avoir ouvert de nouveaux horizons à cette enquête. L'Arche de Noé…

— Vous pensez que celui qui a kidnappé Charlie pourrait avoir été chassé de l'Arche ?

— Ou avoir vu ses projets d'avenir anéantis par les Carver… Œil pour œil — le troisième des mobiles, selon la Bible.

— Et vous savez de quoi vous parlez », fit-elle.

35

Pour la plupart des Haïtiens, Saut d'Eau est une cascade dont les eaux charrient leur pesant de miracles. Selon la légende, le 16 juillet 1884, la Vierge serait apparue à une femme qui lavait son linge dans la rivière. L'apparition se serait transformée en une colombe qui aurait pris son envol vers les chutes, leur conférant pour l'éternité les pouvoirs de l'Esprit-Saint. Depuis, chaque année, elles attirent une foule de visiteurs et de pèlerins qui viennent se baigner dans leurs eaux miraculeuses, en psalmodiant des prières pour être délivrés de leurs maux et de leurs dettes, pour implorer de bonnes récoltes, une voiture neuve ou des solutions rapides à leurs problèmes de visas.

Et chaque année, l'anniversaire de l'apparition est l'occasion de grandes festivités qui durent un jour et une nuit sans discontinuer.

En découvrant l'endroit, Max aurait presque été tenté d'y croire. La dernière chose qu'il s'attendait à trouver, après des heures de route en plein désert, c'était bien cette bulle de paradis tropical. C'était exactement ça : une oasis de légende, un mirage qui aurait pris corps, ou un sanctuaire miraculeusement préservé, un échantillon de l'état antérieur de l'île, un rappel de ce qui avait à jamais disparu.

Pour rejoindre les chutes, ils durent longer la rive d'un grand cours d'eau qui traversait une forêt dense, avec des arbres serrés, une végétation luxuriante, un réseau d'épaisses lianes qui pendaient aux branches et des myriades de fleurs parfumées, de toutes les couleurs. Ici, ils n'étaient plus seuls. Comme ils approchaient de leur destination, un nombre croissant de pèlerins les avait rejoints — à pied, pour la plupart, mais pour certains à dos d'âne ou sur des chevaux fatigués. C'étaient des fidèles qui venaient prier pour leur guérison. En arrivant au bord du fleuve, ils s'avançaient dans l'eau, humbles et solennels, et marchaient en direction des chutes, dont les eaux franchissaient une dénivellation de trente mètres.

Leur grondement, qu'ils entendaient droit devant eux, ne parvenait pas à troubler le calme absolu de la forêt, comme si l'essence de ce silence avait été prisonnière du sol et de la profusion végétale qui les entourait. Les gens semblaient en avoir conscience, eux aussi, car ils marchaient sans élever la voix ni faire de bruit inutile en pataugeant dans l'eau.

Chemin faisant, Max remarqua, çà et là, des arbres hérissés de chandelles et couverts d'images pieuses à l'effigie des saints chrétiens, de portraits, de photos de maisons ou de voitures, de cartes postales (de New York ou de Miami, pour la plupart), ainsi que d'illustrations découpées ou déchirées dans la presse. Ces arbres, au tronc énorme et aux branches grêles — dont certains portaient des fruits longs comme des concombres —, étaient des *mapous*, lui expliqua Chantale, des arbres sacrés. Leurs racines étaient censées servir aux dieux *loa* de passage d'un monde à l'autre, et leur présence indiquait, semble-t-il, la proximité d'un courant d'eau fraîche. Ces *mapous* étaient inextricablement liés à l'histoire d'Haïti : la révolte des esclaves à laquelle l'île devait son indépendance avait, disait-on, commencé sous l'un d'entre eux, dans la ville de Gonaïves, lorsqu'un enfant volé aux Blancs avait été sacrifié au diable en échange de son aide contre les armées napoléoniennes. C'était sous ce même arbre que l'indépendance de l'île avait été proclamée en 1804.

En arrivant au pied des chutes, ils s'arrêtèrent sur la rive, auprès d'un arbre sacré. Max posa le panier qu'il avait porté jusque-là et dont Chantale sortit une bourse de velours violet, fermée par une cordelette. Elle en tira quatre petits bougeoirs de métal qu'elle piqua dans l'arbre, en quatre points équidistants, disposés comme ceux de la Rose des Vents. Puis, dans le sens inverse des aiguilles d'une montre, elle y planta quatre bougies — une blanche, une grise, une rouge et une bleu lavande. Elle prit ensuite une photo dans son portefeuille et, fermant les yeux, l'embrassa avant de la fixer par une punaise au milieu des quatre lumignons. Elle s'aspergea les mains d'eau à l'aide d'une petite bouteille de verre transparent, puis se les frictionna, ainsi que les bras, avec une lotion dont l'odeur rappelait celle du santal. Marmonnant quelques mots à voix basse, elle craqua une allumette et alluma les bougies, puis elle bascula la tête en arrière et étendit les bras en croix, les yeux au ciel, les paumes levées.

Par crainte de l'embarrasser, Max s'était éloigné de quelques mètres et contemplait la cascade. Plus loin, sur la gauche, les rayons du soleil filtraient par une percée dans les branches, allumant un immense arc-en-ciel dans le brouillard qui s'élevait du torrent. Des pèlerins se tenaient debout sur les rochers, juste en dessous de la cascade, et laissaient l'eau leur fouetter le corps. D'autres restaient plus près de la rive, là où l'eau se précipitait avec moins de force, et marmonnaient, les paumes vers le ciel, comme l'avait fait Chantale. Certains agitaient des sortes de maracas, d'autres frappaient dans leurs mains en dansant. Tous étaient nus. Dès qu'ils arrivaient près des rochers, au pied des chutes, ils ôtaient leurs vêtements sous le rideau liquide et les laissaient flotter au gré du courant. Les pèlerins entraient dans l'eau jusqu'à la taille et se frottaient avec des herbes et des pains de savon jaune qu'ils achetaient à un groupe de petits marchands postés sur la rive avec leurs grands paniers. Quelques-uns restaient immobiles, figés dans la posture du crucifié, plongés dans une sorte de transe ; d'autres étaient carrément possédés et se trémoussaient de tous leurs membres, balançant la tête d'avant en arrière, les yeux écarquillés, la langue dardée, la bouche agitée d'un mouvement incessant.

Chantale vint le retrouver et lui posa la main sur l'épaule.

« C'était pour ma mère, lui expliqua-t-elle. C'est un rite destiné à secourir les malades…

— Pourquoi enlèvent-ils tous leurs vêtements ? lui demanda Max en désignant d'un mouvement de tête les adorateurs des esprits de la cascade.

— Ça fait partie de la cérémonie. Ils doivent commencer par se débarrasser du fardeau de leur passé, symbolisé par leurs vêtements. Puis ils se lavent dans la cascade, comme pour un second baptême. Sauf que, pour eux, c'est un grand sacrifice que de renoncer à leurs vêtements. Ce sont des gens très pauvres. »

Elle s'avança vers l'eau, une bouteille vide à la main.

« Vous y allez ? lui demanda Max, incrédule.

— Pourquoi ? Pas vous ? » répliqua-t-elle avec un sourire en lui décochant un regard plus que suggestif.

Max eut le plus grand mal à résister à la tentation.

« Une autre fois, peut-être… »

Elle acheta un pain de savon et une poignée de feuilles aux gamins, avant d'entrer dans l'eau en direction des rochers noirs et de l'éblouissant déluge qui les aspergeait.

Avant même d'avoir atteint les chutes, elle ôta sa chemise et la laissa partir dans le courant. Torse nu, elle se savonna le visage et le buste, puis se glissa sur les rochers. Là, elle acheva de se dévêtir, ne gardant qu'un string noir. Elle jeta loin d'elle ses chaussures et son jean.

Max avait peine à en détacher ses yeux. Sans ses vêtements, elle était encore plus jolie qu'il ne se l'était figuré. Elle avait les jambes solides, le ventre plat, les épaules à la fois souples et robustes, les seins petits et fermes. Bref, un corps de danseuse, flexible et gracieux plutôt que vraiment athlétique. Il essaya d'évaluer la part de l'inné et de l'acquis en elle, mais, s'avisant soudain qu'il la lorgnait avec un peu trop d'intérêt, il se força à détourner les yeux.

Elle avait surpris son regard et lui sourit en agitant la main. Max, brusquement ramené à la réalité et embarrassé d'avoir été pris en flagrant délit de voyeurisme, l'imita aussitôt, d'un geste machinal.

À reculons, Chantale se força à entrer dans le milieu du cours d'eau, juste à la lisière de l'arc-en-ciel, là où l'eau tombait plus dru et avec plus de force. Il la perdit alors de vue. Elle se confondait avec d'autres silhouettes, ou d'autres ombres de baigneurs, dont le brouillard et le tourbillon des eaux dissolvaient et tordaient les contours, pour mieux les réagencer. À un moment, il lui sembla apercevoir une petite foule autour d'elle, tout un tas de gens occupés à faire leurs ablutions — et la seconde d'après, la cascade lui parut désertée, comme si les pèlerins s'étaient dissous dans l'eau, telles des figures de terre, avant d'être emportés par le courant, dans le sillage des tas de vêtements abandonnés qui allaient s'échouer, çà et là.

Tandis qu'il la cherchait des yeux, quelque chose attira son attention, sur sa gauche. Il s'était senti observé. Non pas par un regard curieux ou ébahi, comme ceux que lui avaient lancés les pèlerins qu'ils avaient croisés en chemin, mais par un œil exercé, qui le jaugeait et le soupesait. Il avait appris à détecter et à reconnaître cette sensation, du temps où il était flic. La plupart des criminels, en grands paranoïaques, sont souvent extrêmement soupçonneux, un peu comme les aveugles développent une meilleure acuité auditive et olfactive. Ils sentent le regard de l'observateur, sa présence et son attention, à l'affût de leur moindre souffle, de leur moindre pensée. C'est pourquoi les flics appliquent la règle d'or de l'observation : ne jamais fixer son regard directement sur la cible, mais sur une zone décalée de cinq degrés à droite ou à gauche, ce qui permet de surveiller sa cible sans en avoir l'air.

Celui qui l'observait devait ignorer ça. Ainsi que l'autre principe de base : pour regarder, mieux vaut éviter de se faire voir soi-même.

Il était debout sur les rochers, à l'écart des chutes, en partie dissimulé par le brouillard : un grand type maigre et dépenaillé, vêtu d'un pantalon bleu en loques et d'un T-shirt Rolling Stones à manches longues, dont les ourlets s'effilochaient. Son regard restait braqué sur Max, et le peu qu'on distinguait de son visage n'indiquait aucune expression. Sa tête disparaissait sous un épais paillasson de dreadlocks qui lui pendaient du crâne, comme les pattes inertes d'un monstrueux cadavre de tarentule.

Chantale était réapparue sur les rochers. Elle s'ébroua pour chasser l'eau de ses cheveux, qu'elle lissa en arrière du bout des doigts. Puis, redescendant dans le cours d'eau, elle entreprit de regagner la rive, là où l'attendait Max.

Au même moment, l'homme aux dreadlocks s'avança dans l'eau et se mit à marcher dans la même direction. Il avait dans les mains un objet allongé qu'il tenait au-dessus de l'eau pour ne pas le mouiller. Ceux des pèlerins qui n'étaient pas dans une autre dimension s'écartèrent de son chemin en échangeant des coups d'œil effarés, quand ils ne se hâtaient pas de rejoindre la rive à toutes jambes. Une femme possédée tenta de lui arracher l'objet des mains, mais il l'envoya valdinguer à plusieurs mètres de lui, d'un coup de coude en pleine figure. Les esprits quittèrent sur-le-champ le corps de la possédée qui regagna la rive dans une gerbe d'éclaboussures, le visage en sang.

Tandis que l'homme approchait, Max fit signe à Chantale de battre en retraite vers les rochers. Il n'était plus qu'à quelques mètres. L'idée effleura Max de sortir son flingue pour le tenir à distance, mais si l'homme n'avait plus toute sa tête, ça ne l'avancerait pas à grand-chose. Certains fous s'arrangeaient pour se faire flinguer, parce qu'ils n'avaient pas le cran de mettre eux-mêmes un terme à leurs malheurs.

L'homme aux dreadlocks ralentit et s'arrêta juste en face de Max, dans l'eau jusqu'aux chevilles. Puis il lui tendit ce qu'il avait dans les mains : une vieille boîte en fer rouillée dont le motif d'origine, une grande rose bleue, achevait de s'écailler.

Max allait s'avancer vers lui, lorsqu'un gros caillou vint frapper l'homme à la tempe. « *Iwa ! Iwa !* »

Des cris d'enfants avaient retenti juste derrière Max.

Soudain, l'homme aux dreadlocks se retrouva pris sous un feu croisé de cailloux et de gros galets qui convergeaient vers lui avec une précision surprenante et faisaient mouche, presque sans exception.

Baissant la tête, Max remonta sur la berge où s'étaient attroupés les petits lanceurs de cailloux, un groupe de gosses dont le plus vieux ne devait pas avoir plus de douze ans.

« *Iwa ! Iwa !* »

Les pèlerins, qui s'étaient jusque-là contentés de rester cloués sur place en observant la scène, s'enhardirent et se mirent eux aussi à bombarder Dreadlocks, mais ils n'avaient pas la main aussi sûre que les gosses, et leurs pierres passaient au large de leur cible, atterrissant sur les croix humaines qu'ils envoyaient faire la culbute dans l'eau, ou sur les possédés qui s'en trouvaient soit exorcisés sur-le-champ, soit plongés dans des spasmes d'une violence encore plus démoniaque.

Jusqu'à ce qu'un tir mieux ajusté vienne frapper les mains de l'homme. Il lâcha la boîte qui tomba à l'eau et disparut sous la surface, pour réapparaître quelques mètres plus loin.

Dreadlocks s'élança dans son sillage en fendant l'eau de toute la vitesse de ses jambes, toujours poursuivi par une grêle de cailloux et par une poignée des pèlerins les plus audacieux, qui, s'imaginant qu'il battait en retraite, l'avaient pris en chasse avec des bâtons, mais ne semblaient pas très impatients de le rattraper.

L'homme disparut en aval de la rivière.

Lorsqu'il fut clair pour tout le monde qu'il ne reviendrait pas, les choses retrouvèrent leur cours normal. Les esprits reprirent possession des corps qu'ils avaient quittés, les pèlerins replongèrent dans la rivière pour se savonner de plus belle et regagnèrent les rochers près des chutes, tandis que les gamins retournaient à leurs paniers.

Chantale rejoignit Max. Il lui tendit une serviette et des vêtements propres qu'il avait sortis du panier.

« Qu'est-ce que ça veut dire, *Iwa* ? lui demanda-t-il en la regardant s'essorer les cheveux.

— Ça veut dire "suppôt de Satan". Ce sont les gens qui travaillent avec les *boko*, dit-elle. Mais je ne pense pas que ce soit le cas, pour ce type. Ce n'est probablement qu'un vieux hippie du coin. Vous savez, c'est pas ce qui manque, dans le secteur. Ils arrivent à peu près normaux, deviennent possédés et ils ne repartent plus.

— Qu'est-ce qu'il me voulait ?

— Il a dû vous prendre pour un *loa* — un dieu, dit-elle en enfilant un soutien-gorge de sport.

— Ça, ça change un peu de l'ordinaire », s'esclaffa Max, mais comme il se repassait mentalement le film de l'incident, il n'y trouva rien de particulièrement cocasse. Quelque chose lui disait que ce Dreadlocks savait qui il était, ce qu'il était venu faire et qui il était venu chercher. Peut-être la manière dont il l'avait lorgné, ouvertement, comme pour s'assurer d'avoir bien capté son attention… Il avait attendu d'en être parfaitement certain avant de s'avancer vers lui. Et qu'est-ce qu'elle pouvait bien contenir, cette boîte ?

36

Le village de Clarinette était bien parti pour devenir une petite ville. La plus grande partie du bourg était construite au sommet d'une colline qui surplombait les chutes, mais dont les flancs étaient parsemés de petites bicoques, de huttes et de cabanes, jetées là pêle-mêle et de façon plus ou moins aléatoire. De loin, on aurait pu les prendre pour une cargaison de cartons tombés au hasard d'un camion de passage.

Les gens s'arrêtaient pour les lorgner tous deux sans aucune vergogne, tandis qu'ils descendaient de voiture. Les adultes les toisaient de la tête aux pieds, jetaient un coup d'œil au Landcruiser, puis revenaient à leurs occupations, comme s'ils avaient vu tout ça des millions de fois, mais restaient curieux d'éventuelles nouveautés. Quant aux enfants, ils déguerpissaient. Ils semblaient particulièrement effrayés par Max. Certains couraient vers leurs parents pour le leur montrer du doigt, d'autres allaient rameuter leurs petits camarades qui accouraient par bandes d'un mètre vingt de haut, et s'égaillaient en hurlant à tue-tête dès que le regard de Max se posait sur eux. Il en vint à se demander si la cause de la frayeur qu'il leur inspirait ne tenait pas au fait qu'ils n'avaient jamais vu de spécimens de son espèce, ou s'il ne fallait pas y voir la preuve que la peur de l'homme blanc leur avait été transmise en même temps que leurs gènes, inextricablement mêlée à leur ADN.

Le plus haut bâtiment de Clarinette était son église — un imposant cylindre de béton armé jaune moutarde, surmonté d'un toit de chaume et d'une austère croix noire. Elle était quatre fois plus haute que le bâtiment voisin, un bungalow bleu, et rendait minuscules toutes les autres maisons, bricolées tant bien que mal à partir de torchis et de bidons récupérés, qui s'agglutinaient aux alentours dans une joyeuse pagaille. À voir la façon dont l'église trônait au cœur du village, Max se dit qu'elle avait dû être la première à émerger de terre et que le reste du village avait poussé autour. Elle n'avait guère plus d'une cinquantaine d'années.

Le sommet de la croix frôlait les nuages, qui passaient incroyablement bas au niveau de la colline, isolant le village sous un couvercle de pénombre que le soleil, pourtant à son zénith, ne parvenait pas à transpercer. L'érosion progressive des chaînes de montagnes alentour avait d'autant rapproché le ciel, qui semblait presque à portée de main.

On sentait vibrer dans l'air une pointe de fraîcheur, ainsi que de vivifiantes fragrances d'orange et d'herbes sauvages, qui tranchaient sur les odeurs de cuisine et de feu de bois. En arrière-plan, noyant la rumeur confuse du village et des villageois vaquant à leurs affaires courantes, on discernait celle de la cascade, quelques kilomètres en aval, dont le grondement se muait en une sorte de roucoulement obstiné, rappelant un gargouillis de plomberie.

Ils se baladèrent dans le village en abordant les gens qu'ils croisaient. Personne n'avait entendu parler de Charlie, de Beeson, de Medd, de Faustin ou de Leballec — et, à première vue et pour autant que Max pût en juger, ils paraissaient sincères. Leurs questions concernant Tonton Clarinette ne tirèrent que des éclats de rire de leurs interlocuteurs. Max commençait à se demander si Beeson et Medd étaient vraiment venus là, et si Désyr ne les avait pas délibérément lancés sur une fausse piste.

En approchant de l'église, ils entendirent à l'intérieur le battement des tambours. Max les sentit pulser jusque dans ses poignets, tandis que le rythme de base se communiquait à ses os, se répandant dans ses veines à l'unisson de celui de son pouls, avant de s'amplifier en s'écoulant jusqu'à ses mains et jusqu'au bout de ses doigts qu'il parcourut de haut en bas, ce qui lui fit ouvrir et fermer le poing, comme pour se désengourdir.

La porte de l'église était fermée par un cadenas. Le panneau d'affichage fixé au mur s'ornait d'une grande gravure représentant la Vierge. Chantale la regarda et sourit.

« Ce n'est pas ce que vous croyez, Max. Rien à voir avec une église. C'est un *hounfo* — un temple vaudou. Et là, ce n'est pas un portrait de la Vierge Marie, c'est Ezili Fréda, notre déesse de l'Amour, l'équivalent d'Aphrodite, l'une de nos déesses les plus puissantes et les plus vénérées.

— Pour moi, ça ressemble à la Vierge comme deux gouttes d'eau, fit Max.

— C'est du camouflage. Du temps où Haïti était une colonie française, les maîtres ont tenté d'affermir leur pouvoir sur leurs esclaves en éradiquant la tradition vaudoue qu'ils avaient apportée d'Afrique et en les convertissant de force au catholicisme. Les esclaves savaient qu'il aurait été vain de résister à ces maîtres qui avaient pour eux la loi des armes. Ils ont donc feint de se convertir, mais en adoptant les saints catholiques comme leurs propres dieux. Ils fréquentaient assidûment l'église, comme on le leur imposait, mais à travers les icônes imposées par Rome, c'était leurs propres *loa* qu'ils adoraient. Saint Pierre est devenu Papa Legba, *loa* des égarés, saint Patrick a été rebaptisé Damballah, le dieu serpent, et saint Jacques s'est fait recycler en Ogou Ferraille, le dieu de la guerre.

— Pas bête, fit Max.

— C'est ce qui nous a permis de rester libres », dit Chantale avec un sourire. Elle se tourna un instant vers le panneau d'affichage. « Il y a un service à six heures, aujourd'hui. Est-ce qu'on peut rester jusque-là ? J'aimerais faire une offrande pour ma mère.

— Pourquoi pas ? » fit Max en hochant la tête. Ça les obligerait à rouler de nuit jusqu'à Pétionville, mais il s'en balançait. Lui aussi, il était curieux d'y assister, à cette cérémonie. Il n'en avait jamais vu. Au moins, ils ne seraient pas venus pour rien…

Quittant le centre du bourg, ils prirent vers l'est, en direction d'un endroit où poussaient deux *mapous*. Max n'en revenait pas, du silence de ces montagnes, après l'incessant vacarme de la capitale.

Ils marchèrent jusqu'à un long muret de grès qui avait dû être abandonné avant d'avoir été achevé. L'extrémité sud de la construction, si elle avait été menée à son terme, aurait assuré à ses habitants une vue imprenable sur les chutes, deux kilomètres plus bas.

« Quelle idée de se faire construire une maison ici, au beau milieu de nulle part ! fit Chantale.

— C'était peut-être le but recherché.

— C'est trop grand pour une maison », dit-elle en suivant des yeux le mur qui remontait jusqu'aux coteaux, derrière le village.

Les deux arbres sacrés étaient couverts de restes de chandelles consumées, de rubans, de mèches de cheveux, de photos et de minuscules bouts de papier portant des messages manuscrits. Un peu plus loin, un petit cours d'eau s'écoulait silencieusement en direction du gouffre de la cascade. La scène aurait été idyllique, sans deux gros rottweillers qui s'ébrouaient au milieu du ruisseau.

Leur propriétaire, un petit gros vêtu d'un jean et d'une chemise blanche encore empesée, se tenait de l'autre côté du ruisseau, l'œil rivé à la fois sur eux et sur ses chiens. Il avait à la main un fusil à pompe Mossberg.

« *Bonjour* !* leur cria-t-il. Américains ?

— Oui, répondit Max.

— Vous êtes avec l'armée ? demanda-t-il avec un accent qui

suggérait qu'il avait passé plus de temps dans le New Jersey qu'en Haïti.

— Non, répliqua Max.

— Vous êtes venus visiter les chutes ? » s'enquit l'homme en longeant la rive de son côté pour se rapprocher d'eux. Ses chiens lui avaient illico emboîté le pas.

« Exactement. Nous y sommes passés.

— Et alors, ça vous a plu ?

— Beaucoup, fit Max.

— Vous préférez celles du Niagara ?

— J'en sais rien, lui dit Max. J'y suis jamais allé.

— Par là, plus loin, il y a de grosses pierres plates qui vous permettront de passer à gué, sans descendre dans l'eau... » Il leur indiquait un vague point du cours d'eau, en aval. « Enfin, si vous désirez traverser...

— Qu'est-ce qu'il y a, par là ? lui demanda Max sans quitter l'ombrage des arbres.

— Oh, rien. Juste le cimetière français.

— Pourquoi français ?

— Parce que ce sont des soldats français qui y sont enterrés. Des hommes de Napoléon. Vous voyez, autrefois, tout ce secteur... c'était une plantation de tabac. Il y avait une petite garnison, à peu près à l'emplacement de la ville actuelle. Une nuit, les esclaves se sont soulevés et ont pris la garnison. Ils ont amené les soldats ici, juste à l'emplacement où vous êtes, entre les deux *mapous*. Et ils les ont fait s'agenouiller, l'un après l'autre, sur un *vévé* dédié à Baron Samedi, le dieu des morts et des cimetières », dit-il avec un mouvement du pouce en travers de sa gorge, qu'il ponctua d'un claquement de langue. « Ils les ont saignés et ont recueilli leur sang pour faire une potion qu'ils ont tous bue, puis ils ont enfilé les uniformes des soldats, se sont badigeonné de blanc les mains et le visage pour pouvoir passer inaperçus de loin, et ils ont fait un raid dans toute la région, tuant, violant et torturant tous les Blancs qu'ils ont pu trouver, femmes et enfants compris. Eux, ils s'en sont tirés sans la moindre égratignure. Quand ils en ont eu terminé, libres cette fois, ils sont tous revenus se reposer ici. »

Max regarda les arbres et le sol, à ses pieds, comme si quelque chose dans leur apparence avait pu trahir l'ombre de leur passé puis, n'y ayant rien décelé de remarquable, il partit le long du ruisseau en compagnie de Chantale, jusqu'à ce qu'ils trouvent le gué de pierres plates qui leur permit de traverser.

Le type aux chiens était venu à leur rencontre. Max lui donnait à peu près son âge, quarante-cinq ou quarante-six ans, peut-être un peu plus. Il avait un visage lunaire, mais avec le teint foncé et de petits yeux pétillants de malice, comme s'il venait juste de retrouver son sérieux après avoir entendu la meilleure blague de l'année. Il avait le front barré de rides profondes, avec deux parenthèses qui se creusaient autour de ses oreilles. Des petits sillons prolongeaient les coins de sa bouche et une nuée de poils argentés lui soulignait la mâchoire. Il avait l'air solide et respirait la santé, avec des bras musclés et un poitrail comme un baril. Il avait dû être amateur de musculation dans sa jeunesse. À vue de nez, il devait même continuer à soulever ses haltères plusieurs fois par semaine, pour rester au sommet de sa forme et lutter contre les kilos. C'était la première fois qu'ils se croisaient, mais Max l'avait reconnu : l'accent, l'attitude générale, la charpente, le regard… un ex-taulard.

Max lui serra la main et se présenta, ainsi que Chantale.

« Je m'appelle Philippe », dit-il et il éclata de rire, dévoilant la plus belle collection de dents que Max ait vue jusque-là sur un natif de l'île. Il avait la voix rauque, non pas d'avoir crié, ni à cause d'un mauvais rhume, se dit Max, mais par simple manque d'entraînement. Personne à qui parler, ou plus grand-chose à dire à ses proches.

« Par ici ! s'exclama-t-il avec enthousiasme. Je vais vous faire visiter le cimetière. »

Ils traversèrent un champ, puis un autre ruisseau, avant d'arriver dans une grande orangeraie sauvage, celle-là même qui répandait dans tous les environs ses puissants, pour ne pas dire entêtants, parfums. Philippe naviguait à vue entre les arbres, contournant les tas de fruits qui pourrissaient sur place en exhalant leurs suaves relents. Ils se regroupaient tout naturellement selon de vagues formes tenant à la fois du cercle et du carré, sous les branches d'où ils dégringolaient, puis là où la pente les conduisait et où ils finissaient par s'arrêter. Max n'avait jamais vu d'aussi belles oranges. Elles étaient aussi grosses que des pamplemousses ou des petits melons, avec une peau mate et épaisse, d'un rouge plus soutenu du côté de la tige. La chair de celles qui avaient éclaté était mouchetée de rouge. L'orangeraie bourdonnait d'une nuée de mouches et d'insectes venus festoyer sur cette débauche de sucre en pleine fermentation.

Le cimetière se trouvait par là, à quelque distance. C'était un vaste rectangle envahi d'une herbe haute et drue, avec de grandes stèles funéraires grossièrement taillées et plantées parfois de guingois, le tout ceint d'une grille métallique dans laquelle s'ouvraient quatre portillons d'entrée — un de chaque côté.

Les soldats avaient été enterrés côte à côte, sur cinq rangées de douze. Soixante tombes. L'emplacement de chaque sépulture était signalé par une dalle aplanie de pierre grise de dimensions à peu près égales, où figurait un prénom, gravé tant bien que mal en grosses majuscules.

« Je ne vous ai pas tout dit, poursuivit Philippe, tandis qu'ils passaient devant ces tombes de fortune. Les esclaves ne se sont pas contentés de boire leur sang et de voler leurs uniformes. Ils se sont aussi approprié leurs noms, vous voyez… ? » Il leur montra une stèle où l'on pouvait lire VALENTIN.

« C'est d'ici que viennent tous les noms du village.

— Il n'y aurait pas une contradiction dans les termes ? demanda Max. S'ils voulaient se libérer de la domination de leurs maîtres, pourquoi s'encombrer de leurs noms ?

— *Contradiction ?* dit Philippe avec un sourire. Leur problème, c'était plutôt l'*éradication.*

— Alors, pourquoi laisser ces stèles derrière eux ? Pourquoi donner une sépulture à ces corps ?

— Les Haïtiens ont le plus grand respect pour les morts. Y compris les morts blancs. Ils ne tenaient pas à tomber nez à nez avec des fantômes qui leur auraient parlé français… » fit-il en souriant, puis il le regarda. En chemin, Max avait ôté le cran de sûreté de son étui à revolver.

« Mais quelque chose a dû foirer quelque part, avec le sort qu'ils ont lancé », dit Philippe en les entraînant vers un vaste espace dégagé qui marquait la limite entre les tombes des soldats et les autres sépultures. Au centre s'élevait une stèle solitaire, posée sur un rectangle de terre brun-rouge, où ne poussait pas un brin d'herbe. On n'y lisait aucun nom.

« Il y avait pas mal de gamins dans les armées napoléoniennes. Certains n'avaient guère plus de huit ans. C'étaient pour la plupart des orphelins qui s'étaient fait recruter. Les soldats de la garnison étaient tous très jeunes. Le plus haut gradé n'avait que vingt ans, dit Philippe, les yeux fixés sur la tombe. C'est ici qu'ils ont enseveli la mascotte du régiment. Je ne sais pas au juste quel âge il pouvait avoir, mais ce n'était qu'un gosse. On ne connaît même pas son nom. Il jouait de la clarinette pour les esclaves qui travaillaient ici, dans la plantation. Ils lui ont réglé son compte en dernier.

« Ils l'ont forcé à jouer de la clarinette pendant qu'ils pendaient ses camarades par les pieds et leur tranchaient la gorge au-dessus d'un seau. Mais lui, ça n'est pas ce qu'ils lui ont fait. Ils l'ont mis dans un cercueil et l'ont enterré vivant, juste ici. » Philippe tapa du pied. « On dit qu'on a entendu longtemps sa clarinette, bien après qu'ils eurent balancé la dernière pelletée de terre au-dessus de sa tête. Ça a continué pendant des jours, cette petite musique de mort. Certains disent même que, dès qu'il y a un peu de vent, on peut encore entendre le son de la clarinette qui se mêle à l'odeur de ces oranges que personne ne mange, parce qu'elles se nourrissent des morts.

— Et le sort qu'ils ont lancé ? s'enquit Max.

— Si vous croyez à ce genre de truc, quand Baron Samedi est venu récupérer les corps que les esclaves lui avaient offerts, il a trouvé le gosse toujours en vie, et il en a fait son lieutenant. Il l'a mis à la tête de sa section enfants.

— Un dieu de la Mort pour enfants ?

— Ouais — sauf que lui, ce n'est pas vraiment un dieu. Personne ne lui rend de culte, comme on le fait pour Baron Samedi. C'est plutôt son croquemitaine — et lui non plus, il n'attend pas que les gamins soient morts. Il les emmène vivants. »

Max se souvint de ce que lui avait conseillé Dufour : remonter à la source du mythe de Tonton Clarinette, pour comprendre ce qui était arrivé à Charlie. Il y était. À l'emplacement même où le mythe avait jailli. Alors, où était la réponse ?

« D'où tenez-vous tout ça — l'histoire des soldats, et le reste ?

— J'ai grandi avec ces histoires. C'est ma mère qui me les a racontées, quand j'étais tout gamin. Elle les tenait de sa propre mère, et ainsi de suite. Vous savez, la tradition orale garde les choses plus vivantes que n'importe quel livre. Le papier, ça brûle... dit-il. En fait, sauf erreur de ma part, c'était ma mère que vous veniez voir, non ?

— Votre *mère* ? » Max en resta cloué sur place, bouche bée. « On peut savoir votre nom ?

— Leballec, dit Philippe avec un sourire.

— Pourquoi ne le disiez-vous pas ?

— Vous ne m'avez rien demandé, s'esclaffa Philippe. Vous enquêtez sur la disparition du petit Carver, n'est-ce pas ? Charlie Carver. Comme les autres Blancs qui sont venus ici. »

À l'instant même, Max entendit un bruit dans l'orangeraie, juste derrière lui. Un pas lourd, suivi de craquements de brindilles.

Chantale et lui se retournèrent et virent trois grosses oranges qui dévalaient la pente en direction de la grille. L'une d'elles parvint à passer entre les barreaux et ne s'arrêta qu'aux pieds de Chantale. Elle l'envoya rouler au loin.

« Alors votre mère, c'est le...

— Le *boko*, oui. Vous ne vous attendiez pas à ça, hein... ? Que ce soit une femme, à ce poste. Mais sur cette île, tout ce qui marche, c'est grâce aux femmes — à part le gouvernement. Et si elles prenaient les commandes, Haïti ne serait pas en passe de devenir le trou du cul du monde... » Philippe hocha la tête.

« Votre mère habite où ? demanda Max.

— Tout près d'ici. »

D'un mouvement de tête, Philippe lui indiqua l'est et se remit en marche, puis il s'arrêta et se retourna pour lorgner Max, droit dans les yeux. « Quand êtes-vous sorti ?

— Et vous ? » rétorqua Max. Il reconnaissait les ex-taulards à coup sûr, à la tension qui leur nouait le cou et les épaules, à cet état d'alerte permanente de leur corps, toujours prêt à riposter en cas d'attaque. Et chez Philippe, tout comme chez Max, c'était particulièrement flagrant.

« Depuis deux ans. » Philippe lui décocha un grand sourire.

« Ils vous ont rapatrié ?

— Je veux, oui. Pour moi, c'était le seul moyen de sortir autrement que les pieds devant. J'ai été l'un des premiers à être renvoyé ici. Un cobaye.

— Vous auriez déjà rencontré un certain Vincent Paul ?

— Non.

— Mais vous savez qui c'est ?

— Ouais. Bien sûr que je le sais. »

Du pouce, Philippe leur fit signe de se mettre en marche. Au bout de quelques pas, il s'arrêta à nouveau.

« Au cas où vous vous demanderiez ce que j'ai fait, c'était un meurtre, dit-il. Avec préméditation. J'ai eu des ennuis avec un mec, et ça s'est envenimé jusqu'au point de non-retour. L'impasse. Un jour, j'ai pris ma voiture et je suis allé le descendre. Le seul truc qui me laisse quelques regrets, c'est de m'être fait prendre. Et vous ?

— Même topo », fit Max.

37

Les Leballec habitaient à une demi-heure du cimetière, au bout d'un chemin de terre qui traversait un autre champ et un cours d'eau avant de plonger en pente raide jusqu'à une corniche verdoyante qui surplombait les chutes. Ils n'avaient pas dû aller chercher bien loin leurs matériaux de construction : leur maison était un rectangle de plain-pied, bâti avec les mêmes blocs de grès que la structure inachevée des faubourgs de Clarinette.

Philippe les fit attendre dehors avec les chiens, pendant qu'il allait parler à sa mère.

En entendant le lointain grondement des chutes, Max se souvint de ses premiers mois à Rikers Island. Le seul bruit qui lui parvenait était celui de l'eau autour du pénitencier. La rumeur des vagues, qui aurait dû l'apaiser ou le consoler, avait eu l'effet inverse. Elle l'avait conduit au bord de la folie, il aurait juré que le murmure de la houle s'adressait directement à lui, qu'il l'appelait du fond des gouffres marins. Et il ne se leurrait pas sur ce qui lui arrivait. C'était le lot des détenus qui plongeaient pour la première fois et pour longtemps — la peur, la parano, le stress s'alliaient pour les travailler de l'intérieur, leur jouer de sales tours, leur embrouiller l'esprit en leur faisant miroiter la folie comme unique solution à leurs souffrances. Il s'était cramponné de toutes ses forces à sa santé mentale et il avait tenu bon. Il s'en était sorti. Et il avait appris à faire la sourde oreille au bruit des eaux.

Une forme sombre était apparue au bas de la fenêtre la plus proche de la porte. Elle s'attarda un instant dans les reflets de la vitre avant de disparaître.

Une minute plus tard, la porte s'ouvrit et Philippe leur fit signe d'entrer. Les chiens n'émirent pas un son.

À l'intérieur de la maison régnait une pénombre fraîche, chargée d'une multitude d'odeurs sucrées, comme dans une confiserie bien fournie. Aux notes chocolatées s'alliaient des parfums de vanille, de cannelle, d'anis, de menthe ou d'orange. Le tout se mêlait, se superposait, sans pourtant jamais former de mélange définitif.

Philippe les fit entrer dans la pièce où les attendait sa mère. Elle était assise dans un fauteuil roulant, près d'une longue table recouverte d'une soie noire ourlée de violet, d'argent et d'or.

La pièce, bien qu'aveugle, était illuminée par des groupes de gros cierges violets qui étaient disposés sur le sol en formations serrées de forme rhomboïdale, ou qui trônaient, plantés dans des chandeliers de cuivre, sur des meubles de hauteurs et de longueurs variées, drapés de noir, eux aussi. Les cierges posés par terre étaient en forme de croix tronquée, la flamme leur tenant lieu de tête.

L'atmosphère de la pièce aurait dû être torride mais il y faisait presque frais, grâce au climatiseur qui tournait à fond et au ventilateur dont ils entendaient cliqueter les pales au plafond. Les flammes ondulaient doucement sur leurs mèches dans la brise artificielle, créant autour d'elles une illusion de lent tourbillon, comme si les murs tournaient en les enveloppant, telle une créature informe qui attendrait son heure en jouissant de la frayeur de sa proie.

Philippe se chargea des présentations. Sa voix s'était faite tendre, et toute son attitude dénotait le plus profond respect dès qu'il s'adressait à sa mère. Max en conclut qu'elle devait lui inspirer autant d'amour que de crainte.

« Max Mingus, puis-je vous présenter à *Madame** Mercedes Leballec ? dit-il en s'effaçant sur le côté.

— *Bond-joor* », fit Max. Il avait automatiquement incliné la tête devant elle, de façon presque inconsciente. On sentait chez cette femme une autorité, un sens inné du commandement et un pouvoir qui se nourrissait de l'humilité et de l'intimidation qu'elle imposait.

« Monsieur Mingus… Bienvenue dans cette maison. » Elle parlait un anglais gracieux et lent, mâtiné d'un fort accent français, énonçant chaque mot d'une voix douce qui produisait un effet presque affecté, sans doute réservé aux étrangers.

Max lui aurait donné une soixantaine d'années — voire soixante-dix. Elle portait une robe en jean bleu à manches longues, fermée devant par des boutons en bois blanc. La peau de son crâne, parfaitement chauve, était si lisse et si lustrée qu'on aurait juré qu'elle n'avait jamais eu de cheveux. Elle avait le front haut et droit, tandis que ses traits, étroitement resserrés et comme comprimés au bas de son visage, semblaient plus petits et moins bien définis qu'ils auraient dû l'être. Ses yeux étaient si peu ouverts que Max avait peine à en distinguer le blanc. Leurs mouvements évoquaient ceux de deux ombres entraperçues derrière un judas. Elle n'avait pas de cils et quant à ses sourcils, elle n'en portait qu'une version stylisée, sous l'espèce de deux grands traits en arc de cercle qui partaient de ses tempes pour venir se rejoindre en deux points presque confondus, à la naissance de son nez épaté. Sa bouche minuscule s'avançait comme celle d'un poisson. Elle avait la mâchoire volontaire et son menton se creusait en son milieu d'une fente profonde, comme un sabot fourchu. Max pensa à une de ces ex-reines d'Hollywood — recluses, excentriques, et vaguement inquiétantes — après une chimiothérapie. Son regard fit rapidement la navette entre son visage et celui de Philippe, qui s'était juché sur un tabouret derrière elle, les épaules courbées et les mains sur les cuisses. On leur aurait vainement cherché un atome de ressemblance.

D'un geste d'impératrice, elle les invita à prendre place.

« Ainsi, vous êtes à la recherche de cet enfant — Charlie ? leur demanda-t-elle dès qu'ils furent assis.

— Exact, répliqua Max. Il est chez vous ?

— Non, répliqua-t-elle avec force.

— Mais vous connaissez Eddie Faustin ?

— Je le *connaissais*. Il est mort.

— Comment le savez-vous ? On n'a jamais retrouvé son corps.

— Eddie est mort », répéta-t-elle en approchant son fauteuil roulant de la table.

Max remarqua le gros sifflet en inox qu'elle portait au cou, retenu par une cordelette, et se demanda s'il lui servait à appeler les chiens ou son fils. Ou les deux...

« Eddie vous a-t-il déjà dit pour qui, ou avec qui, il travaillait ?

— Nous ne serions pas assis autour de cette table, s'il me l'avait dit.

— Ah ? Pourquoi ? s'étonna Max.

— Parce que je serais riche et vous, vous ne seriez pas là. »

Quelque chose derrière son épaule gauche attira le regard de Max. C'était deux mains jointes en laiton, grandeur nature, qui se dressaient au milieu d'une table drapée de noir et flanquée de deux longs cierges plantés sur des chandeliers sculptés en forme de colonnes delphiques. Un calice et une bouteille vide, en verre transparent, étaient placés de part et d'autre de la sculpture. Et derrière, en demi-cercle, se déployaient successivement un crâne de chien, une dague, une paire de clefs, un Sacré-Cœur en métal argenté et une poupée de chiffon. Mais le centre de tout cet arrangement était un objet double qu'il remarqua en dernier. Posée sur un plateau de cuivre qui aurait pu être un plateau de communion, trônait une paire d'yeux en porcelaine, de la taille de deux balles de ping-pong et dont les prunelles azur vif plongeaient droit dans les siens.

C'était un autel destiné aux rituels de magie noire. Il en avait déjà vu un certain nombre à Miami au début des années quatre-vingt, lorsque la mafia cubaine avait étendu son emprise sur la ville — les malfrats invoquaient la protection des esprits des ténèbres avant de commettre leurs méfaits. La plupart des flics avaient beau traiter par le mépris ces symboles d'obscurantisme, où ils ne voyaient que simagrées superstitieuses, n'empêche que ça les ébranlait. C'était tout un monde qui échappait à leur compréhension, une puissance dont ils ne pouvaient minimiser l'efficacité.

« Eddie ne vous a donc jamais parlé des gens pour qui il travaillait ? poursuivit Max.

— Non.

— Pas un mot, pas le moindre détail ? Ne vous a-t-il jamais dit si son patron était un homme ou une femme ? S'ils étaient noirs ou blancs ? Étrangers ?

— Rien.

— Et vous n'avez rien demandé ?

— Non.

— Pourquoi ?

— Parce que ça ne m'intéressait pas, répondit-elle sur le ton de l'évidence.

— Mais vous saviez ce qui se tramait ? » Max se pencha vers la table, comme lorsqu'il voulait en imposer à un témoin récalcitrant, dans une salle d'interrogatoire. « Vous saviez qu'ils allaient l'enlever, ce gosse.

— Ça n'était pas mes affaires, répliqua-t-elle sans s'émouvoir le moins du monde.

— Mais vous deviez trouver ça répugnant, ce qu'ils s'apprêtaient à faire, insista Max.

— Je ne juge personne, répondit-elle.

— O.K. » Max hocha la tête et se recula sur son siège. De l'autre côté de la table, Chantale n'en perdait pas une miette. Il jeta un coup d'œil vers Philippe, qui bâillait.

Puis son regard retourna vers l'autel, croisant celui des yeux de porcelaine avant de se risquer à explorer le fond de la pièce. Derrière Mercedes, au milieu du mur turquoise, était accrochée une croix de bois sans tête disposée en diagonale, dont la branche centrale était hérissée de longs clous, certains tordus, plantés pour la plupart de guingois et selon des angles bizarres. La croix donnait l'impression de tomber du ciel.

« Depuis combien de temps connaissiez-vous Eddie ?

— Je l'ai aidé à décrocher son job dans la famille Carver », répondit Mercedes, avec l'ombre d'un sourire. Elle avait vu le regard de Max s'attarder sur les objets exposés derrière elle.

« Et comment l'avez-vous aidé ?

— Comme d'habitude.

— Ce qui signifie ?

— Vous savez bien, dit-elle en se fendant d'un large sourire qui dévoila une rangée de dents minuscules.

— C'est de la magie noire ? demanda Max.

— Vous pouvez l'appeler comme ça vous chante, fit-elle avec un geste évasif.

— Qu'avez-vous fait pour lui ?

— M. Carver avait le choix entre Eddie et trois autres candidats. Eddie m'a apporté des objets ayant appartenu à chacun de ses trois rivaux, des choses qu'ils avaient touchées ou portées sur eux. Et je me suis mise au travail.

— Et alors ?

— La chance, ce n'est pas éternel. Et ça se paie. Et avec intérêts. » Mercedes repoussa son fauteuil en arrière.

« J'ai entendu dire qu'Eddie avait eu une mort douloureuse. Est-ce de cette façon qu'il s'est acquitté de sa dette ?

— Eddie avait beaucoup de dettes.

— Vous pourriez m'en dire plus ? fit Max.

— Il est revenu me voir après avoir été engagé chez les Carver. Il avait des problèmes.

— De quel genre ?

— Le genre habituel. Les femmes. Des ennemis.

— Et qui étaient ses ennemis ?

— Eddie était un macoute. Il avait battu et rackетté des tas de gens. Ils voulaient presque tous sa mort. Et il y avait aussi les familles, celles des gens qu'il avait tués et des femmes qu'il avait violées. Elles aussi voulaient sa peau. C'est ce qui arrive, quand on a eu le pouvoir et qu'on le perd.

— Qu'est-ce que vous lui avez demandé, en retour ?

— Vous ne pourriez pas comprendre et, d'ailleurs, ça non plus, ça ne vous regarde pas », décréta-t-elle d'un ton sans appel. Puis elle guetta sa réaction.

« O.K., fit-il. Parlez-moi un peu d'Eddie et de Francesca Carver.

— Il y a des choses en ce monde qu'on ne possédera jamais. J'ai tenté de le mettre en garde contre ce genre de délire. Ça ne pouvait que très mal tourner. Il ne m'écoutait pas. Il fallait qu'il ait cette femme, comme tout le reste, dans sa vie. Il se croyait follement épris d'elle.

— Et il ne l'était pas ? s'enquit Max.

— Eddie ? s'esclaffa-t-elle. L'amour, il n'a jamais su ce que c'était. Les femmes qu'il ne payait pas, il les violait.

— Et vous avez accepté de travailler pour lui ?

— Parce que vous ne travaillez pas pour des salauds, vous ? » Elle eut un petit rire de gorge, très profond, bouche fermée. « Nous ne sommes pas si différents, vous et moi, monsieur Mingus. Nos services sont à louer. »

Mercedes Leballec n'avait rien à cacher, pour autant qu'il pût en juger, mais elle lui dissimulait tout de même quelque chose, il le sentait confusément. Un détail essentiel, un élément d'information vital, qui transparaissait en filigrane dans tout ce qu'elle lui disait.

« Qu'est-ce que vous avez mis en œuvre pour réunir Eddie et Mme Carver ?

— Qu'est-ce que je n'ai pas essayé, vous voulez dire. J'ai tenté tout ce que je savais. Rien ne marchait.

— Cela vous était-il déjà arrivé ?

— Non.
— Qu'avez-vous promis à Eddie ?
— Rien.
— Pourquoi ?
— Parce que c'était pour réussir qu'il me payait.
— Et alors ? Vous lui avez menti ?
— Non. J'ai essayé autre chose. Un rituel rare, qu'on ne tente qu'en ultime recours. Quelque chose de très risqué.
— De quoi s'agissait-il ?
— Je ne peux ni ne veux vous le dire.
— Pourquoi ?
— Il m'est interdit d'en parler. »
Max crut déceler une trace de frayeur. Il n'insista pas.
« Et ça a marché ?
— Oui, au début.
— Comment ça, au début ?
— Eddie m'a dit qu'il avait eu l'occasion de faire une escapade avec la Carver.
— Une escapade ? S'enfuir avec elle, vous voulez dire ?
— Oui.
— Il vous a donné plus de détails ?
— Non.
— Et vous n'avez posé aucune question, parce que ce n'était pas vos affaires... » fit Max.
Elle hocha la tête.
« Alors, comment savez-vous que ça s'est mal terminé ?
— Eddie est mort. Je ne vois pas comment ça aurait pu se terminer plus mal.
— Qui vous a dit qu'il était mort ?
— Lui, fit Mercedes.
— Qui ça ? Eddie ?
— Oui.
— Comment ça ? »

Elle se rapprocha encore de la table.

« Vous tenez vraiment à le savoir ? »

De près, elle sentait la cigarette au menthol.

« Oui, fit Max. Je veux savoir.

— Vous avez les nerfs fragiles ?

— Non.

— Très bien. »

Mercedes recula son fauteuil et, à voix basse et en créole, échangea quelques mots avec Philippe.

« Voulez-vous vous lever, tous les deux, et vous écarter de la table pour que nous puissions tout préparer ? » dit Philippe en quittant son tabouret, avec un geste vague vers la droite.

Max et Chantale allèrent se poster près de la porte. Du sol au plafond, les murs étaient entièrement couverts de rayonnages de bois vissés à la cloison. Il y avait une vingtaine de compartiments qui présentaient chacun un gros bocal cylindrique plein d'un liquide jaunâtre transparent dans lequel son contenu était complètement immergé. Comme il y promenait son regard, au hasard, Max remarqua un gros œuf, un mamba noir, un petit pied, une chauve-souris, un cœur humain, un gros crapaud, une patte de poulet, une broche en or, un lézard, et une main humaine.

« À quoi ça sert ? chuchota Max à l'oreille de Chantale.

— À jeter des sorts. Des bons et des mauvais. Ma mère en connaissait quelques-uns. L'œuf peut servir à rendre une femme fertile ou stérile… » dit-elle, avant de montrer le pied qui était, nota Max, scié avec une précision quasi chirurgicale, juste au-dessus de la cheville. « Le pied peut servir à guérir des fractures osseuses, comme à rendre quelqu'un infirme. » Puis elle attira son attention sur la main, dont la peau fripée était d'un gris tirant sur le verdâtre. « C'est la main d'un homme marié. Vous voyez l'alliance ? » Il repéra l'anneau d'or pâle qui ceignait l'annulaire. « Elle peut nouer ou dénouer un mariage. Tout ce que vous voyez sur ces étagères a deux usages possibles. Tout dépend du client et de celui ou celle qui jette le sort. Les sorts favorables sont jetés avant minuit. Les autres, après. Mais je vous parie qu'il ne s'en jette pas beaucoup de bons, dans le coin…

— Comment ont-ils eu tout ça ? s'enquit Max.

— Ils les ont achetés.

— Où ça ?

— Tout est à vendre, ici, Max, lui dit-elle. Y compris l'avenir. »

Il jeta un œil aux préparatifs des Leballec. Philippe avait ôté la nappe, révélant le bois verni de la table, qui portait des marques de différentes tailles. Des encoches soulignées de noir.

Ce qui sautait d'abord aux yeux, c'était les lettres de l'alphabet disposées selon deux arcs de cercle, juste en face de Mercedes, en grosses capitales de A à M, puis de N à Z. Au-dessous, en ligne droite, figuraient les chiffres de 1 à 10. Dans les deux coins supérieurs, on lisait OUI* et NON* et, au milieu du côté opposé, AU REVOIR*.

« Est-ce que c'est ce que je pense ? demanda Max à Philippe.

— Ça n'est pas un jeu de Monopoly. Vous avez dit que vous vouliez savoir… lança Philippe avec un sourire. Ça permet de savoir. Approchez-vous donc. »

Max hésita. Et si tout ça n'était qu'une banale mise en scène ?

Et alors, même si c'en était une ! se dit-il. Ce genre de canular ne peut faire de mal qu'à celui qui y croit…

« Je pensais qu'il fallait payer, pour ce genre de choses, fit Max sans bouger d'une semelle.

— Vous êtes donc décidé à le faire ?

— Oui.

— Très bien, dit Mercedes, toujours souriante. Eh bien, considérez ça comme un cadeau que je vous fais. Vous valez nettement mieux que vos prédécesseurs — M. Beeson et M. Medd.

— Vous les avez rencontrés ?

— Beeson était un type infect, arrogant et grossier. Il m'a traitée de "marchande de poudre", de "vieille chouette empaillée", et il a filé dès qu'il a compris la vraie nature de mes activités. Medd a été plus poli. Lui au moins, avant de partir, m'a remerciée pour le temps que je lui avais consacré.

— Et vous ne les avez jamais revus ?

— Non. »

Donc, eux non plus ne croyaient pas à toutes ces conneries, se dit Max. Quant à lui, soit on le pensait capable d'une grande ouverture d'esprit, soit on le prenait pour un gogo fraîchement converti.

« Toujours partant, Max ? »

La table était un grand tableau de oui-ja. Mercedes s'était munie d'un carnet, d'un crayon et d'un pointeur ovale, en verre transparent, qu'elle avait posés près de son coude.

La séance pouvait commencer.

Ils s'installèrent autour de la table, Max en face de Mercedes et Chantale face à Philippe. La tête inclinée, ils formaient un cercle en se tenant les mains, comme pour prier ensemble. Seul Max gardait les yeux ouverts. Pas question de prendre ça au sérieux. Il n'y croyait pas, à ces attrape-couillons.

« Eddie ? Eddie Faustin ? *Où là* ? » appela Mercedes d'une voix qui fit vibrer la pièce.

Max songea que si elle jouait la comédie, elle prenait son rôle vraiment très à cœur. Son visage, tendu à l'extrême, était encore plus bizarre qu'au naturel. Ses traits se tordaient au point d'en devenir méconnaissables, disparaissant totalement en tourbillons ou en amas de replis comprimés, ramassés. Elle serrait si fort les mains de Philippe et de Chantale que l'effort lui faisait trembler les poignets. Les deux autres grimaçaient de douleur.

La pièce s'était assombrie. Max crut distinguer un mouvement du côté des étagères et y jeta un coup d'œil. Des objets exposés lui parut émaner un semblant de lumière et de clarté. Ils avaient l'air presque vivants, à la fois inertes et brillants, comme des mannequins dans une vitrine illuminée, au détour d'une rue sombre. Il aurait juré que quelque chose avait bougé, dans certains des bocaux — une infime pulsation de la main, les orteils du pied qui gigotaient, le serpent qui sortait la langue, ou une craquelure apparue sur la coquille de l'œuf. Pourtant, quand son attention se fixait sur chacun des bocaux individuellement, tout redevenait immobile.

Philippe et Chantale resserrèrent leur emprise sur les mains de Max, tandis que leurs lèvres s'agitaient sans émettre le moindre son.

L'atmosphère avait changé. Jusque-là, il n'avait ressenti aucun sentiment d'angoisse, malgré la présence de tout ce bric-à-brac, et en dépit de cette idée dérangeante : ses prédécesseurs étaient passés par là, sur le chemin de la mutilation et de la torture, voire même, il ne pouvait l'exclure, de la mort. Il sentait à présent les tensions se nouer, gagner de proche en proche son dos et sa poitrine, comme si un colosse s'était assis dessus.

Tout juste s'il fit attention au bruit, quand il l'entendit. Il pensa que ça venait du ventilateur.

Puis le bruit se refit entendre, cette fois plus proche, plus fort. Ça sourdait juste sous son nez : une petite tape, une seule, très légère, suivie par le bruit de quelque chose d'infime qui aurait gratté une surface lisse, un bruit évoquant celui d'une fermeture Éclair qu'on aurait fermée, en produisant un murmure, d'abord grave, puis glissant vers l'aigu.

Quand ses yeux revinrent à la tablette, quelque chose avait changé. Le pointeur s'était déplacé — à moins qu'on ne l'eût poussé. Il n'était plus près du coude de Mercedes. Il avait rejoint les lettres et indiquait le E.

Chantal et Philippe lui lâchèrent les mains.

« *Qui là* ? » demanda Mercedes.

Il vit le pointeur pivoter de façon autonome et indiquer le D.

Max aurait bien demandé à Mercedes comment elle procédait, mais il avait la bouche sèche et les couilles gelées.

Le visage de Chantale demeurait indéchiffrable.

Puis le pointeur pivota vers la droite et se déplaça légèrement pour s'arrêter sur le I, d'un mouvement à la fois heurté et régulier, comme s'il avait vraiment été poussé par une main invisible. Si c'était un truquage, c'était criant de vérité — du moins Max se le répétait-il intérieurement et en boucle, histoire d'endiguer la panique.

L'idée lui vint de chercher sous la table le mécanisme qui contrôlait ce tour de passe-passe terrifiant, mais il tenait à connaître la fin du message. Les mains de Mercedes reposaient sur la table.

Le pointeur revint sur E et s'y immobilisa. Comme une grosse larme congelée.

« Il est là, fit Mercedes. Demandez-lui ce que vous voulez savoir.

— Pardon ?

— Posez-lui votre question », répéta lentement Mercedes.

Max se sentit soudain tout bête, comme quelqu'un qui se ferait mener en bateau et couvrir de ridicule sous les rires d'un auditoire invisible.

« D'accord, dit-il, pour l'instant décidé à jouer le jeu. Qui a enlevé Charlie ? »

Le pointeur ne bougea pas.

Ils attendirent.

« Reformulez votre question.

— Vous êtes vraiment sûre qu'il parle anglais ? » ironisa Max.

Mercedes lui lança un coup d'œil incendiaire.

Il se préparait à la taquiner sur cette panne de piles, quand le pointeur se remit à bouger et à parcourir à toute vitesse les deux séries de lettres, ne s'arrêtant que le temps que Mercedes les note.

Quand le pointeur s'arrêta définitivement, elle leur montra son carnet : H-O-U-N-F-O.

« Ça veut dire “temple”, dit-elle.

— Un temple vaudou ? demanda Max.

— Tout juste.

— Lequel ? Celui du village ? »

Mercedes posa la question, mais le pointeur ne bougeait plus.

Et il refusa de répondre à d'autres questions. Ils reprirent le rituel depuis le début. Max essaya même de faire le vide dans son esprit, d'en bannir toute trace de scepticisme ou de doute, de se convaincre qu'il croyait dur comme fer à ce qu'ils faisaient, pourtant, même ainsi, le pointeur ne bougea pas d'un pouce.

« Eddie est parti, conclut Mercedes après avoir essayé une dernière fois. D'habitude, il me dit au revoir. Mais là, quelque chose a dû l'effrayer. Ou alors quelqu'un. Vous, peut-être, monsieur Mingus. »

« C'était pas un canular ? demanda-t-il à Chantale, comme ils rebroussaient chemin en direction de l'orangeraie.

— Pourquoi ? Vous avez vu quelque chose qui ressemblait à un truquage ?

— Non, mais ça ne signifie pas qu'il n'y en avait pas.

— De temps à autre, il faut bien croire à l'incroyable, répliqua Chantale.

— Mais j'y crois, grogna Max. Je suis là, non ? »

Il devait forcément exister une explication parfaitement rationnelle à tout ce qu'ils avaient vu chez les Leballec. Accepter de prendre au premier degré ce dont il venait d'être témoin, c'était un trop grand écart pour son esprit.

Il croyait à la vie et à la mort. Mais il ne croyait pas qu'elles puissent se télescoper. Il avait pourtant découvert que certaines personnes, bien vivantes extérieurement, pouvaient être mortes intérieurement. C'était le cas pour la plupart des détenus qui purgeaient de longues peines ou avaient été condamnés à perpète. C'était un peu ce qu'il était, lui-même — un cadavre dans une enveloppe vivante, capable de donner le change à tout le monde. Sauf à lui-même.

38

De retour à Clarinette, ils interrogèrent un à un tous ceux qui leur parurent assez vieux pour avoir des souvenirs adéquats ou pour leur fournir une réponse sensée. Ils leur demandèrent qui avait commandité la construction inachevée qu'ils avaient croisée sur le chemin du ruisseau.

La réponse ne varia guère d'une personne à l'autre.

« C'est Monsieur Paul, leur dirent-ils. C'était un homme bon. Très généreux. C'est lui qui a construit notre ville et notre *hounfo.* »

Il ne s'agit pas de *Vincent* Paul, lui expliqua Chantale, mais de son défunt père, Perry.

À quel moment étaient-ils venus travailler ici ?

Ça, personne n'aurait su le dire au juste. Pour les villageois, le temps ne se mesurait pas en années, mais en fonction de ce qu'ils pouvaient faire à l'époque : quelle charge ils pouvaient porter, à quelle vitesse ils pouvaient courir, combien de temps ils pouvaient danser, boire ou baiser sans discontinuer. Certains disaient cinquante ans, alors qu'ils n'avaient pas l'air d'avoir dépassé la quarantaine, d'autres dix ou vingt ans. Quelques-uns prétendaient même avoir travaillé sur le chantier cent ans plus tôt. Mais personne ne savait vraiment ce qu'ils construisaient — ils se contentaient d'appliquer les ordres.

Chantale situait ça quelque part entre le milieu des années 1960 et le début des années 1970, avant que les Paul aient fait faillite.

« Quel genre d'homme était Monsieur Paul ?

— C'était un type bien. Gentil et généreux. Il nous a construit des maisons et le *hounfo*. Il nous apportait des vivres et des médicaments. »

Tel père tel fils, songea Max.

Y avait-il eu des disparitions d'enfants, à l'époque ?

« Oui. Deux : les enfants de la vieille Merveille Gaspésie avaient tous deux disparu, le même jour. Le frère et la sœur », leur disaient les gens en hochant la tête.

Et de leur raconter toujours la même histoire : les enfants Gaspésie avaient pris l'habitude d'aller jouer près du chantier en construction. Ils étaient petits, guère plus de sept ou huit ans. Un jour, ils ont disparu. On les a cherchés partout, mais peine perdue. On ne les a jamais retrouvés. Certains pensaient qu'ils étaient tombés dans la cascade, d'autres penchaient pour une rencontre avec Tonton Clarinette, près du cimetière.

Puis un jour, bien des années après, voilà que Merveille, qui était à présent une vieille femme, va faire le tour de ses amis en leur racontant que son fils est revenu et en les invitant à venir le voir chez elle. Elle rassemble ainsi une petite bande qu'elle ramène chez elle, mais quand ils arrivent, la maison est vide. Elle leur répète que son garçon est revenu, habillé de neuf, et avec de l'argent plein les poches. Elle leur montre même les billets qu'il lui a donnés, un gros rouleau de billets encore craquants. Quand elle lui avait demandé ce qui lui était arrivé, le garçon lui avait juste dit que c'était un homme au visage difforme qui les avait emmenés, sa sœur et lui...

Les gens ne l'ont pas crue, tout en se gardant bien de la contredire, puisqu'elle était désormais la femme la plus riche du village. Mais en privé, tout le monde s'accordait à dire qu'elle n'avait plus toute sa tête.

Merveille a attendu le retour de son garçon, mais il n'a jamais reparu. Elle a attendu, attendu. Elle refusait de quitter sa maison, au cas où il serait revenu en son absence. Elle ne cessait de l'appeler par son nom : « Boris ! Boris ! »

À la fin, elle est vraiment devenue folle. Elle s'est mise à halluciner. Elle rudoyait ceux qui tentaient de lui venir en aide. Elle n'avait pas d'autre famille, et guère d'amis.

Et un jour, on n'a plus rien entendu, par chez elle. Une poignée de voisins ont fini par prendre leur courage à deux mains, pour aller y jeter un œil, mais la maison était déserte. Merveille était partie. On ne l'a jamais revue. Personne ne savait ce qu'elle était devenue. C'était un mystère.

« Alors, qu'est-ce que vous en dites, inspecteur ? demanda Chantale en s'essuyant la bouche avec une serviette en papier.

— Des disparitions d'enfants ? Ils ont pu être kidnappés et le fils de cette femme est peut-être revenu… Sinon, d'où tiendrait-elle tout cet argent ? Mais vous savez, toute l'histoire pourrait bien n'être qu'un mythe de plus… »

Ils s'étaient installés dans la voiture pour manger le pique-nique préparé par Chantale — porc froid, sandwichs avocat-cornichons au pain fait maison, salade de pommes de terre et de poivrons, bananes et bière Prestige. La radio jouait en sourdine, une station américaine qui passait et repassait à jet continu les grands classiques de l'AOR : The Eagles, Boston, Blue Oyster Cult, Reo Speedwagon… Max trouva une station où ça parlait haïtien et arrêta le curseur.

L'après-midi touchait à sa fin. La lumière commençait à décliner et, là-haut, les nuages s'amoncelaient, envahissant le ciel, lentement mais sûrement.

« Et Vincent Paul ?

— C'est toujours mon principal suspect. C'est la seule constante, le seul dont le nom persiste à resurgir à chaque détour. Il a pu enlever Charlie pour se venger d'un préjudice, réel ou supposé, que les Carver auraient infligé à sa famille. Mais ça, bien sûr, je n'en ai pas la queue d'une preuve. » Max vida les dernières gouttes de sa bière. « Il faudrait que j'aie une conversation avec Paul. Autant espérer décrocher un tête-à-tête avec Bill Clinton ! D'ailleurs, tout me porte à croire que Beeson, Medd et l'ami Michelange ont eu la même idée — parler à Vincent Paul. Ce qui pourrait bien expliquer leur fin tragique.

— Et si ça n'était pas lui ? demanda Chantale. Si c'était quelqu'un dont vous ignorez encore l'existence ?

— En ce cas, le mieux serait de laisser venir. Le plus gros du travail d'enquête se réduit à ça, vous savez. Attendre. Laisser venir. »

Chantale éclata d'un rire sonore puis secoua la tête, avec un soupir de lassitude.

« Alors là, Max, vous me rappelez mon ex. C'était exactement le genre de truc qu'il me sortait quand il sentait qu'il patinait sur un dossier. Il était flic. Il l'est toujours, d'ailleurs. À Miami.

— Ah ouais ? C'était comment son nom ? » Max était surpris, mais pas plus que ça. Somme toute, il n'avait pas lieu de l'être : vaudou à part, c'était une fille franche, droite, plutôt conservatrice, avec les pieds bien sur terre. Le genre qui plaît aux flics.

« Ray Hernandez.

— Ça ne me dit rien.

— Vous ne le connaissez pas. Il était toujours sous l'uniforme, quand vous êtes parti. Mais lui, il vous connaît. Il a suivi votre procès, jour après jour. Les soirs où il était de service, il me demandait d'enregistrer les séances, pour ne rien manquer.

— Ah, vous étiez au courant ? Pourquoi n'avoir rien dit ?

— Quel intérêt ? De toute façon, j'ai pensé que vous supposeriez qu'Allain m'avait déjà parlé de vous, dans les grandes lignes.

— Vous supposiez bien, fit Max.

— Ray vous méprisait. Pour lui, vous n'étiez qu'un petit malfrat avec un insigne de flic. Vous, Joe Liston, Eldon Burns, et toute votre division du MTF. Il vous haïssait tous, en bloc. Il vous reprochait de traîner la réputation de la police dans la boue.

— Qu'est-ce qu'il faisait, votre ex ? Il était dans quel service ?

— Quand il est passé inspecteur, vous voulez dire ? Il a d'abord été aux mœurs, puis aux stups. Il visait les homicides mais, pour ça, il aurait dû faire des ronds de jambe à des gens qui vous tenaient en haute estime.

— Ainsi va le monde, fit Max. Tout est affaire de relations, de politique et de dépendance mutuelle. De crédit à la banque des faveurs. On ne se hisse pas au poste qu'on convoite sans laisser derrière soi des tas de jaloux et sans piétiner quelques rivaux déçus. » Il imaginait très bien le genre de type que ça pouvait être, ce Ray Hernandez. Le genre de Père la Vertu à la fois ambitieux et flagorneur qui finissait toujours par échouer à l'Interne parce que les promotions tombaient plus régulièrement et que les faux culs y sont mieux récompensés que nulle part ailleurs.

« Comment ça se fait que ça n'ait pas marché, entre vous ?

— Il me trompait.

— Le con ! s'esclaffa Max et elle éclata de rire avec lui.

— Ça, vous l'avez dit ! Et vous, vous étiez plutôt du genre fidèle, hein ?

— Eh ouais, fit Max en hochant la tête.

— Ça, j'imagine…

— Ah bon ?

— Oui, vous êtes complètement perdu, sans elle. Je n'ai jamais vu personne d'aussi laminé par un chagrin d'amour.

— C'est si évident que ça ?

— Absolument, Max, fit-elle en le regardant droit dans les yeux. Ce n'est pas pour chercher Charlie que vous êtes ici. Ni même pour l'argent, ça, c'est bon pour les autres. Non. Vous, vous êtes venu pour fuir vos propres fantômes. Pour échapper à vos regrets et aux remords qui ne vous quittent plus, depuis la mort de Sandra. »

Il détourna la tête, sans un mot. À cela il n'avait pas de réponse. Pas d'explication toute faite. Les paroles de Chantale l'avaient touché, dur et profondément. La vérité, insidieuse comme un venin.

Au village, le temple venait d'ouvrir ses portes et les gens commençaient à affluer. Ils entraient le plus naturellement du monde, comme mus par la curiosité et l'appât d'une expérience inédite.

Les tambours avaient commencé, eux aussi. Une lente pulsation que Max sentait se répandre dans ses chevilles, remonter dans ses os, lui remplir les pieds d'un urgent besoin de bouger, de danser, de marcher, de courir.

À l'intérieur, le temple était nettement plus grand qu'il ne l'aurait cru — assez vaste pour accueillir deux célébrations distinctes, plus une ou deux centaines de participants et d'observateurs et, sur les quatre rangées de bancs qui longeaient le mur circulaire, un grand ensemble de percussions.

À en juger par leur apparence, il se serait attendu à un chaos sonore, les rythmes des bas quartiers de Port-au-Prince transposés sur le mode tribal. Tous les instruments semblaient rafistolés ou bricolés maison, des bouts de bois grossièrement évidés et sculptés, des bidons d'huile recyclés, des peaux tendues au moyen de clous, de punaises, d'élastiques et de bouts de ficelle. Il reconnut ce qui ressemblait fort à des tam-tams, des caisses claires, des bongos, des grosses caisses et des timbales. Les musiciens se plaçaient au hasard, là où ils pouvaient, aucun n'était chargé de donner la moindre indication, de diriger ou de signaler les départs. Ils se contentaient d'écouter, puis se coulaient dans la masse et s'adaptaient au tempo, aussi régulier qu'un métronome. La sonorité générale évoquait un lointain grondement de tonnerre, ni plus ni moins fort.

Max pressentit qu'il ne s'agissait que d'un prélude.

Il régnait une chaleur d'étuve, qui pouvait s'expliquer par la promiscuité, le manque de ventilation et la présence des grandes torches qui brûlaient sur leurs appliques et projetaient sur les murs des lueurs ambrées. L'air était si dense et si immobile qu'on aurait pu croire que c'était de la peinture. Des nuages d'encens s'élevaient mollement vers le haut du toit, avant de retomber en léger brouillard.

Lorsque Max se mit à respirer plus profondément, pour mieux s'oxygéner, il fut pris d'une sorte de vertige proche de ce qu'il aurait pu expérimenter sous l'effet d'une drogue. Une sensation d'euphorie et d'apaisement simultanés, une vague de fraîcheur apaisante qui lui remonta le long du dos, suivie d'un afflux de sang derrière les yeux et d'une accélération du rythme cardiaque. Il humait un cocktail de parfums naturels — camphre, romarin, lavande, gardénia, menthe, cannelle, sueur fraîche et sang vieilli.

Au milieu du temple, les gens tournaient en chantant autour d'une grosse colonne en pierre noire torsadée, plantée dans le sol et sculptée en forme de *mapou*. Elle s'élevait en direction du grand trou central ouvert dans le toit pour se terminer en une grande croix noire, visible de l'extérieur. Elle était piquée de dizaines de bougies, comme s'il s'agissait d'un arbre. Les fidèles s'approchaient pour y coller leurs photos, leurs bouts de papier, leurs rubans et leurs cierges, puis ils regagnaient la ronde des corps humains en mouvement et se coulaient dans le rythme, se joignaient à la danse des hanches qui roulaient et des têtes qui se balançaient, unissant leur voix aux psalmodies. Max s'efforça de comprendre ce qu'ils disaient, mais à part quelques bribes de phrases qu'il parvenait à distinguer par-ci par-là, rien d'intelligible ne franchissait leurs lèvres — seulement de longues notes graves tenues et étirées, dont ils s'amusaient parfois à faire varier le timbre ou la hauteur.

Le sol de terre battue était durci par la chaleur et le martèlement des pieds. Il y avait trois grands *vévés*, tracés à la farine de maïs, dont deux représentaient des serpents — le premier avec le corps enroulé autour d'un bâton, la langue pointée vers l'entrée du temple, et le second se mordant la queue. Ils encadraient le dessin d'un cercueil horizontalement disposé, partagé en quatre sections, chacune contenant un crucifix et un œil, dessinés avec du sable.

« Loa Guédé », lui dit Chantale par-dessus le bruit des tambours et des incantations. De l'index, elle lui montrait le *vévé* du cercueil. « Le dieu de la Mort.

— Je croyais que c'était Baron Samedi.

— Lui, c'est le dieu *des Morts* », expliqua-t-elle en lui glissant un coup d'œil presque malicieux. Elle titubait légèrement et semblait un peu pompette, comme s'il lui avait suffi de trois verres de bière pour que l'alcool ait raison de sa retenue. « Vous savez ce qui va avec la mort, Max ? Le sexe.

— Et il est le dieu de ça, aussi ?

— Et comment ! exulta-t-elle avant de partir d'un grand rire canaille. Il va y avoir un *banda*.

— Un quoi ? »

Elle ne répondit pas et ne lui fournit aucune explication. Elle s'était immergée dans la danse et se trémoussait de haut en bas et de bas en haut, le corps parcouru de tressaillements qui passaient de ses jambes à sa tête, puis en sens inverse. Max, qui sentait à présent le rythme lui pulser dans les cuisses et les hanches, fut pris d'une furieuse envie de la rejoindre dans sa transe.

Elle s'empara de sa main et ils s'avancèrent ensemble vers le *mapou* sculpté. Il dansait comme malgré lui, imitant les gestes de ceux qui étaient devant lui. Le martèlement des tambours guidait ses pieds et les aidait à prendre le rythme, presque aussi bien que s'il avait été un autochtone.

Il sentait sur lui le regard de quelqu'un qui l'observait, mais il faisait trop sombre et une foule de gens regardaient dans leur direction, beaucoup trop d'yeux pour pouvoir y discerner ceux d'un observateur en particulier.

À l'extrême droite de la colonne, Max aperçut un groupe de fidèles rassemblés autour d'un bassin plein d'une eau grise, bouillonnante. Deux jeunes garçons à demi nus y étaient plongés jusqu'à la taille et faisaient des signes à l'assistance. Certains participants lançaient des cailloux dans le bassin. Puis une femme vêtue d'une robe bleu clair s'approcha. Les garçons l'empoignèrent par les bras et la maintinrent sous l'eau sans ménagement, comme pour la noyer. Puis ils la lâchèrent et sortirent du bassin à reculons en titubant. La femme émergea lentement, à présent dénudée, n'ayant plus sur elle que ses sous-vêtements et cette onctueuse gadoue grise qui l'enduisait de la tête aux pieds. Elle reprit pied sur la terre ferme et s'avança de quelques pas avant de s'écrouler sur le sol en se tordant, agitée de grands spasmes. Elle frappa la terre de ses paumes ouvertes et entreprit de se couvrir intégralement de cette poussière grise, qu'elle s'enfourna jusque dans la bouche. Puis elle courut vers l'attroupement qui s'était formé, autour de la colonne, devant les danseurs. Attrapant l'un des spectateurs — un homme — par sa chemise, elle lui cracha un jet de liquide violet à la figure. L'homme chancela en arrière en hurlant, se frottant le visage et les yeux, tandis que la femme l'entraînait vers le bassin, où elle le jeta. Les deux garçons l'immergèrent à son tour et le maintinrent sous l'eau jusqu'à ce qu'il cesse de se débattre. Lorsqu'ils relâchèrent leur prise, l'homme était lui aussi enduit d'une couche de boue d'un gris laiteux et nu comme un ver. Il s'accroupit et se mit à regarder les danseurs.

S'avançant vers la colonne noire, Chantale y colla la photo d'une femme assise dans un lit, puis elle alluma une bougie qu'elle planta dans un creux de la pierre en marmonnant quelque chose en créole, et se mit à psalmodier des formules incantatoires comme tous ceux qui l'entouraient. Puis ils rejoignirent le cercle de danseurs qui tournait autour d'eux.

Le rythme des tambours s'accéléra. Les notes basses dominaient à présent, il les sentait vibrer dans ses cuisses, de plus en plus fort.

Ils se remirent à danser, Max suivant Chantale et les autres, enchaînant les pas glissés, ondulant des hanches d'un côté, puis de l'autre, touchant le sol d'une main, puis de l'autre, pour ensuite les réunir et les écarter comme pour mimer une explosion. Il avait à peine conscience de ce qu'il faisait. Les fumées qui envahissaient l'air l'avaient d'abord détendu, mais il commençait à se sentir flotter hors de son corps, libéré de sa cage de tendons et d'os, son activité cérébrale réduite aux simples fonctions élémentaires. Ses sens étaient comme enrobés d'une sorte d'ouate et enfermés dans un tube qui dérivait à présent dans un cours d'eau tiède, très profond, et s'éloignait lentement de lui, de plus en plus, jusqu'à glisser totalement hors de sa portée. Il les regardait s'en aller et s'en fichait éperdument. C'était l'extase.

Les percussions avaient encore accéléré. Il sentit ses pieds précipiter leur danse et s'entendit même reprendre les incantations, dans le chœur des autres voix. Il avait réussi à choper une note commune, qu'il projeta du plus profond de ses entrailles. Il n'avait jamais su chanter et n'avait jamais réussi à intégrer la moindre chorale, quand il était gosse. Il avait honte de sa voix. Au début, il chantait comme une fille, puis, quand ses roustons étaient descendus, on aurait dit qu'il éructait. Un soir, il devait avoir dans les cinq ans, son père avait essayé de lui apprendre la musique. Sans témoin, près du piano droit. Peine perdue. Pour son père, il n'avait pas d'oreille. Mais ici, il en avait, de l'oreille. Il ne chantait plus faux du tout.

Son regard tomba sur Chantale — si belle, si désirable.

Les danseurs aussi tournaient nettement plus vite. Certains fidèles se détachaient du cercle et tombaient à terre. Des femmes restaient clouées sur place, tremblant de tous leurs membres, roulant des yeux, la langue tirée et la bouche écumante, sous l'emprise des esprits qui les possédaient. Simultanément, les nouveaux reconvertis sortaient de leur baptême de boue en crachant des jets de salive pourpre aux spectateurs qui regardaient les danseurs, avant de les traîner à leur tour vers les eaux grises du bassin.

Max se sentait merveilleusement bien. Il souriait et entendait exploser dans sa tête un feu d'artifice d'éclats de rire qui remontaient du plus profond de son être.

Il était face à Chantale, juste eux deux, à quelque distance du cercle. La pulsation des tambours se répercutait jusque dans ses reins et lui embrasait l'entrejambe. Chantale le regardait droit dans les yeux. Les mains pétrissant ses propres seins, le pubis agité de mouvements circulaires avec de brusques sursauts d'avant en arrière, elle vint se plaquer contre lui, et fit courir sa main sur le devant de son pantalon. Il ferma les yeux un instant et se laissa envahir par la béatitude de cette sensation.

Quand il les rouvrit, elle était partie.

À sa place, il vit un type qui approchait — nu, couvert d'une croûte de boue grise qui se craquelait et s'écaillait par endroits. Il avait le blanc des yeux aussi rouge que des feux arrière de voiture et se suçait les joues de l'intérieur en laissant sourdre un jus violet par les interstices de ses lèvres.

Max revint soudain à lui avec la sensation d'avoir été tiré d'un profond sommeil à grand renfort de claques.

Sonné, groggy, les genoux flageolants, il s'efforça de repérer Chantale dans la foule, tout en gardant un œil sur le type. Autour de lui, tout semblait s'accélérer. Il vit quelques hommes gris empoigner des femmes et les sortir du cercle des danseurs avant de les jeter sur le sol, de leur arracher leurs vêtements et de les violer. Les femmes n'opposaient aucune résistance à leurs agresseurs. Au contraire. Elles semblaient pour la plupart consentantes.

Les percussions jouaient à présent fort et vite, de façon presque arythmique — une sorte de crise d'épilepsie, un spasme sonore chaotique, dénué de forme et d'ordre, qui jaillissait de partout à la fois. Le vacarme retombait en rafales au centre du temple, comme une pluie de balles et de flèches enflammées. La pulsation des tambours lui faisait l'effet d'une grande scie circulaire qui lui broyait la tête.

Il se plaqua les mains sur les oreilles pour se protéger du vacarme. Au même instant, l'homme d'argile se rua sur lui et lui cracha une giclée violette en pleine poire. Max baissa la tête à temps, esquivant le plus gros du liquide, mais ses doigts en reçurent quelques gouttes qui le brûlèrent comme de la lave liquide.

Comme l'homme d'argile lui saisissait le bras et tentait de le tirer vers lui, Max se cabra en arrière et parvint à faire lâcher trois des doigts qui s'accrochaient à son bras. Puis comme le type se courbait en avant, il lui flanqua un coup de genou en pleine poitrine. L'homme d'argile partit à la renverse et alla s'écraser au sol, dérapant sur quelques mètres avant de s'immobiliser. Mais une seconde plus tard, il était à nouveau sur pied et revint à la charge, ses yeux rouges flamboyant d'une rage démente.

Max lui décocha une suite de directs et de crochets qui arrêtèrent net son assaillant et le forcèrent à reculer, pied à pied. Puis, de toutes ses forces, il lui balança deux uppercuts fulgurants, très rapprochés, qui l'atteignirent sous le menton, presque au même point, à un quart de seconde de distance, et le soulevèrent de terre. Le type était cuit. Max renonça à lui en envoyer d'autres et le laissa s'affaler de lui-même, assommé.

Chantale n'était plus en vue. Ni près de la colonne. Ni près du bassin. Il s'avança vers la foule des fidèles, qui lui faisaient barrage en se tenant par les bras.

Il battit en retraite. Les tambours lui vrillaient dans les tympans comme un million de marteaux piqueurs s'acharnant sur ses neurones.

Pivotant sur lui-même, il se replia vers la colonne. Chantale n'avait pas pu aller bien loin. Partout autour de lui, des couples nus se trémoussaient sur le sol, forniquant dans toutes les positions imaginables, rivalisant de frénésie. Ça sentait la sueur et le stupre.

Il mit le cap sur le bassin.

C'est là qu'il la retrouva, debout près de l'eau. Un homme d'argile lui avait arraché sa chemise et s'attaquait à son soutien-gorge. Elle ne lui opposait aucune résistance et semblait observer la lutte acharnée que menait l'homme contre ses sous-vêtements d'un œil vague et détaché, avec un petit sourire à l'avenant.

Max piqua un sprint et précipita l'homme d'argile la tête la première dans le bassin.

Il attrapa la main de Chantale, mais elle se dégagea, le gifla et se mit à gueuler en créole. Il resta planté là, ahuri, ne sachant plus que faire. Puis elle lui prit la tête et écrasa ses lèvres sur les siennes, tandis que sa langue, s'insinuant goulûment dans sa bouche, se mit à se frotter contre la sienne, à la lécher, à la savourer. Après quoi elle lui attrapa les parties et l'attira à elle en esquissant un mouvement de va-et-vient sans ambiguïté.

Max n'avait plus du tout mal au crâne, et la pulsation des tambours avait à nouveau migré vers ses reins. Il se sentit déraper, capituler, ne plus vouloir autre chose que d'obéir à Chantale : l'enlacer et la prendre sur-le-champ, dans la poussière.

Il la regardait s'extirper de son jean, quand un homme d'argile se rua sur lui tête baissée. Comme ils partaient valdinguer ensemble, l'épaule de Max amortit le choc de leurs deux masses réunies. L'homme d'argile tenta de lui envoyer son poing dans la figure, mais il frappa plus ou moins au hasard, d'un coup faiblard et mal ajusté que Max n'eut aucun mal à esquiver — avant de lui expédier en plein plexus solaire un coup de genou si violent qu'il sentit passer sur son visage un courant d'air fétide, chassé des poumons de son assaillant.

Comme l'homme d'argile se recroquevillait par terre, dégueulant de la bile, Max l'attrapa par le cou et, empoignant ses fesses maigrelettes, il le souleva comme un vulgaire colis et le balança en direction du bassin.

Chantale était toujours là où il l'avait laissée, mais avec un autre type — normal, cette fois, mais à poil et luisant de sueur — qui se branlait devant elle pour bander, avant de lui sauter dessus.

Attrapant Chantale par le bras, Max l'entraîna en toute hâte vers la sortie. Elle commença par râler et se défendit bec et ongles en tentant de lui échapper, mais très vite, tandis qu'ils s'éloignaient de la cérémonie et se rapprochaient de la foule, elle cessa de se débattre et ses mouvements se firent de plus en plus lents, et de plus en plus laborieux. Elle traînait les pieds. Comme Max lui demanda si elle se sentait bien, elle ne lui répondit pas, mais tenta vainement de se concentrer pour le voir, malgré ses yeux qui roulaient.

Il la chargea sur son épaule, sortit son arme et, du pouce, ôta le cran de sûreté. Devant eux, la foule n'avait pas bougé.

Soudain, face à lui, il reconnut l'homme aux dreadlocks, devant qui les gens s'écartaient, lui dégageant la voie.

Max continua sur sa lancée.

Dreadlocks émergea de la foule et mit le cap sur eux avec toujours entre les mains cette boîte ornée d'une rose bleue.

Max leva son flingue et visa l'homme à la tête.

« Stop ! »

Dreadlocks n'eut même pas l'air de l'entendre. Il plaqua la boîte contre la poitrine de Max et s'éclipsa. Max attrapa la boîte de sa main libre et la glissa sous son bras.

Quand il jeta un coup d'œil en arrière, Dreadlocks avait déjà disparu, mais cinq hommes d'argile arrivaient en courant, armés de couteaux et de machettes.

Chantale toujours chargée sur son dos, il plongea dans la foule et se fraya un chemin à coups de pieds, de coudes et d'épaules, jusqu'à ce qu'ils soient enfin sortis du temple.

Chantale dormit pendant la quasi-totalité du trajet du retour. Flottant dans la chemise de Max, elle ronflait allègrement.

Il conduisait la vitre baissée. Toute la nuit, la radio passait des talk-shows en haïtien dont il ne comprenait pas un traître mot, mais c'était toujours mieux que la soupe à la Bon Jovi que toutes les autres stations déversaient à jet continu. Au bout de cinq heures, il se retrouva enfin sur la route de l'aéroport, et prit la direction de Pétionville. Chantale ouvrit un œil surpris et regarda Max comme si elle s'était attendue à se réveiller chez elle, dans son propre lit.

« Qu'est-ce qui m'est arrivé ? s'enquit-elle.

— Quel est votre dernier souvenir ? » Max coupa la radio.

« On était tous les deux dans le temple, en train de danser.

— Et après ça, plus rien ? »

Chantale se creusa un moment les méninges, mais rien ne semblait lui revenir. Max lui résuma donc les épisodes qui lui manquaient, en commençant par celui de Dreadlocks et sa boîte. Il jugea préférable d'éviter toute allusion à ce qui s'était passé entre eux, mais ne lui épargna aucun détail des viols auxquels elle avait échappé.

« Ça n'a rien à voir avec des viols, Max ! protesta-t-elle, indignée. C'était un *banda*, une orgie rituelle. Les participants sont possédés et s'adonnent à des séances de fornication frénétique. Personne ne sait ce qu'il fait.

— Moi, ça m'a eu tout l'air d'un viol. Un viol vaudou organisé, peut-être. Conscient ou inconscient, comme vous voudrez. Mais ce type avait commencé à vous arracher vos vêtements et il avait l'intention de continuer.

— C'est des choses qui se font, entre adultes consentants, Max. Ça s'appelle la passion.

— Ah ouais ? Eh bien moi, je ne pige pas comment vous pouvez supporter l'idée de vous faire sauter comme ça, par un inconnu. Nom d'un chien ! Et s'il avait eu le sida !

— Parce que ça ne vous est jamais arrivé, à vous, d'avoir une aventure avec une inconnue ?

— Une aventure ! Franchement, je ne vois pas le rapport.

— Tiens ! Pourquoi ? Vous rencontrez une femme — dans un bar ou un night-club, disons... La musique joue à fond, vous avez tous les deux un petit coup dans le nez. Vous vous trouvez un endroit tranquille où vous baisez toute la nuit et ensuite vous repartez, chacun de votre côté. Bye-bye ! C'est exactement la même chose, sauf que, pour nous, ça revêt un sens plus profond.

— C'est ça, oui ! ricana-t-il. Nous autres, abrutis d'Américains décadents, on passe notre temps à nous vautrer dans le stupre avec des inconnues pour qui on ne ressent rien — mais vous, ici, quand vous le faites dans votre fichu temple vaudou, c'est une expérience mystique d'une profondeur insondable ! Vous voulez que je vous dise, Chantale ? Je crois que c'est des foutaises, tout ça. Le cul, c'est le cul. Un viol, c'est un viol. Et ce type, il allait vous violer — point final. N'essayez pas de prétendre que vous seriez prête à vous laisser faire par le premier connard venu, fût-il couvert de boue, si vous aviez toute votre tête !

— Qu'est-ce que vous en savez ? répliqua-t-elle avec un reniflement de mépris. En fait, vous n'y connaissez rien, rien de rien. »

Max s'abstint de répondre. Il se cramponna au volant un peu plus fort, les dents serrées, et, pendant de longs kilomètres, se maudit de n'avoir pas laissé toute la bande du temple sauter cette petite garce dans la poussière.

Il avait d'abord eu l'intention de l'inviter chez lui, mais il traversa Pétionville à toute vitesse et continua en direction de la capitale. Toutes les villes américaines s'illuminent comme des galaxies miniatures, dès la nuit tombée. Mais Port-au-Prince se réduisait à quelques points lumineux épars flottant dans le noir, çà et là, comme une volée de papillons blancs englués dans une flaque de pétrole. Sinon, rien. Jamais il n'avait vu un bled aussi sombre.

39

À son retour, il faisait encore nuit noire, mais les insectes volaient au ras du sol et les oiseaux commençaient à chanter dans la cour. Le jour allait poindre.

Joe lui avait laissé un message. Dommage qu'il soit encore trop tôt pour le rappeler.

Dans la boîte de Dreadlocks, Max découvrit un portefeuille en croco avec toute une collection de cartes : ATM, AMEX, VISA, Mastercard, carte de bibliothèque, de donneur de sang, de club de gym — toutes au nom de Darwen Medd.

S'y trouvaient aussi six ou sept cartes de visite imprimées noir sur blanc attachées par un trombone. S'il était encore de ce monde, Medd était basé à Tallahassee, où il s'était spécialisé dans la recherche des personnes portées disparues et les enquêtes industrielles ou financières. Cette dernière branche devait être un récent élargissement de ses activités. Sans doute espérait-il s'imposer progressivement dans ce domaine, histoire d'assurer sa survie professionnelle une fois passé l'âge de courir après les fugueurs, les kidnappeurs et leurs victimes. Les investigations financières étaient nettement plus tranquilles et plus rentables : il suffisait de remonter les pistes derrière son bureau, par téléphone, fax ou Internet interposés, et le travail sur le terrain se réduisait aux déjeuners d'affaires avec les clients et aux rendez-vous autour d'un verre, dans des bars sélects. Et, moyennant un minimum de jugeote et de savoir-faire, votre avenir était assuré. Certaines boîtes vous engageaient carrément à l'année. C'était la planque. Une cage chiante comme la pluie, mais dorée. À une époque, Max lui-même n'aurait pas craché dessus.

Il n'y avait pas d'argent dans le portefeuille mais, dans un coin de la poche à billets, Max trouva un papier soigneusement plié. Une page arrachée à un annuaire téléphonique haïtien datant de 1990 — plus précisément, les lettres de F à I, avec une section entière encadrée au stylo à bille bleu : tous les Faustin de Port-au-Prince — ils étaient treize.

Medd était sur la même piste.

Qui était Dreadlocks, et pourquoi lui avait-il donné cette boîte ?

Était-ce Medd ? Non. Dreadlocks était noir. Et il n'avait plus toute sa tête — il aurait aussi bien pu être muet. Max ne l'avait pas entendu articuler un seul son, ni près des chutes ni dans le temple.

Peut-être Dreadlocks avait-il rencontré Medd aux chutes, quand il était venu voir Mercedes Leballec ? Peut-être avaient-ils lié connaissance ? À moins que Dreadlocks n'ait découvert le corps de Medd et récupéré (ou simplement trouvé) son portefeuille, avant de le mettre dans cette boîte pour la donner au premier Blanc qu'il rencontrerait à Saut d'Eau.

Évidemment, le meilleur moyen d'en avoir le cœur net, c'était de reprendre le chemin de Saut d'Eau, et d'aller le lui demander. Mais, dans la mesure du possible, il préférait éviter d'y retourner.

À six heures trente, il appela Joe, qui répondit dès la seconde sonnerie. Il était dans sa cuisine, avec le journal télévisé en sourdine. En arrière-plan, Max reconnut la voix de deux de ses filles.

Ils commencèrent par bavarder de choses et d'autres en échangeant quelques vannes, Joe se chargeant d'alimenter la conversation. Il avait une vie tridimensionnelle. Max, lui, n'avait que son enquête en cours.

« Tu sais, le type sur lequel tu voulais des renseignements — ce Vincent Paul…

— Ouais ?

— Je t'avais dit que la police anglaise le recherchait pour lui poser quelques questions…

— Ah ouais ?

— Rapport à une personne portée disparue. »

La main de Max se crispa sur le combiné.

« Qui ça ?

— Une femme, expliqua Joe. Au début des années soixante-dix, Vincent Paul était étudiant à Cambridge, en Angleterre. À l'époque, il sortait avec une fille. Qui s'appelait… » Max l'entendit tourner les pages d'un calepin. « Josephine. Josephine Latimer. C'était une artiste, et elle ne crachait pas sur le whisky. Une nuit, elle a renversé un môme en voiture, avant de prendre la fuite. Sauf qu'un témoin avait vu la bagnole et relevé le numéro d'immatriculation. Elle a été arrêtée et écrouée jusqu'à l'audience de conditionnelle.

« Mais figure-toi que les parents de Josephine, c'étaient des grosses pointures, là-bas. Tout le monde les connaissait. Alors, la nouvelle de l'arrestation de leur fille pour homicide involontaire avec délit de fuite, ça a dû faire sensation. Et la police a tenu à faire un exemple, pour prouver que la loi est la même pour tous. Ils ont repoussé l'audience de conditionnelle de deux semaines. La fille est restée en taule, où elle s'est fait violer et passer à tabac. Quand elle est enfin sortie de là, elle était en miettes. Tentative de suicide, et tout le bazar.

« Le procès a eu lieu un an plus tard, en 1973. Elle devait être jugée pour homicide involontaire, et la sentence devait être prononcée deux jours plus tard. Elle risquait cinq ans *minimum*, mais elle savait qu'elle ne pouvait pas y retourner. Parce qu'elle ne tiendrait jamais le coup, sous les verrous.

« Alors, le jour du verdict, elle a disparu. La police anglaise a lancé une grande chasse à l'homme. Sur le plan local, d'abord, puis à l'échelle nationale. Son petit ami, Vincent Paul, s'était envolé, lui aussi. Mais le type est un vrai géant, il fait plus de deux mètres. Il doit pas être bien difficile à repérer dans une foule, si tu vois ce que je veux dire. Pourtant, bizarrement, il faudra attendre deux mois entiers après leur disparition, avant qu'un témoin déclare les avoir vus sur un bateau à destination de, euh — de Rotterdam.

— Et c'est la dernière fois qu'on les a vus ? Sur ce bateau ? s'enquit Max.

— Ouais. Josephine est toujours recherchée en Angleterre pour homicide et délit de fuite. Mais maintenant, c'est de l'histoire ancienne. Ça n'était quand même pas Bonnie & Clyde !

— Du moins pas en Angleterre.

— Et toi, tu l'as vu à Haïti, Vincent Paul ?

— Ouais.

— T'as pu lui parler ?

— Pas pour l'instant. C'est pas le genre de type à qui tu vas parler. C'est plutôt lui qui te parle, ricana Max.

— Comment ça ? Déguisé en buisson ardent, comme Dieu le Père ?

— Genre, ouais, fit Max en rigolant.

— Et elle — Josephine ? Tu l'as vue ?

— Pas que je sache. À quoi elle ressemble ?

— Je n'ai pas sa photo. Mais si tu croises Vincent Paul, demande-lui où elle est partie et où elle habite.

— J'y manquerai pas, à l'occasion.

— Les Anglais ont envoyé deux flics à leur recherche. Des types de Scotland Yard.

— Attends, je vais deviner… ils sont rentrés bredouilles ?

— Exact. Tu crois que Vincent ou sa famille aurait pu leur graisser la patte ?

— Possible. Sauf que sa famille a fait faillite pendant qu'il était en Angleterre. D'ailleurs, d'après ce que j'en sais, ça n'est pas vraiment son style, de payer les gens. Il aurait plutôt tendance à les buter. »

Ils éclatèrent de rire en chœur.

« Tu connaîtrais pas un certain Ray Hernandez, qui serait flic chez vous ? demanda Max.

— Tu parles, que je le connais ! » Joe baissa la voix pour ne pas attirer l'attention de ses gamines. « Ça serait pas celui qu'on appelle Ray Fauxderchez ?

— Ça m'en a tout l'air.

— D'où tu le connais ?

— Son nom est apparu dans l'affaire, mentit Max.

— Avant, il bossait aux stups, chuchota Joe. Il s'envoyait la femme de son coéquipier, quand il a découvert que son collègue se sucrait un peu, comme ça, en passant, et il l'a dénoncé à la police des polices, qui l'a récompensé en lui filant un poste de lieutenant et un grand bureau rien que pour lui. Le roi des faux derches ! La dernière fois que j'ai eu affaire à lui, il m'a parlé comme si j'étais un vrai tas de ème-euh-erre-dé-euh, si tu vois ce que je veux dire. Tu sais, le truc qui m'échappe, dans l'histoire, c'est que sa femme, c'était un canon. On se demande ce qu'il pouvait avoir dans le crâne et dans les yeux, ce con, pour mettre des cornes à une fille pareille. »

La femme de Joe ne devait pas être dans les parages, subodora Max, elle aurait déjà piqué sa crise : il suffisait que Joe se laisse aller à lorgner une fille une seconde de trop sur une affiche pour qu'elle se mette à grimper aux rideaux.

« Dis voir, Joe — j'aurais besoin tu me rendes encore un ou deux petits services.

— Vas-y, je t'écoute.

— Si t'avais une minute pour jeter un œil dans les fichiers et voir ce que tu pourrais trouver sur un certain Darwen Medd, détective privé à Tallahassee.

— O.K. Pas de problèmes, fit Joe. Mais question délai, je ne peux rien te promettre… Ah, dis donc, Max ?

— Ouais ?

— Tu sais ce que je viens d'entendre, là ?

— Non, quoi ?

— Dans ta voix, cette petite étincelle que tu as quand tu prends ton pied.

— Je ne dirais peut-être pas tout à fait ça, Joe.

— Quand je dis que tu prends ton pied, ça ne veut pas dire que tu te fends la gueule sur ton île. Mais tu t'es repris au jeu. Rien que l'idée d'avoir une petite chance de les serrer, ces fils de pute, ça te fait bicher. J'entends ça dans ta voix, l'étincelle du bon vieux Mingus. Fini de déconner, il est de retour !

— Tu crois ?

— Je crois pas, j'en suis sûr. Je te connais, Mingus.

— Si tu le dis ! » s'esclaffa Max. Il n'avait pas vraiment l'impression d'être de retour, et n'avait pas la moindre envie de l'être, ni de près ni de loin.

Son coup de fil passé, il alla se coucher et s'endormit, juste comme le soleil commençait à filtrer par sa fenêtre.

Il retourna en rêve dans le temple vaudou et là, couvert de boue grise, il s'envoya Chantale à même le sol, sur fond de percussions frénétiques. Joe, Allain, Velasquez et Eldon dansaient autour d'eux. Puis il reconnut Charlie qui le regardait, assis sur les genoux de Dufour, près du bassin. De Dufour, il ne voyait que sa silhouette, son visage lui demeurant invisible. Il tenta de se remettre sur pied, mais Chantale avait noué ses jambes autour de sa taille et le retenait fermement. Lorsqu'il parvint enfin à se relever et qu'il s'approcha de l'endroit où il avait vu Charlie et Dufour, ils avaient disparu. À leur place, il découvrit les trois gamins qu'il avait tués et qui tenaient son flingue entre leurs mains. Ils le mirent en joue et firent feu. Il tomba. Il respirait toujours et contemplait la grande croix, par le trou du toit, quand Sandra s'approcha et s'arrêta près de lui, souriante, avec une fillette qu'elle tenait par la main. Une jolie petite fille qui lui parut d'une insondable tristesse. Max reconnut Claudette Thodore, la nièce disparue du prêtre de Little Haiti, et se souvint qu'il avait oublié de rendre visite à ses parents.

Il lui promit d'aller les voir dès son réveil, avant même de se mettre à la recherche du domicile de Faustin.

Sandra se pencha sur lui et l'embrassa.

Il leva la main vers son visage et s'éveilla en caressant le vide.

La nuit était retombée. Dix-neuf heures, affichait son réveil. Il avait dormi douze heures d'affilée. Il avait la bouche sèche, la gorge serrée et le coin des paupières mouillé. Il avait dû pleurer dans son sommeil. Dehors vibraient la stridulation des criquets et, dans la montagne, le battement des tambours qui se mit à lui pulser directement dans l'estomac, lui rappelant qu'il avait le ventre vide.

40

Jusqu'à sa disparition, en octobre 1994, Claudette Thodore avait vécu chez ses parents, Caspar et Mathilde, rue des Écuries, à Port-au-Prince, proche d'une ancienne caserne.

La rue des Écuries reliait deux grandes artères, mais ses extrémités étaient masquées par d'immenses palmiers. C'était une de ces minuscules ruelles presque invisibles à l'œil nu, que seuls empruntaient les gens du quartier ou, à la rigueur, quelques étrangers en quête d'un raccourci et qui l'oubliaient sitôt qu'ils y étaient passés.

Max s'était fait expliquer le chemin par Mathilde, qui parlait un anglais irréprochable, avec un soupçon d'accent du Midwest, ou peut-être d'Illinois, mais sans trace de créole antillais.

En descendant de voiture, Max et Chantale sentirent des parfums de fleurs fraîches et de menthe. Devant eux, un type armé d'un seau et d'un balai-brosse nettoyait la chaussée. Comme ils approchaient, l'odeur se fit plus âcre, au point de leur piquer les narines. De part et d'autre de la rue, les maisons s'abritaient derrière de solides grilles de métal et des murs surmontés de piques d'acier et de barbelés coupants. Seuls émergeaient quelques cimes d'arbres et de poteaux télégraphiques, des paraboles et des fils d'antennes télé — rien d'autre à voir. Les maisons devaient être des bungalows ou des pavillons de plain-pied, supposa Max. Ils entendaient des chiens renifler frénétiquement à leur passage. Le museau glissé sous les grilles et par le plus petit interstice, ils humaient les odeurs. La leur devait appartenir à la catégorie « sont pas d'ici », pourtant aucun n'aurait donné de la voix pour avertir ses maîtres de la présence d'étrangers sur leur territoire. C'étaient des chiens d'attaque. Ils ne mouftaient pas. Ils vous laissaient approcher et pénétrer dans leur territoire, jusqu'à ce que vous ne puissiez plus leur échapper — et là, ils vous sautaient à la gorge.

C'était ce que Max détestait le plus dans les descentes de police. L'intervention des chiens de combat. Des vicelards, ces cabots. Ils ne craignaient que leurs dresseurs, qui, à coups de trique, les avaient amenés à un niveau de férocité tel que, s'ils avaient été humains, ils auraient commis des meurtres à la pelle. Avec force tortures, toutes plus perverses les unes que les autres. Inutile d'essayer de discuter, avec ce genre d'animal. On ne pouvait ni les amadouer, ni les hypnotiser, ni leur jeter un morceau de bois, le temps de cavaler pour grimper à l'arbre le plus proche. Si l'un d'eux vous sautait dessus, il ne vous restait qu'à l'abattre sur-le-champ. Selon les États, on dressait ces chiens policiers à viser différentes parties de votre anatomie. En Floride, ils vous chopaient les couilles, dans la ville de New York c'était l'avant-bras, dans l'État de New York, ils vous sautaient au mollet. Dans certains États du Sud, c'était au visage et dans d'autres, à la gorge. En Californie, ils essayaient de vous croquer un bout de fesse tandis qu'au Texas ils préféraient la cuisse. Max ignorait ce qu'il en était en Haïti et ne tenait pas à le savoir — il se borna à croiser les doigts.

Pourvu que les Thodore n'aient pas de chiens !

Sans cesser de récurer la rue, le type au balai-brosse les dévisagea. Chantale lui souhaita le bonjour, mais l'homme ne lui rendit pas son salut. Il se contenta de les détailler de la tête aux pieds, les yeux plissés, les sourcils froncés. Tout son corps trahissait la nervosité et la méfiance.

« Il doit être d'origine syrienne, lui glissa Chantale à l'oreille.

C'est une vieille coutume chez eux : ils nettoient la rue avec un mélange de menthe et d'eau de rose, des essences qui passent pour chasser les mauvais esprits et attirer les bons. Il y a une quarantaine d'années, les commerçants syriens ont débarqué en force en Haïti. Ils ont ouvert ces petites boutiques où ils vendent un peu de tout aux gens des quartiers pauvres. Tous les matins, ils balaient la rue et la parfument avec des essences de plantes afin de s'attirer chance, santé et prospérité. La recette semble avoir réussi, car bon nombre d'entre eux ont fait fortune. »

La rue des Écuries était l'artère la plus propre que Max ait vue jusque-là en Haïti. C'est en vain qu'on y aurait cherché le moindre tas d'ordures, le moindre vagabond ou chien errant. Pas trace de graffitis sur les murs, ni de nids-de-poule dans la chaussée impeccablement pavée de pierre grise. On se serait cru dans n'importe quelle petite rue paisible et cossue de Miami, de Los Angeles ou de La Nouvelle-Orléans.

Obéissant scrupuleusement aux instructions de Mathilde, Max frappa quatre coups à la porte des Thodore. Quelques instants plus tard, ils entendirent des pas approcher.

« Qui est-ce ?

— Je suis…

— Mingus ? » s'enquit une voix de femme.

Il entendit tirer un gros verrou et la grille s'ouvrit dans un effroyable grincement.

« Je suis Mathilde Thodore. Merci d'être venus. »

Elle leur fit signe d'entrer et referma la grille. Elle portait un pantalon de jogging, des baskets et un grand T-shirt à la gloire des Bulls.

Max se présenta et lui serra la main. Elle avait une poigne solide et franche, que confirmait son regard direct où Max crut déceler une nuance de défi. Plus ouverte, sa physionomie eût été agréable, voire séduisante. Mais son visage dégageait cette sorte de rigidité qui apparaît lorsqu'on a trop fréquenté les mauvais côtés de la vie.

Ils se trouvaient dans une petite cour, à quelques mètres d'un modeste bungalow orange et blanc, avec un toit en tôle, à demi enfoui dans une végétation proliférante. Juste derrière, un gros palmier surplombait l'ensemble et plongeait la maison dans une obscurité éclaboussée de jaune. Plus loin, sur la droite, un portique avec une balançoire rouillée. Claudette devait être fille unique, se dit Max.

Puis ses yeux tombèrent sur deux écuelles vert pomme, posées près de la balançoire, l'une contenant de la pâtée et l'autre de l'eau. En regardant du côté du mur, il aperçut une grande niche en forme de chalet.

« Ne vous inquiétez pas, lui lança Mathilde. Il ne vous mordra pas.

— On dit ça…

— Il est mort, s'empressa-t-elle de préciser.

— Ah ! désolé », mentit Max. Il ne l'était pas.

« L'eau et la pâtée, c'est pour son esprit. Comme vous savez, dans ce pays, on nourrit mieux les morts que les vivants. Chez nous, c'est eux qui commandent. »

Dans le bungalow, les pièces étaient exiguës et encombrées de meubles. Le bâtiment semblait trop petit pour les contenir. Les murs disparaissaient sous les photos. Des photos encadrées de Claudette… Claudette la bouche ouverte, les yeux pétillants. Claudette en uniforme d'écolière ou avec ses parents, grands-parents ou proches. Tous les visages gravitaient autour du sien, comme les planètes autour du soleil. Claudette à cinq ans, resplendissante. Sur tous les clichés, elle souriait ou faisait la moue, mais elle occupait toujours le centre des portraits de groupe. Comme si elle exerçait un attrait irrésistible sur l'objectif. Il y avait une photo d'elle devant l'église de Miami avec son oncle Alexandre. Elle devait avoir été prise après un service car le prêtre avait encore sa chasuble et on distinguait à l'arrière-plan des groupes de fidèles endimanchés. Sur une autre, la fillette se tenait près d'un doberman noir. Sur une bonne douzaine de photos, on la voyait à côté de son père, à qui elle ressemblait beaucoup. Elle devait avoir un faible pour lui car son sourire était moins éclatant quand elle était avec sa mère.

Les deux couples s'installèrent face à face, de part et d'autre de la table du séjour. Caspar avait accueilli ses hôtes d'un signe de tête et d'une brève poignée de main, avant de les laisser entrer, mais sans leur adresser le moindre mot de bienvenue.

Il ne ressemblait pas du tout à son frère. Petit et râblé, il avait des bras courtauds, des épaules de déménageur et des pognes à l'avenant, des mains de briseur d'échine, sillonnées de grosses veines, avec des doigts larges et plats. On sentait en lui une rudesse qui pouvait se muer en brusquerie, voire en brutalité. Ses cheveux, éclaircis sur le dessus, étaient plus sel que poivre. Son visage, nettement plus hostile que celui de sa femme, commençait à s'affaisser et, entre les poches qui se creusaient sous ses yeux et sa tendance à serrer les mâchoires et à grincer des dents, ses bajoues naissantes le faisaient ressembler à un bouledogue furieux. Max lui aurait donné dans les quarante-cinq ans. Il était vêtu comme sa femme, qui vint s'asseoir près de lui, un verre de jus de fruits à la main.

« Vous êtes pour les Bulls ? » leur demanda Max en regardant plutôt du côté de Caspar, dans l'espoir de briser la glace.

Silence. Mathilde poussa son mari du coude.

« Nous avons vécu un certain temps à Chicago, répondit-il, sans leur jeter le moindre regard.

— Il y a combien d'années ? »

Silence.

« Sept ans, répondit Mathilde. On est revenus en Haïti après la chute de Baby Doc.

— On aurait mieux fait de s'abstenir, enchaîna son mari. On était venus bourrés de bonnes intentions et on n'a récolté que des emmerdes. »

Il prononça encore quelques mots, que Max renonça à saisir. Sa voix avait un timbre sombre et rocailleux qui escamotait le sens de ses paroles au lieu de le transmettre.

Mathilde leva les yeux au ciel, l'air de dire « Ça y est, il remet ça... », et Max devina que c'était lui qui avait le plus souffert de la disparition de la petite.

Il trouva une photo de Claudette et de son père riant aux éclats. Sur ce portrait, Caspar paraissait nettement plus jeune. Il avait les cheveux plus noirs et plus fournis. La photo ne devait pourtant pas être très ancienne, car Claudette y avait à peu près le même âge que sur celle où elle se trouvait avec son oncle.

« Pourquoi ? Qu'est-ce qui vous est arrivé, à part ça ?

— À part perdre notre fille, vous voulez dire ? » demanda Caspar avec amertume, se décidant enfin à regarder Max. Il avait de petits yeux injectés de sang, deux points argentés, enlisés dans deux flaques rouges, d'une tristesse hargneuse.

« J'aurais plus vite fait de vous raconter ce qui ne nous est *pas* arrivé. Ce pays est *maudit* — pas la peine de chercher plus loin. Vous n'avez pas remarqué que *rien* ne pousse, ici ? Ni plante, ni arbre...

— Ça ne nous a pas réussi de revenir, s'empressa d'ajouter Mathilde. On travaillait à la sécurité civile de Chicago, service des incendies, et Caspar a eu un accident. Il a touché une petite somme de l'assurance et comme cela faisait un bout de temps qu'on parlait de revenir ici, dès que l'occasion s'est présentée, on s'est dit : allons-y...

— Pourquoi aviez-vous quitté Haïti ?

— Ce n'est pas *nous* qui l'avons quitté. Vous voyez, c'est nos parents qui ont émigré au début des années soixante, pour fuir Papa Doc. Mon père avait des amis qui étaient en relation avec des organisations dissidentes à Miami et à New York. Ils avaient préparé un coup d'État qui a échoué. Mais Papa Doc n'était pas du genre à se contenter d'exécuter les coupables. Il a tenu à supprimer toutes leurs familles et leurs amis, ainsi que les familles et les amis de ces derniers. Par mesure de sécurité. Avec lui, c'était comme ça. Nos parents se sont doutés que ce n'était plus qu'une question de temps, que les macoutes allaient venir s'occuper de nous. Ils ont préféré prendre la fuite.

— Mais pourquoi êtes-vous revenus ? demanda Max. On n'est pas si mal, à Chicago...

— C'est exactement ce que je me dis, chaque fois que je me file un coup de pied là où je pense », marmonna Caspar.

Max eut un petit éclat de rire, destiné à lui remonter le moral plutôt qu'à manifester de la joie, mais Caspar lui lança un coup d'œil glacial, comme pour lui signifier qu'il l'avait percé à jour et ne se laisserait pas entraîner sur ce terrain-là. Rien ne pouvait le distraire de son chagrin.

« Pendant toute notre enfance, aux États-Unis, nous nous sommes bercés de nostalgie, sans vraiment faire le deuil de ce que nous avions laissé derrière nous, lui expliqua Mathilde. Pour nous, ici, ça a toujours été "le pays". On gardait de bons souvenirs du vieil Haïti. C'était un endroit splendide, malgré les excès du régime. Grâce à la population, surtout. On sentait beaucoup d'amour entre les gens. Avant notre mariage, on s'est juré de revenir un jour, de "revenir au pays", comme on dit.

« Grâce à la prime d'assurance, on a acheté un magasin attenant à une station-service, où on vendait de l'épicerie à prix discount, des produits de base pour les pauvres. Tout le monde n'a pas apprécié qu'on débarque comme ça pour monter une affaire qui marchait, qui nous rapportait de l'argent. Ils ont un mot pour ça, ici. Ils nous appellent "la diaspora". Et pendant longtemps ça a été une insulte, comme si on avait déserté, abandonné le navire et attendu la fin de la tempête pour revenir. Maintenant, l'expression a perdu son sens péjoratif, mais à une époque...

— À une époque, on n'entendait que ça, l'interrompit Caspar. Pas dans la bouche des gens ordinaires, non. Ils étaient toujours corrects. C'étaient des braves gens, pour la plupart. On avait de bonnes relations avec nos clients. On fonctionnait à peu près comme les boutiques coréennes des quartiers noirs de Chicago — on avait quelques salariés, des gens du coin, payés convenablement. On essayait de traiter tout le monde avec respect. Non, c'étaient les gens de notre niveau. Mais nos collègues commerçants, nos pairs et voisins — parce que nous habitions Pétionville, à l'époque, eux, ils ne se sont pas gênés pour nous faire comprendre qu'on était indésirables. Ils nous écrasaient de leur mépris. Voyez, s'ils ne vous connaissent pas depuis l'enfance, ils sont incapables de vous respecter.

— La jalousie est un mal universellement répandu, fit Chantale. Ce n'est pas une caractéristique locale.

— Ouais, ouais, je sais. "Les paroles ne blessent pas", et patati et patata. Je connais la chanson, merci ! » rétorqua Caspar d'un ton furibard.

Chantale leva les mains en un geste d'excuse et d'embarras.

« Alors, on a choisi de les ignorer et de faire comme si de rien n'était, fit Mathilde. On travaillait d'arrache-pied, en nous efforçant de garder d'aussi bonnes relations que possible avec les gens. Au bout de quelques années, on est venus s'installer ici, et les choses se sont arrangées. Nos voisins sont des émigrés comme nous, des rapatriés. Des gens d'ailleurs… soupira-t-elle en tapotant le bras de son mari d'une main apaisante. On est bien, ici. Le quartier est très propre.

— Et on se serre les coudes, fit Caspar. On est pour la tolérance zéro.

— Contre qui ?

— Contre tous ceux qu'on ne connaît pas. Ça les décourage de venir traîner dans le coin. S'ils ne font que passer, pas de problème — à condition qu'ils ne s'éternisent pas. Les animaux, mais surtout les gens. Et en plus, on balaie la rue à tour de rôle, le matin et le soir, avant la tombée de la nuit. Nous ouvrons l'œil. Pour assurer notre propre sécurité… »

Caspar s'autorisa un petit rictus entendu qui, pour Max, en disait long. À l'occasion, il ne devait pas détester rudoyer un peu les malheureux sans-abri qui cherchaient refuge dans sa rue. Ça devait même être le seul truc encore capable de lui remonter le moral. Max connaissait un certain nombre d'ex-flics qui avaient ce genre de travers. Ils avaient la nostalgie du pouvoir et de l'excitation qu'ils trouvaient en patrouillant dans les rues, et se recyclaient dans des secteurs où ils pouvaient impunément donner libre cours à leur violence. Ils travaillaient comme vigiles, agents de sécurité ou gardes du corps. Caspar était probablement en train de redevenir l'homme qu'il était avant que le bonheur ait fait irruption dans sa vie et soit venu en infléchir le cours.

« On a été heureux ici, fit Mathilde, prenant le relais. Avec l'arrivée de Claudette, c'était le comble du bonheur. Elle est née quelques mois après notre installation. Jusque-là, on n'avait pas songé à fonder une famille. Je pensais même avoir passé l'âge. Mais notre fille est venue illuminer notre vie, elle nous a révélé toutes sortes de possibilités que nous ne soupçonnions pas... »

Elle s'interrompit et se tourna vers son mari. Max ne voyait plus son visage, mais, à voir se radoucir celui de Caspar, il comprit qu'elle était à deux doigts de fondre en larmes. Son mari lui passa un bras autour des épaules et l'attira à lui.

Le regard de Max s'échappa en direction des photos, au-dessus d'eux. C'étaient des braves gens. Surtout Mathilde. C'était elle, le cœur du couple et son cerveau. C'était elle qui tenait son mari, qui l'empêchait de partir à la dérive. Et sans doute elle qui s'était chargée de la discipline, ce qui expliquait la nette préférence de Claudette pour son père, qui devait lui céder ses moindres caprices. Il les compara mentalement à Allain et Francesca qui étaient, eux, à des années-lumière l'un de l'autre. Tirant chacun de leur bord. Loin de les rapprocher, le deuil n'avait fait qu'accroître ce qui les séparait. Il savait que la perte d'un enfant pouvait faire voler en éclats le couple le plus solide, comme il précipitait la fin de ceux qui battaient déjà de l'aile. Mais dans le cas des Thodore, la disparition de Claudette les avait réunis en renforçant, de la façon la plus sombre qui soit, ce qui les avait initialement rapprochés.

Le regard de Max s'attarda sur une photo de dimensions moyennes : Claudette sur une balançoire poussée par son père, avec le doberman qui attendait dans son coin.

Mathilde se moucha et renifla.

« Malgré la détérioration du climat politique, les affaires marchaient bien, poursuivit-elle en reprenant contenance. En l'espace d'un mois, on a vu se succéder deux présidents et trois coups d'État. Dès qu'il se passait quelque chose, on était au courant, parce que notre magasin était à deux pas du Palais. Chaque fois, l'équipe au pouvoir envoyait deux ou trois sous-fifres faire le plein et remplir quelques jerricans, avant de filer.

« Le problème, ici, c'est que tout le pétrole provient exclusivement des États-Unis. Pour renverser un président, il suffisait aux Américains de menacer de fermer le robinet. Et dès qu'il y avait un risque de ce genre, je voyais arriver un représentant de la direction de la compagnie pétrolière. Toujours un de ces gros Blancs américains, soufflant et suant à grosses gouttes, comme les démarcheurs qui viennent vous proposer des bibles au porte-à-porte. Il venait prévenir le responsable de la station de l'imminence de livraisons supplémentaires parce qu'ils avaient reçu des "avis de forte sécheresse" — leur nom de code pour désigner un nouveau changement de régime. Mais ces coups d'État se sont déroulés en douceur, sans effusion de sang. Le pétrole n'a jamais cessé de couler. On regardait tranquillement la télé, quand, patatras, l'émission s'interrompait et un général venait faire son annonce : le président du mois avait été arrêté ou ostracisé pour parjure, corruption, excès de vitesse, ou allez savoir quoi. Jusqu'à nouvel ordre, l'armée prenait le contrôle du palais. Et la vie recommençait, exactement comme avant. Personne n'aurait imaginé la possibilité d'un véritable embargo. Sauf que, soudain, ça s'est produit.

— Il a fallu fermer la station, fit Caspar. Notre approvisionnement provenait en majeure partie des États-Unis ou du Venezuela, mais plus aucun pétrolier ne passait. Quand Claudette me demandait pourquoi je n'allais pas travailler, je lui répondais que c'était pour le plaisir de la regarder grandir…

— Et puis ils ont mis le feu à la station, fit Mathilde. Juste avant le débarquement des marines.

— Qui ça, "ils" ? s'enquit Max.

— Les militaires. Ils voulaient compliquer la vie à l'envahisseur. Ils ont mis le feu à des tas de magasins et de commerces. Mais ils n'avaient rien contre nous en particulier. Je ne crois pas qu'ils aient vraiment cherché à nous faire du mal.

— Ah bon ? se récria Caspar. Mais notre affaire, c'était toute notre vie. Je ne vois pas comment ils auraient pu nous nuire davantage ! »

Ne sachant plus que dire, Mathilde laissa son regard s'échapper vers l'une des photos qu'elle se mit à fixer, comme pour remonter le temps jusqu'à cette période heureuse.

Max se leva et s'éloigna de la table. Derrière eux il y avait un canapé, deux fauteuils et une télé de taille moyenne, posée sur un chariot. L'écran était couvert de poussière, comme si l'appareil n'avait pas servi depuis un certain temps, à moins qu'il n'ait été tout simplement en panne. Un fusil était posé près de la fenêtre. Comme il regardait dehors, ses yeux se posèrent tour à tour sur la balançoire, la niche et la grille d'entrée. Quelque chose le chiffonnait.

« Et votre chien, qu'est-ce qu'il est devenu ? demanda-t-il en se tournant vers la table.

— Il est mort, dit Mathilde en se levant pour venir le rejoindre près de la fenêtre. Empoisonné par ceux qui ont enlevé notre fille.

— Parce qu'ils sont venus *ici* ?

— Oui. Suivez-moi. »

Elle emmena Max hors du séjour, lui fit franchir un petit couloir chichement éclairé et ouvrit une porte.

« La chambre de Claudette », dit-elle.

Les Thodore s'étaient faits à l'idée de ne jamais revoir leur fillette. La pièce était un véritable sanctuaire, pieusement conservé. Tout semblait être resté plus ou moins dans le même état que du temps de Claudette, dont les dessins étaient affichés au mur. Des portraits de famille pour la plupart : papa, très grand, maman, un peu plus petite, Claudette, minuscule, et le chien, de taille intermédiaire entre celle de Claudette et celle de sa mère, devant leur maison — tous dessinés à grands traits de pastel multicolore. Des bonshommes bâtons tout tremblotants. Papa était toujours en bleu, maman toujours en rouge, Claudette en vert et le chien en noir. Comme Max s'y attendait, la maison de Pétionville était nettement plus grande, parce que à côté la famille était réduite à une taille de Lilliputiens. Au contraire, sur les dessins où l'on voyait le bungalow, les personnages étaient deux fois plus grands que la maison. D'autres dessins étaient des compositions de carrés monochromes peints à la gouache, avec en bas de la feuille le nom complet de Claudette, écrit d'une main d'adulte.

Max jeta un coup d'œil par la fenêtre, avant de ramener son attention vers la pièce. Le petit lit était garni d'un dessus-de-lit bleu et d'un oreiller blanc, où reposait une poupée de chiffon, dont la tête dépassait du drap rabattu. Le rabat était bien repassé, sauf en son milieu où quelque chose l'avait froissé. Il se figura que les parents devaient venir s'y asseoir, pour câliner la poupée et pleurer leur fille, au milieu de tous ces souvenirs. Il aurait parié que Caspar était le visiteur le plus assidu de ce sanctuaire.

« Le jour de sa disparition… je suis venue la réveiller. J'ai trouvé la pièce déserte, le lit vide et la fenêtre grande ouverte. Puis j'ai regardé dans la cour et j'ai vu Toto, le chien, étendu par terre près de la balançoire, murmura Mathilde.

— Il y avait des dégâts, dans la maison ? Du verre ou des vitres cassées ?

— Non.

— Et la porte d'entrée ? Elle avait été forcée ?

— Non.

— Vous auriez remarqué quelque chose d'anormal, du côté de la serrure ? Il arrive que ça ne fonctionne plus aussi bien, quand on a utilisé des doubles.

— Non, tout marchait parfaitement — et c'est toujours le cas.

— Il n'y avait que vous trois, dans la maison ?

— Oui.

— Qui d'autre avait vos clefs ?

— Personne.

— Pas même le précédent propriétaire ?

— On avait changé toutes les serrures.

— Qui s'en est chargé ?

— Caspar.

— Et vous êtes sûre d'avoir bien fermé la porte d'entrée, ce jour-là ?

— Certaine.

— Y a-t-il un accès par-derrière ?

— Non.

— Et les fenêtres ?

— Tout était fermé. Rien n'a été cassé ou forcé.

— Et par la cave ?

— Ici, nous n'en avons pas...

— Qu'est-ce qu'il y a, derrière la maison ?

— Un terrain vague. Ça a été un temps une galerie d'art, mais elle a fermé. Le mur fait cinq mètres de haut et il est garni de barbelés coupants.

— Des barbelés coupants... » marmonna Max comme pour lui-même. Il regarda le mur depuis la fenêtre de Claudette. Il était surmonté de piques, mais sans ce fil de fer barbelé qui hérissait les murs d'enceinte des maisons environnantes.

« J'ai refusé d'en mettre, expliqua Mathilde. Je ne voulais pas que ce soit la première chose que ma fille voie, chaque matin, en ouvrant les yeux.

— De toute façon, ça n'aurait pas fait grande différence », fit Max.

Ça ne fait jamais la moindre différence, songea-t-il. *S'ils veulent prendre votre gosse, ils vous le prennent, quoi que vous fassiez.*

Il retourna dans la cour, près de la grille. Des buissons poussaient à droite. Ils se seraient affaissés, si les ravisseurs avaient atterri dedans. Ils avaient dû passer sur la gauche, là où la dénivellation ne faisait que trois mètres et où le sol était dégagé. Sans doute avaient-ils apporté une échelle, pour grimper du côté rue.

Ils avaient dû repérer les lieux, avant de venir. Ils savaient où se trouvait la niche et de quel côté descendre.

Une conduite de prédateur typique.

Max fit demi-tour pour examiner la maison. *Il y avait quelque chose qui n'allait pas, dans cette chambre. Quelque chose qui ne collait pas.*

Il retourna vers la maison en se mettant dans la peau d'un des ravisseurs, juste après avoir empoisonné le chien. La chambre de Claudette était à gauche de la porte d'entrée. Combien étaient-ils ? Un ou deux ?

Puis il aperçut Mathilde par la fenêtre de sa fille. Elle l'attendait, les bras croisés. Elle le regardait approcher.

Pas de vitres cassées. Pas de serrures crochetées. Pas de porte forcée. Pas d'accès sur l'arrière. Par où étaient-ils passés ?

Mathilde ouvrit la fenêtre et se pencha pour lui dire quelque chose qu'il n'entendit pas. En lui parlant, elle avait fait tomber dehors un truc qui devait être posé sur le rebord de la fenêtre. Un petit objet.

Max approcha et baissa les yeux. C'était un personnage en fil de fer peint, un bonhomme avec une tête d'oiseau. Le corps était orange, la tête noire. La figurine n'avait pas de bras gauche et, en y regardant de plus près, il vit qu'elle n'avait qu'une moitié de visage.

Il venait de comprendre ce qui était arrivé.

Il ramassa la figurine.

« Qui lui avait donné ça ? » demanda-t-il en le montrant à Mathilde.

Mathilde eut l'air perdue. Elle prit la figurine et la serra dans son poing fermé, tout en regardant le rebord de la fenêtre.

Max la rejoignit dans la chambre.

Il y avait cinq autres hommes oiseaux en fil de fer, alignés près du lit, sur le rebord de la fenêtre, et jusque-là cachés par le reflet du soleil. Ils avaient tous la même forme et la même couleur — sauf le dernier qui était plus grand, parce que composé de deux personnages. L'homme oiseau et une petite fille vêtue d'un uniforme bleu et blanc.

« Où avait-elle eu ça ?

— À l'école, dit Mathilde.

— Qui les lui avait donnés ?

— Elle ne me l'a jamais dit.

— Homme ou femme ?

— J'ai pensé que c'était un petit garçon, ou une de ses amies. Elle connaissait aussi un ou deux enfants de l'Arche.

— L'Arche ? L'école de Carver ?

— Oui. Ça n'est qu'à quelques centaines de mètres de l'école Sainte-Anne, là où était Claudette, fit Mathilde, avant de donner à Max l'adresse précise.

— Vous a-t-elle parlé de quelqu'un qui l'aurait abordée près de son école ? Une personne inconnue ?

— Non.

— *Jamais ?*

— Non.

— Elle ne vous a jamais parlé de Tonton Clarinette ? »

Mathilde se laissa choir sur le lit, la lèvre tremblante, l'esprit en ébullition. Rouvrant la main, elle examina la figurine.

« Il y a quelque chose que vous ne me dites pas, madame Thodore ?

— Sur le moment, je n'ai pas pensé que ça pouvait avoir le moindre rapport, dit-elle.

— Quoi ?

— L'Homme Orange… »

Max repassa en revue les dessins sur les murs, au cas où un personnage avec une moitié de tête lui aurait échappé. Mais non. Il avait vu tout ce qu'il y avait à voir…

L'histoire des enfants de Clarinette lui revint à l'esprit. Les enfants qui avaient disparu. La mère avait dit que son fils prétendait avoir été enlevé par « un homme avec un visage déformé ».

« Max ? l'appela Chantale depuis le seuil. Venez donc voir ça… »

Caspar était près d'elle, tenant à la main un rouleau de papiers.

D'après Claudette, son ami l'Homme Orange était mi-homme, mi-machine — son visage, tout au moins. Elle disait qu'il avait un gros œil gris avec un point rouge au milieu, qui s'avançait si loin de sa tête qu'il devait le tenir avec sa main. Et ça faisait un drôle de bruit.

Caspar avait ri quand elle lui avait raconté ça. Il était amateur de films de science-fiction. Il adorait *Robocop*, *La Guerre des étoiles* et *Terminator* et ils les regardaient sur cassette, sa fille et lui, malgré les protestations de Mathilde qui trouvait Claudette trop jeune pour ce genre d'histoires. Pour Caspar, l'Homme Orange était une sorte d'hybride de R2D2 et de Terminator — dans la scène où il enlève son visage comme un masque, révélant les circuits intégrés sous sa peau. Il n'avait pas pris ça au sérieux. Il s'était dit que les « amis » dont lui parlait sa fille n'étaient guère plus réels que les robots des films.

Mathilde était encore moins encline à prendre pour argent comptant les histoires de Claudette. À l'âge de sa fille, elle avait eu un ami imaginaire, elle aussi. Elle était fille unique et il arrivait que ses parents la laissent seule ; d'ailleurs, même quand ils étaient là, ils ne lui accordaient guère d'attention. Ni Caspar ni elle n'avaient donc tiqué en voyant se multiplier les portraits de ce mystérieux « ami » parmi les dessins de leur fille, durant les six mois qui avaient précédé sa disparition.

« Et vous ne l'avez jamais vu, cet Homme Orange ? » demanda Max aux Thodore, comme ils étaient revenus s'installer autour de la table du séjour, les dessins étalés devant eux. Il y en avait une bonne trentaine, de tous les formats, du petit croquis au crayon aux grandes peintures multicolores.

Le modèle de base était un bonhomme orangé, avec une grosse tête en forme de D, composée à gauche d'un rectangle et, à droite, d'un cercle qui semblait représenter un visage, mais avec des traits mal définis : un œil et une bouche réduits à deux fentes, pas de nez et un triangle debout sur la pointe, pour l'oreille.

L'autre moitié était à la fois plus détaillée et plus effrayante. Une sorte de grand tourbillon occupait l'emplacement de l'œil, au-dessus d'une bouche pleine de crocs acérés pointant vers le haut, qui ressemblaient davantage à des poignards qu'à des dents. Le personnage n'avait pas de bras gauche.

« Non.

— Vous ne lui en avez jamais parlé ? Vous ne lui avez jamais demandé qui c'était ?

— Je lui demandais si elle le rencontrait, de temps en temps, fit Caspar. Elle me répondait que oui, que ça lui arrivait.

— Et rien d'autre ? Elle n'a jamais dit qu'elle l'avait vu en compagnie de quelqu'un ? »

Ils firent « non » de la tête.

« Et sa voiture, elle ne vous en a pas parlé ? Est-ce qu'elle l'avait déjà vu conduire ? »

Ils secouèrent à nouveau la tête.

Max se repencha sur les dessins. Il n'y avait pas vraiment d'ordre entre eux, mais on percevait une nette progression. On devinait ce qui s'était passé — comment l'Homme Orange avait peu à peu gagné la confiance de la fillette, avant de l'aborder. Les premiers dessins le représentaient toujours à une certaine distance, et toujours de profil, sa haute taille dépassant d'un groupe de trois ou quatre enfants, tous en orange, la tête plate par-devant et arrondie à l'arrière, avec, à la place du nez, un bec protubérant, pointé en avant. Puis les enfants se faisaient plus rares. Ils n'étaient plus que deux, puis plus qu'un, Claudette elle-même, debout devant lui, tel que le montrait la figurine près de la fenêtre. Sur tous les dessins de groupe, les enfants se tenaient séparés de l'Homme Orange, mais sur ceux qui représentaient juste Claudette et son ami, ils se tenaient par la main. Les peintures mettant en scène la vie de famille de l'enfant achevèrent de glacer Max. La petite avait représenté l'Homme Orange devant sa maison, près du chien, et même à la plage, en compagnie de la famille.

Claudette connaissait son ravisseur. Elle l'avait elle-même fait entrer dans sa chambre. Elle l'avait suivi de son plein gré.

« Vous a-t-elle dit pourquoi elle l'appelait l'Homme Orange ?

— Ce n'est pas elle qui l'a appelé comme ça, fit Caspar. C'est moi. Un jour, elle est rentrée de l'école avec un de ses dessins. Je lui ai demandé qui c'était et elle m'a dit que c'était son ami. Ce sont ses propres termes : *mon ami**. J'ai pensé que c'était un de ses petits camarades d'école et je lui ai dit : "Dis donc ! Tu as un Homme Orange parmi tes amis..." Et ça lui est resté.

— Je vois, fit Max. Et du côté de ses copains ? En ont-ils parlé, de cet Homme Orange ?

— Non, je ne crois pas », répondit Mathilde. Elle glissa un regard en direction de son mari, qui haussa les épaules.

« Est-ce que d'autres enfants ont disparu, dans l'école de Claudette ?

— Non. Pas à notre connaissance. »

Max consulta ses notes.

« Que s'est-il passé le jour de la... quand vous avez constaté que Claudette n'était plus là — qu'avez-vous fait ?

— On l'a d'abord cherchée, fit Caspar. Nous avons fait du

porte-à-porte. Très vite, un groupe s'est constitué pour nous aider. Des gens du quartier qui ont quadrillé tout le coin en interrogeant les passants. À la fin de la journée, à nous tous, on avait dû passer au peigne fin trois ou quatre kilomètres carrés. Mais personne n'avait rien vu. Personne ne savait rien. C'était un mardi, le jour où elle a disparu. On l'a cherchée pendant les deux semaines suivantes. Tony, un de nos voisins, qui a une imprimerie, nous a tiré des affiches avec sa photo. On en a collé partout. Mais rien. »

Max prit encore quelques notes et relut quelques pages.

« Vous avez reçu des demandes de rançon ? s'enquit Chantale.

— Non. Rien. Mais nous n'avions pas grand-chose, à part notre fille et nous-mêmes », fit Caspar d'une voix brisée, étranglée par les sanglots. Un tremblement ébranla sa cuirasse. Puis, comme Mathilde lui prenait la main, il serra celle de sa femme dans la sienne.

« Vous pensez pouvoir nous la retrouver ? demanda-t-il à Chantale.

— J'ai promis à votre frère de voir ce que je pourrais faire, lui dit Max en leur décochant un regard impassible, afin de désamorcer tous les espoirs dont ils auraient pu se bercer.

— Et où en êtes-vous, par rapport à Charlie Carver ? demanda Mathilde.

— Que voulez-vous dire ?

— Vous avez des pistes ?

— Je suis tenu au secret professionnel, madame Thodore. Je n'ai pas le droit de vous en parler. Désolé.

— Mais vous pensez qu'il s'agit des mêmes ravisseurs ? demanda Caspar.

— Il y a certains points communs mais il y a aussi des différences, répliqua Max. Il est encore trop tôt pour le dire.

— Vincent Paul pense que c'est les mêmes », fit Caspar le plus naturellement du monde, comme si ça coulait de source.

Le stylo de Max s'arrêta net. Son regard resta fixé sur le papier qu'il avait sous le nez.

« *Vincent Paul ?* » fit-il, aussi naturellement que possible, avant de jeter un coup d'œil vers Chantale, qui intercepta son regard et le redirigea vers une série de photos affichées au coin supérieur gauche du mur.

« Oui. Vous le connaissez ? demanda Caspar.

— De réputation seulement », fit Max en se levant. Puis, feignant de s'étirer la nuque et les bras, il contourna la table et s'approcha du mur de photos en secouant les mains pour en chasser des fourmis imaginaires.

Et il repéra la photo dans un coin, la deuxième, en haut, en partant de la gauche. Une photo de famille. Claudette âgée d'environ trois ans avec Mathilde et Caspar, plus jeunes et nettement plus insouciants, Alexandre Thodore en soutane et, au beau milieu du groupe, assis, Vincent Paul, chauve et souriant de toutes ses dents. Le prêtre avait un bras glissé autour de son dos de géant.

Max vit immédiatement ce que ça signifiait. Vincent Paul avait fait don de quelques narcomillions à Little Haiti, mais il s'était bien gardé d'ébruiter la chose.

Il regagna sa place.

« Après avoir ainsi retourné ciel et terre, on a appelé les marines à l'aide, dit Mathilde. Parce que nous sommes citoyens américains, tout comme Claudette — mais vous savez ce qu'ils nous ont répondu ? Le capitaine qui nous a reçus ne voulait savoir qu'une chose : "pourquoi nous avions quitté Chicago pour ce bled merdique", comme il a dit. Puis il nous a expliqué que ses hommes étaient "trop occupés pour se soucier de nous", parce qu'ils avaient "la démocratie à restaurer". En regagnant la voiture, nous sommes passés devant un bar où nous avons aperçu un détachement de marines qui étaient effectivement "très occupés" à "restaurer la démocratie" à grand renfort de bière et de dope.

— Et avec Vincent Paul ?

— On a fait appel à lui, après cette fin de non-recevoir de l'armée US.

— Pourquoi n'êtes-vous pas allés le voir d'abord ?

— Eh bien, je... » fit Mathilde, mais Caspar lui coupa la parole. « Qu'est-ce que vous savez de lui ?

— J'ai entendu toutes sortes de choses. Du bon et du mauvais, surtout du mauvais, dit Max.

— Ouais, comme Mathilde. Elle ne voulait pas qu'on fasse appel à lui.

— Ce n'était pas pour ça... » commença-t-elle, mais elle s'interrompit en captant le coup d'œil que lui lançait son mari — *n'essaie pas de prétendre le contraire*, semblait-il lui dire. « O.K. Avec tous ces soldats, postés à chaque coin de rue et tout ça, je ne tenais pas à ce que ça se sache, qu'un type comme *lui* était à la recherche de notre fille. Je ne voulais pas qu'on soit arrêtés comme complices, ou comme sympathisants.

— Sympathisants ?

— Vincent était un proche de Raoul Cédras — le chef de la junte que l'armée américaine était venue renverser. Ils étaient très copains, expliqua Caspar.

— J'aurais pensé que Paul aurait plutôt eu tendance à soutenir quelqu'un comme Aristide.

— Ça avait commencé comme ça. Au début, Aristide était quelqu'un de bien, du temps où il était prêtre et où il secourait les malheureux des bidonvilles. Il a beaucoup fait pour eux. Mais à la seconde où il a été élu, il s'est transformé en Papa Doc. Et la corruption, ça y allait. Il a détourné des millions de l'aide humanitaire de l'étranger. Il était à peine au pouvoir depuis deux semaines que Vincent voulait lui botter le cul.

— Je n'aurais pas cru que des gens tels que ce Paul puissent avoir des principes.

— Vous savez, c'est un homme de cœur, fit Mathilde.

— Il vous est donc venu en aide.

— Énormément. Il a passé un mois à fouiller toute l'île pour la retrouver. Il a envoyé des gens la chercher à New York, à Miami, en République dominicaine et dans toutes les Caraïbes. Il a même obtenu de l'aide des Nations unies. Il a tout essayé…

— Sauf engager un enquêteur privé, lui fit remarquer Max.

— Il a dit que s'il n'arrivait pas à la retrouver, personne n'y parviendrait.

— Et vous l'avez cru ?

— Nous l'aurions cru, s'il l'avait trouvée…

— Personne d'autre n'a tenté de vous contacter ? Les Carver avaient engagé des détectives, avant moi, pour retrouver leur fils. Aucun d'eux n'est venu vous parler ?

— Non », dit Caspar.

Max prit encore quelques notes. Il y avait autre chose qu'il voulait savoir.

« Je me suis laissé dire qu'il y a des tas d'enfants qui disparaissent tous les jours, ici. Vincent Paul doit être débordé de demandes comme la vôtre. Pourquoi a-t-il choisi de vous aider, vous ? »

Le couple échangea un regard. Ils hésitaient sur la conduite à tenir.

Max décida de mettre les choses au point.

« Écoutez, je suis au courant de ses activités et, en toute honnêteté, je n'en ai rien à cirer. Je suis ici pour retrouver Charlie Carver et, si possible, Claudette. Alors, s'il vous plaît, jouons cartes sur table. Pourquoi Vincent a-t-il accepté de vous aider ?

— C'est un ami de ma famille, fit Caspar. Mon frère et lui se connaissent depuis une éternité.

— Paul a donné pas mal d'argent pour l'église de votre frère, à Little Haiti — c'est ça ?

— Pas seulement, fit Caspar. Mon frère avait ouvert un refuge à Miami, pour les *boat people* haïtiens. Vincent a avancé des fonds. Il a investi des fortunes à Little Haiti, il a aidé des centaines de gens à s'en sortir. C'est un type formidable.

— Ce n'est peut-être pas l'avis de tout le monde… » souligna Max et il laissa sa phrase en suspens. Il s'abstint de leur rappeler qu'à quelques centaines de kilomètres d'Haïti, à Liberty City, des gamins de dix ans vendaient sa dope, à ce Vincent Paul, tandis qu'un ou deux membres de leur famille plongeaient au fond de l'Enfer en fumant cette même came. Mais les Thodore n'en avaient rien à faire, de ce genre de détail — comment aurait-il pu en être autrement ?

« Moi aussi, je connais des gens qui ne partageraient pas votre avis, monsieur Mingus », répliqua Mathilde d'une voix douce, plutôt pour souligner un fait que pour lui clouer le bec.

« J'ai l'habitude, fit Max en leur souriant à tous deux. Peu de gens partagent mon avis. »

C'étaient des braves gens. D'honnêtes travailleurs, des gens bien. Le genre de personnes dont il avait juré d'assurer la sécurité.

« Je vous remercie pour votre aide. Surtout, ne vous sentez pas responsables de ce qui est arrivé à votre fille. Vous n'auriez rien pu faire. Absolument rien. On peut se protéger des cambrioleurs, des assassins, et des violeurs, mais pas des gens tels que l'Homme Orange. Ils sont invisibles. En apparence, ils sont comme vous et moi. Ce sont généralement les derniers qu'on soupçonne.

— Retrouvez-la-nous, je vous en prie, fit Mathilde. Je me fiche de savoir qui l'a enlevée. Tout ce que je veux, c'est qu'elle revienne. »

41

« Vous pensez toujours que c'est Vincent Paul qui a enlevé Charlie ? » demanda Chantale. Ils étaient en route pour le domicile du premier Faustin listé sur le morceau de page d'annuaire.

« Je n'exclus aucune hypothèse. Qu'il ait aidé les parents de Claudette dans leurs recherches ne prouve strictement rien. Je me ferai une opinion lorsque je lui aurai parlé », dit Max en rangeant dans le vide-poche deux des petits bonshommes en fil de fer qu'il avait emportés, et deux dessins représentant l'Homme Orange. Il avait l'intention d'envoyer les figurines à Joe pour un relevé d'empreintes.

« Comment comptez-vous le contacter ?

— Quelque chose me dit que c'est *lui* qui va me contacter, *moi.*

— C'est votre enquête… » soupira Chantale. Elle n'avait pas fait la moindre allusion à ce qui s'était passé au temple vaudou et ne semblait pas lui en tenir rigueur. Elle se comportait normalement, décontractée, souriante, éclatant parfois de son rire canaille, débordant de cordialité professionnelle. Ce n'était pas une fille facile à cerner. Diplomate consommée, championne de l'amabilité à la demande. Beaucoup de cols blancs étaient comme elle : sincères dans leur insincérité.

« Est-ce que votre mari discutait de ses enquêtes avec vous ?

— Non. On avait pour règle de ne jamais mélanger le boulot et la vie privée. Et vous ?

— Je n'étais pas marié à l'époque où j'étais dans la police. Mais, oui, Sandra et moi discutions des affaires sur lesquelles je travaillais.

— Est-ce qu'il lui est arrivé d'en résoudre ?

— Oui, deux fois.

— Et ça ne vous a pas gonflé ? Fait douter de vos capacités ?

— Non, dit Max en souriant à ces souvenirs. Jamais. J'étais très fier d'elle — vraiment. Je l'ai toujours été. »

Un embouteillage les força à s'arrêter. Pendant qu'ils patientaient, elle en profita pour l'examiner. Max surprit son regard et tenta de deviner les conclusions que ça lui inspirait. Elle était indéchiffrable.

Ils firent chou blanc chez les cinq premiers Faustin de la liste : leurs maisons avaient été détruites, dans l'ordre, par un incendie, des émeutiers, l'armée, un cyclone et la chute d'un hélicoptère des Nations unies. Personne dans les environs ne connaissait d'Eddie Faustin.

La maison où ils se rendirent ensuite se trouvait aux portes du bidonville de Carrefour. C'était l'unique édifice indemne d'une rue entièrement bordée de ruines reconverties en taudis. La bâtisse, précédée d'un perron, se dressait un peu en retrait de la route. Il n'y avait pas un rideau aux fenêtres. Max remarqua que, sous leur couche de crasse, toutes les vitres étaient intactes. Ils eurent beau frapper à la porte, personne ne se montra. Ils collèrent le nez aux fenêtres, mais l'endroit avait l'air inoccupé, malgré le mobilier encore en place dans les pièces de devant et les draps que Chantale aperçut en train de sécher dans la cour de derrière, lorsque Max la souleva pour qu'elle regarde par-dessus le mur.

Ils demandèrent qui habitait là à deux passants, mais ils l'ignoraient. La maison était comme ça depuis longtemps, dirent-ils, et on ne voyait jamais personne y entrer ou en sortir.

« Comment se fait-il qu'aucun squatter ne s'y soit installé, vu le nombre de gens qui sont à la rue ? » s'étonna Max.

Ils ne savaient pas.

Max décida *in petto* de revenir inspecter les lieux nuitamment. Et seul. Inutile que Chantale soit là quand il y ferait effraction. Il lui en avait déjà assez fait voir comme ça.

Finir la tournée des derniers Faustin de la liste ne les conduisit qu'à des maisons que leurs propriétaires avaient abandonnées depuis belle lurette, laissant leurs ruines à des miséreux. L'ex-logis de Jerome Faustin grouillait de gosses faméliques au ventre tellement gonflé qu'ils étaient forcés de marcher les jambes écartées pour ne pas tomber. La maison d'à côté n'était qu'une variante de ce triste spectacle, sauf que dans celle-ci les petits étaient attablés avec leurs parents devant leur repas : feuilles sèches, petits pâtés de terre et, pour faire passer tout ça, un grand seau d'eau verdâtre. Max ne pouvait pas croire qu'ils allaient avaler ça jusqu'à ce qu'il voie une fillette, qui devait avoir cinq ans, casser un coin de son pâté de terre et se le mettre dans la bouche. Il crut qu'il allait vomir, mais se retint — en partie par respect pour ces malheureux qui n'avaient pas mangé ce que lui pouvait facilement régurgiter sans que ça lui manque, mais en partie, aussi, de peur que ses vomissures ne se retrouvent dans leur chaîne alimentaire. Il était prêt à filer aux parents tout l'argent qu'il avait dans les poches, mais Chantale l'en dissuada, expliquant qu'il valait mieux leur donner de la nourriture.

Ils trouvèrent une boutique où ils achetèrent quelques sacs de farine de maïs, de riz et de haricots ainsi que des bananes plantains, qu'ils revinrent déposer à l'entrée de la cour de la maison. Enfants et parents les regardèrent faire, étonnés, puis se remirent à manger.

Max et Chantale reprirent leurs recherches. L'après-midi s'achevait quand ils en terminèrent. Ils avaient interrogé deux vieilles dames qui leur avaient offert de la citronnade et des biscuits rances, un homme plongé dans un journal vieux d'un an sous sa véranda, un mécanicien et son fils, une femme qui leur avait demandé de lui lire une bible en allemand, une autre femme qui avait reconnu Max pour l'avoir vu à la télévision et lui avait dit qu'il était un homme bien. Sans en avoir encore la preuve formelle, Max était de plus en plus persuadé que la maison de Carrefour appartenait — ou avait un jour appartenu — à Eddie Faustin.

Il reconduisit Chantale chez elle et reprit la direction de Carrefour.

42

Max attendit qu'il fasse nuit noire pour faire le tour de la maison et escalader le mur. Il se laissa tomber dans un jardin envahi d'herbes sèches et de buissons rabougris.

Ayant crocheté les deux serrures de la porte de derrière, il se glissa dans la maison.

Il alluma sa lampe torche. La couche de poussière était si épaisse et si douce qu'on aurait dit la neige artificielle des cartes de Noël. Il y avait des lustres que personne n'était venu ici.

La maison comportait un étage et un sous-sol.

Il monta l'escalier. De grandes pièces, pleines de beaux meubles : buffets, armoires, commodes, tables et chaises, le tout en acajou, avec des pieds en patte de lion de bronze doré. Tables basses à dessus de verre ou de marbre. Lits de cuivre avec de bons matelas bien fermes, canapés et fauteuils au capiton bien rembourré.

La maison n'avait pas l'air d'avoir été beaucoup occupée, mais quel qu'en soit le propriétaire, il fallait qu'il se soit senti en sécurité pour vivre ici, en lisière du bidonville, à un jet de pierre d'une poudrière de misère, de désespoir et de violence. Malgré l'absence de barreaux aux fenêtres, la maison n'avait pas été visitée. Pour Max, aucun doute : les maîtres des lieux étaient des gens du coin, bien connus dans le bidonville. Le genre d'individus avec lesquels on ne déconnait pas. Et dont on respectait les biens encore mieux que les siens.

Il descendit explorer le sous-sol. Il y faisait lourd et moite et des relents de moisi flottaient dans l'air. Sa lampe luisait sur les murs marbrés de taches d'humidité, dont les briques suintaient d'eau. Il devina quelque chose par terre.

Il localisa un interrupteur. Une ampoule nue pendue à un fil éclaira un grand *vévé* noir en forme de cerf-volant, apparemment tracé avec du sang. Il était divisé en quatre cases, dont les trois premières contenaient chacune un symbole différent et la quatrième, une photo : Charlie, assis à l'arrière d'une voiture genre SUV et regardant droit dans l'objectif.

Max examina le *vévé*. Y figuraient, dans le sens des aiguilles d'une montre, la marque de Tonton Clarinette, un œil et, enfin, un cercle contenant quatre croix entourant un crâne. Et bien sûr, la photo. Une corolle de cire violette s'étalait au centre du *vévé*. S'il s'agissait bien de la maison de Faustin, il avait dû célébrer la cérémonie ici, avant de kidnapper Charlie.

Max glissa la photo de Charlie dans son portefeuille.

À part le *vévé*, le sous-sol était vide.

Max s'apprêtait à quitter la maison quand il s'avisa qu'il restait des endroits qu'il n'avait pas inspectés à fond. Il remonta à l'étage. La poussière, si épaisse qu'elle étouffait le bruit de ses pas, le fit éternuer.

Il ne trouva rien nulle part.

Il sonda les murs. Aucun ne sonnait creux. Il regarda sous les sièges, tira les meubles, se mit en nage en déplaçant les armoires.

Il poussa une penderie de chêne massif.

Il entendit quelque chose tomber par terre.

C'était une cassette vidéo.

De retour à Pétionville, Max mit la cassette dans le magnétoscope.

Les premières images montraient un gamin marchant dans une rue, en short bleu et chemisette blanche — l'uniforme de l'Arche de Noé —, son cartable sur le dos. Max lui donna entre six et huit ans.

Il était filmé depuis l'intérieur d'une voiture.

L'écran vira au noir, puis de nouvelles images y apparurent : un groupe d'une vingtaine d'enfants, eux aussi en uniforme, devant les grilles de l'Arche de Noé. L'objectif fit un panoramique sur le groupe de gosses qui riaient et chahutaient — quelques-uns se courant après, d'autres, deux par deux, un peu à l'écart, d'autres encore en train de bavarder — jusqu'à ce qu'il se fixe sur l'enfant de la première séquence. Zoom avant sur le visage du gosse — mignon plutôt que beau —, puis sur sa bouche ouverte en un grand sourire. Zoom arrière, pour cadrer la tête et le buste du garçon, et un peu de l'arrière-plan. L'objectif obliqua vers la droite, au niveau des épaules du gamin, et s'arrêta sur une petite fille accroupie, en train de nouer ses lacets. Un de ses camarades lui avait retroussé sa jupe jusqu'à la taille et lui et ses copains la regardaient en rigolant. La fillette avait aussi peu conscience des garçons que du vidéaste qui filmait son humiliation. Elle se releva et sa jupe retomba, tandis que les garçons s'égaillaient en riant.

La séquence suivante montrait le garçon dans sa classe, filmé de l'extérieur. Le cameraman se tenait sur la gauche, caché derrière des buissons dont le vent poussait périodiquement les branches dans le champ. Le garçon écoutait attentivement son institutrice, écrivait des choses dans son cahier et levait très souvent la main. Chaque fois qu'il connaissait une réponse, son visage s'illuminait d'un mélange de fierté et de satisfaction. Si la maîtresse l'interrogeait, il répondait en souriant et se rasseyait, toujours souriant, savourant son triomphe. C'était le genre premier de la classe, assez mûr et discipliné pour comprendre l'importance des études et la valeur de l'éducation, un enfant qui ne devait jamais faire de bêtises et qui aurait fait l'orgueil de ses parents — s'ils avaient pu le voir… Il avait des yeux vifs, intelligents, curieux, avides d'en savoir plus sur tout ce qu'ils voyaient.

De la neige envahit l'écran, qui vira de nouveau au noir. Il resta ainsi de longues secondes.

Max laissa la cassette défiler. Il avait le cœur battant et sentait des frémissements familiers au creux de son estomac — une sensation qu'il n'avait pas éprouvée depuis ses débuts de détective privé, lorsqu'il était sur le point de faire une découverte macabre, une part de lui attendant impatiemment ce moment, une autre le redoutant et une troisième sachant que ce serait pire après qu'avant. Au début, ç'avait été encore plus horrible que tout ce qu'il avait pu imaginer — les trésors d'imagination qu'un être humain était capable de déployer pour infliger d'atroces souffrances à un autre être humain… Avant de faire de la taule, il y avait été insensible, complètement imperméable, les limites de son imagination personnelle ne dépassant pas les portes de l'Enfer. Lorsqu'il tombait sur une victime tuée d'une balle dans la tête, il considérait l'assassin comme un parangon d'humanité et de compassion : parmi tous les moyens existants de donner la mort, il avait choisi le plus simple et le plus expéditif.

En prison, il avait retrouvé intactes en lui ces premières sensations, comme si toutes ces années passées à farfouiller dans les restes de ce dont des monstres se délectaient, c'était un autre qui les avait vécues.

L'écran du téléviseur s'illumina quelques secondes en blanc, puis en bleu, avant qu'un décor complètement différent s'y inscrive : un bâtiment en béton de la taille d'un hangar à avions, entouré d'une végétation luxuriante. Max pressa la touche « Pause » et examina l'image qui tressautait. Ça ne ressemblait à rien de ce qu'il avait vu en Haïti. De grands arbres environnaient le bâtiment, et le paysage alentour était d'un vert vigoureux et florissant.

Il appuya sur la touche « Play ».

Le plan suivant montrait l'intérieur du bâtiment — un vaste hall où le soleil pénétrait par de hautes fenêtres.

Une file d'enfants, garçons et filles, tous de moins de dix ans, avançait vers une table recouverte d'une nappe de soie rouge et noir. Les enfants étaient impeccablement vêtus en noir et blanc — jupe noire et corsage blanc pour les filles, et costume noir et chemise blanche pour les garçons. Arrivés devant la table, ils portaient à leurs lèvres un grand calice en or, exactement comme ils l'auraient fait à la messe, sauf qu'ils ne recevaient pas d'hostie et qu'il n'y avait pas de prêtre — juste un homme armé d'une louche d'or qui, entre deux enfants, approchait de la table et remplissait à nouveau le calice d'un liquide verdâtre.

L'enfant qu'il avait vu au tout début de la cassette souleva le calice à deux mains et le vida. Cela fait, il le reposa à l'endroit exact où il l'avait pris et regarda droit dans l'objectif. Ses yeux étaient morts, deux vides jumeaux scellés dans un crâne. Toute trace de la vie, de l'intelligence et de la personnalité dont ils débordaient dans les premières séquences en avait disparu. Le garçon s'éloigna de la table et, emboîtant le pas aux autres enfants, sortit de la salle d'une démarche lente et laborieuse, comme si quelqu'un, à l'intérieur de lui, actionnait des leviers pour le faire bouger. Tous les gamins avaient cette même démarche de petit vieux.

Max savait ce qu'était ce liquide. Il en avait bu. Et il en connaissait les effets. C'était un philtre — la potion des zombis.

Comme dans les films d'horreur, les zombis du vaudou sont des morts-vivants — mais en apparence seulement car, loin d'être morts, ils sont juste plongés dans un état de catatonie profonde. Ce sont des gens normaux qui ont été empoisonnés à l'aide d'une potion qui les réduit à l'impuissance. Leur esprit fonctionne et ils sont pleinement conscients, mais ne peuvent plus ni parler ni se mouvoir. Ils n'ont même plus l'air de respirer et n'ont plus ni pouls ni battements de cœur perceptibles. Après l'inhumation, le *houngan* ou le *boko* — en général, celui qui les a plongés dans cet état — déterre le « cadavre » et lui administre un antidote. Une fois ramené à la vie, un zombi reprend conscience, mais c'est un véritable légume et non plus la personne qu'il était. Le prêtre vaudou hypnotise les zombis et en fait des esclaves — pour son propre service ou celui de quiconque le paie pour les employer. Ils sont d'une docilité absolue et font tout ce qu'on leur ordonne.

Boukman avait employé des zombis.

Max relança la vidéo.

Le même garçon, de nouveau assis au premier rang, mais dans une autre classe. Cette fois, ses yeux remuaient à peine et il avait le visage totalement inexpressif, rien dans ses traits n'indiquant qu'il avait conscience de ce qui se passait autour de lui. Le champ s'élargit pour englober la personne située à gauche qui s'adressait aux élèves.

C'était Eloise Krolak, la directrice de l'Arche de Noé.

« Quelle foutue salope… » marmonna Max en faisant un arrêt sur image à l'instant où on la voyait le plus nettement. Elle avait un visage pointu et méchant — une vraie face de rat.

Il se douta qu'à partir de là le contenu de la cassette ne ferait qu'empirer.

Il pressa la touche « Play ».

Il ne s'était pas trompé.

À la fin de la vidéo, Max resta assis à fixer l'écran traversé de parasites, incapable de faire un geste. Il demeura ainsi un long moment, parcouru de frissons.

43

Max envisagea de parler de la cassette à Allain mais, à la réflexion, préféra s'en abstenir. Mieux valait avant réunir des preuves qui corroborent tout ça.

Il fit une copie de la cassette, mit l'original et les bonshommes en fil de fer dans un paquet et descendit en voiture à Port-au-Prince pour expédier le tout par Federal Express.

Il prévint Joe de ce qu'il allait recevoir. Il lui demanda aussi de voir ce qu'il pourrait trouver sur Boris Gaspésie.

Cela fait, il se rendit à l'Arche de Noé. Il se gara plus haut dans la rue et orienta son rétroviseur pour pouvoir surveiller la grille d'entrée.

Il alla faire un tour dans l'orphelinat pour s'assurer qu'Eloise Krolak était bien là. Il l'aperçut en train de parler à ses élèves exactement de la même façon qu'aux petits zombis, sur la cassette. Repenser à cette vidéo, aux choses qu'il avait vu les enfants y subir, lui donna la nausée.

Il regagna sa voiture et attendit qu'Eloise Krolak sorte.

Dans le courant de l'après-midi, il se mit à pleuvoir.

Jamais Max n'avait vu une chose pareille. À Miami, quand il pleuvait, il pleuvait — parfois des journées entières, voire une semaine d'affilée ou même un mois sans discontinuer, mais l'eau qui tombait s'accumulait en flaques ou se perdait dans le sol avant de s'évaporer et de remonter dans l'atmosphère.

Ici, la pluie vous *attaquait*.

Le ciel vira presque au noir tandis que de lourds nuages menaçants fondaient sur Port-au-Prince et y larguaient des essaims de gouttes d'eau qui noyèrent la ville jusque dans ses fondations en quelques secondes, muant la terre desséchée en torrents de boue.

Les égouts rapidement engorgés ne tardèrent pas à régurgiter leur fange dans les rues transformées en fleuves de gadoue noire ou marron. Sur les toits des maisons alentour, les réservoirs pleins à ras bord se mirent à déborder ou rompirent leurs attaches rouillées pour aller s'écraser par terre. L'électricité fut coupée, rétablie, puis de nouveau coupée ; les gouttières éclatèrent ; les arbres furent dépouillés de leurs feuilles, de leurs fruits et même de leur écorce ; une toiture s'effondra. Des passants égarés et paniqués couraient au hasard et télescopaient des chiens, des chats, des bestiaux errants tout aussi déboussolés et terrifiés qu'eux, humains et animaux s'affalant pêle-mêle en amas indistincts de corps qui gigotaient et se débattaient à qui mieux mieux. Puis les rats firent leur apparition. Fuyant leurs repaires inondés, ils envahirent les rues par centaines et filèrent vers le port en une immense masse ondulante de dos velus, puants et contaminés, dans un sillage de couinements de terreur. Des roulements de tonnerre fracassèrent l'atmosphère, prélude à des draperies d'éclairs qui illuminaient fugacement dans les moindres détails les rues sinistrées, noyées, inondées de boue, de merde et grouillantes de vermine, avant de laisser la vision de cauchemar replonger dans les ténèbres, comme si ç'avait été une illusion.

Le déluge cessa. Max regarda l'orage s'éloigner au-dessus de la mer.

Il était six heures et demie passées lorsque Eloise Krolak sortit de l'Arche de Noé et monta dans une Mercedes SUV gris métallisé à vitres noires, qui l'attendait.

Suivie par Max, la voiture traversa tout Port-au-Prince et prit la route qui montait vers Pétionville. Il commençait à faire nuit et la circulation était chargée.

Bloqués par un bouchon, ils se mirent à rouler au pas derrière un long ruban rouge de feux arrière. Max était à quatre voitures de la Mercedes.

L'autre moitié de la route était pratiquement dégagée. Personne ou presque ne semblait descendre vers la capitale à cette heure.

Sauf les troupes des Nations unies.

Un convoi croisa les voitures coincées dans l'embouteillage — deux Jeep suivies d'un camion militaire et, fermant la marche à plus faible allure, une autre Jeep dont les occupants inspectaient à la lampe torche l'intérieur des voitures qui montaient.

Le pinceau de la torche balaya Max. Il garda les yeux fixés devant lui et les mains sur le volant.

Il entendit la Jeep s'arrêter.

Quelqu'un frappa à son carreau.

Max n'avait pas son passeport sur lui. Juste sa carte American Express dans son portefeuille.

« *Bonsoir, monsieur** », dit le militaire. Casque bleu, uniforme, blanc, jeune.

« Vous parlez l'anglais ? » demanda Max.

Le soldat eut un sursaut de surprise.

« Nom ? » fit-il.

Max avait à peine fini de décliner son identité que le soldat dégaina son pistolet et le lui pointa sur la tempe.

Sous la menace, il mit pied à terre et se retrouva aussitôt environné d'une demi-douzaine d'hommes qui lui braquaient leur fusil sur la tête. Il leva les mains. L'ayant fouillé et délesté de son arme, ils le poussèrent vers le bas-côté de la route où le camion et les trois

Jeep étaient garé. Max protesta de son innocence et leur gueula d'appeler Allain Carver ou l'ambassade des États-Unis.

Il sentit quelque chose lui piquer l'avant-bras gauche. Il baissa les yeux. Une seringue était plantée dans sa peau. Il vit le piston descendre et le niveau du liquide baisser. Quelqu'un se mit à compter à son oreille. « Un, deux, trois... »

Et soudain, il comprit : il allait enfin faire la connaissance de Vincent Paul.

Il se demanda quelle partie de son anatomie Paul allait prélever ou trafiquer de façon qu'elle ne fonctionne plus jamais comme maintenant.

Il aurait dû se faire un sang d'encre, mais la substance qu'on venait de lui injecter l'en dispensa. Il n'avait pas peur. Quoi qu'ils lui aient filé, c'était du premier choix.

QUATRIÈME PARTIE

44

D'un doigt autoritaire, Vincent Paul fit signe à Max de s'asseoir dans le fauteuil placé face à son bureau.

« Comment vous sentez-vous ? » demanda-t-il.

Ils étaient dans le cabinet de travail de Paul — clim' discrète, bibliothèques murales, photos encadrées, drapeaux...

« Où suis-je ? » s'enquit Max d'une voix rauque.

Il venait de passer deux jours enfermé dans une pièce sans fenêtres — celle où il avait repris connaissance quand l'effet de sa piquouse s'était dissipé. Sa première réaction avait été de paniquer et de se tâter tout le corps pour voir s'il n'était pas couvert de pansements ou de cicatrices et si rien ne lui manquait. Mais on ne lui avait rien fait. Jusque-là...

Il avait reçu des visites régulières. Un médecin et une infirmière — avec trois gardes armés en renfort — étaient venus l'examiner. Le médecin lui avait posé une foule de questions dans un anglais mâtiné d'un fort accent allemand, mais n'avait répondu à aucune des siennes. Le deuxième jour, le toubib ne s'était pas montré.

Max avait été nourri trois fois par jour et avait eu droit à un quotidien américain — où ne figurait d'ailleurs pas une ligne sur Haïti. Il avait tué le temps en regardant les programmes du câble sur le téléviseur placé au pied de son lit. Le matin même, avant de le tirer de sa cellule pour l'amener devant Vincent Paul, on lui avait passé un rasoir sur les joues et le crâne avant de lui rendre ses vêtements — lavés et repassés.

« Détendez-vous. Si j'avais désiré votre mort, j'aurais laissé ces gamins vous mettre en pièces, l'autre nuit… » dit Paul d'une voix si grave que Max la sentit vibrer jusque dans son ventre. Il avait la peau très noire et des yeux si enfoncés que ses prunelles, où la lumière se reflétait, se réduisaient à deux pointes d'épingle qui dansaient au fond de ses orbites, telles des lucioles. Il n'avait pratiquement pas de rides et paraissait beaucoup plus jeune que Max ne s'y attendait, vu l'âge qu'il devait avoir — une petite cinquantaine. Crâne chauve, long nez fin, menton fort, sourcils broussailleux, cou de taureau, et rien que du muscle sans un atome de graisse : il rappelait à Max tout à la fois Mike Tyson, le tronc d'un *mapou* et le buste d'un tyran sanguinaire qui nourrirait des rêves de grandeur. Même assis, il en imposait, tant tout en lui était surdimensionné et monumental.

« Ce n'est pas mourir qui m'inquiète, dit Max. C'est réduit à quoi vous me laisserez vivre… »

Malgré la sérénité qu'il affichait, Max se sentait noué d'appréhension. Pratiquement rien dans son existence ne l'avait préparé à un moment pareil : prisonnier et totalement à la merci d'un ennemi. Il n'avait aucune idée de ce qui l'attendait. Si Paul le charcutait et faisait de lui un Beeson *bis*, se dit-il, il se ferait sauter la cervelle à la première occasion.

« Je ne comprends pas », fit Paul en plissant le front. Ses mains, qui avaient broyé les testicules d'un mec avant de les lui arracher, étaient benoîtement croisées sur son épigastre, démesurées, impressionnantes — des mains que la nature avait créées si grandes qu'il semblait aller de soi que, par souci d'esthétique, elle les eût dotées d'un auriculaire de plus. Paul s'était offert une manucure. Ses douze ongles luisaient.

« Vous avez si bien charcuté un de mes prédécesseurs qu'il a les boyaux qui fuient en permanence, fit Max.

— Je ne comprends pas, répéta Paul lentement.

— Est-ce que vous — ou un de vos hommes — avez ouvert Clyde Beeson en deux et lui avez trafiqué les intestins ?

— Non.

— Et cet Haïtien qui enquêtait sur la disparition du petit Carver, hein ? Emmanuel Michaels ?

— *Michelange* ! rectifia Paul.

— Ouais, bon...

— L'homme qu'on a retrouvé sur les docks, son pénis enfoncé dans la gorge et ses testicules dans les joues ?

— C'était votre œuvre ?

— Non. » Paul secoua la tête. « Michelange baisait une femme mariée. C'est le mari qui l'a arrangé comme ça.

— *Mon cul !* lâcha Max, instinctivement.

— Faites votre petite enquête et vous verrez que c'est la stricte vérité. Il travaillait sur l'affaire depuis quinze jours quand c'est arrivé.

— Les Carver sont au courant ?

— Ils devraient, s'ils se sont renseignés, dit Paul.

— Comment a-t-on découvert que c'était le mari ?

— Il a tout avoué. Il a tué Michelange dans sa chambre à coucher, sous les yeux de sa femme.

— À qui a-t-il fait ses aveux ? demanda Max.

— Aux casques bleus.

— Et... ?

— Et *quoi* ?

— Ils l'ont coffré ?

— Bien sûr. Le temps qu'il crache le morceau. Et ils l'ont relâché. Il a un hôtel-casino pas loin de Pétionville. Une affaire qui marche très bien. Vous pouvez aller l'interviewer si vous voulez. Son hôtel s'appelle El Rodeo. Et lui, Frederick Davi.

— Et sa femme, qu'est-ce qu'elle est devenue ?

— Elle l'a plaqué », répondit Paul, le visage impassible, une lueur amusée dans l'œil. Max passa à la question suivante.

« O.K. Parlons un peu de Darwen Medd… Où il est passé, lui ? Vous l'avez liquidé ?

— Non. » Paul secoua la tête, l'air surpris. « Je ne sais pas où il est. Pourquoi l'aurais-je tué ?

— À titre d'avertissement. Comme celui que vous avez donné aux violeurs de la force multinationale, dit Max, la bouche sèche.

— Ce n'était *pas* un avertissement. C'était un *châtiment.* Et les viols ont cessé net, depuis… fit Paul en souriant. Je savais que vous me suiviez, ce jour-là. Il aurait été difficile de ne pas vous remarquer. Les voitures en bon état ne courent pas les rues, dans ce pays.

— Pourquoi n'avez-vous rien fait ?

— Je n'ai rien à vous cacher, dit Paul. Parlez-moi de vos prédécesseurs. »

Max s'exécuta. Paul l'écouta, le visage grave.

« Je ne suis pour rien dans tout ça, fit-il. Je vous assure. Mais je ne peux pas dire que je suis désolé de ce qui est arrivé à Clyde Beeson. » Face à face, l'accent de Paul était plus anglais que français. « Ce type est une ordure, qui traîne son gros cul cupide sur les deux moignons qu'il appelle des jambes… »

Max s'autorisa un sourire. « Vous l'avez rencontré, si je comprends bien ?

— Je me les suis fait amener ici, lui et Medd, pour les interroger.

— Ça n'aurait pas plutôt dû être l'inverse ? »

Sans répondre, Paul lui flasha une rangée de belles dents blanches. Il avait soudain l'air désarmant, sympathique, presque gamin. Le genre de type qu'on imaginait très bien se dévouer pour ses semblables — et en toute sincérité.

« Qu'est-ce qu'ils vous ont dit ?

— La même chose que j'attends de vous : où ils en étaient de leur enquête.

— Je ne travaille pas pour vous, fit Max.

— Que savez-vous de moi, au juste, Mingus ?

— Que vous n'hésiteriez pas à m'extorquer ce que vous voulez savoir par la torture.

— Ça nous fait un point commun... » s'esclaffa Paul en s'emparant d'un dossier posé sur son bureau. Il le tourna vers Max. Deux mots s'étalaient dessus en grosses majuscules : MAX MINGUS. « Et à part ça ?

— Que vous êtes un des principaux suspects, dans l'enlèvement de Charlie Carver.

— Il y a des gens qui se servent de mon nom comme d'un euphémisme pour tout ce qui va de travers en Haïti.

— Des témoins affirment vous avoir vu sur les lieux du kidnapping.

— Je m'y trouvais, en effet, dit Paul en hochant la tête. Mais j'y viendrai tout à l'heure...

— On vous a vu partir en courant, l'enfant dans les bras.

— De qui tenez-vous ça ? De la vieille assise devant la cordonnerie ? gloussa Paul. Elle est aveugle. Elle a raconté la même chose à Beeson et à Medd. Si vous ne me croyez pas, vous n'aurez qu'à aller vérifier en sortant d'ici. Et pendant que vous y serez, jetez aussi un coup d'œil à l'intérieur de l'échoppe. Elle y conserve le squelette de son défunt mari dans une vitrine, en face de la porte. On jurerait que quelqu'un vous observe.

— Quel intérêt avait-elle de me mentir ?

— Nous mentons tous aux Blancs, dans ce pays. N'y voyez rien de personnel. C'est inscrit dans notre code ADN. » Paul sourit. « Que pensez-vous savoir d'autre à mon sujet ?

— Que vous seriez un baron de la drogue, que vous êtes recherché en Angleterre pour complicité avec un criminel en fuite et que vous haïssez les Carver. Je me débrouille comment, jusque-là ?

— Mieux que vos prédécesseurs. Ils n'étaient pas au courant, pour l'Angleterre. Je présume que vous tenez ce détail de votre ami... » Paul feuilleta le dossier, jusqu'à ce qu'il trouve la page qu'il cherchait. « … Joe Liston. Vous avez un long passé en commun, lui et vous, pas vrai ? La Miami Task Force, "Born to Run", Eldon Burns, Solomon Boukman… Et tout ça, *uniquement* pour m'en tenir à votre passage dans la police. J'ai une masse d'autres renseignements sur vous.

— Vous savez tout ce qu'il y a à savoir, je parie. » Max n'était pas vraiment surpris que Paul ait fait sa petite enquête sur lui, mais l'entendre mentionner Joe l'inquiétait.

Paul referma le dossier et contempla les photos posées sur son bureau. Leurs cadres lourds et épais étaient en harmonie avec le meuble qui les supportait — un plateau massif d'un seul tenant, taillé dans un bois noir, poli et ciré à s'y mirer. Presque tout ce qui se trouvait dessus était supérieur à la normale : un stylo noir de la taille d'un gros havane, un téléphone surdimensionné auquel ses grosses touches rondes et son énorme combiné donnaient l'air d'un jouet, une tasse de porcelaine de la taille d'un bol à soupe, et la plus grande lampe d'architecte qu'il eût jamais vue — genre lampadaire modèle réduit pour parc à jouer de bébé éléphant.

Ils s'étudièrent, muets, Paul carré au fond de son fauteuil, si bien que même les points lumineux avaient disparu de ses yeux, et Max fixant les deux canons de revolver qui lui faisaient face.

Le silence s'épaissit et se coagula autour d'eux. Pas un bruit ne filtrait de l'extérieur. La pièce devait être insonorisée, se dit Max. Un livre ouvert était posé à l'envers au pied d'un grand canapé, aussi large qu'un lit d'une place, couvert de coussins. Il imagina Paul vautré dessus, en train de lire un des innombrables volumes reliés de sa bibliothèque.

La pièce faisait plus musée que bureau ou cabinet de travail. Un drapeau haïtien encadré trônait sur un des murs — sale, effrangé, avec un trou de brûlure à la place de l'écusson central. Sur le mur opposé était accrochée une grande photo noir et blanc, montrant un homme chauve en costume sombre à fines rayures, tenant un enfant par la main. Tous deux portaient sur le monde un regard posé, curieux — l'enfant, surtout. Derrière eux, un peu flou, se dressait le palais présidentiel.

« Votre père ? » demanda Max, montrant la photo. Il se doutait, à voir leurs yeux, qu'il y avait un lien de parenté entre eux, quoique l'homme fût beaucoup plus clair de peau que Paul. On aurait pu le prendre pour un Méditerranéen.

« Oui. Un grand homme. Un visionnaire, qui avait de très hautes ambitions pour ce pays », répondit Paul, fixant sur Max un regard que ce dernier sentait plus qu'il ne le voyait.

Max se leva pour regarder la photo de plus près. Le visage du père lui paraissait étrangement familier. Vincent et lui étaient vêtus de la même façon. Ni l'un ni l'autre ne souriait. Ils donnaient l'impression d'avoir été arrêtés en route pour un rendez-vous important et d'avoir posé par pure politesse.

Max était sûr d'avoir déjà vu Perry Paul quelque part — il en était même *certain*. Mais *où* ?

Comme il regagnait sa chaise, une idée l'effleura. Il la chassa, tant c'était invraisemblable, mais l'idée revint à la charge.

Comme s'il avait lu en lui, Vincent Paul se redressa et se pencha vers lui avec un sourire. Pour la première fois, la lumière frappa ses prunelles. Il avait des yeux noisette très clairs, avec une touche d'orangé — des yeux étonnamment beaux, délicats.

« Je vais vous confier une chose que je n'avais pas dite à vos deux prédécesseurs, fit-il à voix basse.

— Quoi ? » demanda Max, tandis qu'un frisson d'anticipation lui hérissait la nuque et les épaules.

« Charlie Carver est mon fils. »

45

« La femme que vous connaissez sous le nom de Francesca Carver s'appelait autrefois Josephine Latimer, dit Vincent Paul. Francesca est son second prénom. Le reste est venu plus tard...

« Je l'ai connue en Angleterre, au début des années 1970. À l'époque, j'étais étudiant à Cambridge, où Josie vivait chez ses parents. Je l'ai rencontrée un soir dans un pub. Je l'ai entendue avant de la voir — des cascades de rire qui emplissaient tout le pub. Je me suis retourné pour voir qui riait comme ça et je l'ai vue, à l'autre bout du pub, les yeux fixés sur moi. Elle était d'une beauté *prodigieuse.* »

Perdu dans ses souvenirs, Vincent se mit à sourire, la tête renversée en arrière, regardant plus le plafond que Max.

« Et vous l'avez aidée à quitter le pays pour lui éviter la prison, parce qu'elle avait fauché un piéton et pris la fuite, je sais... intervint Max. La question est : où est passé le chevalier à la blanche armure qui avait sauvé la damoiselle en détresse ? Celui qui a foutu sa vie en l'air par amour ?

— Je n'ai pas foutu ma vie en l'air ! protesta Paul, pris au dépourvu.

— Vous referiez la même chose, alors ?

— Pas vous ? sourit Paul.

— Une petite dose de regrets est toujours salutaire, fit Max. Pourquoi haïssez-vous les Carver ?

— Pas les Carver. Juste un. Gustav.

— Qu'est-ce qui sauve Allain à vos yeux ?

— Le fait qu'il n'est pas son père, répondit Paul. À peine débarqué d'Angleterre, j'ai tout de suite emmené Josie chez mes parents, à Pétionville. Nous y avions une immense propriété familiale, au sommet d'une colline. Je n'avais prévenu personne de mon retour, par mesure de sécurité.

« En arrivant là-bas, nous avons découvert que tout, mais absolument tout — autrement dit cinq maisons, dont une que j'avais vu mon père bâtir pratiquement de ses mains — avait été rasé au bulldozer sur ordre de Gustav Carver. Mon père lui devait de l'argent. Il s'était remboursé — et avec intérêt…

— Plutôt extrême, comme procédé.

— Carver a une *extrême* aversion pour la concurrence. S'il s'était agi d'une dette commerciale, j'aurais peut-être pu, à la rigueur, considérer ça comme "de bonne guerre". Ce genre de chose est monnaie courante en affaires. Mais ça n'avait rien de commercial. C'était purement personnel. Et dans ce domaine, Gustav Carver est *sans merci*.

— Que s'est-il passé ?

— Pour faire bref, ma famille avait deux entreprises florissantes — import-export et travaux publics. Nous étions bien meilleur marché que Carver sur certains produits, parfois jusqu'à cinquante pour cent moins chers, voire davantage. Il perdait des clients à notre profit. Nous avions aussi un projet à l'étude : construire un hôtel à Saut d'Eau pour les pèlerins qui viennent aux chutes sacrées. Ça devait être un établissement pour les petits budgets, mais avec le volume potentiel de la clientèle qu'il ne manquerait pas d'attirer, nous étions assurés de nous faire une véritable fortune. Gustav Carver était furieux. Il perdait non seulement la face mais aussi beaucoup d'argent — et s'il y a une chose que cet homme déteste encore plus que perdre de l'argent, c'est ceux qui le lui font perdre.

« Il a acheté la banque Dessalines dans le plus grand secret. Nous y avions contracté un emprunt pour un projet de développement. Gustav a racheté notre dette et en a exigé le remboursement. Comme nous n'avions pas les liquidités nécessaires, il nous a contraints à mettre la clef sous la porte et nous a acculés à la faillite. Il nous a évincés du projet d'hôtel à Saut d'Eau, ce qui lui a permis de nous tuer financièrement, de ruiner la réputation de ma famille et de traîner le nom des Paul dans la boue.

« Puis, pour couronner le tout, non content d'avoir littéralement détruit notre univers de fond en comble, savez-vous ce qu'il a fait ? Il s'est servi des *briques* de notre propriété de Pétionville pour construire *sa* banque. C'était plus que mon père ne pouvait en supporter. C'était un homme fier, mais ce n'était pas un battant. Il s'est tiré une balle dans la tête.

— Mon Dieu ! » souffla Max. Si Paul ne noircissait pas le tableau — ce qui était probable —, sa haine des Carver n'avait rien d'étonnant. « Qu'est devenu le reste de votre famille ?

— J'avais deux sœurs et un frère. Ils ont quitté Haïti et ne sont pas près d'y revenir.

— Et votre mère ?

— Elle est morte à Miami le jour de notre arrivée là-bas. Cancer au pancréas… Je ne savais même pas qu'elle était malade. Personne ne me l'avait dit.

— Oncles, tantes, cousins ?

— Je n'ai plus aucune famille en Haïti. À part mon fils — *si* tant est qu'il s'y trouve…

— Et vos amis ?

— Les vrais amis sont une denrée rare sous tous les climats, mais en Haïti, dans les milieux aisés comme ceux que nous fréquentions à l'époque, sauf s'ils vous connaissent depuis le berceau, les "amis" se mettent à vous éviter aux premiers signes de difficultés financières et ne sont plus qu'un souvenir lorsque vous êtes ruiné. Ils vous fuient comme si vos ennuis étaient hautement contagieux. J'ai demandé à un des "amis" de longue date de mon père s'il pouvait m'aider — nous trouver un toit et m'avancer de quoi voir venir, le temps que je retombe sur mes pattes. C'était quelqu'un que mon père avait beaucoup aidé par le passé. Il a refusé tout net, sous prétexte qu'il ne pouvait pas risquer de l'argent sans garantie », dit Paul, d'un ton si amer que Max avait l'impression de voir des ondes de dégoût émaner de lui. Paul était du genre à accumuler les rancunes et à prospérer sur ses haines. C'était le noir carburant auquel il marchait. Les gens comme lui — les trahis, ceux qui en avaient pris plein la gueule, qu'on avait poignardés dans le dos ou qu'on considérait comme finis — faisaient les grands bâtisseurs d'empire et les pires des tyrans.

« Alors, qu'est-ce que vous avez fait, quand vous avez vu ce qu'il restait du domaine familial ? Vous aviez de l'argent ?

— Non. Pas un sou, fit Paul en riant. En revanche, je possédais un véritable trésor : Anaïs, ma vieille nounou. J'étais comme un fils pour elle. Elle s'était occupée de moi dès ma naissance — littéralement puisqu'elle avait même aidé à me mettre au monde. Nous étions si proches, elle et moi, que je disais à qui voulait l'entendre que ma vraie mère, c'était elle. Et, connaissant mon père, ça ne m'aurait pas vraiment étonné que ce soit le cas... Ni lui ni mon grand-père n'étaient des inconditionnels de la monogamie.

« Anaïs nous a accueillis chez elle. Elle avait une minuscule maison à La Saline. On mangeait et on dormait dans la même pièce et on se lavait dehors, à la pompe. Je savais que des gens vivaient dans ces conditions, mais jamais je n'avais imaginé que ça m'arriverait un jour. Inutile de vous dire le choc culturel que ça a été pour Josie... Mais, comme elle disait, les prisons anglaises étaient encore pires.

— Vous n'avez jamais envisagé de retourner en Angleterre et d'assumer vos responsabilités ?

— Non.

— Et elle ? »

Paul se redressa et rapprocha son fauteuil du bureau. « Il n'était pas question que je laisse la femme que j'aimais retourner en enfer, alors que j'avais la possibilité de le lui éviter.

— Alors, vous avez choisi le mal pour son bien ? C'est d'une logique imparable !

— Qu'est-ce que je pouvais faire d'autre, Mingus ?

— Qui casse les pots les paie…

— J'aurais mieux fait de me taire. Flic un jour, flic toujours…

— *Pas du tout !* l'interrompit Max. Elle a *tué* quelqu'un parce qu'elle conduisait *en état d'ivresse*. Il ne faudrait quand même pas en faire une petite *sainte*. Elle était en *tort*. Et vous le savez aussi bien que moi. Pensez un peu à la famille de la victime. Imaginez l'inverse. Que ce soit elle qui se fasse écraser par un chauffard ivre mort et que vous vous retrouviez en train de la pleurer. Vous verriez les choses d'un tout autre œil, croyez-moi !

— Ces trois gosses que vous avez descendus, vous y pensez, vous, à leurs familles ? demanda Paul d'un ton glacial.

— Non, jamais ! fit Max entre ses dents serrées. Et vous savez pourquoi ? Parce que ces trois “gosses”, comme vous dites, avaient torturé et violé une petite fille pour se marrer. Je sais qu'ils étaient défoncés au crack, mais tous les fumeurs de crack n'ont pas ce type de comportement. Ces tarés ne méritaient pas de vivre. Le gamin que Francesca a écrasé n'avait rien de commun avec eux, vous le savez très bien. »

Paul s'accouda sur son bureau, prit son poing dans sa main et, se penchant vers Max, lui offrit un nouvel aperçu de son regard désarmant.

Ils restèrent face à face à se défier, sans mot dire. Ce fut Max qui l'emporta. Paul concéda le point. Max lui posa une nouvelle question.

« Est-ce que les Anglais ont envoyé des flics fouiner ici ?

— Pas à ma connaissance, mais ç'a été moins deux que l'enquête les conduise à Haïti. On a vécu un an et demi à La Saline. On y était en sécurité. C'est le genre d'endroit où on ne s'aventure pas à moins d'y habiter, d'y connaître quelqu'un ou d'être escorté de soldats armés jusqu'aux dents — ou alors, c'est qu'on a des envies de suicide. Et ça ne s'est pas amélioré depuis…

— Comment les gens vous ont-ils accueillis ?

— Très bien. Ils nous ont acceptés. C'est sûr que Josephine faisait plutôt figure d'extraterrestre, mais pendant tout le temps que nous sommes restés là-bas, nous n'avons pas eu l'ombre d'un problème.

« Pour vivre, on bossait dans une station-service, dont on a fini par devenir patrons. On a lancé un truc qui était une innovation, à l'époque : on a adjoint aux pompes un snack, une station de lavage, un atelier de mécanique et une petite boutique. Anaïs faisait tourner le restaurant et Josie tenait le magasin. Elle s'était teint les cheveux en châtain foncé. Tous nos employés étaient de La Saline et on payait deux tontons macoutes pour nous protéger — Eddie Faustin et son jeune frère, Salazar.

« Eddie en pinçait pour Josie, ça crevait les yeux. Il ne se passait pas un jour sans qu'il se pointe à la station-service avec un petit quelque chose pour elle — et toujours quand j'étais au ravitaillement ou chez un fournisseur. Elle refusait ses cadeaux, mais gentiment, pour ne pas le vexer.

— Comment vous réagissiez à ça ?

— Qu'est-ce que je pouvais faire ? C'était un tonton macoute — et un des plus craints du pays.

— Ça devait vous gonfler un max, d'assister à ça sans rien pouvoir faire.

— Évidemment. » Vincent le regarda, l'œil interrogateur, se demandant ce qu'il avait derrière la tête.

Mais Max n'avait rien derrière la tête… Il voulait simplement tirer une réaction à Paul, le déstabiliser.

« Continuez.

— Notre affaire marchait bien. Au bout de deux ans, on a pu quitter La Saline et s'acheter une petite maison en ville. Je pensais qu'on ne risquait plus grand-chose. Personne n'était venu à notre recherche. On pouvait enfin respirer plus librement. Josie s'était adaptée sans problème à la vie d'ici. Elle adorait les gens et les gens le lui rendaient bien. Sans vraiment avoir la nostalgie de l'Angleterre, ses parents lui manquaient, ça se voyait. Elle ne pouvait même pas leur envoyer une carte postale pour leur dire qu'elle allait bien, mais elle savait que sa liberté était à ce prix.

« Les choses ont commencé à se gâter le jour où Gustav Carver s'est arrêté à la station-service pour faire le plein. Il n'avait plus une goutte d'essence, mais j'ai refusé de le servir. Son chauffeur a mis pied à terre et m'a braqué son flingue dessus en m'ordonnant de pomper. Et à la seconde, lui et la voiture se sont retrouvés environnés de tous les hommes qui étaient dans le coin — une vingtaine, certains armés de pistolets, d'autres de machettes ou de couteaux. Je n'avais qu'un mot à dire et ils auraient massacré le chauffeur et Carver, mais quelle meilleure vengeance tirer d'un orgueilleux que de l'humilier devant le fils de celui dont il a détruit l'existence ? Inutile de vous dire si j'ai *savouré* cet instant.

« J'ai désarmé le chauffeur et je leur ai dit, à lui et à son patron, de dégager de chez moi. Le chauffeur a été obligé de pousser la voiture en plein soleil sur cinq kilomètres pour trouver une autre station-service — en ce temps-là, il n'y avait pas de portables et les téléphones de voiture ne marchaient pas sur l'île ; quant à l'assistance routière, elle était aussi inexistante à l'époque qu'aujourd'hui...

« Carver me regardait par la lunette arrière, une envie de meurtre dans l'œil. Et puis, il a aperçu Josie et son expression s'est transformée. Il a souri — à Josie, mais surtout à *moi*.

« Je ne sais pas si ça aurait changé grand-chose que je laisse Carver faire le plein et repartir... De toute façon, ce n'est pas mon genre de m'écraser. Je n'arrive pas à imaginer une situation où j'accepterais de courber l'échine devant ce vieux salaud. Le faire, ce serait comme si j'avais moi-même rasé la propriété familiale au bulldozer.

« Reste que ce jour-là et tout le lendemain j'ai redouté le pire — que deux voitures bourrées de macoutes viennent me cueillir. »

Vincent se tut et fixa la photo de lui et de son père. Le visage figé, les lèvres pincées, les mâchoires serrées, il essayait manifestement de se dominer — mais si c'était contre la colère ou la tristesse qu'il luttait, Max n'aurait su le dire...

Ça devait faire des années et des années que Paul ne s'était pas laissé aller à des confidences avec qui que ce soit, si bien que toutes ses émotions d'alors étaient restées refoulées en lui, sous pression, sans jamais pouvoir s'exprimer.

« C'est pas grave... » dit Max tout bas.

Paul respira à fond et se ressaisit.

« Quelques semaines plus tard, Josie a disparu. Quelqu'un m'a dit l'avoir vue partir en voiture avec Eddie Faustin. J'ai envoyé des gens à sa recherche, mais tous sont revenus bredouilles. Je suis allé chez Faustin. Personne. Je l'ai cherchée toute la journée. J'ai écumé toute la ville, je suis allé partout où Faustin avait l'habitude de traîner. Mais Josie est restée introuvable.

« Quand je suis rentré à la maison, Gustav m'y attendait. Après notre accrochage à la station-service, Carver s'était renseigné sur moi. Il était accompagné de deux détectives de Scotland Yard, et avait en plus une copie du dossier de Josie et une pile de journaux anglais dans lesquels l'accident qu'elle avait causé et sa fuite d'Angleterre faisaient les gros titres. Certains des journaux me présentaient même comme son kidnappeur et j'y étais caricaturé en King Kong — choix que Carver trouvait tout à fait approprié.

« Il m'a dit qu'au terme d'une longue conversation qu'il avait eue avec Josie, elle avait compris dans quelle situation délicate elle se trouvait et accepté ses conditions. Mais encore fallait-il que j'y consente, moi aussi. Tout dépendait de ça — c'est du moins ce qu'il a affirmé. Si je disais non, les deux détectives de Scotland Yard nous remmèneraient, Josie et moi, en Angleterre. En revanche, si j'acceptais, ils repartiraient comme ils étaient venus et diraient à leurs chefs que nous n'étions pas en Haïti.

— Mais à quoi voulait-il que vous consentiez ? À renoncer à Josie ?

— Oui. Il la voulait pour son fils Allain. Elle devrait passer le reste de son existence avec lui, lui donner des enfants et ne plus avoir aucun contact avec moi. Tels étaient les termes du contrat. Quant à moi, j'étais libre pourvu que je m'engage à ne plus jamais chercher à la revoir ou à la contacter. Oh ! et je devais aussi faire *moi-même* le plein de la voiture de Carver, chaque fois qu'il se présenterait à la station-service.

— Et vous avez accepté ?

— Je n'avais pas le choix. J'étais sûr que s'il me renvoyait en Angleterre, il garderait Josie ici. Au moins, en restant, j'étais près d'elle.

— Je ne comprends pas… dit Max. Carver a ruiné votre père et tout ce que votre famille avait construit. Pourquoi ne pas aller jusqu'au bout et se débarrasser de vous aussi ?

— Décidément, vous ne comprenez pas du tout comment fonctionne Gustav, Mingus, fit Paul avec un rire amer. Vous êtes pourtant allé chez lui, non ? Vous avez vu le texte qui figure, en lettres d'or, à côté du portrait de sa femme ? Le psaume 23, verset 5…

— Oui, je l'ai vu.

— Vous l'avez lu ?

— Mais oui. Je le connais par cœur : "*Tu dresses devant moi une table en face de mes ennemis ; Tu oins d'huile ma tête ; ma coupe déborde.*" C'est la suite du fameux psaume qui commence par : "*L'Éternel est mon berger…*" Et alors ?

— J'ai l'impression que vous ne deviez pas être très bon en caté…

— En *caté* ?

— En catéchisme. Ah ! c'est vrai, désolé… Chez vous, ça doit s'appeler "étude de la Bible".

— Si, j'étais bon !

— Ce que veut dire le verset 5 du psaume 23, c'est ceci : dans les temps anciens, la meilleure façon de se venger de ses ennemis, ce n'était ni de les tuer ni des les jeter en prison, mais d'étaler son bonheur et sa réussite sous leur nez. Après tout, la réussite n'est-elle pas le meilleur moyen de triompher de ceux qui vous haïssaient et vous voulaient du mal ? »

Max s'efforçait de rester objectif et impartial, y compris vis-à-vis de son client, mais devant ce que Paul lui disait de Gustav Carver (et vu tout ce qu'il avait appris sur lui par ailleurs), il était fortement tenté de sortir de sa coquille professionnelle.

« Si je comprends bien, Gustav vous a forcé à rester ici pour que vous regardiez Allain filer le parfait amour avec la femme de votre vie ?

— Oui, en théorie... gloussa Vincent. Mais, dans la pratique... *non.*

— Que voulez-vous dire ?

— Elle ne filait pas le parfait amour avec *Allain.*

— Mais, je pensais... » Max se tut, complètement paumé.

« Et vous vous dites détective ? Ben, chapeau ! Je croyais que vous aviez la réputation d'être bon — non, d'être *le meilleur...* »

Max resta silencieux.

« Vous voulez dire que vous n'avez vraiment *rien* remarqué *du tout* ? » Vincent avait du mal à contenir son hilarité. « À propos d'*Allain* ?

— Non. Pourquoi, j'aurais dû ?

— Vous avez vécu toute votre vie à Miami, vous sortez de *sept ans* de taule et vous n'êtes *toujours pas* capable de flairer un pédé à un kilomètre ?

— *Allain ?!* » Max tombait des nues. Encore un truc qu'il n'avait pas vu venir, auquel il ne s'attendait absolument pas... En général, il était capable de deviner les orientations sexuelles des gens, ce qui n'avait rien d'un exploit aux États-Unis — en particulier à Miami

— où les gens avaient tendance à ne pas faire mystère du côté où leurs goûts les portaient. Son flair avait-il baissé *à ce point* ?

« Eh oui… Allain est homo — G-A-Y — un *massissi*, comme on dit en créole. À vrai dire, je ne suis pas tellement surpris que ça vous ait échappé, Mingus. Allain est très discret et soigne son look hétéro.

« Il y a des rumeurs persistantes à son sujet depuis des années, mais pas la moindre preuve. Allain n'a jamais dragué dans ses eaux territoriales. Il se contente de s'offrir des week-ends prolongés à Miami, New York ou San Francisco. Il s'éclate là-bas et refoule ses penchants ici.

— Comment le savez-vous ?

— J'ai des photos — des vidéos, aussi. Signées Clyde Beeson. J'ai utilisé ses services — par l'intermédiaire d'un prête-nom — il y a une dizaine d'années de ça. En fait, c'est vous qui me l'aviez recommandé.

— *Moi ?*

— Vous ne vous rappelez pas… ? C'est vrai, comment pourriez-vous ? Je vous ai proposé le job mais votre réponse a été, je cite : "Je ne racle pas la merde dans les chiottes. Pour ça, adressez-vous à Clyde Beeson. Peut-être même qu'il vous fera ça gratis."

— C'est bien le genre de truc que j'aurais pu dire, en effet. On m'a proposé pas mal de jobs sordides de cet acabit — dans des affaires de divorces — mais ce n'est pas ma tasse de thé, dit Max, qui n'en revenait toujours pas. Si je comprends bien, faire son coming out, ici, c'est impensable ?

— Totalement ! Vous connaissez le mot qui court sur les gays ? "Il n'y en a pas en Haïti — ils sont tous mariés et pères de famille." Et c'est la même chose dans toutes les Caraïbes. On considère l'homosexualité comme une perversion, un péché.

— Pauvre Allain… fit Max. Il a tout pour être heureux, argent, influence, rang social, situation… — et il est obligé de se planquer et de faire semblant d'être autre chose que ce qu'il est.

— Ce n'est pas un salaud, dit Vincent. C'est même tout le contraire, en fait.

— Si c'est ça, pourquoi avoir fait prendre toutes ces photos compromettantes ?

— Pour le salir. J'avais l'intention de les publier dans la presse locale.

— Pourquoi ?

— Le yin et le yang… Le yin pour libérer Allain, le soulager du poids de son secret. Le yang… pour me venger de Gustav, lui coller la honte. C'était le moment rêvé : le vieux battait de l'aile. Son pote Baby Doc avait perdu le pouvoir, sa femme était mourante et lui en mauvaise santé… Je me suis dit qu'une petite humiliation publique l'achèverait — le tuerait par des moyens naturels, voyez…

— Qu'est-ce qui vous a retenu ?

— Je ne pouvais pas faire ça à Allain… — exploiter la sexualité de ce pauvre chien et le traîner dans la boue, juste pour atteindre son père.

— Quelle noblesse d'âme ! fit Max avec un ricanement sarcastique. Je comprends vos motivations profondes et votre raison en vaut une autre, mais si vous haïssez tant que ça Gustav, pourquoi est-ce que vous ne le descendez pas, tout bêtement ?

— Chat échaudé craint l'eau froide…

— Vous avez essayé ?

— Eddie Faustin a arrêté la balle.

— C'était vous ? J'aurais dû m'en douter… dit Max en hochant la tête. Alors, Gustav a marié son fils à Francesca pour mettre un terme aux rumeurs ?

— Oui. Et…

— Et… ?

— Ce n'était pas *que* pour ça que Gustav voulait Francesca. Il la voulait aussi pour lui — pas tant pour satisfaire sa libido que pour *assurer sa descendance*. Il voulait à tout prix avoir un petit-fils. Il n'avait que des petites-filles et il est assez rétrograde pour croire que les hommes font de meilleurs dirigeants.

« Il s'est acharné pendant près de dix ans à essayer de la mettre enceinte. Pour lui, ces séances copulatoires, c'était "faire un dépôt", dit Vincent avec un rire amer. Josie a fait deux fausses couches, a accouché d'un enfant mort-né, a eu une petite fille qui est morte à six mois, mais n'a pas eu de fils.

« Vers la fin des années 1980, nous avons renoué, elle et moi. Quand elle s'est retrouvée enceinte de Charlie, Gustav a cru qu'il était de *lui*, tout le pays a pensé qu'il était d'*Allain*, et je savais, *moi*, qu'il était notre enfant, à Josie et à moi. D'ailleurs, l'examen de recherche de paternité que j'ai fait le prouve. Josie ne couchait pratiquement plus avec Gustav, à l'époque. Elle avait réussi à limiter leurs relations aux jours où elle était fécondable — et encore, elle lui racontait des bobards, si bien qu'il l'honorait ou trop tôt, ou trop tard...

« Elle a accouché de Charlie à Miami. Allain était avec elle. En fait, ils sont très amis, tous les deux. C'est lui qui l'a aidée à tenir bon, pendant ses premières années chez les Carver. De son point de vue, Josie et lui étaient dans la même galère — mais chacun à un bout, c'est sûr... »

Max souffla un grand coup.

« Pourquoi vous me racontez tout ça maintenant ? Pourquoi ne pas m'en avoir parlé plus tôt ?

— Parce que c'est maintenant que j'ai envie de le faire. C'est le bon endroit et le bon moment.

— Pourquoi vous ne l'avez pas dit à Beeson et à Medd ?

— Beeson ne m'inspirait pas confiance. Quant à Medd... je ne le trouvais pas assez bon.

— Moi, je remplis tous les critères, alors ?

— Jusqu'à un certain point, oui.

— Merci ! » marmonna Max, sarcastique, bien qu'il fût d'accord avec lui. Il n'était plus aussi bon qu'il l'avait été. Ou peut-être qu'il n'avait jamais été si bon que ça, au fond… Ou encore qu'il avait eu une veine de cocu pendant des années, parce que bien des trouvailles capitales n'étaient pas autre chose, au bout du compte : beaucoup de chance et l'imprudence des criminels qui lui donnait l'occasion de se manifester. Ou, dernière hypothèse, peut-être qu'il ne prenait pas le problème par le bon bout : il n'avait peut-être tout simplement *plus envie* de se cogner le même genre de merde plus longtemps. Il n'en était pas sûr.

Il fit taire ses doutes. Il y reviendrait plus tard, quand il aurait le temps.

« Quelles étaient vos relations avec votre fils ?

— Je le voyais une fois par semaine.

— Qui est-ce qui lui a donné ce prénom ?

— Je n'ai pas eu voix au chapitre, là-dessus », fit Paul tristement.

Max profita de ce moment de faiblesse que Paul avait eu pour éclaircir un détail qui le turlupinait depuis son arrivée en Haïti.

« Qu'est-ce qui ne va pas, chez Charlie ?

— Il est autiste, répondit Paul tout bas.

— Quoi ? C'est *tout* ? dit Max, incrédule.

— C'est un sacré problème, pour nous — et pour lui, donc ! » Paul avait l'air blessé.

« Pourquoi faire tous ces mystères ?

— Gustav Carver ne le sait pas. Et nous ne savions pas, *nous*, si vous garderiez le secret.

— Medd et Beeson étaient au courant ?

— Non. » Paul secoua la tête.

« Quand vous êtes-vous rendu compte qu'il était autiste ?

— On s'est douté tous les deux que quelque chose clochait chez lui pratiquement dès qu'il a commencé à marcher. Il n'était pas démonstratif comme un bébé normal.

— Qu'avez-vous ressenti, quand vous avez su ? Quand on vous l'a annoncé ?

— On était sous le choc, complètement perturbés, mais…

— Non, non, c'est ce que vous avez éprouvé, *vous*, qui m'intéresse.

— Ça m'a vraiment atteint, au début. Quand j'ai compris qu'il y avait des trucs que je ne pourrais jamais faire avec mon fils, dit Paul d'une voix qui se cassait. Mais bon, c'est la vie. On n'y peut rien... Charlie est mon enfant, mon *fils*. Et je l'aime. C'est aussi simple que ça.

— Comment avez-vous réussi à cacher tout ça à Gustav Carver ?

— Avec beaucoup de chance et un peu d'astuce. Et puis, il n'est plus l'homme qu'il était. Son attaque l'a beaucoup diminué. Cela dit, il y a une chose que je dois lui reconnaître : il aime ce gosse de toutes les fibres de sa vieille carcasse. À l'évidence, il ne *sait pas* que Charlie n'est pas son fils et encore moins qu'il est autiste, mais indépendamment de ça, les voir ensemble était vraiment touchant. C'est lui qui a aidé Charlie à faire ses premiers pas. Un jour que Josie me montrait une vidéo qu'elle avait tournée, elle m'a dit elle-même que c'était *presque* dommage que le petit ne soit pas de lui. D'après elle, Charlie le rendait plus *humain*. Moi, ça, j'y crois pas beaucoup. S'il avait su la vérité — que Charlie était mon fils à moi —, il lui aurait fendu le crâne de ses propres mains.

— En ce cas, pourquoi Francesca — enfin, Josie... — et Charlie ne sont-ils pas revenus vivre avec vous ?

— Josie ne voulait pas que Charlie grandisse dans l'environnement qui est le mien. Et elle a raison, Mingus. Un jour ou l'autre, quelqu'un va fatalement arrêter ma pendule. Je le sais. Et je ne voudrais pas que les deux êtres que j'aime le plus au monde écopent d'une balle perdue.

— Pourquoi ne pas tout plaquer, laisser tomber cette vie ?

— On ne plaque pas la vie que je mène. C'est elle qui vous plaque.

— Ça, c'est sûr, fit Max. Pourquoi vous êtes-vous lancé dans ce genre d'activités, à propos ?

— Pour récupérer Josie. J'ai choisi le moyen le plus rapide de me procurer l'argent et le pouvoir qu'il allait me falloir pour affronter Carver, le cas échéant. J'ai bien étudié comment l'armée haïtienne opérait pour faire entrer et sortir du pays la cocaïne de contrebande du cartel colombien et j'ai vu de quelle façon le système pouvait être amélioré. Mais ne comptez pas sur moi pour vous en dire plus.

— Vous n'aviez vraiment pas d'autre moyen ?

— De me faire un milliard de dollars en vingt ans — en *Haïti* ? Non.

— Votre motivation est originale — la raison qui vous a poussé à ça —, je vous l'accorde. Vingt fois sur dix, tout ce qu'un apprenti Scarface vous sort, c'est qu'il est devenu dealer parce qu'il vient d'un ghetto, qu'on ne lui a pas donné sa chance, qu'il a manqué d'amour, que sa mère ne s'intéressait pas à lui — mais que l'ami de sa mère, lui, s'intéressait un peu trop à son cul... Pression des copains par-ci, misère socio-économique par-là, et patati et patata... C'est toujours le même refrain... Mais *vous* — parmi toutes les raisons que vous auriez pu choisir, vous me sortez tranquillement que vous êtes devenu narcotrafiquant *par amour*, ricana Max. C'est le baratin le plus *incroyable* que j'aie jamais entendu, Vincent... Et vous savez ce qui est encore plus incroyable ? C'est que je vous *crois* !

— Ravi que vous voyiez le côté comique de la chose... » Il fixa Max du fond des puits d'ombre qu'étaient ses yeux et un petit sourire joua sur ses lèvres. « Je vais vous remettre en circulation dès ce soir. Au cas où Allain vous demanderait où vous étiez passé, vous ne m'avez pas vu, O.K. ?

— O.K.

— Bien. Et maintenant, revenons à nos moutons. »

46

C'est assis, les yeux bandés, à l'arrière d'un SUV que Max rentra à Pétionville. Le trajet, en grande partie en montée et très cahoteux, dura un bon bout de temps — preuve, en déduisit Max, que le repaire de Vincent Paul se trouvait dans les montagnes. Outre lui, Vincent et le chauffeur, il y avait deux autres personnes dans la voiture. La conversation — en créole — allait bon train, souvent ponctuée d'éclats de rire.

Max repensait à son entretien avec Paul, à commencer par la révélation de son lien de parenté avec Charlie — un sacré choc, dont les échos résonnaient toujours en lui. Et impossible d'en douter : il suffisait de regarder la photo de Vincent en compagnie de son père pour en être convaincu. Charlie avait quelque chose de Vincent enfant, mais c'était avec son grand-père que sa ressemblance était frappante : mêmes yeux, même expression, même allure. Paul lui avait montré un album de photos de famille remontant aux années 1890 et, sur tous les visages, il avait retrouvé un des traits ou une expression du gamin disparu. Toute la parenté de Paul avait eu le teint clair ou caramel, jusqu'à sa grand-mère qui, elle, était une Noire. Vincent lui avait expliqué que la couleur de peau de Charlie n'avait rien d'exceptionnel, en Haïti, vu les origines panachées de la population. Il repensa à Eloise Krolak et aux descendants des déserteurs polonais de Jérémie, avec leurs yeux bleus et leur peau à peine teintée. Pour la forme, Paul lui avait aussi montré une photocopie du test de recherche de la paternité de Charlie.

Ils avaient parlé de son enquête. Paul lui avait dit qu'il se trouvait dans le quartier à l'heure où son fils avait été enlevé. Il s'était précipité sur les lieux et était arrivé juste à temps pour voir la foule extraire Faustin de la voiture, puis le larder de coups de machette et le tabasser à mort avant de lui couper la tête, de la ficher au bout d'un piquet et de disparaître en direction du bidonville en dansant et en la brandissant triomphalement. Charlie, lui, avait disparu. Personne n'avait vu qui l'avait sorti de la voiture, mais personne n'avait non plus été capable d'expliquer comment Francesca s'était retrouvée dans la rue, à plusieurs dizaines de mètres de la voiture. D'après Paul, Francesca avait dû se cramponner si fort à Charlie que les kidnappeurs avaient été forcés de les traîner ou de les porter tous les deux, jusqu'à ce qu'ils réussissent à lui faire lâcher prise. Il n'avait retrouvé aucun témoin oculaire du kidnapping. Juste des gens qui avaient vu Francesca revenir à elle dans la rue.

Paul s'était renseigné sur Eddie Faustin. Il s'était rendu à Saut d'Eau et avait interrogé Mercedes Leballec. Il avait aussi fouillé la maison de Faustin, à Port-au-Prince. Comme Max, il avait découvert le *vévé*, mais rien d'autre. La piste s'arrêtait là. Paul était sûr que Charlie était mort. Pour lui, son fils avait été enlevé par un des nombreux ennemis de Gustav Carver et emmené à l'étranger, *via* la République dominicaine. Malgré toutes les recherches qu'il avait faites là-bas, il avait fait chou blanc.

Ils avaient aussi parlé de Claudette Thodore, mais Paul ne pensait pas que les deux enlèvements fussent liés.

Max ne lui avait révélé qu'une partie de ce qu'il avait découvert. Il n'avait mentionné ni la cassette vidéo ni la possibilité que l'Arche de Noé soit impliquée. Et il n'avait pas soufflé mot de ses conclusions : à savoir que des petits Haïtiens étaient enlevés, conditionnés et transformés en jouets sexuels pour un réseau de pédophiles étrangers.

Paul savait qu'il avait filé un des employés de l'Arche de Noé, mais ignorait qui. Max avait refusé de le lui dire, car il manquait encore de preuves formelles. Paul avait accepté de lui laisser achever ses investigations et lui avait offert toute l'aide dont il pourrait avoir besoin.

On lui ôta son bandeau. Ils approchaient de Pétionville, leur SUV en sandwich entre une Jeep aux couleurs des Nations unies et son Landcruiser.

Max regarda les rues qui défilaient de l'autre côté de sa vitre, dans les dernières lueurs du crépuscule. Malgré la proximité de Noël, l'atmosphère n'était guère festive : pas l'ombre d'un Père Noël, d'une guirlande ou d'un sapin. Ils auraient pu être à n'importe quelle saison. Il se demanda à quoi Haïti avait ressemblé en des temps plus paisibles, avant de sombrer dans le chaos — mais avait-il seulement jamais connu la paix ? Il commençait à s'attacher à ce pays, à vouloir en savoir un peu plus long sur lui et comprendre comment il pouvait produire des hommes tels que Paul, pour lequel il ne pouvait se défendre d'une certaine admiration teintée de répulsion. Car, tout en condamnant ses méthodes, il trouvait ses intentions louables et comprenait les raisons pour lesquelles il s'était lancé dans ses activités illicites. Aurait-il suivi le même chemin que Paul, si son existence avait ressemblé à la sienne ? Possible — à condition de ne pas s'être laissé sombrer avant… Et Paul à sa place ? Aurait-il évolué comme lui ? Sans doute que non, mais, s'il l'avait fait, il aurait réagi et changé de cap en vitesse et jamais il ne serait tombé aussi bas que lui. Est-ce qu'il aurait davantage apprécié Paul si ç'avait été un gros nabab respectueux des lois ? Leurs routes ne se seraient probablement jamais croisées…

« Nous n'avons pas discuté de votre salaire, lui dit Paul, comme ils tournaient dans l'impasse Carver.

— Mon salaire ?

— Vous ne travaillez pas gratis.
— Vous ne m'avez pas engagé. Vous ne me devez donc rien.
— Je tiens tout de même à vous donner quelque chose — pour vos peines.
— Je ne veux rien.
— Ça m'étonnerait, quand vous saurez ce que c'est.
— Essayez toujours.
— La paix intérieure. »
Max lui jeta un regard interrogateur.
« Solomon Boukman.
— *Boukman ?* » Max sursauta. « Vous l'avez *chopé* ?
— Oui.
— Quand ça ? » Max s'efforça d'afficher un ton et une attitude aussi neutres que possible, tâchant de digérer le choc et de gommer toute trace de colère ou d'excitation de sa voix.
« Le jour où votre gouvernement l'a réexpédié ici. Je fais cueillir à leur descente d'avion tous les individus *réellement* dangereux — les assassins, les violeurs, les chefs de gang…
— Qu'est-ce que vous en faites ?
— Je les enferme et je les laisse moisir.
— Pourquoi ne pas les tuer carrément ?
— Ils n'ont commis aucun crime ici.
— Et les autres ? Vous leur trouvez un job à votre QG ?
— Je n'emploie pas de criminels. C'est très mauvais pour les affaires, surtout dans ma partie. »
Max ne put s'empêcher de rire. Ils s'arrêtèrent devant la grille de la villa.
« Découvrez ce qui est arrivé à mon fils et je vous mettrai en présence de votre Némésis. Rien que vous, lui et quatre murs sans fenêtres. Il ne sera pas armé et vous ne serez pas fouillé », dit Paul.
Max réfléchit à sa proposition. Aux États-Unis, il avait impatiemment attendu que Boukman crève et, en apprenant qu'il avait été relâché, il avait de nouveau eu des envies de meurtre. Mais là,

il n'était plus si sûr d'être capable de le buter de sang-froid. En fait, il savait qu'il en serait incapable. Boukman était peut-être un monstre, le pire criminel qu'il ait jamais croisé, mais, s'il le tuait, il ne vaudrait pas mieux que lui.

« Je ne peux pas accepter, Vincent. Pas comme ça », dit Max en descendant de voiture.

Paul baissa sa vitre.

« Votre gouvernement le tenait et il l'a remis en liberté.

— Ça, c'est pas mon problème. Je ne suis plus flic, Vincent. Vous semblez l'oublier.

— Vous aussi », dit Paul en souriant. Il tendit à Max son Beretta et son holster. « Je me doutais que vous refuseriez. »

Il fit un signe de la tête au chauffeur. La voiture démarra.

« Oh ! à propos… la propriété de ma famille que Gustav Carver avait fait raser au bulldozer, vous vous souvenez ? Eh bien, c'est sur ses ruines qu'il a fait édifier cette villa… J'espère que ça ne vous empêchera pas de dormir ! » lança Paul. Avec un sourire amer, il releva sa vitre teintée et le SUV s'éloigna.

47

Cinq messages l'attendaient sur le répondeur. Un de Joe, un d'Allain et trois de Chantale.

Il rappela tout de suite Allain et s'en tint au scénario qu'il s'était fixé dans la voiture : faire comme si rien ne s'était passé et que la situation n'avait pas évolué. Il ne souffla pas un mot d'Eloise Krolak. Il était encore trop tôt pour ça et, à part la vidéo, il n'avait rien sur elle. Il se contenta donc d'expliquer à Allain qu'il avait passé les deux derniers jours à remonter une piste qui s'était malheureusement révélée être une impasse. Allain le remercia chaleureusement de son zèle et de ses efforts.

Puis il appela Joe, pour s'entendre dire qu'il était sur une enquête et ne serait pas joignable avant le lendemain matin.

Il alla prendre une douche et se fit du café. Il n'avait pas vidé sa première tasse que le téléphone sonna. C'était Chantale.

Elle eut l'air soulagée d'entendre sa voix. Ils eurent une longue conversation. Max lui servit les mêmes mensonges qu'à Allain. Il ne savait pas dans quelle mesure il pouvait lui faire confiance. Que savait-elle au juste sur Charlie ? Et sur Allain ? Avait-elle deviné qu'il était gay ? Les femmes étaient censées avoir un sixième sens pour ce genre de choses.

Chantale lui confia que l'état de santé de sa mère s'aggravait et qu'elle ne pensait pas qu'elle vivrait jusqu'à Noël. Max sauta sur cette excuse pour lui dire de ne pas venir le chercher le lendemain. Il avait l'intention de prendre Eloise en filature et ne tenait pas à ce que Chantale soit là. Il lui dit de ne pas s'inquiéter, qu'il la couvrirait auprès d'Allain.

« Très bien », fit-elle, mais sa voix disait le contraire.

Après avoir raccroché, il alla s'asseoir sous la véranda. L'air vibrait des mille petits bruits des insectes nocturnes. Derrière la maison, un vent léger faisait bruisser les feuilles des arbres, chargé d'effluves de jasmin et de l'odeur douceâtre d'ordures en train de brûler.

Il fit le point de la situation :

Vincent Paul n'avait pas kidnappé Charlie.

Alors, qui l'avait enlevé ?

Un des ennemis de Paul ou un de Carver ?

Dans le second cas, les kidnappeurs savaient-ils qui était son père ?

Et *quid* de Beeson et de Medd ?

Ils devaient avoir approché la vérité de beaucoup plus près que lui et l'avaient chèrement payé.

L'idée que Beeson avait eu plus de flair que lui réveilla le vieux fonds d'orgueil et d'esprit de compétition qui sommeillait en lui. C'est presque avec colère qu'il imagina ce petit furet suant à deux doigts de résoudre l'affaire, alors qu'il n'avait toujours pas l'ombre d'une solution en vue.

Mais le souvenir de ce qui était arrivé à son rival de toujours le dissuada rapidement de s'attarder sur cette idée.

Il fallait qu'il parle à Beeson et qu'il découvre ce qu'il savait. Le mieux pour ça serait de demander à Joe de le convoquer pour interrogatoire.

D'ici là, sa seule piste sérieuse était Eloise Krolak.

Et sous peu, il saurait si, oui ou non, elle avait quelque chose à voir avec la disparition de Charlie.

48

Le lendemain soir, à six heures et des poussières, Max vit Eloise monter dans la Mercedes gris métallisé qui l'attendait devant l'Arche de Noé. Il fila la voiture jusqu'à Pétionville, où elle se gara dans l'allée d'une maison d'un étage, située dans une rue résidentielle bordée d'arbres, non loin du centre-ville.

Max repéra bien la maison au passage et alla se garer plus loin dans la rue.

Au bout d'une heure, il mit pied à terre pour aller jeter un coup d'œil. Dehors, l'obscurité était totale. Non seulement la rue était déserte, mais aucune des maisons voisines ne semblait être occupée. Pas un rai de lumière n'en filtrait et il n'entendait pas un bruit, à part le chant des cigales et les branches qui craquaient au-dessus de sa tête. Même les tambours étaient silencieux, dans la montagne.

Posté sur le trottoir opposé, il examina la maison. Dans une pièce du premier, une télévision était allumée. Il se demanda si Eloise visionnait une vidéo du même style que celle qu'il avait trouvée.

Il regagna son Landcruiser.

Il était sept heures du matin à peine passées quand la Mercedes SUV, suivie par Max, quitta la maison. Presque aussitôt, ils se retrouvèrent coincés dans un embouteillage. Les rues de Pétionville étaient déjà envahies de gens qui grouillaient autour du marché couvert — un bâtiment bas, couleur moutarde, au toit de tôles ondulées rouillées. Sur les trottoirs, le petit commerce était déjà en plein boom, hommes et femmes de tous âges vendant du poisson, des œufs, des poulets (morts ou vifs, avec ou sans plumes), des petits tas de viande rouge d'aspect peu engageant, des sucreries maison, des chips, des sodas, des cigarettes ou de l'alcool. Haïti marchait peut-être clopin-clopant — si ce n'était pas à quatre pattes — vers l'avenir, mais, en ce début de matinée, il émanait des gens un dynamisme, une vitalité, que Max n'avait ressentis dans aucune grande ville américaine.

Il leur fallut vingt minutes rien que pour atteindre la route de Port-au-Prince, et cinquante autres pour rallier la capitale. Eloise descendit devant l'Arche de Noé et regarda la Mercedes s'éloigner en direction du boulevard Harry-Truman en agitant la main. Un coup de klaxon lui répondit.

Max s'engagea derrière la voiture sur le boulevard qui longeait la mer. À l'approche de la Banque Populaire, le conducteur de la Mercedes manifesta son intention de tourner à droite, dans le parking réservé au personnel et aux clients VIP.

Max passa derrière lui au moment où il franchissait les grilles. Il fonça faire demi-tour un peu plus loin et revint vers la banque, autour de laquelle il tourna jusqu'à ce qu'il localise l'entrée principale.

Il s'engageait dans le parking clients lorsqu'il avisa une silhouette familière qui se dirigeait vers l'entrée de l'immeuble. L'individu s'arrêta brusquement, fit volte-face et repartit dans la direction d'où il venait.

Par-dessus la haie basse qui séparait le parking VIP du parking des simples pékins, Max vit l'homme se hâter vers la Mercedes.

Mais oui ! Ça tombait sous le sens !

Et tout à coup, il comprit pourquoi Claudette avait dessiné son kidnappeur sous forme d'un bonhomme orange.

À cause de ses cheveux. De cette coiffure afro carotte.
L'Homme Orange :
Maurice Codada, le chef de la sécurité.

Dans la soirée, Max appela Vincent Paul et le mit au courant de tout ce qu'il avait découvert. Paul l'écouta en silence.

« Nous irons les cueillir d'ici quelques heures — dès l'aube, lui dit Paul d'une voix calme. Je veux que vous les interrogiez. Que vous leur fassiez cracher tout ce qu'ils savent. Je vous laisse carte blanche quant aux moyens que vous utiliserez pour les faire parler. »

49

Les hommes de Paul passèrent prendre Max peu après trois heures du matin et le conduisirent à Pétionville, chez Codada et Krolak. Le couple était détenu au sous-sol, dans deux pièces séparées.

Max alla leur jeter un rapide coup d'œil avant d'entamer sa fouille de la maison.

Un vestibule au carrelage rouge et noir menait à un vaste double living qui contenait une télé à écran large et un magnétoscope, un canapé, plusieurs fauteuils et quelques plantes en pot.

Sur la droite se trouvait un bar abondamment garni de bouteilles et nanti de tabourets capitonnés. Max passa derrière le comptoir et ouvrit le tiroir-caisse. Il était bourré de billets de banque — des gourdes, à l'effigie de Papa et Baby Doc — et de pièces de monnaie. Sous le bar, il dénicha un .38 chargé et une petite pile de CD de musique haïtienne et sud-américaine. Sur le mur était accroché le drapeau haïtien de l'ère Duvalier, rouge et noir au lieu de bleu et rouge — d'où le carrelage de l'entrée, évidemment…

Le thème duvaliériste se poursuivait à l'étage. Des dizaines de photos noir et blanc décoraient les couloirs : Papa Doc jeune, en blouse blanche, souriant au milieu d'un groupe de traîne-misère aux vêtements aussi pouilleux que leur environnement, mais qui affichaient tout de même une mine réjouie. Nombre d'entre eux, remarqua Max, avaient qui un membre, qui une main, qui un pied, en moins. La photo devait remonter à l'époque de l'épidémie de pian. Autour de Duvalier était assis un groupe d'enfants au visage dur — tous noirs, à l'exception d'un seul, un gamin à la peau claire, couvert de taches de rousseur : Maurice Codada.

La photo suivante témoignait de l'évolution du chef de la sécurité de « petite brute » à « grande brute ». Il y posait en compagnie de Bedouin Désyr et des frères Faustin, tous arborant l'uniforme des tontons macoutes : pantalon et chemise bleu marine, foulard au cou, pistolet à la ceinture, lunettes noires intégrales dissimulant leur regard, Paraboots victorieusement posées sur des cadavres, tout sourires.

Comme Max s'attardait devant une série de clichés montrant Codada en train d'inspecter un chantier de construction, il resta bouche bée : sur pratiquement tous, on reconnaissait à l'arrière-plan le temple vaudou de Clarinette.

Il passa dans la chambre principale : Codada et son Eloise passaient leurs nuits dans un lit à baldaquin, au pied duquel était posé un énorme téléviseur.

Sur un des murs était accrochée la reproduction encadrée d'un tableau montrant un enfant soldat en veste bleue et pantalon garance, en train de jouer de la flûte. Max reconnut instantanément la peinture qu'il avait remarquée dans le club de Manhattan où Allain Carver lui avait donné rendez-vous, à leur première rencontre. Et il l'avait aussi vue ailleurs : dans le bureau de Codada, à la banque.

Il décrocha le cadre et le retourna. Une étiquette y était collée :

« *Le Fifre,* ÉDOUARD MANET. »

Des voix s'élevèrent dans le couloir. Deux des hommes de Paul émergèrent d'une pièce, tout au fond.

Il se dirigea vers elle. C'était un grand cabinet de travail. À côté de la porte se trouvait un bureau chargé d'un PC. Le mur opposé était occupé par une bibliothèque contenant des livres reliés. Entre les deux trônaient un gros fauteuil de cuir vert foncé et un autre énorme téléviseur. Une femme, assise au bureau, consultait l'ordinateur.

Les tiroirs du bureau avaient été vidés et leur contenu s'entassait dessus : cinq énormes liasses de billets usagés de cent dollars, des piles de photos, une demi-douzaine de CD — chacun d'une couleur différente — et deux coffrets de disquettes datées de 1961 à 1995.

Max s'approchait de la bibliothèque quand il eut l'œil attiré par un portrait de Papa Doc, qui tranchait sur ceux qu'il avait vus ailleurs dans la maison. Sur ce tableau, le dictateur, portant haut-de-forme, frac et gants blancs comme Baron Samedi, trônait au bout d'une longue table, dans une pièce rouge sang, et semblait vous regarder droit dans les yeux. Il était entouré d'autres personnages dont on ne distinguait pas le visage et qui se réduisaient à des formes confuses, vaguement humaines, peintes d'une nuance de brun si foncé qu'il en était presque noir. Au milieu de la table était posé une sorte de paquet blanc. En y regardant de plus près, Max vit que c'était un bébé.

Il se dirigea vers la bibliothèque. Les livres étaient classés par couleur — bleu, vert, rouge, violet, marron et noir — et tous portaient un titre gravé en lettres dorées sur le dos. Les yeux de Max atterrirent sur l'un d'eux au hasard : *Georgina A.* Le volume d'à côté s'intitulait *Georgina B* et le suivant, *Georgina C.* Il le prit et l'ouvrit.

Pas la moindre page. Le « livre » n'était autre qu'un boîtier de cassette vidéo camouflé, telles les bibles évidées où certains des junkies à qui il avait eu affaire planquaient leur matos et leurs doses. Max sortit la cassette. Elle recouvrait la photo d'une enfant d'une dizaine d'années aux yeux apeurés. Les boîtiers *A* et *B* contenaient chacun une photo différente de la même fillette. Sur la première, elle souriait à l'objectif, mais sur la seconde, elle avait l'air égaré.

Il examina le reste de la « bibliothèque ». Elle ne contenait que des vidéos, toutes reliées et toutes portant un nom de fille. Il n'y avait pas un seul prénom de garçon dans le tas. Pas de *Charlie*, ou de *Charlie A-C.*

Mais il découvrit une *Claudette T.*

Et une *Eloise.*

« Vous avez trouvé quelque chose ? » s'enquit la femme installée devant l'ordinateur. Une New-Yorkaise, à en juger par son accent.

« Des vidéos. Et vous ? Qu'est-ce que ce PC a dans le ventre ?

— Une comptabilité commerciale... Tout ce qui est antérieur à 1985 a été scanné sur des livres de caisse. Et il y a une base de données. Ces deux monstres vendaient des enfants à une clientèle masculine.

— Je viens voir ça dans une minute », dit Max en mettant le cap sur le téléviseur. Il l'alluma et glissa *Eloise A* dans le magnétoscope.

Il était impossible de dater les images, mais on devinait à peine l'Eloise adulte dans le visage de la fillette qui occupa l'écran pendant deux bonnes minutes. Elle n'avait pas dû avoir plus de cinq ou six ans, à l'époque.

Max arrêta la bande dès les premières images d'abus sexuels.

La femme assise au bureau avait cessé de travailler. Son expression, balançant entre dégoût et désespoir, indiqua à Max qu'elle avait vu la même chose que lui.

« Si on regardait un peu ce que vous avez trouvé ? » fit Max en s'empressant de la rejoindre.

Elle lui montra son écran : une page blanche divisée en six colonnes verticales intitulées respectivement : *Nom, Âge, Prix, Client, Date de Vente* et *Adresse**. Elle remontait à août 1977 et indiquait quel enfant avait été vendu à qui, et où il avait été emmené.

Max parcourut rapidement la colonne *Adresse* : des treize enfants concernés, quatre étaient partis pour les États-Unis ou le Canada, deux au Venezuela, un en France, en Allemagne et en Suisse, trois au Japon et un en Australie. Le nom des acheteurs figurait en toutes lettres.

Il consulta la base de données.

C'était une véritable mine d'informations.

Les archives étaient classées par année, et chaque année était à son tour ventilée par pays.

Outre les nom, adresse, date de naissance, profession et employeur des acheteurs (appelés « clients »), mention était aussi faite de leur salaire, de leurs orientations sexuelles, de leur situation de famille, du nombre de leurs enfants. Figuraient également les coordonnées de leurs contacts dans le monde des affaires, les milieux politiques, les médias, le show-biz ou ailleurs.

La première transaction remontait au 24 novembre 1959, date à laquelle Patterson Brewster III, P.-D.G. de la Pickle and Preservatives Company, avait « adopté » un petit Haïtien du nom de Gesner César.

L'adoption lui avait été facturée 575 $.

La dernière adoption mentionnée était celle d'Ismaëlle Cloué par Gregson Pepper, un banquier de Santa Monica, Californie.

Le prix indiqué était de 37.500 $ (S).

Le (S) signifiait Service standard — pas de chichis, pas d'avantages, pas de remise, pas de faveurs spéciales. L'acheteur choisissait son « Produit » (terme utilisé pour désigner les enfants dans la partie du fichier regroupant les données les concernant), réglait son achat et partait avec lui — ou elle. Le prix était fixe et le produit à prendre ou à laisser.

Dans le cas où un ou plusieurs autres acheteurs s'intéressaient au même enfant, alors la vente passait dans la catégorie E — comme Enchères — et la mise à prix se faisait en fonction du tarif Standard en cours.

Le montant record avait été atteint en mars 1992 par un cadre canadien, travaillant pour une compagnie pétrolière au Koweït, à qui une fillette de six ans avait été adjugée pour 500.000 $.

Il existait différents niveaux dans les services offerts aux clients :

(B) — comme « *Bon Ami** » — désignait un client qui pouvait réserver l'enfant de son choix dans le « menu », sans avoir à affronter la concurrence d'autres amateurs. Le prix de vente était plus élevé — de 75.000 $ à 100.000 $ — et dépendait de la popularité de l'enfant et de la « valeur ajoutée » de l'acheteur (qui figurait dans un sous-module séparé, au-dessous de la section regroupant ses « contacts » : c'était signe que le client avait de l'entregent, des liens dans les hautes sphères du pouvoir. Tout client à haute valeur ajoutée payait le prix plancher).

(M) — pour « *Meilleur Ami** » — était réservé au client qui commandait *à la carte**. Il pouvait s'offrir pratiquement n'importe quel « produit », de la provenance de son choix et livrable où il le souhaitait. Pour ce privilège, la somme exigée pouvait aller de 250.000 $ à 1.000.000 $.

De nombreux acheteurs étaient classés (F) — comme « Fidèle » —, le chiffre suivant le F indiquant le nombre d'achats qu'ils avaient réalisés. La plupart étaient F3 ou F4, mais plusieurs dépassaient la dizaine, le record étant détenu par un F19.

Les archives recensaient les noms de 2 479 acheteurs. Trois cent dix-sept d'entre eux venaient d'Amérique du Nord : sénateurs, députés, banquiers, diplomates, agents de change, flics haut gradés, ecclésiastiques, officiers supérieurs, médecins, juristes, hommes d'affaires, acteurs, rock stars, producteurs de cinéma, metteurs en scène, un magnat de la presse et un ex-présentateur vedette de la télévision. Max ne reconnut qu'une poignée de noms dans le tas, mais la plupart des raisons sociales des sociétés, entreprises ou organismes cités étaient hyperconnues.

Les « menus » consistaient en fichiers contenant des photos de chaque enfant — un gros plan de son visage et trois photos en pied le montrant habillé, en sous-vêtements et nu — que l'acheteur recevait par e-mail. Il fixait alors son choix et passait commande par le même moyen.

Avant l'ère de l'informatique, les clients avaient participé à des réunions dans des clubs privés, où on leur remettait des dossiers imprimés. Beaucoup regrettaient cette méthode car, selon eux, les transactions par e-mails les exposaient aux incursions de pirates informatiques. De plus, les clubs avaient permis de se créer des relations.

Max passa à un fichier regroupant des photos d'enfants et de leurs acheteurs respectifs. Celles de ces derniers semblaient soit avoir été prises à leur insu au téléobjectif, soit avoir été tirées à partir d'images vidéo.

Un fichier entier ne contenait que des photos de clients prises à l'endroit où les enfants kidnappés étaient séquestrés, ou à proximité. (Max reconnut les lieux pour les avoir vus sur la cassette qu'il avait trouvée chez Eddie Faustin.) On les y voyait se saluer ou se congratuler, et examiner les dents d'enfants juchés sur ce qui ressemblait aux estrades où on exposait jadis les esclaves à vendre. Les clients ne regardaient jamais l'objectif, ce qui fit penser à Max qu'ils ne se savaient pas photographiés.

Les dernières photos les montraient en train de monter à bord d'embarcations pour rallier une côte qu'on devinait à l'arrière-plan.

« Vous savez où tout ça a pu être pris ? demanda Max.

— Ça ressemble à la Gonâve. C'est une île au large de Port-au-Prince.

— Est-ce que vous pourriez vérifier si le nom d'une fillette figure dans les fichiers ? Son prénom, c'est Claudette — avec deux "t" — et son nom de famille, Thodore. »

La femme fit quelques recherches et imprima le résultat. Claudette avait été vendue en février 1995 à un certain John Saxby, domicilié à Fort Lauderdale, en Floride.

Max pensa aux autres clients nord-américains et à la façon dont il pourrait rendre leur liberté à tous ces malheureux enfants esclaves. Le mieux serait de filer à Joe un double de tous ces documents. Son vieux pote deviendrait un héros : quand tout serait terminé et que les coupables seraient traînés en justice, il serait bombardé chef de la police.

Mais, pour l'instant, il avait d'autres priorités.

Il redescendit au sous-sol.

50

« Puis-je vous offrir quelque chose, monsieur Co-da-da ? Un verre d'eau ? Un café ? Autre chose ? » proposa Max, optant pour une politique d'ouverture et de coopération. Il était assisté d'un interprète — un petit bonhomme transpirant et brillantiné de type oriental.

Codada était assis sous l'ampoule nue qui éclairait la pièce, mains attachées dans le dos, pieds enchaînés. Eloise Krolak était enfermée dans la pièce à côté.

« Oui. Sortez de chez moi et allez vous faire foutre ! » rétorqua Codada — en anglais, à la grande surprise de Max. Son accent français était à l'échelle de son agressivité.

« Je pensais que vous ne parliez pas l'anglais...

— Vous pensez mal.

— Manifestement ! » fit Max.

Codada arborait un pantalon en peau d'ange et des chaussettes noires à fines rayures, assorties à sa chemise de soie, déboutonnée bien bas sur son poitrail d'un blanc laiteux. Max lui compta quatre chaînes en or autour du cou. Il s'était aussi inondé, sans plus de mesure que de discrétion, d'un after-shave musqué qui empestait. En venant, Max avait appris que lui et Eloise avaient été interceptés alors qu'ils rentraient d'une soirée en boîte, dans les montagnes.

« Vous savez pourquoi vous êtes là ? demanda Max.

— Vous croyez que j'ai le gosse — *Tssharlie* ?

— Exact. Alors ne perdons pas notre temps à finasser. Vous avez le petit ?

— Non.

— Qui, alors ?

— Dieu, fit Codada, en levant les yeux vers le ciel.

— Vous voulez dire qu'il est mort ? »

Codada fit oui de la tête. Max sonda ses yeux, mais Codada le fixait bien en face, le regard franc, et il avait le ton assuré du type qui dit la vérité. Ça ne voulait rien dire, pour l'instant : Codada n'avait sans doute pas encore pigé qu'il était d'ores et déjà un homme mort.

« Qui est-ce qui l'a tué ? demanda Max.

— Des gens... ceux qui tuent Eddie Faustin... *en même temps**.

— Vous voulez dire que les émeutiers qui s'en sont pris à Eddie Faustin ont aussi tué Charlie ? C'est bien ça ?

— *Oui**.

— Comment le savez-vous ?

— J'ai... *envestigé* ?

— Vous avez fait votre enquête ? »

Codada hocha la tête.

« Qui vous l'a dit ?

— Dans la rue où c'est passé. Des... *témoins**. Des gens parlent à moi.

— Vous avez retrouvé des témoins qui avaient tout *vu* ? » demanda Max, le doigt pointé sur ses yeux. « Combien ? Un ? Deux ?

— Plus. *Anpil moune*[1]. Beaucoup. Dix. Vingt. Ça fait gros gros *scandale**, ici. Comme si on a kidnappé la fille à Clinton. » Codada lui décocha un sourire. L'ampoule miroita sur sa dent en or et un éclair doré sembla lui jaillir de la bouche. « Charlie, il est mort. Je

1. « Beaucoup de monde », en créole.

dis ça beaucoup de fois à son père. “Votre fils, il est mort”, je lui ai dit, mais lui, il m'écoute pas.

— Vous avez dit ça à Allain Carver ? dit Max, faisant l'innocent.

— *Non**. J'ai dit ça à son *père.* » Codada poussa l'ampérage de son sourire, prêt à lâcher sa bombe. « Gustav. Gustav, le père de Charlie. »

Il était encore trop tôt pour descendre Codada en flammes. Max lui rendit sourire pour sourire. Un éclair de panique fissura la belle assurance qu'affichait le chef de la sécurité.

« Parlez-moi d'Eddie Faustin. Vous étiez très amis ?

— Amis ? Non.

— Vous ne l'aimiez pas ?

— Lui et son frère Salazar, ils travaillent pour moi, dans la police.

— Vous voulez dire chez les *Ton-ton Mackooots* ?

— Oui. On était macoutes. » Codada tenta sans succès de se redresser sur sa chaise et se résigna à rester avachi.

« Est-ce qu'Eddie a travaillé pour vous, après ? — une fois que les macoutes ont été dissous ?

— *Non**.

— Avez-vous revu Eddie par la suite ?

— Seulement quand il conduit M. Carver.

— Vous ne lui parliez pas ?

— Juste “salut, ça va comment ?”.

— Vous vous réunissiez parfois ? Vous alliez boire un verre ensemble ?

— Un verre ? Avec *Eddie* ? » Codada regarda Max comme si ce qu'il suggérait était non seulement impensable, mais aussi du dernier débile.

« Oui ! Pourquoi pas ? Histoire de parler du bon vieux temps ?

— Le vieux temps ? » Codada éclata de rire. « Quand nous été chez les *macoutes**, Eddie Faustin travaille pour *moi.* Je suis son *chef* !

— Alors, vous non plus, vous ne frayez pas avec le petit personnel… Vous commettez les pires atrocités qu'on puisse concevoir, mais vous *refusez* de passer un moment avec un mec, sous prétexte qu'il a été votre subalterne à l'époque glorieuse de Papa Doc ? Les gens d'ici ont des critères complètement tordus, si vous voulez que je vous dise… » Max secoua la tête et fixa Codada. « Quoi qu'il en soit, Eddie Faustin s'apprêtait à kidnapper Charlie. Vous étiez au courant ?

— *Non**. C'est faux.

— *Si*, c'est vrai ! On ne peut plus vrai !

— Je vous dis *non*.

— Et pourquoi ça ?

— Parce que… — et là, Codada prit l'air hautain — … Eddie est un *brave garçon*. Jamais il fait du tort à M. Carver. Il aime M. Carver comme… comme son *père*.

— C'est Eddie qui vous a dit ça ?

— Non. Moi, je vois ça. Je *sais*. Je sens.

— Tiens donc ! Vous voyez, vous savez, vous sentez ? O.K. Je *sais*, moi, qu'Eddie était à la solde des kidnappeurs de Charlie. C'est pour ça qu'il est venu dans cette rue, ce jour-là. Il attendait qu'ils viennent chercher le petit.

— *Non** !

— Si !

— Qui vous a raconté ça ? — ces… conneries ?

— J'ai e*nvestigé*, moi aussi ! fit Max. Et ce ne sont *pas* des conneries. »

L'expression de Codada proclamait qu'il ne le croyait pas, qu'il était sûr que c'était un coup de bluff.

Max décida de changer son fusil d'épaule et d'adopter une autre ligne d'attaque. Il alla chercher, dans un coin de la pièce, un des « aide-mémoire » qu'il avait descendus du bureau de Codada : la cassette vidéo de Claudette.

« Si vous me parliez un peu de votre bizness ?

— “Bizness” ? » Codada le regarda, l’air ahuri.

« Vous avez bien entendu.

— J’ai pas un “bizness”, moi… »

Max jeta un coup d’œil vers la porte. Un garde armé était posté devant. L’interprète était debout contre le mur, derrière Codada.

« Et les enlèvements d’enfants, ça vous dit quelque chose ?

— Je *jamais* enlevé des enfants !

— *Mon cul !* tonna Max. Toi et tes acolytes, vous avez enlevé des gosses pour les revendre à des pervers pleins aux as ! C’est *ça*, ton bizness !

— *Non** ! » répliqua Codada. Il tenta de se lever, mais ne réussit qu’à s’écraser la figure par terre.

Max lui posa un pied au milieu du dos et appuya bien fort, jusqu’à ce qu’il entende ses vertèbres craquer.

« *SI !* Tu l’as fait, enfoiré ! Ne mens pas ! » fit Max, furibard, en lui broyant les vertèbres sous sa semelle. Codada poussa un cri de douleur. « T’as enlevé tous ces gamins, tu les as emmenés à la Gonâve et tu les as vendus à des violeurs d’enfants de ton acabit. Et je parie que c’est ce qu’on va découvrir là-bas, quand on va y débarquer : ton dernier stock de marchandises. Espèce de sac à merde de mes deux ! »

Max accentua la pression de son pied et Codada se mit à beugler.

« Relevez-le ! » jeta Max au garde et à l’interprète.

Ils le recollèrent sur sa chaise.

Max ouvrit la cassette vidéo et lui fourra la photo de Claudette sous le nez.

« Tu la reconnais ? »

Codada resta muet, le visage grimaçant de douleur.

« John Saxby — le type qui l’a achetée —, dis-moi ce que tu sais de lui. Qu’est-ce qu’il fait ? Et me raconte pas de salades parce que j’ai toute ta compta — les traces de toutes tes *transactions commerciales*. Réponds !

— Je veux plus parler encore, fit Codada, dont le regard fuyant et éteint fixa la porte, par-dessus l'épaule de Max.

— Ah ouais ! Monsieur “ne veut plus parler encore” ? Eh ben, *tu l'as dans le cul*, Maurice ! Parce que j'ai pas l'intention de te lâcher, enfoiré ! Tu trouves que je t'en fais voir de toutes les couleurs, *là* ? Ben, t'as encore *rien* vu, dis-toi, Maurice ! Parce que : ou tu te mets à table, et *tout de suite*, ou Vincent Paul se chargera de te *faire cracher* le morceau. Tu piges ?

— Le bon flic et le méchant flic ? ironisa Codada.

— Y a pas de *flic* ici, Maurice. Et y a rien de *bon*, non plus. T'es *fini* ! Tu m'entends ? *Foutu !* Et tu sais pourquoi ? Parce que je vais aller interroger Eloise. Et je vais lui *arracher* ce que tu refuses de me dire. Tu comprends ce que je dis ? fit Max à l'oreille de Codada. Alors, t'es toujours décidé à “plus parler encore” ? »

Codada ne répondit pas.

Max tourna les talons et sortit.

51

En voyant Max entrer, Eloise lui jeta un regard furtif et rebaissa les yeux sur le mouchoir blanc qu'elle tenait entre ses mains menottées.

« Eloise ? Je m'appelle Max Mingus. J'enquête sur l'enlèvement de Charlie Carver. »

Pas de réponse.

« Je sais que vous parlez l'anglais aussi bien que moi », dit Max. Elle continua à fixer son mouchoir en silence, le dos rond, comme si elle cherchait à se recroqueviller sur elle-même, les genoux sous le menton.

« Laissez-moi vous exposer la situation. Vous êtes mal — *très mal* — barrés, tous les deux... » Max parlait d'une voix douce et calme, d'un ton qui était celui de la confidence plus que de la menace. « Vous connaissez Vincent Paul — de réputation au moins... J'ai vu ce qu'il est capable de faire et, croyez-moi, ce n'est pas joli joli. »

Pas un battement de cils.

« Je ne suis pas comme lui, Eloise. Je veux vous aider. J'ai visionné les bandes vidéo de vous petite fille. J'ai vu ce que l'homme qui est dans la pièce à côté vous a fait subir. Si vous m'aidez, je vous promets d'intervenir auprès de Vincent Paul. Je lui expliquerai que ce n'est pas vraiment votre faute si vous vous êtes retrouvée mêlée à tout ça. Vous aurez peut-être une chance de vous en sortir vivante. »

Silence.

Soudain, la voix de basse-taille reconnaissable entre mille de Vincent Paul s'éleva à l'extérieur de la maison.

« Sauvez votre peau, Eloise, je vous en prie, l'adjura Max. Si vous refusez de m'aider, Vincent Paul vous tuera. Il ne tiendra *aucun compte* de votre passé, lui. Ça ne lui fera ni chaud ni froid que vous ayez été enlevée toute petite par cet infâme salaud et qu'il vous ait violée et maltraitée. Tout ce qu'il verra, c'est ce qu'il aura devant lui : une directrice d'école, une femme qui était chargée de veiller sur des enfants sans défense, des orphelins, et qui a laissé d'ignobles individus abuser d'eux et s'en est même fait la complice. Ce n'est pas moi qui reprocherai à Vincent ce qu'il fera. Réfléchissez, Eloise. Et réfléchissez bien. Je vous offre une porte de sortie. Le fumier qui est dans la pièce à côté ne mérite pas que vous vous sacrifiiez pour lui. »

Sur ce, Max sortit. Paul l'attendait dans le couloir. Il accueillit Max d'un petit signe de la tête et d'un demi-sourire.

« Allez lui donner ça », dit-il en lui posant un petit truc gluant dans la main.

Max y jeta un coup d'œil et retourna dans la pièce.

« Vous reconnaissez ça ? » demanda-t-il à Eloise.

À la vue du petit morceau de métal luisant maculé de sang que Max tenait entre ses doigts, ses yeux s'écarquillèrent et s'embuèrent de larmes.

« *Ne lui faites pas de mal !* hurla-t-elle.

— Si vous persistez à vous taire, Eloise, on va le découper en morceaux, petit bout par petit bout. » Il s'empara de sa main et y colla de force ce que Paul lui avait donné : la dent en or de son amant.

Au regard venimeux qu'elle lui jeta — ses yeux, deux fléchettes empoisonnées —, Max comprit qu'elle était loin d'être l'innocente jeune femme manipulée qu'il croyait. Elle n'était en rien la victime de Codada, mais sa complice. Elle était tout aussi coupable que lui.

« Ça changera quoi que je parle ? Vous nous tuerez de toute façon... » ricana-t-elle. Quelques intonations américaines résistaient vaillamment sous son accent français.

Paul entra, remorquant Codada par la chaîne qui lui entravait les pieds.

À sa vue, Eloise poussa un hurlement strident et tenta de se lever.

« *Assieds-toi !* tonna Max. Tu vas répondre à mes questions ou ce salopard de violeur d'enfants perdra beaucoup plus que ses dents ! *Tu veux que je te fasse un dessin ?* »

Sans laisser à Eloise le temps de répondre, Max enchaîna : « Charlie Carver... Qu'est-ce que vous avez fait de lui ?

— Rien du tout. On ne l'a *pas*. On ne l'a *jamais* eu. Et *jamais* on ne l'aurait enlevé. Vous vous trompez de coupables, môssieur le détective !

— Ah ouais ? » Max colla son nez contre le sien. « Si tu ne sais pas où est Charlie, tu es peut-être capable de me dire où est Claudette Thodore ?

— Je ne la connais pas. »

Max tira la photo de son portefeuille et la lui montra. Elle y jeta un rapide coup d'œil.

« Elle ne m'est pas passée entre les mains.

— Qu'est-ce que tu veux dire ?

— Je n'ai pas travaillé dessus.

— *"Travaillé dessus" ?* Ça veut dire quoi ?

— Je ne l'ai pas formée.

— "Formée" ?

— Je ne lui ai pas inculqué les bonnes manières — à bien se tenir à table... toutes les choses qu'il faut savoir, dans la bonne société. »

Max s'apprêtait à lui demander de développer un peu quand Codada, toujours allongé par terre, gargouilla quelque chose.

« Il dit qu'il est d'accord pour parler, traduisit Paul.

— Ah ouais ? Eh ben, moi, je ne suis pas disposé à l'écouter, là. Emmenez-le. »

Paul sortit, traînant Codada.

Max se tourna vers Eloise.

« Cette fameuse "formation"... raconte !

— Vous voulez dire que vous ne voyez pas ? ricana Eloise.

— Oh ! si, *très bien*, même ! rétorqua Max, sarcastique. Je veux juste te l'entendre *dire*.

— Tous nos clients sont des hommes très riches, qui fréquentent les milieux les plus huppés. Ils aiment que leur produit soit d'un certain niveau.

— Par "produit", tu veux dire les enfants ?

— Oui. Avant de les leur vendre, nous leur apprenons à bien se tenir à table et à se comporter correctement en présence d'adultes.

— À dire "s'il vous plaît" et "merci" quand ils se font violer, c'est ça ? »

Eloise resta coite.

« Réponds !

— Il ne s'agit pas seulement de ça, dit-elle, sur la défensive.

— Ah bon !

— Sans éducation, on n'arrive à rien dans la vie.

— Et tu fais *quoi,* pour eux ? Tu leur fais une *faveur*, à ces mômes, en leur apprenant à tenir leur couteau et leur fourchette le petit doigt en l'air à la table d'un pédophile ? Te fous pas de ma gueule, bordel ! hurla Max. Pourquoi est-ce que tu *fais* ça ? J'ai regardé tes vidéos, Eloise. J'ai vu ce qui t'est arrivé !

— Vous avez *regardé*, mais vous n'avez pas *vu*, rétorqua-t-elle en le fusillant des yeux. Vous devriez vous les repasser !

— Pourquoi ne pas m'expliquer toi-même ce qui m'a échappé ?

— Maurice m'aime.

— *Mon cul !* cracha Max.

— Pourquoi vous dites ça ? fit-elle, très calme. Sur qui vous vous attendiez à tomber ? Une *victime* ? Une malheureuse femme-enfant terrifiée, complètement désespérée ? Un beau cas d'école tout droit sorti de vos manuels ? Que quelques syllabes de jargon psy ou un petit grognement rassurant suffiraient à consoler ? »

Elle le défiait soudain, en colère, à deux doigts de crier. Mais, curieusement, elle parlait sans passion, comme si elle récitait un discours qu'elle avait tant répété au fil des ans que les mots avaient perdu tout sens pour elle, au point de n'être plus qu'une succession de petits cailloux sonores qu'elle devait suivre jusqu'au dernier.

« C'est facile, pour vous, de nous présenter comme d'innocentes petites victimes vulnérables. Mais nous ne sommes pas tous pareils. Certains d'entre nous arrivent à *battre* le système. Et *réussissent* !

— Parce que t'appelles ça "réussir", toi ? fit Max avec un geste circulaire dans la pièce. Tu vas mourir, et dans d'horribles souffrances.

— Personne ne m'a traitée aussi bien que Maurice. Jamais. De toute ma vie. Je n'ai aucun regret. Si je pouvais revenir en arrière, je ne changerais rien, dit-elle, très calme.

— Parle-moi de Maurice. Comment est-ce qu'il t'a enlevée ? C'était quoi, sa technique ?

— Il ne m'a pas "enlevée", fit-elle d'un ton agacé. Il m'a *sauvée.*

— Si tu le dis… fit Max avec un soupir. Raconte-moi juste comment il s'y est pris.

— La première chose que j'ai remarquée chez lui, c'est sa caméra — il avait une super-huit, à l'époque. Elle lui cachait la moitié de la figure. Je le voyais pratiquement tous les matins. Mes copines et moi, on lui faisait coucou de la main. Il bavardait avec nous, nous offrait des bricoles — des bonbons, des petits bonshommes en fil de fer qu'il fabriquait… C'était à moi qu'il s'intéressait le plus. Il disait des trucs pour me faire rire. Mes copines en étaient vertes de jalousie ! dit Eloise en souriant. Un beau jour, il m'a demandé si je voulais partir avec lui — l'accompagner dans un pays merveilleux. J'ai dit oui. Et pof ! je me suis retrouvée assise à côté de lui dans une voiture. C'est la meilleure décision que j'ai jamais prise de ma vie. »

Max essaya de déglutir, mais il n'avait plus une goutte de salive. Elle avait dit vrai : elle n'était pas du tout telle qu'il s'y attendait. Il n'ignorait rien du syndrome de Stockholm et de la façon dont certaines victimes de kidnapping tombaient amoureuses de leur ravisseur, mais c'était la première fois qu'il voyait ça entre un enfant et son violeur.

Il nageait en pleine confusion, aussi paumé qu'horrifié — et le pire, c'est qu'il ne pouvait pas s'empêcher de le montrer, de le lui laisser voir, de lui donner barre et prise sur lui.

« Mais… — et ta famille ? »

Elle eut un petit rire amer, le visage aussi dur et froid que ses yeux.

« Ma famille ? “Ma maman et mon papa chéris”, vous voulez dire, comme dans votre beau pays ? C'est à ça que vous pensez quand vous parlez de *ma* “famille” ? »

Max la fixa sans répondre, décidé à la laisser parler jusqu'à ce qu'il trouve un moyen de reprendre la main et la direction des opérations.

« Eh ben, c'était pas du tout comme ça, chez nous, j'aime mieux vous dire. Je donnerais *n'importe quoi* pour oublier le peu dont je me souviens. Entassés à huit dans une minuscule cabane d'une seule pièce, et si pauvres que tout ce qu'on avait à se mettre sous la dent, c'était des pâtés de terre. Vous savez ce que c'est, ça ? Vous prenez un peu de farine de maïs et beaucoup de terre, vous délayez bien avec de l'eau du caniveau et vous laissez sécher au soleil jusqu'à ce que ça durcisse. *Voilà* ce que je mangeais, tous les jours. »

Elle se tut et le nargua du regard, le défiant de trouver pire à lui raconter et d'essayer de lui clore le bec avec une bonne vieille maxime des familles.

Constatant qu'il ne la suivait pas sur ce terrain, elle changea de visage et parut se décontenancer. Elle inspira profondément par le nez, bloqua l'air dans ses poumons, ferma les yeux et baissa la tête.

Elle resta ainsi plus d'une minute sans respirer. Il voyait ses yeux rouler derrière ses paupières et ses doigts tortiller les coins de son mouchoir. Ses lèvres s'agitaient en silence, comme si elle priait ou qu'elle livrait un combat intérieur avec sa conscience. Puis, un par un, ses signes de nervosité cessèrent : elle étala son mouchoir sur ses cuisses et y posa les mains bien à plat, ses lèvres se figèrent et ses yeux cessèrent de rouler.

Elle souffla un grand coup par la bouche, ouvrit les yeux et s'adressa à Max.

« J'accepte de vous dire tout ce que vous devez savoir. Où nous cachons les enfants et à qui nous les vendons. Qui est dans le coup et pour qui nous travaillons.

— *Pour qui* vous travaillez ? »

Elle le regarda bien en face.

« Vous ne vous imaginiez tout de même pas que *Maurice* faisait tourner seul une telle organisation, si ? » s'esclaffa-t-elle.

La porte s'ouvrit et Paul entra.

« Maurice est bien des choses, mais intelligent, ça non… » fit-elle avec un petit gloussement de tendresse, avant de retomber dans son mode bizness bizness. « Je vous révélerai *absolument tout*, mais à une condition…

— Dis toujours, fit Max.

— Que vous relâchiez Maurice.

— *Quoi ?* Pas question ! Foutre non !

— Laissez Maurice partir et je vous dis tout. Il n'a jamais été qu'un minuscule rouage d'une vaste machinerie. Comme moi. Si vous ne le libérez pas, vous ne me tirerez pas un mot. Vous pouvez aussi bien nous coller tout de suite contre le mur.

— D'accord ! lança Paul, si brusquement qu'Eloise sursauta. Si les informations que tu nous donnes se révèlent exactes, il sortira d'ici libre.

— Donnez-moi votre parole.

— Tu l'as. »

Eloise inclina solennellement la tête pour sceller leur accord.

Max se demandait quelle confiance accorder à la promesse de Paul, mais il relégua ses doutes dans un coin de son cerveau.

Il sentit Paul lui tapoter l'épaule pour lui signifier de reprendre son interrogatoire.

« Pour qui vous travaillez, Codada et toi ?

— Vous ne devinez pas ?

— Eloise, on a passé un marché. Ce n'est plus le moment de jouer au chat et à la souris. On va faire ça de façon intelligente : je te pose une question, tu me réponds — et sans mentir. C'est aussi simple que ça. Compris ?

— Oui.

— Bien. Pour qui travaillez-vous ?

— Gustav Carver.

— Te fous pas de ma gueule, Eloise ! gueula Max. Je le *sais* qu'il est votre patron, bordel ! Il est à la tête de l'Arche de Noé. Et il dirige aussi la banque où ton amant, ce fumier de violeur d'enfants, bosse !

— Mais… vous m'avez bien demandé pour qui on tr…

— Arrête de me prendre pour un con ! fit Max en se penchant sur elle. Refuse encore une fois de répondre et je jure devant Dieu que je vais de ce pas coller une balle dans la tête de Maurice moi-même !

— Mais puisque je vous *dis* que c'est Gustav Carver ! C'est lui, notre *patron* ! C'est *lui* qui est derrière tout ça. Qui *dirige* l'organisation. Qui l'a *montée* ! Qui l'a *pensée* ! insista Eloise d'une voix qui tremblait. C'est lui ! Gustav Carver. Il y a bientôt quarante ans qu'il fait ça. Voler des enfants, les dresser, les vendre à des pédophiles. Gustav Carver *est Tonton Clarinette.* »

52

« Maurice a fait la connaissance de M. Carver — Gustav — dans les années 1940. Il vivait dans un petit village, à une quinzaine de kilomètres au sud-ouest de Port-au-Prince. À cette époque, le pian sévissait partout, en Haïti. Mais c'est dans la région qu'habitait Maurice qu'il faisait le plus de ravages.

« Maurice m'a raconté comment ses parents avaient été touchés. Sa mère a été la première à l'attraper. Ses bras ont commencé à se dessécher, puis le mal lui a rongé les lèvres et son nez est tombé. La famille a été chassée du village. Maurice vivait avec ses parents — ou ce qu'il en restait — dans une cabane en planches. Il les a littéralement regardés tomber en morceaux.

— Comment se fait-il qu'il n'ait pas été contaminé ? demanda Max.

— Le docteur Duvalier — François Duvalier — Papa Doc — l'a sauvé.

— C'est comme ça qu'ils se sont rencontrés ?

— Oui. Leur cabane était au bord de la route qui menait au village. Le docteur, qui venait ouvrir un dispensaire pas loin, l'a trouvé assis entre les cadavres de ses parents. Maurice a été le premier enfant qu'il a inoculé.

— Je vois… » fit Max. Jusque-là, c'était la défense classique du gosse « victime de son enfance malheureuse »…

« Ils avaient du mal à protéger leurs stocks de médicaments, reprit Eloise. Les gens du coin faisaient des razzias sur le dispensaire. Alors Maurice a rassemblé une bande d'enfants pour assurer sa surveillance. Des gamins de son âge et certains, même, plus jeunes. Ils protégeaient le docteur Duvalier pendant qu'il soignait ses malades et, la nuit, faisaient des rondes autour de l'hôpital. Ils étaient très efficaces. Ils étaient armés de lance-pierres, de couteaux et de matraques, qu'ils transportaient dans leurs *macoutes* — ces besaces en paille tressée comme en ont tous les paysans d'ici. Duvalier les appelait affectueusement "*mes petits tontons macoutes**". Et le surnom leur est resté.

— Si c'est pas mignon ! fit Max avec un rire sarcastique. Mais, et Gustav Carver, là-dedans ? Quand est-ce qu'il entre en scène ?

— M. Carver était très souvent là. C'est le premier Blanc que Maurice ait vu. Les médicaments étaient quasiment impossibles à se procurer dans l'île. C'est M. Carver qui les faisait venir des États-Unis, grâce à ses contacts.

« Maurice adorait M. Carver, mais ils n'ont jamais été amants, si c'est ce que vous pensez, dit Eloise à Max en le regardant attentivement.

— Je n'y pensais pas du tout.

— Mais vous le soupçonniez, non ? »

Naturellement qu'il le soupçonnait, mais il avait repris le contrôle de la situation et comptait bien le garder.

« T'as pas oublié notre marché, Eloise ? C'est *moi* qui pose les questions et *toi*, tu y réponds. Qu'est-ce qui s'est passé ensuite ?

— Maurice est entré au service du docteur Duvalier. Il a été chargé de sa sécurité pendant sa campagne électorale.

— Quand ont-ils commencé à enlever des enfants ?

— Le docteur Duvalier n'était pas seulement médecin. C'était aussi un *boko*. Vous savez ce que c'est ? s'enquit-elle d'un ton arrogant.

— Je suis dans ce pays depuis assez longtemps pour ça ! » rétorqua Max en la fusillant du regard. Pour la première fois, elle sourit — encore qu'un rien nerveusement —, découvrant de grandes incisives jaunes toutes de travers. On aurait dit un vieux rat, songea Max : il ne lui manquait que des moustaches postiches. « Et je sais aussi qu'il ne faut pas confondre vaudou et magie noire — et ce qui les différencie l'un de l'autre… Alors, corrige-moi si je me trompe, mais Papa Doc, c'est bien la magie noire qu'il pratiquait, lui, non ?

— Il s'intéressait surtout aux morts et aux esprits. C'est pour ça qu'il lui fallait des enfants.

— Pourquoi ?

— La seule chose qui nous sépare du monde des esprits, c'est notre corps. À notre mort, nous devenons des esprits désincarnés. Mais les esprits ont été des hommes et, comme eux, ils peuvent être trompés », expliqua Eloise en ouvrant les mains. Ses doigts, courts et secs, avaient tout de crayons marron cassés rafistolés avec du Scotch, songea Max.

« Quel intérêt d'être un fantôme — un esprit, je veux dire… — si ça ne vous permet même pas de savoir ce que les humains mijotent contre vous ?

— C'est là qu'intervient la magie noire : le docteur Duvalier se servait d'âmes d'enfants — les âmes les plus pures qu'on puisse trouver, celles auxquelles tous les esprits acceptent de parler et qu'ils sont disposés à aider.

— Et comment il se les procurait, ces âmes ?

— À votre avis ?

— Il tuait les enfants ?

— Il les *sacrifiait*, répliqua Eloise avec un regain d'arrogance.

— Si je comprends bien, Maurice et sa clique volaient des enfants pour le compte de Papa Doc ?

— Oui. Maurice les enlevait sur commande, car le docteur Duvalier ne se contentait pas du premier gamin des rues venu. Il était très spécifique quant à ce qu'il recherchait. Et ses exigences variaient de fois en fois. Il lui fallait tantôt un garçon, tantôt une fille. Il fallait qu'ils soient nés à une certaine date ou qu'ils viennent d'une région bien précise. Et ils ne devaient pas dépasser un certain âge. Qu'ils n'aient jamais plus de dix ans. Au-dessus, leur âme était moins pure. Parce qu'ils commençaient à devenir adultes et qu'ils avaient perdu un peu de leur innocence.

— Et les esprits étaient donc moins disposés à leur parler, conclut Max.

— Oui.

— En résumé, Maurice enlevait des enfants et Gustav Carver était au courant ?

— Bien sûr — et pas seulement ça : c'était lui qui sélectionnait les enfants. Le docteur Duvalier expliquait exactement ce qu'il désirait à M. Carver, après quoi M. Carver et Maurice parcouraient le pays et photographiaient les sujets susceptibles de convenir. Ensuite, ils présentaient les photos au docteur Duvalier, qui faisait son choix. »

Max sentit un frisson glacé le parcourir. Les yeux d'Eloise ne mentaient pas et rien dans son attitude ou son langage corporel ne trahissait de la peur ou de la dissimulation. Elle disait *la vérité*. C'était logique. Ça collait. Tout le monde savait que Gustav Carver était un intime de Papa Doc et qu'ils se connaissaient de longue date. Gustav était un opportuniste. Il avait probablement reconnu en Duvalier la même nature impitoyable qu'il possédait lui-même — et la même volonté d'en faire à sa guise, sans se laisser troubler par sa conscience ou les remords.

« Qu'est-ce que Papa Doc faisait avec ces enfants — enfin, leurs âmes ? À quoi ça lui servait ?

— À piéger ses ennemis.

— Comment ?

— Chacun de nous a un esprit qui le protège — un ange gardien, disons. Cet esprit veille sur nous, nous préserve du mal. Quand le docteur Duvalier avait capturé l'âme d'un enfant, il lui faisait faire ce qu'il voulait. Il s'en servait pour tromper les esprits qui protégeaient ses ennemis et les amener à lui livrer leurs secrets, pour découvrir, par exemple, s'ils complotaient contre lui pour le renverser.

— Moyennant quoi il a obtenu... — qu'est-ce que Baron Samedi lui a procuré ? D'être élu président ?

— Oui. Et, une fois Papa Doc élu président, Baron Samedi l'a aidé à se maintenir au pouvoir et à imposer son joug à ses ennemis — à charge pour lui de lui offrir les sacrifices rituels et de servir ses *loa* avec obéissance.

— Et vous croyez à ces sornettes ?

— Lors de ces cérémonies, Baron Samedi apparaissait dans la pièce. Maurice me l'a dit.

— Ah ouais ? T'es sûre qu'il ne s'agissait pas de l'affreux qu'il y avait dans ce film de James Bond[1] ?

— Moquez-vous tant que vous voulez ! N'empêche que le docteur Duvalier était un homme très puissant...

— ... qui assassinait des enfants — des innocents sans défense. Je n'appelle pas ça être puissant, Eloise. Pour moi, c'est être lâche, pervers et immoral.

— Appelez ça comme vous voulez, monsieur Mingus, dit-elle en se hérissant. Mais le fait est que ça *marchait.* Personne n'a assassiné Papa Doc. Personne ne l'a renversé — et, de son temps, *jamais* les Américains n'ont envahi notre pays.

— Je suis sûr qu'il y a des raisons tout ce qu'il y a de rationnel à ça... Et Papa Doc a quand même fini par casser sa pipe, fit Max. Parle-moi plutôt de Carver et de Maurice. Leurs enlèvements d'enfants, à quel moment est-ce que ça s'est transformé en commerce ?

— Une fois élu président, le docteur Duvalier a manifesté sa gratitude à M. Carver en lui faisant décrocher des contrats et en lui

1. Le personnage de Mr. Big (*alias* Dr Kananga), le trafiquant de drogue protégé par Baron Samedi, qu'interprétait Yaphet Kotto dans *Vivre et laisser mourir* de Guy Hamilton (1973).

accordant des monopoles. Maurice, lui, est devenu conseiller à sa sécurité. Beaucoup de ceux qui avaient aidé Papa Doc à se hisser au pouvoir sont tombés en défaveur, mais ça n'a pas été le cas de M. Carver ou de Maurice. Ils étaient à son chevet quand il est mort.

— Très touchant ! railla Max. Alors comme ça, Carver a édifié son empire commercial sur le dos d'enfants kidnappés ?

— Pas à l'origine. Le trafic d'enfants, ça a juste été une question de croissance, de développement, comme quand il faut abattre des forêts pour construire des routes ou des villes. Le docteur Duvalier avait besoin d'offrir des sacrifices pour se maintenir au pouvoir.

« À ce que Maurice m'a raconté, M. Carver a compris tout le potentiel de l'affaire le jour où le représentant d'une exploitation de bauxite a débarqué en Haïti. Notre île est très riche en bauxite. M. Carver était prêt à investir dans un projet d'exploitation, mais il était en concurrence avec un important conglomérat minier de la République dominicaine. Il a engagé un détective privé pour se renseigner sur la compagnie et ses dirigeants. Le P.-D.G. était pédophile et appréciait beaucoup les petits Haïtiens. Il en entretenait un dans sa maison de Port-au-Prince. Pendant la semaine, ce garçon fréquentait une école privée où on lui enseignait les règles de l'étiquette — comment se tenir correctement à table, comment bien se comporter en société...

— Exactement ce que tu enseignais, toi aussi ?

— Oui. »

Dans la tête de Max, d'autres pièces du monstrueux puzzle tombèrent en place. Tout ça cadrait parfaitement avec le *modus operandi* de Carver : ce n'était pas un créateur, mais un parasite. Il était né riche et n'avait eu de cesse de le devenir plus encore, non pas en tablant sur ses qualités d'entrepreneur, mais en rachetant ses concurrents ou en prenant au bulldozer le contrôle d'affaires que d'autres avaient consacré leur vie à édifier et à faire prospérer.

Il pensa à Gustav, à sa maison, sa banque, son argent. Il se sentait soudain complètement dérisoire, nié. Il était quoi, là ? Un crétin qui se décarcassait pour un salaud ?

« Continue, murmura-t-il.

— Le P.-D.G. était marié et père de famille, une vieille fortune qui avait des relations haut placées dans le gouvernement dominicain. Un pareil scandale l'aurait détruit.

— Et là… laisse-moi deviner… Gustav Carver lui a collé les preuves récoltées par le privé sous le nez et l'a forcé à se retirer du deal ?

— C'est presque ça, fit Eloise. M. Carver ignorait tout de l'exploitation de la bauxite, alors il a quand même pris les Dominicains dans l'affaire, à titre d'associés.

— Devant ce succès — et s'avisant que les pédophiles forment un petit cercle très fermé et qu'ils ont tendance à tous se connaître —, il s'est mis à alimenter le P.-D.G. et ses *"amis"* en "produits" frais, c'est ça ?

— Oui.

— Et naturellement, ces *"amis"* étaient des hommes d'affaires avec lesquels Carver pouvait passer des marchés ou, à défaut, qui connaissaient des gens susceptibles de l'aider à étendre son empire ?

— Oui.

— En résumé, il les approvisionnait en enfants et, en contrepartie, ils lui amenaient des dollars et des contrats ? demanda Max.

— Et, plus important encore, des contacts. Des hommes comme eux, en général, mais pas systématiquement, et tous très très puissants. M. Carver *achète* les gens. C'est comme ça qu'il a fait de son empire commercial ce qu'il est aujourd'hui — et pas seulement ici, en Haïti… Il a des intérêts dans le monde entier. »

Elle se tut, étala son mouchoir sur ses genoux et, le prenant par le coin gauche, le plia soigneusement en triangle, avant de le replier une nouvelle fois en deux. Elle lissa le tissu du plat de la main, admira son œuvre puis, posément, redéfit tout en sens contraire.

« Mais ça ne se borne pas à une simple histoire de pognon et de piston, hein ? fit Max pour la relancer. Toute cette belle petite fange qu'il a raclée sur le compte de ces hommes si puissants, si haut placés, il doit en avoir de quoi tous les enterrer dix fois dedans. Il les *tient.* Ils sont à sa merci. Ce sont ses esclaves. Il leur dit de sauter, et ils lui demandent : "À quelle hauteur ?" Je me trompe ? »

Eloise fit non de la tête.

« Et Allain, là-dedans ? » Paul fixa Eloise. « Est-ce qu'il a trempé dans cette histoire ?

— *Allain ?* Non. *Jamais de la vie !* » Son rictus se mua en ricanement.

« Qu'est-ce que ça a de si drôle ? » Max la fusilla du regard. Son petit sourire d'instit' à la « je-sais-tout » lui tapait sur les nerfs.

« M. Carver appelait Allain sa petite "fillote". Il disait que s'il avait su qu'il deviendrait pédé, il l'aurait refilé à un de ses clients — gratis ! acheva-t-elle en s'esclaffant.

— Ben voyons ! l'interrompit Vincent Paul. Pour lui, les gays sont d'affreux pervers, mais les pédophiles… non ! »

Incapable de soutenir son regard, Eloise se réattaqua à son mouchoir qu'elle roula en boudin, comme de la pâte à tarte.

« Si je comprends bien, Allain n'était au courant de *rien* ? reprit Max.

— Même *moi*, j'ignorais tout de ça, Max, fit Paul.

— Vous n'êtes pas le *fils* de Gustav.

— Un fils qu'il a quasiment renié, lui rappela Paul. Je crois qu'elle dit la vérité. Je connais Allain. Il n'est même pas informé de la plupart des affaires *légales* de son père. J'ai mes sources internes, n'oubliez pas… Or, ça, Gustav l'a gardé *vraiment* secret. Se permettre ce genre d'agissements dans un pays aussi petit sans que rien ne transpire… il faut le faire ! Et si bien brouiller les pistes que *même moi* je n'en aie pas eu vent…

— Tout le monde était mouillé, dit Eloise. C'est pour ça que personne n'en a soufflé mot. Et avec les relations qu'avait Gustav, au moindre signe qu'il risquait d'y avoir des fuites…

— … il écrasait les velléités de révélation dans l'œuf », acheva Paul.

Max repensa à Allain. Sauf à découvrir des preuves qui l'innocentaient sans doute possible, il résolut de l'interroger tout de même sur ce qu'il savait ou pas, juste pour en avoir le cœur net.

« Parle-moi de l'Arche de Noé.

— Personne n'a jamais rien soupçonné. Tout le monde pensait que c'était une œuvre charitable — et ça l'était, pour les enfants *loupés.*

— Comment ça "loupés" ?

— Les invendus — ceux qui ne trouvaient pas preneur.

— Où est-ce qu'ils finissaient, eux ?

— M. Carver leur trouvait des petits jobs quelque part.

— Pas de gaspillage, quoi… » Max jeta un coup d'œil à Paul. À voir son visage figé, ses mâchoires crispées, ses lèvres pincées et ses douze doigts qui se repliaient en poings, il était clair qu'il s'apprêtait à cogner. Pourvu qu'il lui laisse le temps de faire cracher à Eloise tout ce qu'elle savait avant de lui arracher la tête…

« Depuis quand tu "formes" des enfants ?

— Je devais avoir quinze, seize ans quand j'ai commencé. M. Carver était très fier de moi. Il me téléphonait. J'étais sa favorite, sourit-elle, ses yeux embués de larmes brûlant en même temps d'une fierté glacée.

« M. Carver s'y connaissait déjà un peu en philtres vaudous et savait quels ingrédients entrent dans la composition de la potion qu'on fait boire aux gens pour les transformer en zombis. Il avait étudié tout ce qui touchait à ça. En plus de ça, c'est aussi un hypnotiste patenté, vous savez. Il m'a dit qu'il s'était toujours amusé sur des enfants — des gosses des bidonvilles.

— Comment ? Dans un but sexuel ?

— Pour leur apprendre la politesse.

— Alors, c'est une idée de Carver, d'enlever des gamins mal dégrossis et de les "former" pour en faire des esclaves dociles, dotés de manières de table irréprochables, afin qu'ils ne détonnent pas chez les gens bien ?

— Oui. Personne n'irait acheter une voiture qui n'a pas toutes ses finitions.

— Et il continue à le faire ? À hypnotiser des enfants ?

— Oui, de temps en temps. Mais il a transmis son savoir-faire à quelques personnes, à la Gonâve. »

Max se mit à suivre des yeux une longue fissure qui courait sur le mur qui lui faisait face, histoire de s'abstraire un moment de tout ça, de laisser ses idées vagabonder un peu après cet effort de concentration. Il sentait la colère bouillir en lui et l'écœurement lui retourner les tripes. Il se revoyait avec Gustav en train de regarder le portrait de sa femme, touché par ce vieillard dont il comprenait la souffrance parce qu'il était veuf comme lui, parce qu'ils avaient tous deux perdu l'être qu'ils aimaient le plus au monde. Il avait entretenu en lui cette image, y avait vu la preuve que Gustav Carver n'était pas un monstre, mais un homme — un être humain, en dépit de tout... Même ce que Vincent lui en avait dit n'avait pu totalement effacer cette image. Mais devant *ça*... — ce qu'il venait d'entendre, ce qu'il écoutait... —, sa tendresse pour le vieil homme s'était dissoute comme dans un bain d'acide. Il aurait aimé qu'Eloise mente. Mais ce n'était pas le cas.

Il fallait qu'il continue. Qu'il aille jusqu'au bout.

« Et les enfants adoptés, dans tout ça ? Qu'est-ce qui se passait en cas de pépin — s'ils tentaient de s'enfuir ou de raconter à quelqu'un ce qui leur était arrivé ?

— Ils sont conditionnés pour ne pas le faire. Nous fournissons à leurs acquéreurs la potion qui les maintient dans un... » Elle s'interrompit, cherchant la formulation adéquate, et acheva avec un sourire : « ... un état "coopératif". Et nous avons aussi des gens prêts à intervenir. En cas de problème, le client appelle un numéro et nous nous chargeons de le régler.

— Un genre de contrat d'entretien, comme pour… un lave-linge, quoi…

— C'est ça, fit-elle avec un sourire condescendant. Un "contrat d'entretien", comme vous dites. Ça couvre tout, depuis réorienter l'enfant — autrement dit, le reconditionner sous hypnose — jusqu'à, au pire, le retirer de la circulation.

— Le tuer, tu veux dire ?

— Ça s'est révélé nécessaire, en effet, fit-elle en hochant la tête. Mais rarement.

— Et au bout de quelques années, quand ils cessent d'être des enfants, qu'est-ce qui se passe ? Vous les tuez aussi ?

— Il a parfois fallu le faire, c'est vrai, reconnut-elle. Mais c'est rare. Pour la plupart, ils grandissent et font leur vie. Certains restent avec leur propriétaire.

— Comme tu as fait, toi ?

— Oui.

— Et si, par exemple, j'étais un client qui avait des goûts très spéciaux ? Que je désirais, disons, un petit Asiatique ?

— Ça peut s'organiser sans problème. Nous avons des antennes dans le monde entier. Nous vous en ferions livrer un par avion. »

Max décida d'en revenir à Charlie.

« Et si on vous demandait un enfant qui a un handicap ?

— Le cas ne s'est jamais produit, à ma connaissance. Mais il n'y a pas de limite jusqu'à laquelle nous ne soyons prêts à aller pour satisfaire nos clients. Cela dit, on ne nous a jamais formulé ce genre de demande », répondit Eloise.

Max jeta un coup d'œil à Paul et secoua la tête. *Ils n'ont pas Charlie. Ce n'est pas eux qui l'ont enlevé.*

« Qui a kidnappé Charlie Carver ? demanda-t-il.

— Personne. Il est mort. J'en suis persuadée, et Maurice aussi. Il a interrogé des tas de témoins qui ont vu la foule s'attaquer à la voiture. Tous lui ont dit que le petit avait été piétiné et écrasé par les gens qui se ruaient sur Eddie Faustin.

— On aurait dû retrouver son corps, non ? insista Max.

— Il n'avait que trois ans. Un bébé de cet âge passe facilement inaperçu.

— Et il n'en serait rien resté du tout, une fois la foule dispersée ?

— Pourquoi pas ? Un père ou une mère a très bien pu récupérer ses vêtements pour un de ses enfants. »

Paul prit une profonde inspiration. Malgré son visage figé et impénétrable, Max devina à son souffle saccadé la profonde souffrance qui l'oppressait. Paul croyait ce qu'elle venait de dire. Son fils était mort.

Max scruta le visage d'Eloise pour voir si elle avait entendu ou remarqué quelque chose, mais elle triturait les coins de son mouchoir, les yeux baissés.

Il doutait toujours de la mort de Charlie. Quelque chose lui criait que ce n'était pas le cas.

Et Filius Dufour, alors ? Et la certitude qu'avait Francesca que son fils était toujours en vie ?

Tu crois ce que racontent un vieux voyant et une mère désespérée ? répliqua la voix de la raison. *Allons donc !*

Max en avait presque terminé avec Eloise.

« Est-ce que Gustav Carver s'impliquait personnellement dans la gestion de l'organisation ?

— Jusqu'à son attaque, il s'en occupait *très activement*. Je vous l'ai dit, *c'est* Tonton Clarinette.

— Quel était son rôle ?

— Il aidait à suggestionner les enfants sous hypnose.

— Comment ?

— Vous avez trouvé les CD, dans le bureau ? »

Max fit oui de la tête.

« Vous les avez écoutés ?

— Pas encore. Qu'est-ce que j'aurais entendu, sinon ?

— *Do, ré, mi, fa, sol** — chacune de ces notes jouée à la clarinette, avec un petit silence entre elles. Sur chaque CD, une de ces cinq notes est tenue un peu plus longtemps. Par exemple, *ré* sur le CD bleu, *fa* sur le rouge, et ainsi de suite... Ce sont des codes, expliqua Eloise. Ils sont implantés dans le cerveau des enfants sous hypnose.

« Le processus comprend six étapes. Les trois premières effacent tout ce que vous savez et les trois dernières le remplacent par ce que nous voulons que vous sachiez. Par exemple, beaucoup d'enfants — quatre-vingt-dix pour cent — venaient de la rue. Ils ignoraient tout des manières de table et de l'usage de la fourchette et du couteau. Ils mangeaient avec leurs doigts, comme les singes. Sous hypnose, ils sont conditionnés à ne plus le faire, à perdre l'association mentale nourriture-doigts, à *oublier* qu'ils ont un jour mangé de cette façon — à le *désapprendre*, si vous voulez.

— Mais ça, ils auraient pu l'apprendre de toute façon, non ?

— Évidemment. Chez la plupart des individus, l'apprentissage se fait par la répétition, à force de tâtonnements. Sauf que cela prend énormément de temps, expliqua-t-elle.

— Si je comprends bien, vous appreniez aux enfants à associer un certain type de comportement à un certain code musical. Pour que ça devienne un réflexe — comme le chien de Pavlov à qui on avait appris à faire le beau et à remuer la queue chaque fois qu'il entendait une cloche sonner ?

— C'est exactement ça — du conditionnement, dit Eloise.

— Laisse-moi deviner... Les pervers utilisaient les codes pour s'assurer de la docilité des enfants ? »

Eloise hocha la tête. « Oui. Les codes Clarinette provoquent chez les enfants conditionnés des réactions pavloviennes. Les clients n'ont qu'à leur faire écouter un code préétabli pour obtenir d'eux ce qu'ils veulent. Par exemple, pour une totale soumission sexuelle, ils passent un CD où le code est joué à l'envers. S'ils veulent que l'enfant soit sage comme une image en présence d'adultes, ils lui font écouter un CD dont la note dominante est le *ré*. Vous pigez le tableau ?

— En scope et couleurs ! » marmonna Max, écœuré. Il se tourna vers Paul et sentit son regard enfoui tout au fond de ses orbites peser sur lui. Les ondes de fureur qu'il irradiait étaient presque palpables. Il se retourna vers Eloise. « Vous vous serviez aussi de la potion magique à faire les zombis, non ?

— Comment vous le savez ?

— J'ai ça sur une vidéo, fit Max.

— Une vidéo ? Où l'avez-vous trouvée ? fit-elle, visiblement inquiète.

— Peu importe. Réponds-moi : cette potion, à quoi elle vous servait ?

— À rendre les enfants dociles et réceptifs à leur conditionnement. Un cerveau drogué est plus facile à suggestionner. »

Max secoua la tête et se massa les tempes. Il n'en pouvait plus — d'écouter ça, d'être dans cette pièce.

« Tu veux dire que celui qu'on entend sur les CD, c'est Gustav Carver ? C'est lui qui joue de la clarinette ?

— Il participait aux séances d'hypnose. Il jouait de la clarinette pour conditionner les enfants. Quand vous irez au quartier général, à la Gonâve, descendez à la salle vidéo — vous y trouverez un tas de cassettes et de photos où on le voit assis au milieu de groupes d'enfants. Maurice m'a dit qu'il lui avait demandé un jour pourquoi il tenait à participer aux séances au lieu d'enregistrer les notes une bonne fois pour toutes. M. Carver lui a répondu qu'il n'y avait que comme ça qu'il avait l'impression de détenir un *"pouvoir absolu"*.

— Quand a-t-il cessé de jouer ?

— Vers le milieu des années 1980 — à cause de sa santé. Il s'est peut-être retiré, *lui*, mais son mythe a perduré.

— Tonton Clarinette ?

— Oui ! Combien de fois il faut que je vous le dise ? Tonton

Clarinette existe. Tonton Clarinette est M. Carver — Gustav Carver.

— Mais si tout ça était censé rester secret, comment le mythe s'est-il répandu ?

— Quelques enfants ont réussi à s'échapper, au fil des ans, répondit-elle à voix basse. Pas de chez nous, mais de chez leurs maîtres. Trois d'entre eux sont toujours dans la nature.

— Est-ce qu'il y a un Boris Gaspésie parmi eux ?

— Oui. Comment vous le savez ?

— Je pose les questions et tu y réponds ! Qui sont les deux autres ?

— Deux filles — Lita Ravix et Noëlle Perrin. »

Max nota les deux noms dans son carnet. Il en avait terminé avec elle. Il la dévisagea un instant, scrutant sa face de rat dans l'espoir d'y lire du remords ou de la honte pour ce qu'elle avait fait. Mais il perdait son temps. Ces sentiments lui étaient inconnus.

D'un signe de tête, il indiqua à Paul qu'Eloise était à lui, puis se leva et sortit.

53

Max faisait les cent pas dans la rue, retournant dans sa tête les révélations d'Eloise.

Il faudrait qu'il recoupe toutes les preuves et, surtout, qu'il cuisine sérieusement Gustav Carver pour lever ses derniers doutes — même s'il était quasi sûr qu'Eloise avait dit la vérité. Elle était incapable de mentir : son instinct de conservation n'avait pas résisté aux sévices qu'elle avait subis. Les menteurs s'empêtraient tôt ou tard dans leurs mensonges et se trahissaient eux-mêmes par des contradictions ou des invraisemblances, souvent d'infimes points de détail, genre le petit bout de fil qui dépasse et qui, si on tire dessus, défait tout le tricot… Ce qu'Eloise lui avait dit se tenait et pointait dans une seule et même direction.

Et justement, il y avait un truc qu'il ne s'expliquait pas : par quelle aberration Gustav Carver avait choisi de faire appel à des privés américains pour enquêter sur la disparition de Charlie. Il ne lui était pas venu à l'idée qu'ils pourraient découvrir son petit business en fouinant ? Ça ne l'avait même pas effleuré que c'était un risque ?

Forcément que si, conclut-il. Ce n'est pas en volant près du soleil qu'on s'élevait aussi haut que Gustav et surtout qu'on s'y maintenait aussi longtemps. Les hommes comme lui ne prenaient jamais de risques inconsidérés. Ils prenaient des risques calculés. Ils ne se contentaient pas de jeter un vague coup d'œil au-dessous d'eux avant de se lancer dans le vide : ils connaissaient chaque millimètre carré du terrain où ils allaient atterrir.

Mais bon, comme tous les despotes, Carver n'en avait toujours fait qu'à sa tête. Jamais il n'avait rencontré d'obstacle qu'il n'ait réussi à renverser. Alors, que lui importait d'être percé à jour ? Que pouvait un individu contre Carver et son réseau de contacts qui, même s'ils ne détenaient qu'une fraction du pouvoir dont Eloise les avait crédités, avaient les moyens de le faire disparaître de la face de la Terre ? Carver s'estimait intouchable — et à juste titre…

Gustav Carver était-il derrière ce qui était arrivé à Medd et à Beeson ? Est-ce qu'ils auraient approché la vérité de trop près ? Non. C'était peu probable. En tout cas, sûrement pas Beeson. Lui n'aurait pas résisté à la tentation de faire chanter Carver et Carver l'aurait éliminé. Pourquoi le laisser vivre, au risque qu'il raconte ce qu'il savait ?

Et la raison de sa présence à lui en Haïti, dans tout ça ? Charlie Carver… Qu'est-ce qui lui était arrivé ?

Sans que ça soit certain, il y avait de grandes chances qu'il fût mort.

Quid d'Eddie Faustin ? Quel rôle avait-il joué ? Qu'il s'apprêtait à enlever le gamin le jour où il avait été mis en pièces ne faisait aucun doute. Il attendait l'arrivée des kidnappeurs à un endroit convenu d'avance, mais les émeutiers avaient déboulé et tout s'était gâché — et salement — pour lui.

À moins que…

Et si Eddie était tombé dans un piège, qu'il s'était fait doubler par les kidnappeurs ? Ce n'était pas impossible. Ils avaient pu payer des gens pour déclencher une émeute autour de la voiture et liquider l'ex-tonton macoute. Ça se défendait, si les kidnappeurs avaient fait ça pour éviter de pouvoir être identifiés — ou soupçonnés.

Cela dit, Codada avait affirmé que Faustin était tout dévoué à

Gustav Carver, qu'il l'aimait comme un père. Pourquoi l'aurait-il trahi ? Qu'est-ce que les kidnappeurs lui avaient offert ? Ou alors, ils ne lui avaient rien offert du tout — peut-être qu'ils avaient quelque chose sur lui. Ça ne devait pas être très difficile : un ex-macoute qui avait du sang sur les mains et qui travaillait à présent pour le chef d'un réseau de pédophiles…

Qu'est-ce que Faustin connaissait des affaires de Gustav Carver ? Est-ce que l'enlèvement y était lié ?

Mais tout ça ne ramenait pas Charlie et n'expliquait pas sa disparition.

Qu'est-ce qu'il avait comme piste ?

Foutre rien. Il était dans l'impasse.

Et comment en sortir ? Mystère…

Une demi-heure plus tard, Paul vint le rejoindre dans la rue.

« Elle m'a dit où se trouve leur QG à la Gonâve. Ils détiennent une vingtaine de gosses là-bas, en ce moment. Ils avaient un cargo pour les y transporter. Tous les mois, ils remplissent ses cales de nouveaux gamins, dit Paul. On ira les récupérer demain soir.

— Pourquoi ne pas laisser ça aux Nations unies ?

— On va monter une opération conjointe avec les casques bleus. J'ai un bon copain dans la force multinationale, expliqua Paul.

— Et pour Gustav ?

— C'est vous qui allez vous y coller.

— *Moi ?*

— Oui, vous, Max. Demain. Je tiens à éviter un bain de sang. Si je débarque avec mes hommes chez les Carver, ses gardes du corps vont se mettre à tirer. Il y a des Américains stationnés pas loin et ils viendront forcément voir ce qui se passe. Les connaissant comme je les connais, ils nous flingueront jusqu'au dernier et repartiront en souhaitant bonne journée à Carver.

— C'est qu'il en a beaucoup, des gardes du corps, Gustav…

— Vous aurez tous les renforts que vous voudrez, en cas de besoin. Mes hommes vous suivront jusque là-bas et attendront à proximité. Vous serez en contact radio avec eux.

— À supposer que j'arrive à le sortir de la maison, j'en fais quoi, ensuite ?

— Vous n'aurez qu'à l'amener jusqu'à la route. Là, on le prendra en charge. »

Max n'était pas chaud pour faire ce que Paul proposait. Jamais encore il n'avait eu à arrêter un de ses clients. Et puis, il y avait cet élan de sympathie qu'il avait eu pour Gustav, lors de leur unique rencontre.

« Prévenez Francesca, qu'elle ne soit pas là. *Idem* pour Allain.

— Je m'en occupe, dit Paul en remettant le cap sur la maison.

— Et eux, alors ? lança Max. Codada et Eloise ? Vous allez leur laisser la vie sauve ?

— Vous le feriez, *vous* ? »

54

Le lendemain matin, la sonnerie du téléphone tira Max du sommeil.

C'était Joe. Il était désolé, mais il avait eu trop de boulot pour s'occuper des renseignements qu'il lui avait demandés.

Max lui dit qu'il fallait absolument qu'il parle à Clyde Beeson. Joe répondit que c'était justement à propos de lui qu'il l'appelait.

On avait retrouvé Beeson mort dans son mobil home. D'après le médecin légiste, sa mort remontait à deux semaines au moins. Son pitbull lui avait boulotté une jambe et commençait à s'attaquer à la seconde quand les flics avaient enfoncé la porte. Bien que le rapport d'autopsie ne l'ait pas encore confirmé, ça avait tout l'air d'un suicide. Il s'était fait sauter la tête avec son Magnum.

Max encaissa la nouvelle avec philosophie. S'il avait des regrets, c'était surtout de ne pas avoir eu l'occasion de discuter à fond avec Beeson de l'affaire qui avait foutu la merde dans sa vie.

Que Beeson ait eu une triste fin ne le surprenait guère. Ça lui pendait au nez. Il avait eu des réussites impressionnantes qui lui avaient permis d'amasser une petite fortune et d'acquérir en outre de solides ennemis. Max en était un et Joe, un autre. Il s'en était fallu d'un cheveu que Beeson bousille leur existence. Et il s'en était aussi fallu d'un cheveu que Joe et lui le liquident.

Il n'éprouvait ni tristesse ni pitié pour Beeson mort. Vivant, il l'avait méprisé et détesté.

« T'as un dernier message pour feu Clyde Beeson ? demanda Joe.

— Ouais. *Adios,* enfoiré ! »

55

Gustav Carver eut un sourire radieux en voyant Max entrer dans le salon, et sa grosse face de gargouille se mua en une chose tout droit sortie d'un dessin d'horreur au fur et à mesure qu'elle enregistrait, intégrait et affichait son contentement. Ses sourcils se froncèrent en accent circonflexe, son front se creusa de sillons aussi distendus que les ressorts d'un extenseur pectoral oublié dans un coin et ses lèvres étirées jusqu'aux oreilles faisaient penser à deux longs élastiques rose pale.

« Max ! Soyez le bienvenu ! » s'écria-t-il de l'autre bout de la pièce vide.

Ils se saluèrent d'une poignée de main. Ne mesurant pas sa force, Carver attira Max contre lui sans le vouloir. Leurs épaules s'entrechoquèrent dans un mouvement maladroit, à la façon de deux athlètes improvisés ignorant l'enchaînement imposé. Carver, qui avait cherché à garder l'équilibre en s'appuyant sur sa canne noire à pommeau d'argent, chancela, menaçant de tomber à la renverse. À deux mains, Max le remit d'aplomb. Gustav se redressa et remarqua les traces de sa mini-panique, il eut un ricanement non dépourvu d'une certaine coquetterie. Il empestait l'alcool, la cigarette et le musc.

Dans un coin de la pièce, Max remarqua un grand sapin de

Noël installé près du portrait de Judith Carver. Dissimulées dans les épines, de petites lumières en fibre optique clignotaient sans cesse, allant du rouge au violet en passant par le bleu avant de faire un arrêt prolongé sur le blanc et de reprendre l'alternance des couleurs. Le reste de l'arbre était décoré de guirlandes étincelantes or et argent, de boules et autres pendeloques, et se couronnait d'une étoile dorée. Sa ringardise détonnait avec le reste du mobilier Carver d'un goût très sûr.

Gustav sembla lire dans les pensées de Max.

« Ça, c'est pour les domestiques. Ça les fascine, ces lumières à la noix, ces demeurés. Un soir par an, je les laisse utiliser le salon. J'achète des cadeaux, pour eux et leurs enfants, et ils viennent les chercher. Vous aimez Noël, Max ?

— Je n'en suis plus très sûr, monsieur Carver, dit Max calmement.

— Moi j'en ai une sainte horreur. Depuis que j'ai perdu Judith. »

Max garda le silence, non par embarras, mais chez ce vieillard rien ne parvenait à l'émouvoir.

Gustav l'observa avec curiosité, le front tendu, le regard plissé et les rides se creusant aux coins des yeux. Une expression de méfiance hostile lui passa sur le visage. Max lui renvoya un regard vide qui n'exprimait rien d'autre que son indifférence.

« Que diriez-vous d'un verre ? » dit-il d'un ton impérieux plus qu'engageant.

Du bout de sa canne il indiqua les fauteuils et les canapés.

« Asseyons-nous. »

Une hanche après l'autre, il s'enfonça dans son fauteuil, ses os saillants craquant à chaque effort. Max ne lui proposa aucune aide.

Gustav frappa dans ses mains et appela un domestique sur un ton proche de l'aboiement. Une bonne en uniforme noir et blanc sortit de l'obscurité qui baignait l'entrée où elle attendait probablement debout depuis tout ce temps. Max n'avait ni remarqué ni même senti sa présence. Carver demanda un whiskey.

Max prit place à côté du fauteuil.

Tendant le bras jusqu'à la table basse, Carver y prit un étui en argent rempli de cigarettes sans filtres. Il en sortit une, remit la boîte à sa place et saisit un cendrier en verre fumé dans lequel se trouvait un briquet en argent. Il alluma sa cigarette, aspira une longue bouffée et retint la fumée quelques instants avant de la laisser s'échapper lentement.

« Elles viennent de République dominicaine, fit-il en levant sa cigarette. Autrefois elles étaient fabriquées ici. Elles étaient roulées à la main. Il y avait à Port-au-Prince une boutique tenue par deux femmes, d'anciennes bonnes sœurs. C'était un endroit minuscule qui s'appelait *Le Tabac**. Toute la journée, elles roulaient des cigarettes assises à leur fenêtre. Une fois je les ai observées pendant environ une heure. J'étais assis à l'arrière de ma voiture et je les ai regardées faire. De la concentration, de la dévotion à l'état pur. Quel travail, quel métier ! Sans arrêt, des clients entraient et les interrompaient pour acheter une ou deux cigarettes. L'une d'elles servait pendant que l'autre continuait. Moi, je les achetais toujours par deux cents. Le plus incroyable, c'est qu'elles étaient toutes rigoureusement identiques. Impossible de les distinguer. *Incroyable.* Cette précision, cette application ! Vous savez, je demandais à tous mes employés de s'asseoir devant cette boutique et de regarder ces femmes travailler, histoire de leur inculquer un certain nombre de vertus comme le sérieux et l'amour du travail bien fait et qu'ils les mettent en pratique en travaillant chez moi.

« Ces cigarettes étaient fabuleuses. Elles avaient un goût riche, profond, le plaisir absolu. Je n'en ai jamais fumé de meilleures. Celles-ci ne sont pas mal, mais rien de tel que l'original.

— Et la boutique, qu'est-ce qu'elle est devenue ? » demanda Max, par politesse plus que par intérêt. Il dut tousser et s'éclaircir la voix pour la rendre tout à fait audible. Non pas qu'il eût un chat dans la gorge, mais l'inquiétude le gagnait : il était comme parcouru d'une énergie néfaste qui lui tendait les muscles et accélérait les battements de son cœur.

« L'une des femmes a eu la maladie de Parkinson. Elle a été obligée d'arrêter de travailler et l'autre a fermé la boutique pour s'occuper d'elle. En tout cas, c'est ce qu'on m'a raconté.

— Au moins, ce n'était pas le cancer.

— Elles ne fumaient pas », dit en riant Carver, au moment même où la bonne réapparaissait avec une bouteille de whiskey, de l'eau, des glaçons et deux verres sur un plateau. « Je bois et je fume toujours à cette époque de l'année. Au diable les médecins ! Et vous ? Ça ne vous tente pas ? »

Max fit non de la tête.

« Mais vous prendrez bien un verre avec moi ? »

Encore une fois, il s'agissait d'un ordre plus que d'une proposition. Max acquiesça d'un hochement de tête et esquissa un sourire mais ce mensonge figea ses lèvres en une moue crispée. Carver lui décocha à nouveau un regard étrange, empreint cette fois de suspicion.

La bonne détourna son attention en remplissant les verres. Carver buvait son whiskey sec. Max le prit avec des glaçons et noyé d'eau. La bonne partie, ils trinquèrent à leurs santés respectives, à l'année à venir et à un dénouement heureux de l'enquête. Max fit semblant d'avaler une gorgée.

Chez lui, il avait réfléchi à tête reposée à la meilleure façon d'annoncer à Carver qu'il allait l'emmener. Il avait envisagé de le confronter d'emblée à ce qu'il savait, puis de le traîner jusqu'à sa voiture. Mais il n'était plus flic. Cette possibilité était exclue.

Il fallait faire avouer Carver, l'obliger à confesser qu'il était le cerveau du réseau pédophile et le contraindre à s'expliquer sur ses agissements. Max avait passé la journée entière à trouver comment l'amener à s'enfoncer tout seul. Il avait circonscrit toutes les échappatoires possibles pour que ses aveux ne soient plus qu'une simple formalité, un échec au roi symbolique.

Toute la journée, il avait travaillé sa stratégie, anticipé toutes les tournures que pouvait prendre cette confrontation et préparé une réponse à toute éventualité. Il s'était répété les questions qu'il allait poser et avait travaillé sa voix jusqu'à parfaire le ton qu'il recherchait. Celui d'une conversation légère, amicale, ouverte, d'apparence détendue. Il fallait un bel appât et surtout pas d'hameçon.

Paul l'avait appelé dans l'après-midi pour lui dire d'aller chercher le vieux une fois qu'ils auraient pris le QG de la Gonâve. Il s'était arrangé pour qu'Allain téléphone à son père sous prétexte de le tenir au courant de l'enquête. D'après Paul, Allain avait été assez bouleversé à l'idée de passer cet appel. Pour lui, c'était trahir son père et non organiser la chute d'un criminel.

La nuit venue, Max avait les idées bien claires. Il s'était douché, rasé, et avait passé un pantalon propre et une chemise. Vers neuf heures, il avait reçu un appel d'Allain. Il en déduisit que l'opération de Paul avait réussi.

En sortant de la maison, il avait été arrêté au volant de sa voiture par des hommes de Paul qui étaient en Jeep. Ils lui avaient remis une enveloppe non cachetée qu'il devait donner à Gustav au moment voulu.

Ils lui dirent aussi qu'il faudrait qu'il ait un mouchard pendant sa rencontre avec Gustav.

Ce qui avait tout chamboulé — dans sa tête, en tout cas.

Il n'en avait jamais porté. Il avait toujours été de l'autre côté, à écouter. C'est un fil que l'on raccorde à la vermine pour qu'elle vous conduise à pire encore.

Mais il paraît qu'il y allait de sa sécurité, qu'il ne pouvait pas se pointer un talkie-walkie à la main.

D'accord, ça allait de soi, mais ce qui le gênait c'était tout le reste : jouer les cafards pour Paul et faire tomber Gustav Carver en l'amenant à enregistrer ses aveux, et donc signer son arrêt de mort.

Il y avait réfléchi, mais finalement pas trop. Il n'avait ni le temps ni vraiment le choix de faire autrement. Il fallait accepter ce qu'il ne pouvait refuser.

Ils étaient retournés dans la maison. Max s'était rasé la poitrine et ils lui avaient scotché le micro juste au-dessus du sein. Le fil redescendait le long de sa poitrine puis contournait son dos, comme une longue sangsue, jusqu'au récepteur et à la pile fixés à son pantalon.

Ils firent un essai. Sa voix s'éleva, nette et claire.

Ils rejoignirent leurs véhicules. Il demanda comment s'était passée l'opération à la Gonâve. Ils lui répondirent que tout s'était parfaitement déroulé.

En roulant vers le domaine de Carver, il se dit que tout ce qu'il souhaitait pour Noël, c'était d'en finir avec tout ça, Haïti, Carver et toute cette histoire.

De toute façon, pour lui, l'enquête était terminée. Charlie Carver était mort et son corps ne serait, selon toute vraisemblance, jamais retrouvé. La foule qui avait tué Eddie Faustin l'avait piétiné à mort.

Voilà qui était clair, précis et d'une logique implacable, au moins sur le papier.

Ça irait comme ça, même si ce n'était pas entièrement satisfaisant. Car pour lui ça ne l'était pas. Encore moins s'il voulait dormir en paix le reste de sa vie.

Il lui fallait d'autres preuves pour s'assurer que l'enfant était bien mort.

Mais comment les trouver ? Et pour quoi faire ?

Et d'ailleurs, qui voulait-il épater avec toutes ces conneries ? Il n'était plus détective. Fallait pas l'oublier. C'était fini tout ça. Lui aussi, il était fini. Tu parles ! Depuis le moment où il avait flingué ces gosses à New York. Là, il avait franchi le point de non-retour. On l'avait jugé pour meurtre, il avait tué trois jeunes, de sang-froid. Gommant d'un coup tout ce qu'il avait été et presque tout ce qu'il avait représenté auparavant.

Et voilà qu'il tendait des pièges à un ancien client. C'était la première fois qu'il vendait celui qui le payait. Aucun de ses collègues ne l'avait fait. Même pas Beeson. Ça ne se faisait pas, tout simplement. En vertu d'un code éthique inviolable et vieux comme le monde, d'une règle tacite qui se transmettait avec un clin d'œil et à voix basse.

Carver, comme d'habitude, sirotait un excellent whiskey.

Max l'apprécia rien qu'à l'odeur qui s'exhalait de son propre verre en dépit de la quantité d'eau ajoutée.

« Allain et Francesca descendront dans un instant », dit Gustav.

Erreur, pensa Max. Il les avait croisés en arrivant. Ils s'en allaient dans une voiture conduite par les hommes de Paul.

« Alors ? Où en est l'enquête ? demanda Gustav.

— Pas très loin, monsieur Carver. Je crois bien que c'est une impasse.

— Ça arrive dans votre profession tout comme, j'imagine, dans les boulots qui demandent du nerf et de la cervelle, non ? Vous prenez une route et vous tombez sur un mur. Vous faites quoi ? Vous retournez à la case départ et vous prenez une autre route. »

Carver lui jeta un regard féroce, perçant. Il était habillé comme lors de leur dernière rencontre. Costume beige, chemise blanche et chaussures noires bien cirées.

« C'est soudain, cette crise de constipation ? D'après Allain, il y a quelques jours, vous étiez sur une piste, à deux doigts d'une découverte majeure. » À présent, la voix de Carver avait un accent franchement méprisant. Il écrasa sa cigarette et posa le cendrier sur la table. Presque immédiatement, une bonne vint le remplacer par un autre, identique.

« En effet, j'étais sur une piste, confirma Max.

— Et alors ?

— Ce n'était pas ce que j'espérais. »

Gustav le dévisagea comme s'il venait de comprendre quelque chose, puis eut un léger sourire.

« Vous retrouverez mon petit-fils. Je sais que vous y arriverez. » Il vida son verre d'un trait.

Max envisagea trois réponses : un mot d'esprit, un sarcasme ou vlan ! le coup de grâce. Il ferait moins le malin. Finalement il se contenta de sourire en baissant les yeux pour lui faire croire qu'il se sentait flatté.

« Tout va bien ? demanda Carver en le fixant. Vous n'avez pas l'air d'être vous-même.

— Tout dépend de quel "moi-même" vous voulez parler... ? demanda Max sur un ton plus affirmatif qu'interrogateur.

— Celui qui était ici la dernière fois. Celui que j'admirais, mon John-Wayne-Mingus, le bon péquenot tout feu tout flammes. Vous êtes sûr que vous ne couvez pas quelque chose ? Vous ne seriez pas allé voir une de ces putes par hasard ? Il suffit de leur écarter les cuisses et vous avez toute une encyclopédie sur les maladies vénériennes ouverte devant vous. » Carver gloussa sans faire attention à ce qui venait de se passer. Max avait enlevé ses gants. L'interrogatoire allait commencer.

Max secoua la tête.

« Alors c'est quoi votre problème ? » Carver se pencha doucement vers Max, lui flanqua une grande tape dans le dos et se mit à rire. « Vous n'avez même pas touché à votre verre ! »

Max le regarda, droit dans les yeux. Carver se figea. Il avait encore son sourire, mais ce n'était qu'un masque de peau fripée, fendu par une double rangée de dents. Toute joie avait quitté son visage.

« C'est Vincent Paul, n'est-ce pas ? » Gustav se rendossa dans son fauteuil. « Vous lui avez parlé. Il vous a dit des choses sur moi, c'est bien ça ? »

Max ne fit aucune réponse, ne montra aucun trouble. Il se contenta de scruter Gustav avec une expression d'indifférence totale.

« Je suis sûr qu'il a dû vous raconter des choses terribles sur moi. Des horreurs. Le genre de trucs qui vous pousse à vous demander pourquoi vous travaillez pour moi, pour un tel *monstre*. Mais n'oubliez pas que Vincent Paul me hait et un homme qui en déteste un autre à ce point n'en aura jamais fini de justifier sa haine et surtout de vouloir y convertir les autres. » Carver se mit à ricaner, sans affronter le regard de Max. Il se pencha au-dessus de la table et reprit une cigarette. Il en tapota chaque extrémité avant de la mettre à sa bouche et de l'allumer.

« À mon avis, vous n'avez pas besoin que je vous fasse un dessin.

— Ce n'est pas lui qui a enlevé Charlie, dit Max.

— Tiens donc ! Mais qu'est-ce que vous me racontez comme conneries ! » Carver fulminait, le poing crispé sur sa cigarette.

« Il était là le jour où Charlie a été enlevé, mais ce n'est *pas lui* qui a fait le coup. » Max haussa le ton, mais garda son calme.

« Qu'est-ce qui vous prend, Mingus ? fit Carver en reprenant son souffle. Moi, je vous *dis* que c'est lui !

— Et moi, je vous répète que non, *ce n'est pas lui*. Il n'a rien à voir là-dedans. Le kidnapping, c'est pas son genre, monsieur Carver, lui fit remarquer Max de façon appuyée.

— C'est quand même un trafiquant de drogue.

— Un *baron* de la drogue, corrigea Max.

— C'est quoi, la différence ? Ils vivent un an de plus ?

— À peu près, ouais.

— Alors, que vous a-t-il raconté, ce Vincent Paul ?

— Des tas de choses, monsieur Carver. Beaucoup, beaucoup de choses.

— Comme quoi... ? » Carver ouvrit ses bras, comme pour l'inviter à parler. « Il vous a raconté ce que j'avais fait à son père ?

— Mouais. Vous avez brisé sa carrière et...

— Je n'ai pas brisé sa carrière. Le pauvre diable allait faire faillite, de toute façon. Je me suis contenté de mettre un terme à ses souffrances.

— Vous avez détruit leur domaine. Vous n'étiez pas obligé d'en arriver là.

— Ils me devaient de l'argent. Moi, j'ai pris mon dû. À la guerre comme à la guerre, monsieur Mingus. Or, les affaires, c'est la guerre, et *j'adore* ça. »

Carver eut un rire caustique et se resservit un whiskey.

« Ça vous a fait quel effet d'écouter sa petite litanie ?

— J'ai compris sa haine, monsieur Carver, répondit Max. J'ai même ressenti de la compassion pour cet homme. Dans un pays comme celui-ci, où l'on n'a que le pouvoir que l'on se donne, la bonne vieille loi du talion est la seule façon de se venger. Et je suis bien persuadé que quelqu'un comme vous, qui connaît le vrai sens du mot haine et ce que haïr veut dire, est capable de comprendre un Vincent Paul, cet homme qui en déteste un autre à cause des saloperies qu'il lui a faites. C'est comme ça que vous agiriez, monsieur Carver, parce que vous, c'est du tout vu. La haine engendre la haine, vous êtes d'accord avec ça. Ça vous convient parfaitement.

— Vous pensez donc que je suis un *monstre* ? Bienvenue au club !

— Non, ce n'est pas ce que je dirais, monsieur Carver. Vous êtes un homme, tout simplement. La plupart des hommes sont bons, certains sont mauvais. Et puis, il y en a qui sont *très* mauvais, monsieur Carver », dit Max d'une voix basse mais claire, le regard perçant comme une lame.

Carver poussa un soupir, avala son whiskey et laissa tomber sa cigarette dans son verre, où elle s'éteignit.

« Vous préférez la parole d'un trafiquant de drogue — enfin, d'un *aristocrate* de la drogue, comme vous dites — à la mienne. Vous êtes policier, monsieur Mingus. Un policier nullard, renvoyé de la police, certes, mais vous n'en restez pas moins policier pour autant. Les gens restent ce qu'ils sont. Vous *savez* le mal que le poison vendu par cet homme fait à vos compatriotes, à leurs enfants. Vous l'avez vu de vos propres yeux. Comme vos amis et vos collègues. À elle seule, la drogue constitue la plus grande menace qui pèse sur le monde occidental. N'empêche que ça ne vous gêne nullement de prendre parti pour l'un des plus grands fournisseurs de la planète.

— Je suis au courant des activités de Vincent Paul, monsieur Carver. Et depuis quelques heures seulement, je suis aussi au courant des vôtres.

— Je ne vous suis pas.

— Eh bien, en ce moment même, votre propriété de... la Gonâve a changé de propriétaire et vos petites affaires sont terminées. »

Carver reçut le coup avec une telle violence qu'il ne put masquer sa surprise. En une fraction de seconde, Max vit un homme totalement mis à nu, l'image absolue de la terreur muette.

Carver tendit lentement le bras en direction de son étui à cigarettes. Par précaution, Max défit le clip de sécurité de son étui de revolver, même s'il doutait que le vieux eût une arme sur lui ou à portée de main.

Sans faire de bruit, la bonne sortit de l'ombre, remplaça le verre de whiskey et le cendrier et se retira aussitôt, la tête baissée.

Max ne songeait pas à forcer les aveux du vieux, il ne pensait pas devoir en arriver là. Carver allait parler de son plein gré, en temps et en heure.

Le vieillard se versa un autre verre de whiskey, rempli à ras bord, cette fois.

Puis il alluma une autre cigarette et se rassit dans son fauteuil.

« J'imagine que vous savez ce que les hommes de Paul vont trouver à la Gonâve ? demanda Carver d'un ton un peu las.

— Des enfants ?

— Une vingtaine environ, confirma Carver, avec un calme et une sincérité dont Max resta déconcerté.

— Vous avez aussi des dossiers là-bas, n'est-ce pas ? Les détails de chaque vente, avec l'identité du client, son activité, son adresse.

— Oui, acquiesça Carver. Ainsi que des preuves sur films ou photographies. Mais vous parlez d'un trésor ! En allant fouiner dans cette maison comme vous l'avez fait... Vous avez la moindre idée de ce que vous allez mettre au jour ?

— Je vous écoute.

— À côté, la boîte de Pandore ressemble à un sachet de cacahuètes.

— Dois-je comprendre que vous avez des contacts, monsieur Carver ? ironisa Max.

— Des contacts, s'esclaffa-t-il. Des *contacts* ? Mais je suis branché à même le putain de *réseau*, Mingus ! Savez-vous que sur un seul coup de téléphone de ma part vous êtes un homme mort ? Un second et vous disparaissez sans laisser de trace, comme si vous n'aviez jamais existé. Ça, vous le savez ? Ça devrait vous donner une idée du pouvoir que j'ai entre les mains et de l'ampleur de mes *contacts*.

— Je n'en doute pas, monsieur Carver. Seulement, ni le premier ni le second appel ne vous seront d'aucune utilité.

— Tiens donc ! Et pourquoi cela ?

— Vos lignes ont été coupées. Vous n'avez qu'à essayer. » Max indiqua du doigt un téléphone qu'il apercevait de l'autre côté de la pièce.

Sur la route de la montagne, il avait vu des gens travailler sur les poteaux téléphoniques.

Carver renifla avec mépris et tira violemment sur sa cigarette.

« Que voulez-vous de moi, Mingus ? *De l'argent ?*

— Non, fit Max en secouant la tête. J'ai des questions auxquelles j'attends des réponses.

— Laissez-moi deviner... Mes motivations ?

— C'est un bon début.

— Savez-vous qu'au temps des Grecs et des Romains il était très courant que les adultes aient des relations sexuelles avec des enfants ? C'était banal et tout à fait acceptable. De nos jours, dans les pays non occidentalisés, les filles sont mariées à des hommes adultes dès l'âge de douze ans parfois. Et dans votre pays, on ne compte plus les cas de grossesse chez les adolescentes. Les relations avec des mineurs se pratiquent *partout*, monsieur Mingus, ça a toujours existé et ça existera toujours.

— Mais là, il ne s'agit pas d'*adolescents*.

— Allez au diable, Mingus, vous et votre moralité à la con ! » éructa Carver en écrasant sa cigarette et en avalant une rasade de whiskey. « Ce sont les bien-pensants comme vous, avec leurs codes de bonne conduite et de moralité, leurs notions profanes du bien et du mal, qui finissent toujours par travailler pour des gens comme *moi* — ceux qui ne s'encombrent pas de *sentiments* et de *considération pour autrui*. Tout ce qui vous empêche d'agir. Moi, je fais des choses que vous n'auriez même pas l'idée de faire. Vous vous prenez pour un dur, Mingus ? Vous n'avez *rien* sur moi. *Rien !*

— Certains de ces gamins avaient à peine plus de six ans, dit Max.

— Ah oui ? Eh bien, tenez, une fois, j'ai fait enlever sous le nez de sa mère *un bébé qui venait de naître*. Pour satisfaire aux désirs d'un de mes clients. Il a déboursé deux millions de dollars et moi, ça m'a garanti le pouvoir à vie. Ça en valait *largement* la peine. »

Carver carburait aux effluves de whiskey, mais il ne s'agissait pas là des bravades d'un ivrogne ou d'un homme pris de boisson qui n'en avait rien à foutre de rien. Il aurait dit la même chose et eu la même attitude, sobre ou non. Il ne prononçait pas un seul mot qu'il ne pensait pas.

La bonne réapparut, remplaça le verre à whiskey et le cendrier et repartit prestement avec les autres.

« Qu'est-ce qui se passe, Mingus ? Vous avez l'air malade. Ça vous fait trop lourd à digérer ? » railla Carver en frappant l'accoudoir de son fauteuil. «Vous vous attendiez à quoi… Un *mea culpa* ? *DE **MA** PART ? PLUTÔT **CREVER** !* »

Max se doutait que le vieux ne saisissait pas toute la gravité de sa situation. À force de n'en faire qu'à sa tête depuis tant d'années, il était devenu insensible à toute autre évidence ou certitude. Il n'avait jamais rencontré quiconque qu'il n'ait réussi à acheter, corrompre ou détruire. Rien ne s'était dressé devant lui qu'il n'ait soumis à sa force de bulldozer, ou qu'il n'ait racheté. À ce moment même il était probablement en train de penser que tous ses clients pédophiles lui viendraient en aide, que sa cavalerie de pervers jaillirait soudain de derrière la colline pour lui porter secours. Peut-être croyait-il dissuader Max de l'emmener en le soudoyant ? Ou peut-être encore avait-il une autre carte dans son jeu, une trappe secrète qui allait s'ouvrir sous ses pieds et lui rendre la liberté.

Max entendit un petit cri venant de l'extérieur de la pièce, puis un bruit de verre brisé. Il regarda en direction de la porte. Rien.

« Vous êtes père vous-même… commença Max.

— Ça n'a jamais arrêté *qui que ce soit*, vous le savez très bien ! répliqua Carver. Pour qui me prenez-vous ? Je suis un professionnel, moi ! Je ne m'implique pas émotionnellement dans ce que j'entreprends. Je mène à bien, et impunément, les affaires les plus fâcheuses.

— Donc vous admettez que ce que vous avez fait est…

— *Fâcheux ?* Bien évidemment ! Je les *hais*, ces gens à qui j'ai affaire. Je les *méprise*.

— Mais vous traitez avec eux depuis…

— Presque quarante ans, en effet. Vous savez pourquoi ? Je n'ai pas de conscience. Je m'en suis débarrassé il y a bien longtemps. Avoir une conscience est un luxe très surestimé. » Carver se rapprocha. « J'ai beau les détester, je *comprends* les pédophiles. Pas ce qu'ils font — ce n'est pas du tout mon genre… Mais qui ils *sont*, d'où ils viennent. Ils sont tous pareils. Sans exception. Ils ont tous honte de ce qu'ils font, de ce qu'ils aiment, de ce qu'ils sont. Et, surtout, ils vivent dans la terreur d'être découverts. Et c'est ce que vous avez exploité.

— *Absolument !* » s'exclama Carver en claquant des mains pour bien marquer son propos. « Je suis un homme d'affaires, Mingus.

J'ai vu là un marché à la clientèle potentiellement fidèle et dont la demande est continuellement renouvelée.

— Vous avez aussi rencontré des gens que vous pouviez faire chanter…

— Jamais je n'ai "fait chanter" qui que ce soit, comme vous dites. Je n'ai jamais eu à menacer personne pour me faire ouvrir certaines portes.

— Parce qu'ils savent comment fonctionne le système ?

— Exactement. Ces gens évoluent dans des sphères supérieures. Leur réputation prime avant tout. Je n'ai jamais abusé de nos relations, jamais demandé plus de *deux* faveurs à la *même* personne depuis que je les connais.

— Et en échange de ces "faveurs", demanda Max, qu'est-ce qu'on vous donnait ? Des monopoles commerciaux ? L'accès à des dossiers secrets du gouvernement américain ? »

Carver secoua la tête avec un petit sourire narquois.

« Des contacts.

— Avec d'autres pédophiles. Encore *mieux* placés ?

— C'est ça ! Vous savez qu'il suffit de six personnes pour contacter n'importe qui, sur cette planète ? Quand on a les goûts *ésotériques* qu'ont mes clients, monsieur Mingus, deux personnes suffisent généralement.

— Tout le monde connaît tout le monde ?

— Eh oui, jusqu'à un certain point. Mais moi, je ne traite pas avec *n'importe qui*.

— Seulement avec ceux dont vous pouvez tirer quelque chose ?

— Moi, je fais des affaires, pas la charité. Il faut bien que j'en retire un bénéfice. Tout risque mérite récompense. » Carver reprit une cigarette. « Comment croyez-vous que l'on soit parvenu à vous joindre, quand vous étiez en prison ? Tous ces appels ? Vous ne vous êtes jamais posé la question ?

— J'ai pensé que vous aviez du culot.

— Du *culot* ? »

Carver alluma sa cigarette.

« Pourquoi moi ? demanda Max.

— À votre époque, vous étiez l'un des meilleurs privés du pays, sinon le meilleur, à l'aune des cas résolus. Certains de mes amis n'en pouvaient plus de chanter vos louanges. Vous avez même été à deux doigts de découvrir notre réseau à une ou deux reprises, au début de votre carrière. Il s'en est fallu de peu. Vous le saviez ? Cela a suffi à me convaincre.

— C'était quand ?

— Ça, c'est à moi de le savoir et à vous de le trouver... » Carver sourit en exhalant par les narines deux filets de fumée bleue qui faisaient penser à deux défenses d'éléphant. « Comment m'avez-vous découvert ? Qui a craqué ? Qui m'a trahi ? »

Max ne fit aucune réponse.

« Oh ! je vous en prie, Mingus ! Vous pouvez bien me le dire ! Qu'est-ce que ça peut bien foutre maintenant ? »

Max fit non de la tête.

Le visage de Carver se ferma, la fureur pointant derrière ses yeux plissés.

« Je vous ordonne de me dire son nom ! hurla-t-il en attrapant la canne placée derrière son siège et en se hissant sur ses pieds.

— Rasseyez-vous, Carver ! » Max se leva d'un bond de son siège et, lui arrachant sa canne, poussa sans ménagement le vieillard, qui retomba dans son fauteuil. Carver le regarda avec un mélange de surprise et de peur. Il jeta un œil sur sa cigarette qui se consumait dans le cendrier et l'écrasa.

« Vous ne faites pas le poids ici, dit-il à Max en lui décochant un regard de haine. Vous pourriez me battre à mort avec ça. » D'un signe de tête, il indiqua la canne. « Mais vous ne sortiriez pas d'ici vivant.

— Je ne suis pas venu pour vous tuer », dit Max en jetant un coup d'œil par-dessus son épaule et s'attendant à voir débarquer la bonne pour le cendrier ou d'autres domestiques venus défendre leur maître.

Mais il n'y avait personne.

Il laissa tomber la canne sur le canapé et se rassit.

C'est alors qu'un bruit de pas lourds se fit entendre. Quelqu'un entra dans la pièce. En se retournant, Max vit deux des hommes de Paul qui se tenaient près de l'entrée. D'un signe de la main, il leur indiqua de ne pas bouger.

En les remarquant à son tour, Carver renifla avec dédain.

« On dirait que le vent vient de tourner, fit Max.

— Pas vraiment, répondit Carver.

— Vos domestiques ? Ils viennent tous de l'Arche de Noé, n'est-ce pas ?

— Bien entendu.

— Ils n'étaient pas assez bons pour vos "clients" ?

— Exactement.

— Ils ont eu de la chance.

— Vous trouvez ? Vous appelez ça de la *chance*, une vie pareille ?

— Oui. Ils n'ont pas passé leur enfance à se faire violer. »

Carver l'observa longuement, puis prit un air amusé.

« Depuis combien de temps êtes-vous ici, Mingus, dans ce pays ? Trois, quatre semaines ? Vous savez pourquoi les gens ont des enfants, ici ? Les pauvres, les masses populaires ? Rien à voir avec les raisons mièvres pour lesquelles vous faites des enfants, là-bas, en Amérique. Chez vous, dans l'ensemble, ils sont désirés, ces enfants. Les pauvres d'ici, eux, ne font pas le *projet* de fonder une famille. Ça leur *tombe dessus*. Ils procréent. Tout bêtement. C'est aussi simple que ça. Ils baisent et ils se reproduisent. Des *amibes* humaines. Et quand les bébés sont assez grands pour marcher, les parents les mettent au travail pour faire la même chose qu'eux. Ici, la plupart des gens sont nés à genoux, ils sont nés esclaves, nés pour servir, ils ne valent guère mieux que leurs *pitoyables* ancêtres. »

Carver reprit son souffle et une autre cigarette.

« Voyez ce que je fais, ce que j'ai fait. J'ai donné à ces gosses une vie qu'ils n'auraient jamais pu espérer avoir, une vie que leurs abrutis de parents analphabètes et sans avenir n'auraient jamais pu imaginer, *même en rêve*, parce qu'ils ne sont pas nés avec un cerveau assez *gros* pour ça. Je me suis occupé de l'éducation de presque tous ceux que je ne pouvais pas vendre. Et à tous ceux qui ont fait leurs preuves, j'ai fourni un emploi. Beaucoup d'entre eux se sont très bien débrouillés depuis. Vous savez ce que j'ai contribué à créer ici ? Quelque chose que nous n'avions pas auparavant : une classe moyenne. Pas riche, ni pauvre, mais entre les deux et aspirant encore à progresser. J'ai aidé ce pays à devenir un peu plus normal, un peu plus occidental, comme d'autres endroits.

« Quant à ceux que j'ai vendus, vous savez ce que certains deviennent, Mingus ? Les plus malins, les plus aguerris, les vrais battants ? En vieillissant ils comprennent la combine et ils jouent les papas gâteaux. Ils finissent riches et installés pour la vie. D'ailleurs, une fois adultes, la plupart d'entre eux ont des vies tout à fait normales. Dans des pays civilisés, sous un autre nom, une nouvelle identité. Leur passé ne reste qu'un vague mauvais souvenir. Et encore !

« Vous, vous voyez le mal en moi, mais en fin de compte j'ai donné à des *milliers* de gens l'honneur, la dignité et un toit. Je leur ai permis de se regarder dans la glace sans avoir honte. Tenez, c'est même moi qui le leur ai fourni, ce putain de miroir. En bref, monsieur Mingus, c'est *la vie*, que je leur ai donnée !

— Vous n'êtes *pas* Dieu, Carver.

— Ah bon ? Dans ce cas, j'arrive juste après Lui, dans ce pays : un Blanc qui a du fric ! s'exclama-t-il. Ici, en Haïti, servir les Blancs et leur faire des courbettes, c'est génétique.

— Permettez-moi de ne pas être d'accord, monsieur Carver, dit Max. Je ne sais peut-être pas grand-chose sur votre pays mais, à ce que j'en vois, il s'est fait baiser en beauté par des gens comme vous. Vous avec votre pognon, vos grosses villas et vos domestiques pour vous torcher le cul. Vous prenez, prenez, prenez, et vous ne donnez rien en échange. Vous n'aidez personne, à part vous-même, monsieur Carver. Vos histoires de charité ne sont qu'un mensonge que vous débitez à des gens comme moi, histoire de les endormir.

— On croirait entendre Vincent Paul. Combien est-ce qu'il vous paie ?

— Il ne me paie rien du tout, monsieur Carver. Mais vous ne m'avez pas dit pourquoi vous teniez tellement à m'engager pour rechercher Charlie, alors que j'avais déjà failli vous démasquer.

— Oui, justement, "failli"... » Carver parvint à esquisser un sourire malgré sa hargne. « Vous n'avez vu que ce que vous pouviez prouver, que ce à quoi vous pouviez croire. Vous ne vous êtes intéressé qu'aux pixels, pas à l'image dans son ensemble.

— Vous pensiez que je me contenterais de rechercher Charlie en fermant les yeux sur tout le reste ?

— En gros, oui.

— En gros, vous vous êtes bien trompé sur moi, pas vrai, Carver ? » Max jubilait.

Carver le fusillait du regard.

« J'ai une question pour vous, dit Max.

— Allez-y.

— Selon vous, qui détient Charlie ?

— C'est encore votre boulot de me le dire », murmura Carver avant de détourner les yeux. Il serra très fort le poing et Max le regarda pleurer doucement et sans bruit, tremblant, le souffle un peu court. Max aperçut l'étui à cigarettes ouvert et une envie folle, sortie de nulle part, le saisit. D'un seul coup, il avait envie de griller une cigarette, pour s'occuper les mains ou apaiser toute la tension qu'il était en train de vivre. Son regard tomba alors sur son verre de whiskey noyé et, pendant quelques secondes, il eut l'idée de le descendre cul sec, mais il refoula la tentation.

« J'étais au courant pour le petit Charlie, vous savez, fit Carver sans se retourner vers Max et s'adressant aux étagères. Je l'ai su dès la première fois que je l'ai vu. J'ai su qu'il n'était pas à moi.

— Comment ça ? demanda Max, pris au dépourvu.

— Pas complètement à moi », poursuivit Carver sur le même ton, comme s'il n'avait pas entendu la question de Max. « L'autisme. C'est une maladie qui cherche à vous posséder. Elle se garde pour elle une partie de l'être qu'elle ne lâche jamais.

— Vous l'avez su comment ?

— À différentes choses, dit Carver. Certains aspects de son comportement n'étaient pas tout à fait normaux. Je m'y connais bien en enfants, souvenez-vous. »

Max sortit de sa poche l'enveloppe que les hommes de Paul lui avaient donnée. Il en fit glisser deux feuilles photocopiées qui se trouvaient à l'intérieur et les tendit au vieil homme.

Puis il se leva et s'éloigna de quelques pas.

Carver essuya ses larmes en reniflant. Il déplia les deux feuilles et parcourut la première. Il cligna des yeux en geignant et l'examina de plus près, sa bouche entrouverte figée en un petit rictus, la stupeur se substituant au chagrin. Il fit glisser les pages l'une sur l'autre, plusieurs fois de suite, en scrutant chaque fois leur contenu. Puis, tenant une feuille dans chaque main, il les balaya du regard, jusqu'à ce que ses yeux rétrécis finissent par disparaître derrière ses paupières. Son visage s'empourpra et sa chair flasque se mit à trembler de bas en haut. Il se raidit et prit une profonde inspiration.

Puis, regardant Max droit dans les yeux, il froissa les deux feuilles et les écrasa entre ses mains. Lorsqu'il les laissa tomber à terre, ce n'étaient plus que de minuscules boulettes de papier.

En ouvrant l'enveloppe, Max avait trouvé les deux copies des résultats du test de paternité prouvant que Vincent Paul était bien le père de Charlie Carver. Paul y avait joint une petite carte où il avait griffonné ces mots :

Max — le moment venu, remettez ceci
à Gustav Carver.

Le teint gris et les yeux hagards, comme vidé de toute énergie, Carver se renfonça dans son fauteuil, tel un monument que l'on vient d'abattre. Si Max n'avait pas entendu tout ce qu'il avait appris de la bouche même de ce vieillard, il aurait sûrement eu pitié de lui.

Ils restèrent ainsi l'un devant l'autre sans rien dire pendant un long moment où tout sembla aller au ralenti. Gustav Carver avait les yeux rivés sur Max, mais son regard était vide et immatériel, comme celui d'un mort.

« Que comptez-vous faire de moi, Mingus ? demanda Carver d'une voix blanche, privée de sa force et de sa colère.

— Vous emmener.

— M'emmener ? fit-il avec un froncement de sourcils. Mais *où* ? Il n'y a pas de *prisons*, ici.

— Vincent Paul veut vous parler.

— *Me parler !* s'esclaffa Carver. Me *tuer*, oui ! D'ailleurs je n'ai rien à lui dire à ce… à ce *paysan* !

— Comme vous voudrez, monsieur Carver… » Max retira les menottes accrochées à sa ceinture.

« Attendez une minute. » Carver leva la main. « Est-ce que je peux reprendre un verre et une cigarette avant ?

— Allez-y », fit Max.

Carver se resservit un grand verre de whiskey et alluma une de ses cigarettes sans filtre.

Max se rassit à sa place.

« Monsieur Carver ? Il y a quelque chose que je ne comprends pas. Comment se fait-il qu'avec vos relations vous ne vous soyez pas encore débarrassé de Vincent Paul ?

— Parce que je suis la seule personne qui puisse le faire. On aurait tout de suite su que c'était moi. Il y aurait eu une guerre civile », expliqua-t-il.

Il tira sur sa cigarette et prit une gorgée de whiskey.

« Je n'ai jamais aimé les filtres. Ça tue le goût. » Carver souffla sur le bout incandescent et se mit à rire. « Vous croyez qu'ils ont des cigarettes en enfer, Mingus ?

— Je ne pourrais pas vous dire. Je ne fume pas.

— Vous croyez que vous pourriez faire un petit quelque chose pour moi ? demanda Carver.

— Quoi ?

— Me laisser sortir de cette maison tout seul plutôt qu'aux bras de ces deux… gardes-chiourme ? » Il lança un coup d'œil en direction des deux hommes postés à l'entrée.

« D'accord, mais je vais devoir vous passer les menottes d'abord. Simple mesure de précaution. »

Carver finit son verre et sa cigarette, puis tendit les poignets. Max lui demanda de se lever, de se retourner et de garder les mains derrière le dos. Carver pesta quand les menottes se refermèrent sur ses poignets.

« Allons-y. » Max poussa Carver vers la porte en le soutenant d'une main ferme car il boitait et tenait à peine sur ses jambes.

Ils n'avaient pas fait plus de cinq pas que Carver s'arrêta net.

« Max, je vous en prie, ne faites pas ça », bredouilla-t-il en lui envoyant au visage une pleine bouffée d'alcool et de tabac froid. « J'ai une arme dans mon bureau. Un revolver. Laissez-moi me liquider moi-même. Vous pouvez vider le barillet et me laisser juste une balle. Je suis un vieil homme. Je n'en ai plus pour très longtemps.

— Monsieur Carver, vous avez enlevé des centaines d'enfants et vous avez détruit non seulement leur vie, mais aussi celle de leurs parents. Et, plus que tout, vous leur avez volé leur âme. Vous leur avez confisqué leur avenir. Il n'existe pas de châtiment assez sévère pour vous.

— Petit connard de donneur de leçon ! éructa-t-il. Un type qui a tué *de sang-froid* et qui voudrait me faire la morale ?

— C'est bon, maintenant ? » l'interrompit Max.

Carver baissa la tête et Max l'entraîna jusqu'à la porte. Les hommes de Paul s'avancèrent. Carver fit encore quelques pas en titubant, puis s'arrêta à nouveau.

« Je veux dire adieu à Judith.

— Qui ça ?

— Judith, ma femme. Laissez-moi juste regarder son portrait une dernière fois. C'est une telle réussite, une telle ressemblance, c'est tellement elle, dit Carver, la voix chevrotante.

— Ce n'est pas elle. Elle, elle est morte et vous allez la rejoindre d'ici peu.

— Mais si ce n'était pas le cas ? S'il n'y avait rien ? Allez, juste un dernier coup d'œil, Mingus. »

Max pensa à Sandra et céda. D'un signe de la main, il indiqua aux hommes de reculer et conduisit Carver jusqu'au portrait.

Tandis qu'il le soutenait, Carver regardait le portrait en marmonnant des choses à sa femme dans un sabir de français et d'anglais.

Max jeta un coup d'œil à la galerie de célébrités exposée sur la cheminée, toutes les photos encadrées des Carver frayant avec les grands de ce monde. Il se demanda s'il retrouverait certains de ces noms célèbres en compulsant les dossiers.

Carver en avait fini avec son charabia incompréhensible et fixait Max d'un œil mauvais.

« Vous ne trouverez aucun client parmi ces gens-là, n'ayez crainte, bredouilla-t-il. Mais deux personnes suffiraient à les relier. N'oubliez pas, *deux personnes* seulement.

— O.K., allons-y, maintenant. » Max attrapa Gustav par le bras.

« Lâchez-moi ! » Carver se libéra violemment et tenta de reculer. Mais déjà en équilibre précaire, il chancela et tomba de tout son poids sur le dos, ses poignets amortissant douloureusement sa chute.

Max ne fit pas un geste.

« Levez-vous, Carver. »

Le vieux se retourna sur le côté à grand-peine, essoufflé et en rage. Une fois sur le ventre, il replia sa jambe gauche et essaya de se relever à l'aide de ses mains. Mais il avait choisi le mauvais côté. À peine avait-il bougé sa jambe qu'elle se raidit et qu'il se retrouva de nouveau à plat ventre. Il reprit son souffle et se mit à cligner des yeux. Puis, les mains agrippées au sol, il avança jusqu'à Max en rampant, soufflant et grimaçant de douleur.

Une fois aux pieds de Max, le vieux fit l'effort de redresser la tête.

« Tuez-moi, Max, implora-t-il. Ça m'est égal de mourir. Tirez-moi une balle, là, devant le portrait de ma Judith. Je vous en supplie.

— Vous allez vous lever, Carver », dit Max, impassible. Puis, se plaçant derrière lui, il l'agrippa sans ménagement par les menottes et le redressa.

« Ne me livrez pas à Vincent Paul, je vous en prie, Max, s'il vous plaît. Il va me faire des choses innommables. Tuez-moi, je vous le demande, *s'il vous plaît.* De vous, je peux l'accepter.

— Vous faites un bien piètre mendiant, lui murmura Max à l'oreille.

— Tuez-moi, Max.

— Allons, Carver, essayez au moins d'avoir un poil de *dignité*. Vous voyez ça ? » Max déboutonna trois boutons de sa chemise et montra à Carver le micro scotché sur sa poitrine. « Vous ne voudriez pas que les gens de Paul viennent vous sortir d'ici de force, n'est-ce pas ?

— C'n'est pas ce qu'on appelle un coup monté ?

— Pas dans ce pays. »

Laissant paraître sa défaite et son dégoût, Carver indiqua la porte d'un signe de tête solennel.

« Allons-y. »

Max l'accompagna jusqu'à l'extérieur.

Trois Jeep remplies des hommes de Paul étaient garées devant la maison.

Tous les domestiques et le service de sécurité avaient été rassemblés au milieu de la pelouse, gardés par quatre hommes armés de carabines.

« En Amérique, j'aurais droit à un procès, pas à cette mascarade, dit Carver en observant la scène.

— En Amérique, vous pourriez vous payer le meilleur avocat. La justice sait être aveugle, mais elle a de bonnes oreilles, et vous savez aussi bien que moi que rien ne se fait aussi bien entendre que de bonnes espèces sonnantes et trébuchantes. »

Quelques domestiques interpellèrent Carver d'une voix plaintive et confuse, comme s'ils lui demandaient ce qui se passait et quel était le problème.

« Vous savez ce qu'il va me faire, Max ? Cet animal va me couper en morceaux et me balancer aux sauvages. Vous voulez avoir ça sur la conscience ? C'est ce que vous voulez ? »

Max remit les clefs des menottes à l'un des hommes de Paul, tandis qu'un autre se saisissait de lui.

« Dans ce cas, je ferai peut-être comme vous, dit Max.

— C'est-à-dire ?

— Je mettrai ma conscience en sourdine.

— Salopard ! éructa Carver.

— *Moi ?* » Max faillit en rire. « Mais alors, vous, qu'est-ce que vous êtes ?

— Un homme en paix avec lui-même », répondit Carver avec un rire cynique.

Max fit signe aux hommes de l'embarquer.

Le vieillard se déchaîna :

« Je vous *emmerde*, Max Mingus ! Je vous *emmerde*, vous et Vincent Paul. Et vous, bande de sales macaques armés, je vous emmerde tous. *JE VOUS EMMERDE !* Quant à ce petit *bâtard* de merde et à sa *salope* de *traîtresse* de mère, je les emmerde *aussi* ! J'espère que vous ne le retrouverez *jamais*. J'espère qu'il sera *crevé* ! »

Ses yeux de fouine lancèrent à Max un regard chargé d'une haine absolue. Sa respiration lourde et lasse évoquait celle du taureau blessé qui médite son ultime attaque.

Un silence total s'abattit devant la maison comme si l'immense cri de Carver avait tout englouti sur son passage.

Tous les regards convergeaient vers Max, dans l'attente d'une riposte.

Elle ne tarda pas.

« *Adios*, fils de pute ! »

Puis, avec un regard vers les hommes qui retenaient Carver, il ajouta :

« Enlevez-moi ce sac à merde d'ici et enterrez-le bien profond. »

56

En rentrant, Max s'arrêta à La Coupole. La fête battait son plein. On avait sorti les décorations de Noël, l'endroit croulait sous les paillettes et les guirlandes, sans compter les lumières de toutes les couleurs en forme de sapin accrochées aux murs.

La musique était atroce — un pot-pourri de cantiques de Noël superposé à un rythme techno, toujours le même, et chanté en anglais par une chanteuse allemande dont la maîtrise approximative de la langue rendait la prononciation assez cocasse : dans sa bouche, « *holy night* » donnait « *holly nit* », « *Bethlehem* » se transformait en « *Bed-ahem* » et « *Hark the herald angels sing* » faisait « *Hard Gerald ankles sin* ». La soirée se déroulait néanmoins dans une ambiance joyeuse et amicale et tous ces noctambules s'amusaient de bon cœur. Tout le monde souriait et dansait, à l'intérieur comme à l'extérieur, derrière le bar et sans doute jusque dans les toilettes. La musique était entrecoupée de blagues et de rires à foison. Les soldats américains se mêlaient aux soldats de la paix des Nations unies, et les deux groupes se mêlaient tour à tour aux autochtones. Max remarqua qu'il y avait beaucoup plus d'Haïtiens, hommes et femmes. En y regardant de plus près, il fut consterné de s'apercevoir que les femmes étaient toutes des putes, robes moulantes, maquillage outrancier, perruques, regard aguicheur, et que les hommes étaient leurs macs. Ils restaient en retrait mais évaluaient chaque homme qui entrait dans le champ de vision de leurs tiroirs-caisses intégrés.

Max régla son double rhum et sortit du bar pour regarder les gens qui dansaient dans la cour. Un marine bien éméché lui demanda s'il faisait partie de la Police Militaire, un autre venait de lui demander s'il était de la CIA. Une fille rougeaude, boucles d'oreilles dorées, brandit une branche de gui en plastique au-dessus de sa tête et lui colla un gros baiser baveux à la bière. Avec un fort accent de l'Oklahoma, elle lui demanda s'il voulait danser et il répondit que non, plus tard peut-être. Il la regarda s'éloigner et recommencer son manège avec un Haïtien qui se tenait près de la cabine du DJ. Trois minutes plus tard, ils dansaient collés l'un contre l'autre.

Il avait beau faire, il se sentait amer en repensant à tout ce qui s'était passé, à Carver, au fait qu'il avait travaillé pour lui. Quel intérêt d'avoir contribué à faire tomber le vieux qui attendait quelque part que Paul vienne rendre justice ? Ce n'était pas pour ça qu'il était venu en Haïti.

Toute l'horreur qu'il avait vue sur les cassettes tournoyait dans sa tête à la manière d'un derviche tourneur.

Avant de tuer les deux gosses qui avaient torturé Manuela, il avait éprouvé un vide immense au creux de l'estomac, un sentiment d'inanité totale, coincé entre deux couches de désespoir. Le sentiment que plus rien n'aurait désormais d'importance, que tout serait de pire en pire et que le plus atroce des crimes commis aujourd'hui ne serait qu'une simple griffure de chat. Puis il se rappela ce qu'il faisait ici, la raison pour laquelle il avait accepté cette affaire et pourquoi il avait consacré presque deux ans de sa vie à la résoudre. Manuela lui avait souri. Une seule fois. Ils étaient sur la plage, lui, Sandra et Manuela. Il était en train d'installer le parasol et les transats. Un couple mixte était passé devant eux, main dans la main, et la femme leur avait dit qu'elle trouvait leur fille très jolie. Elle était enceinte. Max s'était retourné vers Sandra et Manuela, assises l'une à côté de l'autre. À ce moment précis, pour la première fois de sa vie, il avait ressenti l'envie de fonder une famille. Il est possible qu'à cet instant même Manuela ait lu ses pensées car, ayant surpris son regard, elle le lui retourna avec un sourire.

C'est à elle et à elle seulement qu'il avait pensé en tirant sur ses deux assassins. Le deuxième, Cyrus Newbury, n'avait pas quitté ce monde sans bruit. Il avait hurlé, pleuré, imploré pour avoir la vie sauve, puis avait récité des prières et chanté des cantiques dont il ne se rappelait qu'à moitié les paroles. Max l'avait laissé le supplier jusqu'à ce qu'il n'en puisse plus et qu'il n'ait plus de voix. À ce moment-là, il l'avait descendu.

Le rhum le calmait. Il apaisait ses problèmes en les chassant ailleurs, quelque part où, pour un temps, plus rien n'avait plus d'importance. Il était bon, il anesthésiait tout en douceur.

Deux putes en perruque noire et lisse s'approchèrent de lui sans faire de bruit et le prirent en sandwich, le sourire aux lèvres. Des jumelles, presque identiques. Max fit non de la tête et détourna son regard. L'une des filles lui murmura quelque chose à l'oreille. Il ne comprit pas ce qu'elle lui disait : le vacarme étouffait presque toutes ses paroles et il ne percevait que les sons les plus graves. Il haussa les épaules tout en faisant une moue signifiant « je ne comprends pas » et la fille se mit à rire en pointant du doigt un endroit précis, au milieu de la foule. Max se tourna vers la masse mouvante de corps agglutinés, jeans, T-shirts, débardeurs, baskets et chemises de plage mêlés, sans voir ce qu'il était censé voir. Un flash d'appareil photo se déclencha. Quelques danseurs, surpris, se retournèrent pour déterminer sa provenance puis se remirent à danser.

Max chercha à localiser le photographe, sans succès. Les deux filles s'en allèrent. Il descendit sur la piste et, se frayant un passage à travers la foule, tenta de localiser d'où était parti le flash. Il demanda aux danseurs qui l'entouraient s'ils avaient vu le photographe. Ils lui répondirent par la négative : comme lui ils n'avaient vu que le flash.

Max retourna à l'intérieur du bar pour chercher les filles. Elles bavardaient avec deux marines. Max s'approcha d'elles mais, au moment de leur demander ce qu'elles savaient sur ce flash, il se rendit compte que ce n'étaient pas celles qui l'avaient abordé. Il marmonna une excuse et continua de chercher autour du bar sans les retrouver. Il interrogea le barman, qui répondit d'un haussement d'épaules. Il alla voir du côté des toilettes, en vain. Il sortit et regarda autour de lui ; les rues étaient désertes.

De retour à l'intérieur, il reprit quelques verres et engagea une conversation avec le sergent Alejandro Diaz, qui était domicilié à Miami. Diaz était convaincu que Max était de la CIA. Histoire de se marrer un peu, Max le laissa dire sans jamais confirmer ni infirmer ses soupçons. Ils parlèrent de Miami qui leur manquait tellement à tous les deux. Diaz lui apprit que de nombreux endroits auxquels Max faisait référence — clubs, restaurants, magasins de disques et salles de bal — avaient disparu depuis longtemps. Il lui recommanda un nouveau club privé, baptisé le TWLM, dont les strip-teaseuses qui venaient s'asseoir sur les genoux des hommes étaient toutes, prétendait-il, diplômées de l'Université. Il lui remit une carte avec le nom et le logo du club — un alligator de bande dessinée, sourire fendu jusqu'aux oreilles, qui portait des lunettes de soleil et un chapeau melon, tenait une plume d'oie dans une main, une bouteille de champagne dans l'autre, ainsi qu'un numéro de téléphone inscrit. Diaz lui proposa de lui donner le mot de passe. Mais quand Max le lui demanda, l'autre ne parvint pas à se le rappeler.

Max partit vers les trois heures du matin. Vingt minutes plus tard, il était devant la porte de la villa.

Il entra dans le salon, retira l'étui de son revolver et s'effondra dans un fauteuil. Il s'aperçut que la sécurité avait été ôtée. Chose qu'il ne faisait jamais, depuis qu'un gosse lui avait piqué son arme, quand il était jeune flic.

Il sortit le Beretta du holster et l'inspecta. Les balles étaient toutes là. Il ne s'en était pas servi.

Il commençait peut-être à avoir des trous de mémoire. La journée avait été longue, capitale.

Il songea bien à se lever et à franchir les quelques mètres qui le séparaient de son lit, mais il n'en avait plus le courage. Trop loin.

Il ferma les yeux et s'endormit.

57

Le lendemain il reçut un appel d'Allain, qui voulait le voir dans l'après-midi.

Allain était blême. Sa peau ressemblait à de la cire bleutée, ce qui n'arrangeait guère sa pâleur cadavérique. Une ombre de barbe de quelques jours avait envahi le bas de son visage et il avait des cernes qui lui tombaient jusque sur les pommettes. Max constata qu'il avait dormi tout habillé. Il avait gardé sa veste pour camoufler sa chemise froissée, au col écrasé, et il n'avait pas pris la peine de redescendre ses manches. Sa cravate était de guingois et son bouton du haut était ouvert. Il s'était coiffé les cheveux en arrière, mais ils manquaient de brillantine. Des touffes tombaient sur les côtés ou pointaient de manière anarchique. C'était un peu comme si on avait pris l'ancien Allain, tel que Max l'avait vu pour la première fois, et qu'on s'était acharné sur lui à la paille de fer. Il était toujours reconnaissable, mais une bonne partie du vernis était partie, les plis s'étaient avachis, les angles étaient brouillés.

Ils étaient assis face à face à une table qui se trouvait dans une salle de réunion, au dernier étage. À travers les vitres fumées, on jouissait d'une vue superbe sur la mer. Max crut qu'il y avait de l'eau dans la carafe posée sur la table mais, en s'en versant un verre, il s'en échappa de fortes vapeurs d'alcool. Il goûta. De la vodka pure. Allain avait déjà presque fini le verre qu'il s'était servi. Il était trois heures de l'après-midi.

« Désolé, dit Allain d'un ton penaud. J'avais oublié. »

Il n'était pas soûl.

Max voulait savoir jusqu'à quel point Allain était au courant des activités de son père. Il lui parlait en termes voilés, comme les flics pour certains suspects avec qui ils prétendent parler de la pluie et du beau temps. Le but était de poser la même question, mais de façon différente tout en continuant la conversation.

Un billet d'avion acheté par Allain attendait Max sur la table. Il devait partir le lendemain sur le vol de onze heures trente en direction de Miami.

« Chantale vous emmènera, dit Allain.

— Où est-elle ?

— Sa mère est décédée mardi. Elle est allée porter ses cendres dans sa ville natale.

— Désolé de l'apprendre, fit Max. Elle est au courant de ce qui s'est passé ?

— En partie, dit Allain. Je ne lui ai pas donné tous les détails. Je vous serais reconnaissant de les garder pour vous.

— Absolument. »

Max enchaîna sur le raid à la Gonâve. La mine horrifiée, Allain lui raconta ce qu'ils avaient trouvé, sans omettre le moindre détail. Quand il eut terminé, il s'écroula en pleurs.

Max lui laissa le temps de se reprendre pour lui poser d'autres questions. Son père avait-il déjà fait mention de la Gonâve devant lui ? Non, jamais. Son père lui avait-il déjà joué de la clarinette ? Non, mais il savait qu'il le faisait. C'était aussi un trompettiste assez doué. Le fait que son père avait un réseau de contacts professionnels aussi étendu n'avait-il jamais éveillé ses soupçons ? Non, il n'y avait pas de raison. Les Carver étaient des gens importants en Haïti. Il se souvenait d'avoir rencontré Jimmy Carter avant que celui-ci ne se présente comme président. En Haïti ? Non, en Géorgie. Son père s'était engagé à importer les cacahuètes de Carter, après une récolte calamiteuse en Haïti. Carter s'était même déplacé pour le saluer alors qu'il négociait la reddition pacifique de la junte. Max continua ses allers et retours d'un sujet à l'autre et plus il posait de questions, plus Allain lui répondait en le fixant d'un regard triste et injecté de sang, brouillé par l'alcool et le chagrin. Max était de plus en plus convaincu qu'il ignorait vraiment tout de ce qui s'était déroulé autour de lui.

« Il me détestait, vous savez, lâcha Allain. Pour ce que j'étais et pour ce que je n'étais pas. »

Il se passa la main dans les cheveux pour les aplatir. Il ne portait pas de montre et Max remarqua qu'il avait une petite cicatrice rose sur le poignet gauche.

« Et vous, Allain, vous le détestiez aussi ?

— Non, répondit-il les yeux pleins de larmes. Je lui aurais pardonné s'il me l'avait demandé.

— Même maintenant ? Avec tout ce que vous savez ?

— C'est mon père, répliqua-t-il. Ça n'excuse pas ce qu'il a fait. Ça reste là. Mais c'est quand même mon père. On n'a rien d'autre sur cette terre, à part soi-même et sa famille.

— Est-ce qu'il a utilisé l'une ou l'autre de ses techniques psychologiques sur vous ?

— Comme quoi ? L'hypnose ? Non. Il voulait faire appel à un psy pour me remettre sur le bon chemin, mais ma mère ne l'a pas laissé faire. Elle m'a toujours défendu. » Allain observa son reflet terni sur la table. Il finit son verre et s'essuya la bouche d'un revers de main.

Puis soudain, il claqua des doigts et se mit à tâter sa veste.

« C'est pour vous. » Il sortit une enveloppe cachetée et toute froissée, qu'il tendit à Max du bout des doigts.

Max l'ouvrit. À l'intérieur, il trouva un reçu pour un transfert sur son compte, à Miami : 5.000.000 $. Cinq millions de dollars.

Il resta sans voix.

Une pile d'argent sur un plateau.

Demain, il retournait à Miami. Il devait refaire sa vie. Cette somme lui serait très utile, il n'aurait peut-être pas besoin d'autre chose.

Une ombre se profila, qui vint ternir le tableau.

« Mais… » commença Max en levant les yeux de tous ces zéros.

Il repensa à Claudette Thodore, vendue pour de l'argent qui allait alimenter l'empire de Carver, un empire bâti sur la chair et les os de petits enfants. Il détenait une partie de cet argent et cet argent était son avenir.

« Ce n'est pas assez ? demanda Allain, l'air paniqué. Je vous donnerai volontiers davantage. Dites-moi combien. »

Max fit non de la tête.

« Je n'ai jamais été payé pour un travail que je n'ai pas terminé, finit-il par dire. Je ne peux même pas vous dire avec certitude ce qui est arrivé à Charlie.

— Vincent est à nouveau sur cette affaire, dit Allain. Il vous aimait bien, mon père. Il disait que vous étiez un type bien.

— Ah oui ? Eh bien, moi, je ne l'aime pas et je ne peux pas accepter son argent. »

Il posa le reçu sur la table.

« C'est sur votre compte, c'est à vous, dit Allain en haussant les épaules. L'argent ignore d'où il vient.

— Mais pas moi. Et c'est un sacré problème, dit Max. Je vous le renverrai dès que je le pourrai. Adieu, Allain. »

Ils se serrèrent la main, Max sortit et se dirigea vers l'ascenseur.

Il se gara près de la cathédrale catholique peinte en rose pastel et descendit à pied au centre-ville de Port-au-Prince.

Arrivé au niveau du Marché en Fer, il s'arrêta près d'un édifice censé être une église. De l'extérieur, elle avait tout d'un entrepôt.

Il poussa la porte et entra dans ce qui était tout bonnement la plus belle, la plus extraordinaire chapelle qu'il eût jamais vue.

Au fond de l'allée centrale, derrière l'autel et recouvrant le mur entier du bas jusqu'aux trois fenêtres fermées par des volets, juste en dessous de la voûte, se trouvait une fresque de près de six mètres de haut. Il s'engagea entre les bancs de bois tout simples et s'assit au deuxième rang.

Il y avait une douzaine de personnes, des femmes principalement, assises ou à genoux, ici et là.

La Vierge Marie, en robe jaune et cape bleue, dominait le panneau de la Nativité. Les mains croisées sur son cœur, elle était suivie de deux anges qui tenaient l'extrémité de son voile. Derrière elle s'élevait une structure au toit de chaume, une cabane sans murs qui lui rappela celles qu'il avait remarquées par la vitre de sa voiture, aux alentours de Pétionville.

Les panneaux peints étaient couronnés et reliés entre eux par des anges qui jouaient de la musique ou bien traversaient les panneaux, plus bas, les mains pleines de fleurs, suggérant que, de sa naissance à sa résurrection, la vie de Jésus était un seul acte.

Max avait déjà résolu des affaires après avoir fait le point, seul dans une église. Il restait une heure ou deux à contempler ces icônes sans yeux et les vitraux, tout en s'imprégnant de l'odeur des cierges, et de cet humble silence qui l'entourait. Ça l'aidait à faire le tri dans sa tête et à se remettre les idées en place.

Et maintenant ? Ça le menait où, tout ça ?

Pour commencer, les problèmes qu'il avait avant son départ n'avaient pas changé : il allait devoir rentrer, affronter tous les souvenirs heureux massés derrière sa porte, prêts à l'assaillir. Un vrai comité d'accueil fantomatique. Il repensa à Sandra et sentit le chagrin l'envahir à nouveau.

Une fois rentré à Miami, sa carrière de détective serait terminée. Ce serait la fin, non seulement de tout ce qu'il savait faire, mais aussi de ce qu'il avait *encore* envie de faire. En dépit de ce qu'il avait vu et des dangers qu'il avait affrontés et même si, comme il le craignait, il avait perdu la main et qu'il avait sans doute raté quelque chose en Haïti.

Qu'allait-il rapporter ? Qu'avait-il gagné, ici ? Pas même de l'argent ni la satisfaction du travail bien fait car, pour la première fois de sa carrière, il n'était pas allé au bout de son enquête. Il laissait derrière lui un boulot inachevé. Le visage de ce petit garçon allait le hanter pour le restant de ses jours. Il n'était pas plus avancé. Tout n'était que spéculations, suppositions et rumeurs. Pauvre gosse. Il se retrouvait doublement innocent.

D'accord, il avait contribué à démanteler un réseau international de pédophilie — enfin, avait enclenché sa dissolution. Il avait sauvé la vie d'innombrables enfants et épargné à leurs parents ce goût amer de la mort, de devoir vivre malgré la disparition d'un être chéri. Mais les enfants retrouvés, libérés, qu'est-ce qu'ils deviendraient ? Est-ce qu'on pourrait les guérir ? Revenir en arrière, remplacer ce qu'on leur avait volé ? Il faudrait attendre pour voir.

Attendre. Et voir venir. C'est ce qu'il pouvait à présent espérer de mieux et de pire dans sa vie. Cette pensée le hantait et finissait par le déprimer.

Il sortit de l'église une heure plus tard et demanda à une femme qui allait rentrer par la porte principale comment s'appelait ce lieu.

« *La cathédrale Sainte-Trinité** », répondit-elle.

Dehors, il faisait un soleil de plomb. Il se sentit désorienté par le bruit et la chaleur des rues après cette fraîcheur, ce calme et cette douce lumière inhérents à toute église.

Une fois retrouvés ses repères, il retourna à l'endroit où il avait garé sa voiture. Elle n'y était plus. Les éclats de verre sur le trottoir l'éclairèrent immédiatement.

Qu'importe. En fait, il s'en fichait éperdument.

Il revint sur ses pas et retrouva le Marché en Fer. Juste en face se trouvait une longue rangée de *tap-taps*, qui attendaient le client. Il y avait là des corbillards des années soixante, des coupés ou des berlines à l'intérieur repeint dans le style psychédélique vaudou. Il demanda au chauffeur en tête de ligne s'il montait à Pétionville. Celui-ci lui fit oui de la tête et lui dit de monter.

Ils attendirent au moins trois quarts d'heure que le véhicule se remplisse de gens qui arrivaient, chargés de paniers de légumes, de riz, de haricots, de poulets vivants et de poissons morts encore ruisselants d'eau. Max se retrouva écrasé dans un coin, une grosse femme assise sur ses genoux, étouffé par une demi-douzaine de personnes qui s'étaient entassées au fond.

Quand le chauffeur fut fin prêt, ils démarrèrent. Ils sortirent de la capitale par les petites rues où, à part eux, ne circulaient que des piétons et du bétail. Il y avait de l'ambiance à l'intérieur, tout le monde avait l'air de se connaître et les conversations allaient bon train. Enfin, tout le monde, sauf Max, qui ne comprenait pas un traître mot.

Il fit ses valises et alla dîner dans un restaurant près de La Coupole.

Il mangea du riz avec du poisson et de la banane plantain frite. Il laissa un bon pourboire à la serveuse, qu'il salua d'un signe de la main et d'un sourire en sortant.

Sur le chemin du retour, il observa la horde crasseuse et famélique des gosses en guenilles, le ventre gonflé, qui fouillaient les tas d'ordures, souvent par petits groupes. Certains jouaient, d'autres traînaient au coin des rues ou suivaient pieds nus leurs parents. Il se demanda de quoi il avait bien pu les sauver.

58

«Je suis désolé pour votre mère, Chantale », lui dit Max sur le trajet de l'aéroport. Ils avaient déjà parcouru la moitié du chemin et s'étaient à peine adressé la parole.

« En un sens, moi, je ne le suis pas, dit-elle. Elle a eu une fin assez horrible. Elle a beaucoup souffert. Personne ne devrait souffrir autant. J'espère de tout mon cœur qu'aujourd'hui elle se trouve dans un monde meilleur. Toute sa vie elle a cru qu'il existait un au-delà. »

Max ne trouva rien à dire, rien qui ait le ton juste et sincère du réconfort. Il en était passé par là, lui aussi, après la mort de Sandra. Sa mort lui avait fait l'effet de quelque chose de brutal et sans appel. D'un point final, sans après. La vie lui avait paru totalement dérisoire.

« Qu'allez-vous faire ? lui demanda-t-il.

— Je vais voir. Pour l'instant, Allain veut que je reste l'aider. C'est lui qui s'occupe de tout maintenant. Je ne crois pas qu'il puisse s'en sortir tout seul. Le coup a été dur.

— Oui, je sais. Je vous remercie vraiment de me conduire à l'aéroport. Il ne fallait pas.

— Je ne pouvais pas vous laisser partir sans dire adieu.

— Ce n'est pas forcément un adieu, dit Max. Ça pourrait être un “au revoir, à bientôt”. Vous pourriez m’appeler en revenant à Miami ? » Il commença à écrire son numéro, mais, à part les premiers chiffres de l’indicatif, il avait oublié tout le reste. « C’est moi qui vous appellerai. »

Elle le regarda dans les yeux, lui laissant entrevoir une tristesse et une douleur si lointaine qu’elle en avait oublié l’origine. Une douleur si intense qu’elle manquait à chaque instant de la submerger. Il se sentit bête et maladroit. Il avait choisi le mauvais moment et le mauvais endroit.

« Je suis désolé. »

Elle fit non de la tête, comme pour lui dire que ce n’était pas grave ou bien qu’elle n’en croyait pas un mot. Il n’aurait su dire.

Ils s’arrêtèrent devant l’aéroport.

« Max, ne m’appelez pas. Vous n’êtes pas prêt. Ni pour moi ni pour personne d’autre », dit-elle, se forçant à sourire du bout de ses lèvres tremblantes. « Vous savez ce que vous devez faire en rentrant chez vous ? Vous devez enterrer votre femme. Vous devez la pleurer, faire votre deuil, jusqu’à ce que votre cœur soit libéré de son fantôme. Alors seulement vous pourrez passer à autre chose. »

CINQUIÈME PARTIE

59

Retour à Miami et à l'hôtel Dadeland Radisson. On ne lui avait pas redonné la même chambre, mais c'était tout comme : pour autant qu'il s'en souvînt, elle était identique à la précédente. Deux lits d'une personne recouverts d'un dessus-de-lit écossais jaune et marron, une table de chevet contenant une bible, un bureau et une chaise, un miroir pas très net qui avait besoin d'un bon coup de chiffon, une télé de taille moyenne et un fauteuil et une table près de la fenêtre. La vue n'était pas bien différente non plus — Starbucks, Barnes & Noble, un glacier, un entrepôt de tapis et un petit restaurant chinois pas cher et, plus loin, le quartier tranquille de Kendall à l'écart de la route, avec ses maisons enfouies dans les arbres et la verdure. Il faisait beau, le ciel était d'un magnifique bleu liquide et le soleil était loin d'avoir l'intensité à laquelle il s'était accoutumé en Haïti.

En sortant de l'aéroport, il demanda au taxi de l'emmener directement à l'hôtel, sans même penser rentrer chez lui. Il avait pris sa décision dans l'avion, au décollage, quand les roues avaient quitté le sol en lui soulevant le cœur. Il ne voulait pas passer Noël ni fêter la nouvelle année 1997 dans cette maison devenue le musée de sa vie et de son bonheur passés. Il y retournerait le lendemain, le 2 janvier, quand il serait prêt à tourner la page.

Il n'en avait pas fini.

Impossible de se sortir Charlie Carver de la tête.

Mais où pouvait bien être ce gosse ?

Que lui était-il arrivé ?

Jamais il n'avait laissé une affaire en plan et ceci pour une raison très simple : ça l'empêchait de dormir, ça le hantait et ne lui laissait aucun repos.

Il se rendit à Little Haiti, ses boutiques, ses bars, son marché et ses boîtes de nuit. Il était le seul Blanc. Mais il ne gênait personne, ici, des tas de gens venaient lui parler. À plusieurs reprises, il crut reconnaître des visages croisés à Port-au-Prince et Pétionville mais, non, il se trompait.

Tous les soirs, il allait dîner au Tap-Tap, un restaurant haïtien. La bouffe était excellente, les serveuses d'humeur changeante, l'ambiance bruyante et chaleureuse. Il s'asseyait toujours à la même table. Sur le mur d'en face, il y avait un panneau d'affichage avec, au beau milieu, l'affiche signalant la disparition de Charlie.

Il ruminait cette affaire dans sa tête, déroulant le fil des événements par ordre chronologique, ajoutant tous les éléments qu'il avait sous la main. Puis il s'y prit différemment, en analysant séparément les antécédents, l'histoire et les personnes.

Quelque chose clochait.

Il y avait quelque chose qu'il n'avait pas vu ou à quoi il n'avait pas fait attention ou bien qu'il n'était pas *censé* voir.

Mais quoi ? Il l'ignorait.

Ce n'était pas terminé.

Il fallait qu'il sache ce qui était arrivé à Charlie Carver.

60

Vingt et un décembre. Il était à peine huit heures du matin quand Joe appela. Claudette Thodore avait été retrouvée saine et sauve, Saxby avait été arrêté. À peine lui avait-on passé les menottes qu'il s'était mis à table en essayant de négocier avec tout le monde, depuis le type qui l'avait arrêté jusqu'au médecin. Il leur promettait de leur indiquer un club privé à Miami et l'endroit où des corps avaient été abandonnés dans les Everglades. Mais en échange d'une réduction de peine.

Le père Thodore était en route pour Fort Lauderdale pour retrouver sa nièce.

Joe demanda à Max ce qu'il pouvait bien faire au Radisson et, ne trouvant aucune réponse à peu près intelligente à lui donner, ce dernier lui dit la vérité. À sa grande surprise, Joe lui avoua qu'il savait où il en était, qu'il devait prendre tout le temps nécessaire. Inutile de précipiter les choses : on a toute la vie pour les régler et pour surmonter ses problèmes.

Ils se donnèrent rendez-vous le lendemain au L Bar. C'était la première fois qu'ils avaient l'occasion de se revoir depuis le retour de Max. Joe avait été très occupé. La période de Noël était propice aux cinglés.

« Je vous offre un verre, lieutenant ? » demanda Max au reflet de Joe dans la vitrine.

Joe se leva en tendant la main, tout sourires.

Ils se congratulèrent.

« T'as bonne mine, maintenant, Max, observa Joe. Pas comme si tu avais passé les dix dernières années pendu la tête en bas dans une grotte.

— Et toi, t'aurais pas maigri, Joe ? » demanda Max. À côté de Vincent Paul, tous les hommes allaient lui sembler minus, mais Joe avait nettement perdu sa place dans son classement. Ses yeux s'étaient agrandis, il avait un semblant de pommettes, un menton plus nettement dessiné et son cou s'était affiné.

« Bof, j'ai dû perdre un ou deux kilos... »

Ils s'assirent. Le serveur s'approcha. Max commanda un double rhum Barbancourt sec et Joe la même chose, mais avec du Coca.

Les deux vieux amis entamèrent une conversation agréable et tranquille. D'abord des choses légères avant d'aborder doucement des sujets plus graves. Les verres se succédaient avec rapidité. Max raconta son histoire sans omettre aucun détail. D'abord, sa rencontre avec Allain Carver à New York et, au final, l'épisode Vincent Paul à Pétionville. Joe restait silencieux, mais son visage s'assombrit au récit des détails de ses découvertes. Il s'enquit du sort de Gustav Carver.

« J'imagine qu'il sera livré à certains des parents dont il a volé les enfants.

— Parfait. J'espère qu'ils vont le découper en rondelles. Une par enfant volé, fit Joe avec rage. Putain ! ils me font gerber ces fils de pute !

— Et comment ça se passe, avec le réseau ?

— Les pervers de Floride, on en fait notre affaire. On a une équipe sur leurs traces. Ce n'est plus qu'une question de jours. Le reste, je l'envoie à des amis dans d'autres États. On en réserve pour les crétins du FBI. Ça va être gros. On n'a pas fini d'en entendre parler. »

Ils trinquèrent.

« Tiens, j'ai quelque chose pour toi. Ça va pas t'être d'une très grande utilité maintenant mais bon, comme tu me l'avais demandé, je te l'ai apporté quand même, dit Joe en tendant à Max une enveloppe marron. Pour commencer, Darwen Medd est mort.

— Quoi ? Quand ça ?

— En avril. Des gardes-côtes sont montés sur un bateau en provenance d'Haïti. Ils cherchaient des clandestins. Dans la cale, ils ont trouvé Medd, à poil, pieds et poings liés, la langue coupée. Enfermé dans un tonneau. D'après le rapport d'autopsie, il y était depuis au moins deux mois avant qu'on le découvre. Ils ont dit aussi qu'il était vivant quand ils lui ont coupé la langue et qu'ils l'ont foutu dans le tonneau.

— Putain !

— Possible que ça ne soit pas les mêmes qui aient éventré Clyde Beeson. J'ai fait ma petite enquête. Quand Medd est allé en Haïti pour travailler sur cette affaire, il a failli se faire arrêter par le FBI pour trafic de drogue : il aidait un ancien client à lui rapporter de la came du Venezuela. En général, les gens pensent que c'est eux qui ont fait le coup. Le tonneau portait des inscriptions vénézuéliennes et le bateau avait fait escale là-bas avant de repartir pour Haïti.

— Sa langue, ils l'ont coupée comment ?

— Au scalpel. Un travail de pro. Sauf qu'ils l'ont laissé saigner comme un porc. »

Max but une longue gorgée.

« C'est le même qui a réglé son compte à Beeson, fit Max.

— Pas forcément, commença Joe.

— T'as quoi d'autre ?

— Tu te rappelles ce que tu m'as fait livrer par coursier ? Grâce à l'empreinte sur la cassette vidéo, on a résolu une vieille affaire.

— Ah ouais ?

— Tu te souviens, avant de partir, tu m'avais demandé de me renseigner sur la famille Carver ? La seule chose que j'avais pu trouver dans les dossiers, c'est un cambriolage sur leur maison, ici. On n'avait rien volé, mais le cambrioleur avait chié une grosse merde dans une de leurs jolies assiettes, fit Joe en riant. Et tiens-toi bien, les empreintes que le laboratoire a relevées sur la cassette étaient *les mêmes* que celles qu'ils ont retrouvées sur l'assiette.

— Sans blague ?

— Comme j'te le dis ! Et c'est pas fini. J'ai encore *bien* mieux. » Joe se pencha vers lui en souriant. « Bon, on a toujours pas de dossier sur le coupable, on a juste établi le rapprochement. Enfin, pas ici, aux États-Unis, cela dit. Si seulement on s'était donné la peine de communiquer les empreintes sur l'assiette à la police canadienne, on saurait précisément qui est notre monsieur Je-Chie-Dans-Les-Assiettes.

— Et... ?

— L'autre type sur lequel tu m'as demandé d'enquêter, Boris Gaspésie... » dit Joe.

Max sentit son rythme cardiaque s'accélérer en même temps qu'il recevait une décharge glacée dans le dos.

« Vas-y.

— Recherché pour deux homicides au Canada.

— Raconte.

— Boris devait être un des gosses enlevés par Carver, parce qu'il a été adopté par un chirurgien dénommé Jean-Albert Lebœuf. Lebœuf, lui aussi, était pédophile. Il allait tout le temps à Haïti.

« Boris avait douze ans quand il l'a tué. Il lui a filé plus de cinquante coups de couteau. On a retrouvé des bouts du mec éparpillés dans toute la pièce. Le gosse l'avait ouvert du cou jusqu'au bas du bide. Une coupure bien nette, en plus. Il a raconté aux inspecteurs que son soi-disant père adoptif lui faisait regarder des vidéos de ses opérations. Il lui disait que c'est ce qu'il lui ferait s'il répétait à qui que ce soit ce qui se passait entre eux.

« Boris a aussi raconté aux flics que son vrai nom de famille était Gaspésie, que c'est à Haïti qu'il avait été enlevé et qu'on lui avait fait un lavage de cerveau. Ils ont bien voulu croire la première partie de son histoire mais pas la deuxième. Les papiers d'adoption étaient en règle.

« Le tribunal a été super-indulgent avec le gosse. Ils l'ont placé dans un hôpital aux environs de Vancouver où il est resté à peu près six mois. Comportement nickel, aucune plainte : le patient modèle. Et puis, un jour, on sait pas comment, voilà qu'il s'embrouille avec un des autres gamins. D'après des témoins, c'est l'autre qui a menacé Boris avec un couteau. Celui-ci s'est défendu. Seulement il y est allé un peu fort, si tu vois ce que je veux dire. Il a laissé l'autre dans le coma.

« À partir de là, ça tourne au bizarre. Boris se retrouve enfermé dans le quartier de sécurité de l'hôpital. Il se fait encore agresser mais, cette fois-ci, par un membre du personnel, un infirmier qui était là depuis un mois et qui se jette sur lui avec une seringue d'adrénaline.

— C'est Carver qui avait envoyé des gens tuer Boris, dit Max.

— Ça y ressemble en effet. Mais, à l'époque, qui aurait pu savoir ? À part Boris, forcément, parce que, tout de suite après, il s'est échappé et s'est retrouvé en cavale. On a eu beau le rechercher, on ne l'a jamais retrouvé.

— Et ça s'est passé quand, tout ça ?

— En 1970-1971 », répondit Joe.

Le serveur revint. Ils recommandèrent à boire.

« Comme je te disais, Boris est recherché par la police canadienne pour deux meurtres. Celui d'un banquier, un certain Shawn Michaels, et un homme d'affaires, Frank Huxley.

— *Quoi ?* Quels noms t'as dit ? fit Max dont le cœur s'emballait.

— Shawn Michaels et Frank Huxley, répéta Joe. Ça te dit quelque chose ?

— Un peu, fit Max. Continue.

— Boris avait laissé des empreintes pleines de sang sur leurs cadavres. Il les avait torturés pendant au moins trois jours avant de les tuer.

— Il l'a fait comment ?

— Il leur a tranché la gorge au scalpel.

— Fallait s'y attendre », fit Max. Il ouvrit l'enveloppe dont il sortit une liasse de photocopies reliées par un gros trombone. La première était le rapport du meurtre. Max feuilleta les autres pages et tomba sur la copie de la photo d'identité judiciaire de Boris Gaspésie. Elle n'était pas de bonne qualité, mais il reconnut quand même le visage sombre de l'adolescent qui allait devenir l'homme qu'il connaissait sous le nom de Shawn Huxley.

Huxley était Boris Gaspésie.

Huxley avait manipulé la cassette qu'il avait trouvée chez Faustin.

Il avait découvert où habitait Faustin grâce à la page de l'annuaire qui se trouvait dans la boîte que lui avait remise Dreadlocks-Darwen Medd à Saut d'Eau.

Il n'avait pas vu le visage de Dreadlocks.

Alors, Boris Gaspésie était-il aussi Dreadlocks ?

Et lui, pourquoi était-il allé à Saut d'Eau ?

Parce que Huxley lui avait dit que Beeson et Medd y étaient allés.

Huxley le menait depuis le début.

Huxley avait kidnappé Charlie.

La terre s'effondrait sous ses pieds, et il se trouvait suspendu au-dessus d'un énorme gouffre.

« Encore une chose, Max, fit Joe. Toi et Boris avez quelque chose en commun.

— Quoi donc ?

— Allain Carver. À l'époque de l'histoire de la merde dans l'assiette, un certain Shawn Huxley s'est fait choper en état d'ivresse sur la US 1. Ils lui ont collé une amende et l'ont embarqué. Il a dit qu'il était journaliste et il a passé un coup de fil à Allain Carver, qui est venu payer sa caution dans les deux heures qui ont suivi.

« J'ai failli le rater, figure-toi. Il était tard, alors je me suis dit que je ferais mieux de vérifier au fichier central pour retrouver le nom des victimes de Gaspésie, au cas où il utiliserait leur identité. J'ai tapé "Shawn Huxley" par erreur.

— Comme quoi, on peut être en même temps le pire flic de toute l'histoire de la police et le mec le plus veinard du monde. Avec un coup de bol comme ça, tu t'en tires chaque fois. Quand c'est dans le sens contraire, t'en prends pour ton grade et tu te fais virer, fit Max.

— Tu l'as dit ! fit Joe en rigolant, puis il reprit son sérieux. Max, qu'est-ce que tu comptes faire ?

— Qu'est-ce qui te fait penser que je mijote quelque chose ?

— Si je pensais le contraire, je ne t'aurais rien dit. »

61

« Vincent ? Max Mingus. » La ligne était mauvaise. Il y avait pas mal de parasites et de grésillements.

« Comment ça va, Max ?

— Bien, Vincent, merci. Je crois savoir qui a enlevé Charlie.

— C'est *qui* ?

— Je reviens demain.

— Vous revenez ? » Il eut l'air surpris. « Quoi ? *Ici* ? En *Haïti* ?

— Oui, demain. Par le premier vol disponible.

— Vous n'êtes pas obligé de faire ça, Max. Je peux tout régler d'ici. Aucun problème. Il suffit que vous me disiez qui c'est.

— Négatif, répondit Max.

— Que proposez-vous ? demanda Vincent.

— Laissez-moi finir mon travail. Donnez-moi une semaine à compter du moment où l'avion atterrit. Si c'est une impasse, je vous dirai ce que je sais et je rentrerai chez moi. S'il m'arrive quelque chose pendant l'enquête, j'ai confié tout ce que vous avez besoin de savoir à Joe Liston. Il a votre numéro, il vous racontera tout.

— O.K. Ça marche.

— Maintenant, voilà ce que j'attends de vous. D'abord, je veux faire un retour le plus discret possible. Personne à part vos hommes de confiance ne doit savoir que je suis dans le pays.

— On vous attendra sur la piste et je vous ferai passer par la sortie réservée aux militaires.

— Parfait. Ensuite, il me faudra une bonne voiture.

— Pas de problème.

— Et un revolver. »

Le matin de son départ, il avait démonté le Beretta et jeté les pièces dans différentes bouches d'égout, à Pétionville.

« C'est comme si c'était fait.

— Merci. Je vous appellerai avant mon départ.

— O.K.

— Autre chose, Vincent. Rien n'a changé, c'est *toujours* mon enquête. Vous me laissez mener les choses à *ma* guise.

— Compris.

— À très bientôt.

— Eh oui, dit Vincent. Oh ! Max ?

— Oui ?

— Merci. »

SIXIÈME PARTIE

62

Chantale venait d'installer les deux valises sur le siège arrière de sa Fiat Panda et de fermer la porte de sa maison à clef, quand il lui tapa sur l'épaule.

« Max ! » Elle sursauta de frayeur, prit l'air abasourdi, puis esquissa un sourire confus. Elle portait un jean, un chemisier bleu ciel, des anneaux dorés, une fine chaîne autour du cou et un maquillage discret. Genre chic décontracté. Elle prenait chacun de ses déplacements très au sérieux.

« Où est Allain ?

— Parti. Il a quitté le pays », dit-elle, une nuance d'inquiétude dans le regard. Il lui bloquait l'accès à sa voiture. « Moi aussi, je m'en vais. J'ai un avion dans à peu près deux heures et je voudrais bien éviter les embouteillages, alors…

— Vous n'allez nulle part, Chantale. » Max sortit le Glock que Vincent Paul lui avait remis à l'aéroport.

Elle eut un mouvement de panique.

« Écoutez, jusqu'à hier j'ignorais tout, dit-elle. Allain est passé ce matin de bonne heure. Je venais à peine de me réveiller. Il m'a dit de ne pas aller à la banque parce qu'il me licenciait. Il m'a annoncé qu'il y avait un problème et qu'il devait aller consulter les avocats de la famille, à New York. Il ne savait pas quand il serait de retour.

Il m'a donné un reçu pour un transfert d'argent sur mon compte à Miami. Mon cadeau d'adieu, comme il a dit.

— Vous avez cherché à savoir ce qui s'était passé ?

— Bien sûr. J'ai appelé des amis à la banque, mais ils n'étaient au courant de rien. Ils ne savaient même pas que je n'allais pas revenir.

— Il vous a donné combien ?

— Moins qu'à vous.

— *Combien ?* insista-t-il.

— Un million.

— C'est beaucoup d'argent, Chantale.

— Allain est un type généreux.

— Qu'avez-vous fait pour lui, à part être son assistante ?

— Mais *rien* ! dit-elle sèchement. Je ne vous permets pas.

— Où est Charlie ?

— *Charlie ?* Je l'ignore. »

Elle avait l'air d'avoir peur, mais elle ne mentait pas. Il n'était pas même sûr qu'elle ait deviné qu'Allain était gay.

« Vous savez quoi au juste ? demanda Max. Qu'est-ce qu'Allain fabrique depuis que je suis parti ? »

Elle scruta son visage comme pour essayer de lire où il voulait en venir. Il tapotait son arme contre sa cuisse en signe d'impatience.

« Il a fait pas mal de transferts de fonds. Je l'ai surpris en train de passer un savon à quelqu'un au téléphone, parce que certains n'allaient pas assez vite. J'ai aussi reçu des appels de banques aux Caïmans, à Monaco et au Luxembourg…

— Vous connaissez la somme totale ?

— Non. Que se passe-t-il, Max ? » demanda-t-elle.

Il lui tendit une copie de la photo d'identité judiciaire de Gaspésie adolescent.

« Vous avez déjà vu ce type avec Allain ?

— C'est un jeune garçon, dit-elle.

— Il a grandi depuis. Regardez bien. Il pourrait s'appeler…

— Shawn Huxley ? suggéra-t-elle.
— Vous le connaissez ?
— Oui. Il se disait journaliste et vieil ami d'Allain.
— Combien de fois les avez-vous vus ensemble ?
— Deux ou trois fois, pas plus. À la banque. Il y est passé pas plus tard que la semaine dernière. Il m'a demandé si je voulais venir faire du ski nautique avec lui ce week-end-là. Il loue la maison d'Allain sur la plage.
— Elle se trouve où ? »
Elle le lui dit. C'était à trois heures de route. Il lui demanda de lui noter l'itinéraire par écrit.
« Vous savez autre chose sur Huxley ? Vous est-il arrivé d'entendre de quoi ils parlaient ?
— Non. Je sais qu'ils ont beaucoup ri la dernière fois qu'ils se sont rencontrés », dit-elle. Son regard s'assombrit. « C'est eux qui ont enlevé Charlie ?
— Pourquoi croyez-vous que je sois revenu ?
— Non, c'est *impossible* !
— Que savez-vous exactement d'Allain ? » demanda Max. Comme elle restait sans réponse, il lui raconta ce qu'il savait avec certitude. Son visage marqua d'abord de la surprise à l'annonce de l'orientation sexuelle d'Allain et de la véritable identité d'Huxley, puis de l'incrédulité quand il lui apprit que Vincent était le père de Charlie et, enfin, un effarement absolu lorsqu'il lui déballa tout.
Elle s'appuya contre le mur, chancelante, au bord de l'évanouissement.
Max lui laissa le temps de reprendre ses esprits.
« Je ne savais *absolument rien* de tout ça, Max. Je vous le jure. »
Leurs regards se croisèrent.
« Je suis prêt à vous croire », dit-il. Il s'était fait avoir par Allain, Huxley et Gustav. Il n'avait pas envie de l'ajouter à la liste.
« Je vous ai dit tout ce que je savais. Je veux juste partir d'ici, juste prendre mon avion. *S'il vous plaît.*

— Non, fit-il de la tête, la retenant par le bras. Vous allez rater cet avion, celui-ci et tous les suivants, jusqu'à ce que cette affaire soit éclaircie.

— Mais puisque je ne *sais rien* ! »

Il l'entraîna jusque sur le trottoir et fit signe à une voiture garée derrière la sienne. En descendirent un homme et une femme, qui étaient assis à l'arrière. Ils s'approchèrent.

« Ne la laissez pas sortir de la maison jusqu'à nouvel ordre, leur dit Max. Occupez-vous bien d'elle. Ne lui faites *aucun* mal. »

63

La maison de Carver surplombait un petit bout de paradis : une plage de sable blanc pas très grande mais superbe, nichée dans une crique de rochers noirs, avec, d'un côté, les montagnes et, de l'autre, l'océan bleu carte postale.

Huxley et deux femmes étaient montés sur un hors-bord amarré à la jetée et avaient démarré pour une partie de ski nautique. Max avait observé la scène d'en haut avant de descendre à pied jusqu'à la maison.

C'était une villa de style espagnol, tout à fait le genre de celles que se paient les expat' moyennement fortunés pour prendre leur retraite ou passer leurs vacances à Miami. Elle était ceinte d'un épais mur de ciment d'environ six mètres de haut, hérissé de piques, de tessons de verre et de fil barbelé coupant. Il poussa la grille métallique, qui s'ouvrit sur une cour pavée et une piscine entourée de transats. En temps normal, il n'y avait pas lieu de la fermer : la maison était parfaitement isolée au beau milieu d'une zone recouverte de rochers blancs, de touffes d'herbe folle, de cactus et de cocotiers sans fruits dont les palmes allaient du vert au jaunâtre.

Il entra et referma la grille.

Allain Carver n'aimait qu'une seule personne autant, sinon plus, que lui-même : sa propre mère. Il avait dressé un autel à sa mémoire dans un coin du salon. Une plaque étincelante de granit poli dans laquelle était incrustée une photo noir et blanc d'elle. Un cliché de professionnel pris en studio qui lui conférait un air de glamour distant, celui d'une star au sein de son propre univers. Son nom et ses dates de naissance et de décès étaient gravés et rehaussés à la feuille d'or au-dessous de ce portrait. Ce sanctuaire n'aurait pas été complet sans une petite fontaine où flottaient des bougies violettes.

Accrochées aux murs ou posées sur les meubles, toutes les autres photos représentaient Allain depuis son adolescence. Max fut surpris de voir les clichés de cet homme dont il semblait que l'activité la plus harassante à laquelle il se soit jamais livré de sa vie n'avait été que monter et sortir de sa voiture, faire du surf, du rafting, du deltaplane, de l'alpinisme, du parachutisme, du saut à l'élastique et de l'escalade en rappel. Sur chaque photo, Carver arborait un grand sourire, manifestement dans son élément : un homme qui croquait la vie à pleines dents et jouait avec le feu, dans les limites du raisonnable.

Max se rendit compte à quel point il connaissait mal son employeur, ce type qui l'avait roulé dans la farine. Il comprenait aussi à qui il avait affaire. Il y avait chez cet homme une facette que les gens ignoraient et ne soupçonnaient même pas. Ce n'était que seul, ici, qu'Allain Carver avait été véritablement lui-même.

Le reste du salon était très sommairement meublé : il vit une table près de la fenêtre du fond, qui s'ouvrait sur une véranda donnant sur la mer. Un coin parfait pour les dîners à deux, avec vue sur le coucher de soleil. Il n'y avait d'ailleurs que deux chaises, placées à chaque bout. De l'autre côté de la pièce, qui donnait sur la piscine et la grille, se trouvaient un canapé en cuir et un écran télé encastré dans le mur avec, entre les deux, une table basse en bois. Une bibliothèque recouvrait un pan de mur entier. Quatre étagères remplies de livres allant de l'encyclopédie reliée cuir au roman érotique gay. Enfin, deux fauteuils inclinables, une lampe et une autre table, qui composaient une sorte d'îlot égaré au milieu de la pièce. Il y avait aussi une minichaîne et une étagère incurvée remplie de CD de musique classique, pour la plupart.

La maison empestait le shit, le tabac froid et le parfum. Max chercha des armes et trouva un revolver Smith & Wesson à huit coups scotché sous la table à manger. Il le vida de ses balles et les mit dans sa poche.

Il fit un tour d'inspection dans la cuisine, située à gauche, qui contenait un frigidaire et un congélateur, tous les deux bien garnis. Le frigidaire regorgeait de produits frais — salade et fruits en abondance. Il y trouva une bouteille d'eau et en but la moitié. Il y avait des piles de livres de cuisine dont on voyait qu'ils avaient beaucoup servi et, dans un coin de l'étagère, une pochette remplie de recettes découpées dans des magazines. Le lave-vaisselle tournait.

Il découvrit un autre revolver sur le haut du frigidaire. Il le vida lui aussi.

Il retraversa le salon pour explorer le reste de la maison. À côté d'une salle de bains spacieuse, avec baignoire et douche et toutes sortes d'articles de toilette pour les deux sexes, se trouvait la chambre principale, où trônait un lit *king size* à barreaux de cuivre. La vue était aussi fantastique que depuis le salon. Il aperçut le hors-bord qui tirait un skieur. Le lit n'était pas fait et des vêtements étaient éparpillés par terre. En majorité des vêtements de femme.

Il y avait un revolver dans la table de nuit. Les balles qu'il contenait vinrent grossir sa collection.

Il pénétra dans la première chambre d'amis, qu'il trouva entièrement vide à l'exception d'une valise Globetrotter bleue et d'un sac de voyage assorti, posés l'un à côté de l'autre près de la porte. La valise était fermée avec un cadenas. Max ouvrit le sac et y trouva un billet Londres-Saint-Domingue en première classe pour le

3 janvier, c'est-à-dire le lendemain. D'une poche latérale, il sortit un passeport appartenant à un certain Stuart Boyle.

La photo était celle de l'homme qu'il connaissait sous le nom de Shawn Huxley.

Huxley avait changé d'apparence. Il s'était rasé la moustache, ses cheveux avaient poussé et il portait une coupe afro.

Il avait l'air mûr et souriait à l'objectif.

La maison donnait une impression de vide. Elle était aussi très calme. Il n'entendait même pas le bruit des vagues.

Dans la seconde chambre, il y avait deux sacs de voyage appartenant aux femmes qui étaient avec Huxley, un photocopieur pas très propre et une boîte de papier. L'appareil avait été débranché. Max souleva le couvercle. Il n'y avait rien. Il ouvrit la boîte. Elle était vide.

Il jeta un coup d'œil au reste de la pièce, mais il n'y avait rien à voir. Son regard se fixa sur le photocopieur. Il le décolla du mur. Rien, sinon un peu de poussière et deux insectes morts.

Pas d'armes dans l'une ou l'autre chambre.

Max alla dans la chambre principale et, par la fenêtre, regarda le hors-bord.

Après une heure de ski nautique, ils firent demi-tour pour regagner la plage.

64

Les filles revinrent les premières, leur arrivée ponctuée de rires et de conversations en créole.

Puis ce fut le tour d'Huxley. Il referma la porte et dit quelque chose.

Les rires reprirent de plus belle.

Max était dans la première chambre d'amis, celle où se trouvait la valise d'Huxley avec son faux passeport.

D'un seul coup lui revint en tête la bouteille dans laquelle il avait bu. Il l'avait décapsulée. En entrant dans la cuisine, ils s'apercevraient qu'il y avait quelqu'un dans la maison.

Merde !

Il entendit un bruit dans la chambre de maître, puis des voix, suivies de quelques rires.

Un bruit de pas, de tongs, juste à côté de la porte.

Max vit la poignée de la porte bouger et s'abaisser.

Il recula, son revolver armé.

Silence.

Le moteur d'air conditionné se mit en route.

Max se tenait à l'affût.

Le claquement de tongs s'éloigna.

Un autre bruit de pas prit le relais. Des pieds nus traversant le couloir, se dirigeant dans le salon.

Un bruit de chasse d'eau. La personne en tongs emboîta les pas de celle qui marchait pieds nus.

Il entendit une des femmes crier — un cri pour rire suivi d'un grognement d'Huxley, puis d'un soupir.

De la chambre parvenaient la voix et le rire de l'autre femme.

Max dressa l'oreille. Il n'entendit rien. Il repensa à la bouteille d'eau : c'était le moment d'agir.

Il serra la crosse du Glock d'une main moite. Il l'essuya sur sa chemise. Les Glock ne faisaient pas partie de ses armes favorites. Il préférait celles qui avaient plus de gueule et plus de poids, style Colt ou Beretta. Avec les Glock, on avait l'impression de tenir un jouet dans la main. Vincent Paul lui avait donné un nouveau .45 Glock 21 muni d'un chargeur de treize balles. Joe avait le même. Il adorait les Glock. Il trouvait qu'il le sentait à peine quand il en avait un sur lui.

La personne en tongs revint, suivie de celle qui marchait pieds nus. Elles entrèrent dans la chambre.

Ça parlait, ça gloussait.

Max se déplaça vers la porte et attendit.

Il entendit Huxley parler à voix basse en faisant grincer les ressorts du lit.

Max entrouvrit la porte. Il n'y avait aucun bruit.

Il sortit sur la pointe des pieds.

Huxley se remit à parler.

Il entendit des bruits de respiration et des soupirs, chaque fois plus forts.

Max se tenait prêt. C'était clair. Il était là pour Charlie, pour découvrir l'endroit où ils le cachaient — ou celui où ils l'avaient enterré. Il n'était pas là pour se venger. Il se contentait simplement de finir son boulot et de mettre un terme à sa carrière. L'effet de surprise jouerait en sa faveur. Ils ne s'attendaient sûrement pas à le voir.

Huxley dit quelque chose.

Le moment était venu.

Max entra dans la chambre sans faire de bruit.

La scène valait le coup d'œil.

Ils étaient tous les trois tellement occupés qu'ils ne se rendirent pas compte qu'il était dans la pièce.

Les deux femmes, nues, étaient allongées sur le lit, la tête enfouie entre les cuisses l'une de l'autre. Huxley était assis en face dans un fauteuil. Il portait un T-shirt Triumph jaune, des tongs bleu pastel et un short autour des chevilles. La bouche ouverte et le sexe érigé, il se branlait lentement.

Max lui pointa son Glock sur la tête.

Huxley était tellement absorbé par son petit spectacle qu'il ne remarqua même pas la présence de Max qui le menaçait à bout portant.

Max se racla la gorge.

La fille qui était en dessous leva les yeux, dégagea son visage et hurla.

Huxley se mit à fixer Max comme s'il s'agissait d'une hallucination. Il avait une expression tout à fait normale et détendue, à croire qu'il attendait juste que son cerveau appuie de lui-même sur la touche « Retour au réel » et fasse disparaître cette vision.

Ceci tardant à se produire, il paniqua. Il tenta vaguement de n'en laisser rien paraître, mais il avait le visage exsangue et les narines dilatées. Il ouvrit un peu plus les yeux, bouche bée.

La deuxième fille se mit à crier. Elles se relevèrent toutes deux d'un bond et prirent les draps pour se couvrir. Elles étaient mates de peau, très belles, la pommette saillante et la bouche généreuse. Huxley avait bon goût.

Le doigt sur les lèvres, Max leur signifia de se taire et s'écarta du lit au cas où elles tenteraient une attaque surprise.

« Charlie Carver… dit-il à Huxley. Mort ou vif ? »

Huxley se fendit d'un sourire.

« J'avais prévenu Allain que t'allais revenir », dit-il avec une certaine satisfaction dans la voix. « D'autant que tu lui as réexpédié l'argent. Je *savais* bien que tu nous avais dans le collimateur, je savais bien que, tôt ou tard, tu allais revenir terminer ton boulot. *Je le savais*. J'ai jamais vu quelqu'un décamper aussi vite qu'Allain. Il s'est tiré comme s'il avait le feu au cul.

— *Réponds-moi !*

— Charlie est vivant.

— Où l'as-tu caché ?

— Il est en sécurité. Près de la frontière dominicaine.

— Avec qui ?

— Chez un couple, bredouilla Huxley. Ils ne lui ont pas fait de mal. Il est quasiment comme leur fils.

— On va le chercher », fit Max.

65

Huxley était au volant. Max, assis à côté de lui, tenait son arme braquée sur son bas-ventre.

« Quand as-tu vu le gosse pour la dernière fois ? demanda Max.

— Il y a trois mois.

— Il allait comment ?

— Très bien. Il était en parfaite santé.

— Il a dit quelque chose ?

— Comment ça ?

— Il parle ?

— Non, il refuse. »

C'était le milieu de l'après-midi. Huxley expliqua qu'ils retourneraient jusqu'à Pétionville et qu'ensuite ils reprendraient la route de montagne en passant devant la propriété des Carver. De là, ils s'arrêteraient assez près pour voir les lumières des maisons en République dominicaine. Il espérait atteindre l'endroit où était retenu Charlie en fin de soirée.

« Parle-moi des gens qui gardent l'enfant.

— Carl et Ertha. Deux vieux dans les soixante-dix ans. La chose la plus dangereuse qu'ils aient chez eux, c'est une machette et encore elle sert seulement pour les noix de coco. Carl est un ancien curé.

— Encore un ! ironisa Max.

— Originaire du Pays de Galles. Il connaissait très bien la mère d'Allain. Il a aidé Allain, quand il était adolescent et qu'il a découvert qu'il était gay.

— Carl est gay ?

— Non. Il s'intéresse plutôt aux femmes et aux spiritueux qu'au spirituel.

— C'est pour ça qu'il s'est fait virer de l'Église ?

— Il est tombé amoureux d'Ertha, sa bonne, et il est parti de son plein gré. Mme Carver les a beaucoup aidés. Elle leur a acheté la maison de ferme près de la frontière. Allain veillait à ce qu'ils ne manquent jamais de rien. Ce sont des gens bien, Max. Ils se sont occupés de Charlie comme s'il était leur propre enfant. Il est très heureux là-bas, il s'est épanoui. Ç'aurait pu être bien pire.

— Et pourquoi ? Pourquoi ne pas l'avoir tué ? Pourquoi s'emmerder à prendre des risques en gardant l'enfant en vie ?

— Nous ne sommes pas des monstres, Max. Ça n'a jamais fait partie du plan. De plus, on l'aime bien Charlie — ce qu'il représentait. Gustav Carver avait beau avoir tout son pouvoir, ses relations et son fric, il ne savait pas que le gamin n'était pas de lui, encore moins que c'était celui de Vincent Paul, son ennemi juré. »

Ils arrivaient à Pétionville. Huxley réduisit de moitié sa vitesse et roula carrément au pas en entrant dans le centre surpeuplé, là où la frontière entre rue et trottoir est effacée par la densité mouvante ou statique des corps. Ils remontèrent la colline en passant devant La Coupole.

« Comment est-ce que tu nous as découverts ?

— C'est mon boulot, fit Max. Tu te souviens de la cassette que tu avais planquée chez Faustin ? T'as fait une connerie. T'as laissé tes empreintes dessus. Un fil qui traîne, ça suffit généralement pour attraper le gros poisson.

— Donc, s'il n'y avait pas eu ça... ?

— Exactement, dit Max. Tu aurais pu passer la fin de ta vie de merde à te branlocher en toute quiétude. Ta vie, ou ce qui t'en reste. Tu vois, étant donné la manière dont Allain s'est carapaté, il n'aurait pas fallu longtemps pour que Vincent Paul te mette le grappin dessus.

— Je comptais partir demain », dit Huxley amèrement en serrant le volant si fort qu'on voyait saillir tous ses os. Des mains de lutteur, pensa Max. « Vincent Paul n'aurait pas su, pour moi. Pratiquement personne ne nous a vus ensemble. Il n'y avait que Chantale qui connaissait mon nom. Enfin, un de mes noms.

— Elle était dans le coup ?

— Non, dit Huxley. Absolument pas. Allain la briefait tous les jours sur tes allées et venues, sur les gens que tu avais vus, mais elle n'était pas au courant de ce qui se passait vraiment. Pas plus que toi.

— Parle-moi de ça, justement. De ce qui "se passait vraiment". En commençant par le commencement.

— Qu'est-ce que tu sais, au juste ? » demanda Huxley. Ils étaient en train de remonter la périlleuse route de montagne et passèrent devant une Jeep Suzuki échouée dans un fossé. Des enfants jouaient dessus.

« Grosso modo, toi et Allain avez enlevé Charlie. Motif : faire tomber Gustav Carver. Allain, au départ, c'est le fric qui l'intéressait. L'envie de vengeance est venue après. Toi, tu voulais que Carver paie pour ses crimes et, après, te faire payer, tant qu'à faire. Mais avant tout, tu voulais te venger. Je me débrouille comment, jusqu'ici ?

— Pas mal, fit Huxley crânement. Bon, je commence par où ?

— Par où tu voudras.

— Très bien. Alors si je te racontais l'histoire de Tonton Clarinette — Monsieur Clarinette ?

— Vas-y. Je t'écoute. »

66

« Ma sœur Patrice — moi, je l'appelais Trice — avait des yeux magnifiques — verts — comme ceux de Smokey Robinson. Des yeux de chat et la peau mate. Les gens se retournaient sur elle, ils ne pouvaient pas s'empêcher de la regarder, tellement elle était belle, fit Huxley avec un sourire.

— Elle avait quel âge ?

— Sept ans, pas plus. C'est difficile de donner des âges ou des dates, vu qu'on ne savait ni lire ni compter, comme nos parents et leurs parents avant eux, et comme tous les gens qu'on connaissait. On a grandi à Clarinette dans une misère noire. Dès qu'on a su marcher, on a aidé nos parents à rapporter de la nourriture. On faisait ce qu'on pouvait. Moi, j'aidais ma mère à ramasser des fruits. On mettait des mangues et des genipas dans des paniers et on les vendait au bord de la route, aux pèlerins qui allaient à Saut d'Eau.

— Et ton père ? demanda Max.

— J'avais peur de lui. C'était un vrai caractériel. Il vous collait des trempes pour un oui pour un non. Il suffisait que je le regarde de travers pour qu'il sorte une badine pour me cingler le cul. Mais pas Trice. Non, elle, il l'adorait. Ça me rendait jaloux.

« Je me souviens du jour où les camions sont arrivés au village — des camions énormes, des bétonnières. Je pensais que c'était des monstres qui étaient venus pour nous dévorer. Là-dessus, mon père nous raconte que les types dans les camions lui avaient dit qu'ils allaient construire de grands immeubles et que tout le monde allait devenir riche. Il est allé travailler sur le chantier. C'est Perry Paul qui en était le propriétaire, à l'époque. Je crois que l'idée, c'était de faire des logements bon marché pour les pèlerins qui venaient à Saut d'Eau. Ils arrivent souvent de très loin et n'ont nulle part où dormir. C'est aussi lui qui a fait construire le temple. J'imagine qu'il voulait créer une sorte de Mecque vaudoue.

« Après avoir coulé l'affaire de Paul, Gustav Carver a repris le projet. Une autre direction a été mise en place et tout a changé. Un jour, un type est arrivé. J'en avais jamais vu d'aussi bizarre : un Blanc avec des cheveux orange. On ne le voyait jamais bosser. Il ne faisait que jouer avec les enfants. Il est devenu notre copain. On jouait au foot. Il nous avait acheté un ballon.

« Il était marrant. Il nous faisait rire. Il nous racontait des histoires, nous offrait des cadeaux, des bonbons, des vêtements. Un super-grand frère et un père génial en un seul homme. Il nous filmait aussi avec sa caméra super-huit. On aurait dit que la moitié de son visage, c'était cette horrible machine noire avec son gros œil globuleux en verre. Ça foutait la trouille et ça nous faisait rire en même temps. C'est Trice qu'il filmait le plus.

« Un jour, il m'a pris à part avec Trice pour nous annoncer qu'il allait partir. On était très tristes, tous les deux. Ma sœur s'est mise à pleurer. Mais il a ajouté qu'il ne fallait pas s'en faire : si on voulait, il nous emmènerait avec lui. Alors on a dit oui. Il nous a fait promettre de ne pas en parler aux parents, sinon ce ne serait pas possible.

« On était d'accord. On est partis du village sans rien dire à personne cet après-midi-là. On a retrouvé notre copain dans une voiture tout en bas de la route. Il y avait un autre type avec lui, un type qu'on n'avait jamais vu. C'est là que Trice a dit qu'on devrait peut-être rentrer à la maison. L'inconnu est sorti de la voiture, l'a attrapée et l'a poussée à l'intérieur. Il a fait la même chose avec moi. Quand la voiture a démarré, on s'est mis tous les deux à pleurer. Ils nous ont fait une piqûre. Je ne me rappelle pas grand-chose après ça, ni comment on a atterri à la maison sur la Gonâve, ni la suite. »

Ils avaient dépassé la propriété des Carver et se dirigeaient vers les hauteurs, en suivant une portion de route cahoteuse, semée de nids-de-poule. Ils avaient dû s'arrêter une fois à cause d'un camion en panne et une autre fois pour laisser passer un type qui descendait de la montagne avec un troupeau de brebis squelettiques.

« Tu as bien vu la cassette ? Celle que j'ai laissée pour toi… Tu l'as regardée ?

— Elle vient d'où ? » Max changea son arme de main.

« Je te le dirai plus tard. Tu as vu ce qu'il y avait dessus… La potion qu'ils nous ont donnée ?

— Oui, dit Max en hochant la tête.

— J'ai la mémoire détraquée depuis ce "processus d'endoctrinement". On ne pourrait pas me faire témoigner dans un tribunal parce que ce que j'ai là-dedans… » Huxley se frappa le crâne. « … mon cerveau, quoi, ce n'est plus qu'une platée de spaghettis. Les souvenirs que j'ai, c'est comme des rêves. Je n'arrive pas à savoir la part de la schizo et celle qui est due au jus de zombi qu'ils nous ont fait absorber.

« Ce n'était pas aussi fort que le truc dont se servent les prêtres vaudous pour mettre les gens en état de catatonie, mais assez, quand même, pour éliminer toute sensation. Ils nous en faisaient boire tous les jours. C'était comme à la communion. On se levait, on nous tendait le bol de liquide vert et on buvait.

« Ensuite, c'était la séance d'hypnose en musique. Gustav Carver s'asseyait au centre d'une pièce toute blanche et on restait debout autour. On formait un cercle en se tenant la main. Il nous jouait de la clarinette et, pendant qu'il jouait, on recevait nos "instructions".

— Et ta sœur ? Où était-elle pendant tout ce temps ? demanda Max.

— Je n'en sais rien. La dernière fois que je me souviens l'avoir vue, c'était à l'arrière de la voiture, quand on s'est fait enlever. » Huxley secoua la tête. « Il y a de fortes chances pour qu'elle soit morte. On n'avait pas le droit de grandir.

— Comment tu le sais ?

— Chaque chose en son temps », répondit Huxley avant de reprendre le cours de son récit. « On m'a vendu à un spécialiste de chirurgie esthétique. Un Canadien qui s'appelait Lebœuf. Il me regardait toujours comme s'il voulait me foutre à poil jusqu'à l'os. Il me forçait à le regarder opérer. J'ai appris comment on fait pour découper quelqu'un. Je suis même devenu un as du couteau. J'ai appris à lire tout seul dans des manuels de médecine.

« Quand je l'ai tué, j'avais la justice dans ma poche mais Gustav Carver l'avait, lui aussi, parce qu'ils n'ont jamais fait le rapprochement entre lui et Lebœuf. Personne ne m'a cru quand j'ai raconté que j'avais été kidnappé en Haïti et qu'on m'avait fait un lavage de cerveau, ni quand j'ai parlé de Tonton Clarinette et de ma sœur. Pourquoi m'auraient-ils cru ? Je venais de découper un type en petits morceaux et de décorer son intérieur avec ses tripes.

— Mais les flics ont quand même fouillé la maison, juste après avoir trouvé le corps ?

— Ils n'ont rien trouvé qui ait un lien avec Carver, ou alors ça n'a jamais été rendu public. Le vieux avait des tentacules *partout*, dit Huxley. Je me suis évadé de l'hôpital où on m'avait interné parce que Carver essayait de me faire tuer. Personne ne croyait un seul mot de ce que je disais. Une maison de fous. J'étais pas surpris. Le temps qu'ils se disent que j'avais peut-être raison, j'avais filé. J'étais devenu un fugitif, un type en cavale, recherché par la police.

« Je vivais dans la rue. Je faisais des passes. Ce que j'avais à faire. Il y avait des trucs que je n'aimais pas, mais bon, c'était mon destin. C'est pendant cette cavale que j'ai tout reconstitué : ce qui s'était passé et qui tirait les ficelles. Je me suis rappelé quelqu'un que Lebœuf connaissait — pas quelqu'un de la clinique mais un ami à lui. Shawn Michaels. Un banquier.

« J'ai réussi à le retrouver et je l'ai fait parler du business de Carver, de son fonctionnement, de tout.

— Et puis tu l'as tué ? fit Max.

— Ouais, fit Huxley en hochant la tête. J'ai pris son carnet d'adresses. Il connaissait d'autres pédophiles, des gens à qui il avait recommandé les services de Carver.

— Et tu les as recherchés ?

— Je n'en ai retrouvé qu'un seul.

— Frank Huxley.

— Juste. Il avait tout un stock de cassettes qui montraient ce qui se passait à la Gonâve et à l'Arche de Noé. La cassette que tu as trouvée est une compilation que j'ai faite. Une avant-première des horreurs à venir.

— Et le reste des gens qui se trouvaient dans ce carnet ?

— Ils étaient trop durs à approcher.

— Et Allain, c'est à quel moment qu'il intervient dans l'histoire ? demanda Max.

— Quand j'étais au Canada, je vivais la plupart du temps dans la rue. Je connaissais pas mal de types qui se prostituaient, fit Huxley. Allain aussi : il donnait dans le genre voyou. On avait des connaissances en commun. Il y avait deux types qui se vantaient toujours de se faire un Haïtien plein aux as. Ça a éveillé ma curiosité et j'ai découvert qui il était.

« Je suis allé dans le bar où il recrutait ses tapins. On a discuté. Quand j'ai compris qu'il détestait son vieux à peu près autant que moi, on a fait affaire ensemble.

— C'est comme ça que vous avez conçu un plan pour faire tomber Carver ?

— Fondamentalement, oui, c'est ça. On n'avait pas les mêmes motivations. Allain était un pauvre fils de riches, pourri gâté, à qui son papa refusait son amour à cause de ses orientations sexuelles. Ça ne l'aurait pas gêné plus que ça, si un de ses amants n'avait pas travaillé pour le cabinet d'avocats de la famille, à Miami, et ne lui avait pas révélé que son père l'avait entièrement déshérité. Il léguait tout à sa belle-famille et à ses plus proches collaborateurs. L'entreprise Carver fonctionne comme ça : si le vieux tombe malade ou doit partir de toute urgence, c'est à l'aîné des Carver sur le territoire haïtien qu'incombe la responsabilité de gérer les affaires. Allain avait déjà relayé son père pendant un déplacement. C'est comme ça qu'il avait découvert qu'il y avait plus d'un demi-milliard de dollars planqués sur divers comptes en banque, en cas de besoin. En tant que patron de l'empire Carver, il pouvait faire ce qu'il voulait de l'argent…

— Mais d'abord, il fallait se débarrasser du vieux, conclut Max.

— Exactement, fit Huxley. Allain ne savait pas comment accéder à tout ce fric. C'est un type assez malin, mais il n'a pas appris à se débrouiller tout seul. Et c'est un grand sentimental. Chez moi, c'est à peu près mort, tout ça.

— C'est toi qui as eu l'idée du kidnapping ?

— Absolument, concéda Huxley, non sans fierté. Presque entièrement. D'abord, on enlevait le gamin, on le planquait dans un endroit sûr, on faisait venir un enquêteur extérieur et, ensuite, on l'amenait à démasquer Gustav.

— Quand tu dis "amener", tu veux dire laisser traîner tout un tas d'indices ?

— Exact.

— Les lui servir sur un plateau, comme pour moi… ?

— … Près des chutes d'eau ? Oui. C'était moi, avec une perruque.

— Ça t'allait pas mal », dit Max, un peu vexé.

Il faisait nuit à présent. Huxley roulait moins vite. Ils étaient seuls sur la route. Max avait jeté un coup d'œil derrière lui pour s'assurer que Vincent Paul avait maintenu sa filature. Il avait été suivi jusqu'à la maison de la plage et jusqu'au retour à Pétionville. Il ne vit personne.

« Il était important que tu t'entendes bien avec Vincent Paul aussi. Il fallait qu'il te fasse confiance, qu'il s'ouvre à toi. Il ne l'a pas fait avec Beeson et Medd.

— C'est pour ça que tu les as tués ?

— Je ne les ai pas *tués*. J'ai fait des *exemples*.

— À Medd, tu as arraché la langue et tu l'as foutu dans un tonneau. Un putain *d'exemple*, comme tu dis !

— Il est mort *asphyxié*, rectifia Huxley. Écoute, je reconnais que ce que j'ai fait était un peu... extrême... voire barbare. Mais la récompense est trop grosse pour qu'on laisse tous les connards et les arnaqueurs de la terre venir tenter leur chance ici. Ça a servi de repoussoir. Les gens ont eu vent de ce qui était arrivé à Beeson et, d'un seul coup, miracle ! on venait leur proposer une meilleure affaire au fin fond de l'Alaska. Tu évolues dans un tout petit monde, Max. Les privés, vous vous connaissez entre vous.

— Mais qu'est-ce qu'ils ont commis comme erreur ?

— Beeson était trop proche du vieux. Il lui faisait directement ses rapports, sans passer par Allain. Et puis il a merdé avec Vincent Paul. Ils n'ont pas du tout accroché. Il ne nous servait pratiquement à rien, expliqua Huxley. Quant à Medd... il était près du but, mais il s'est mis à se méfier des indices qu'il recevait. Il avait dit à Allain que tout était trop évident, trop facile. Il n'aurait pas fallu beaucoup de temps avant qu'il nous démasque. Il fallait prendre les devants.

— Et l'Haïtien ?

— Emmanuel ? Une grosse feignasse. Il était bien trop occupé à baiser à droite à gauche pour faire un boulot à peu près sérieux. Je lui aurais bien coupé la bite moi-même si quelqu'un n'y avait pas pensé avant.

— Et c'est là que vous avez fait appel à moi ? » dit Max.

La route s'était aplanie. La surface était exceptionnellement lisse et les roues semblaient glisser dessus, accompagnées du doux ronronnement du moteur. Les étoiles se levaient. Elles scintillaient bas dans le ciel et les galaxies semblaient si proches qu'elles faisaient penser à des nuées de diamants. Pendant tout le trajet, Huxley avait paru calme et confiant. Il n'avait pas demandé une seule fois à Max ce qu'il comptait faire de lui. Max craignait par moments de ne pas retrouver Charlie Carver. Il avait peur qu'Huxley ne le conduise là où il avait pratiqué sa chirurgie sur Beeson et Medd. Si c'était le cas, il n'en ferait pas les frais. Il ne se laisserait pas faire : il tuerait Huxley au moindre signe louche. Mais il ne croyait pas qu'Huxley ait prémédité quoi que ce soit. Il avait passé presque toute sa vie à chercher à se venger, pour sa sœur et pour lui. Maintenant que c'était fait, peu importait la suite.

« C'est toi que j'ai toujours voulu pour ce boulot, dit Huxley. Je n'ai pas manqué une seule séance de ton procès. J'ai lu des masses de choses te concernant. J'avais un respect énorme pour ce que tu as fait. Je sentais que tu étais de mon côté et que, si un jour on se rencontrait, toi au moins, tu comprendrais d'où je viens et ce par quoi je suis passé.

— Il y a des gens qui ressentent la même chose pour leur rock star préférée, dit Max d'un ton cassant. En allant un peu plus loin, on peut appeler ça du harcèlement.

— J'ai comme l'impression que la vie t'a pas mal endurci toi aussi, ou je me trompe ? » Huxley se mit à rire.

« Ma vie est un échec, dit Max. De quelque côté qu'on la regarde. Ce que j'ai fait n'y change rien. Sauf pour moi. Ça n'a pas ramené les victimes, ça n'a pas modifié le cours du temps et ça ne leur a pas rendu leur innocence. Ça n'a aidé ni leurs parents ni leurs familles. En tout cas, pas à long terme. Tourner la page, c'est des conneries tout ça. On ne se remet jamais de ce genre de perte. On emmène son chagrin avec soi jusque dans la tombe.

« Mais tant mieux, si tu penses que je t'ai aidé. Parce que pour moi c'est le contraire. J'ai perdu la seule vraie bonne chose que j'aie jamais eue. Ma femme. Elle est morte quand j'étais en prison. Je n'ai plus jamais pu la prendre dans mes bras, la toucher, l'embrasser, être avec elle. Jamais eu le temps de lui dire à quel point je l'aimais. Et tout ça à cause de la vie que je menais. Tout ce "bien" que je croyais faire, si on l'additionne, ça donne zéro. Ça m'a conduit tout droit en taule. Si ce n'est pas un échec, je vois pas ce que c'est. »

Max regarda la nuit noire à travers le pare-brise.

« À propos, comment se fait-il que Gustav ait laissé à Allain le soin d'engager quelqu'un ? demanda-t-il.

— Il ne l'a pas fait. Tu te souviens de ce dîner ? C'était ton entretien avec Gustav. S'il ne t'avait pas aimé, il t'aurait remis dans le premier avion pour Miami, dit Huxley.

— C'était déjà arrivé ?

— Non, Allain et moi, on faisait les bons choix. »

Ils continuèrent quelques instants à rouler sans rien dire. Max rengaina son Glock. Il n'en aurait plus besoin.

« Parle-moi d'Eddie Faustin.

— C'était aussi mon idée de se servir de lui, fit Huxley.

— Comment l'as-tu débauché ? Je croyais qu'il était loyal envers le vieux ?

— Tout le monde a un prix.

— Et le sien ?

— Francesca. Elle habitait ses nuits. Je lui ai dit qu'il pourrait l'avoir s'il nous aidait. Par l'intermédiaire de son *boko*, Mme Leballec, une très bonne amie de ma mère, expliqua Huxley.

— Attends, dit Max… Tu as demandé à Mme Leballec de dire à Eddie qu'il pourrait "avoir" Francesca ? Elle est bidon, alors ?

— Oui et non. Elle a quelques pouvoirs, mais elle pratique la magie noire. C'est une sorcière. Le mensonge fait partie de son répertoire, dit Huxley. Elle a de nombreux adeptes.

— Donc, quand on est venus la voir et que "l'esprit" d'Eddie nous a dit d'aller au temple…

— … Où tu m'as rencontré, là où je t'ai donné la boîte sur laquelle était inscrite l'adresse d'Eddie. Là où tu as trouvé la cassette…

— Tu l'avais payée pour qu'elle nous indique le chemin ?

— Oui — et, au fait, elle n'est pas non plus handicapée. Et Philippe est son amant, pas son fils. Et ne me demande pas comment elle s'est arrangée pour truquer sa séance de spiritisme parce que je n'en sais rien, dit Huxley avant de se mettre à rire.

— Ben, merde alors ! fit Max. D'accord, mais revenons-en à Faustin.

— Eddie était très perturbé. Il était parano. Il pensait que toutes les saloperies que lui et son frère avaient faites quand ils étaient macoutes allaient les rattraper. Il venait voir Mme Leballec tous les mois pour qu'elle lui lise son avenir.

« Et c'est là qu'on entre dans l'histoire. Allain a versé une jolie somme à Mme Leballec pour qu'elle invente à Faustin un avenir sur mesure. Il allait rencontrer la fille de ses rêves, vivre heureux et faire beaucoup d'enfants.

« Elle a raconté à Faustin qu'un inconnu allait lui proposer un boulot top secret. Il fallait qu'il accepte, s'il voulait que ses rêves se réalisent.

— Et c'est comme ça que tu l'as rencontré ?

— Oui, une nuit, à l'extérieur de la cabane à tafia qu'il fréquentait. Quand il a entendu mon offre, il a d'abord refusé. Il est retourné en quatrième vitesse voir Mme Leballec. Elle en a rajouté et a réussi à le persuader que Charlie Carver était en réalité un esprit qui avait échappé à Baron Samedi pour posséder l'esprit du jeune garçon. Il fallait le restituer à l'envoyé dudit Baron, à savoir moi.

— Tu déconnes ?

— Il a tout gobé.

— Putain !

— Faustin était tellement con, c'en devenait presque de l'art. En plus, il croyait que tout ce qui bouge dans la nuit est un esprit fou-fou. Voilà, vous avez votre fanatique en bonne et due forme.

— Bon, raconte-moi l'enlèvement. Les choses ne se sont pas passées comme prévues, si ?

— Comment ça ? demanda Huxley.

— Je veux parler de l'émeute, répondit Max.

— Si, si ! C'était bien prévu. Faustin avait beaucoup d'ennemis. On en a payé quelques-uns pour qu'ils se trouvent à l'endroit indiqué à Faustin. Il pensait qu'il lui suffirait de s'approcher de la voiture et de prendre l'enfant.

— Rose, la nounou… Rose s'est fait tuer.

— Mais c'est Faustin qui l'a tuée, pas nous.

— C'était votre intention, qu'il meure ?

— Oui.

— Et qui a enlevé Charlie ?

— Moi. J'étais au milieu de la foule qui a attaqué la voiture, déguisé. J'ai attrapé le gamin et je me suis enfui avec. »

Ils traversèrent un petit village composé de huttes au toit de chaume. Max ne perçut pas le moindre signe de vie, si ce n'est une chèvre attachée qui broutait un buisson à la lueur des phares.

« C'était qui, ce Tonton Clarinette ? Carver ou Codada ?

— Les deux. Codada filmait les gamins et les enlevait sur ordre. Carver leur volait leur âme et vendait leur corps.

— Et que signifiait ce symbole ? Cette croix tordue avec le bras cassé ?

— Tu ne l'as pas reconnu ?

— Non, fit Max avec un hochement de tête.

— *Le Fifre*, de Manet. Tu te souviens de ce tableau ? Le petit soldat avec la flûte ? C'était le badge de l'organisation, leur signe de reconnaissance. Il y en avait un accroché dans le club où tu as rencontré Allain. Il t'a fait asseoir à une place d'où tu pouvais le voir… Et il y en avait aussi un dans le bureau de Codada, quand Allain t'a emmené le voir. Et un autre à l'Arche de Noé, juste en sortant de la classe de Krolak. Il y en a dans tous les clubs. Le logo représente le contour du tableau. C'était censé être une image subliminale, dit Huxley en ricanant. Ça l'était peut-être un peu trop, subliminal !

— Vous auriez pu me faciliter la tâche en m'envoyant un mot anonyme pour m'indiquer où chercher.

— Non, dit Huxley. Ça n'aurait pas pu être aussi simple. Tu aurais voulu savoir qui était derrière. Et t'aurais fini par nous découvrir.

— Mais pourquoi ne pas avoir tout simplement dénoncé les Carver ?

— Ici ? Autant siffler dans l'oreille d'un sourd. De plus, tu sais ce qui est arrivé au Canada. Ce n'est pas ce qui était prévu », dit Huxley.

Ils continuèrent à rouler en silence. Max essayait de ne pas penser à la façon dont il avait été manipulé depuis le début. Il cherchait à se concentrer sur l'aspect positif de l'histoire. Bientôt, il serait à même de libérer Charlie et de le rendre à ses vrais parents. C'était le principal, la seule chose qui comptait. La raison de sa venue ici.

Il ignorait ce qu'il allait faire d'Huxley.

« Et Allain ? demanda Max. Où est-il allé ?

— Je ne le sais pas plus que toi. Il ne me l'a pas dit. On a fait nos comptes et je ne l'ai plus jamais revu. À mon avis, on ne le retrouvera plus.

— Ce qui veut dire que tout ça t'a rapporté de l'argent ?

— Évidemment. Je n'avais pas l'intention de repartir racoler les pédés en manque, dit Huxley. On arrive. »

Max regarda sa montre : huit heures passées. Au loin, il apercevait les lumières d'une ville. Ils devaient être tout près de la frontière dominicaine.

« Contrairement à toi, Max, je n'ai aucun regret. J'ai beau avoir vécu une vie de pauvre, une vie de misère même, c'était la mienne. Pas la leur. C'était *ma* vie. Et c'était celle de ma sœur, aussi. Nos vies à nous. Une vie pour nous, à vivre comme on voulait. Mais ces vies, ils nous les ont confisquées. Ils m'ont enlevé ma sœur. Alors, c'était mon tour de *tout* leur prendre.

« Allain n'en avait rien à foutre de ces gosses. C'est sûr qu'il était horrifié et dégoûté par les magouilles de son père mais dans le fond, tu sais, il n'y voyait que son propre intérêt. Rien d'autre. Tout ce qu'il voulait c'était niquer son père et filer avec le fric en lui pissant à la raie. Il disait souvent que les seules choses qui valent la peine d'être faites le sont pour de l'argent. Je n'ai jamais compris cette mentalité. Tu dis que tu n'as servi à rien, que t'es un raté ? Tu ne devrais pas penser ça, Max. Tu as tué des monstres et sauvé la vie d'enfants qu'ils auraient sucés jusqu'à la moelle. Comme ils l'ont fait avec moi. »

La route redescendait à présent, les rapprochant de la frontière.

Sur sa gauche, Max aperçut les lumières d'une maison, au sommet d'une montagne.

« Il est là, Charlie », dit Huxley en s'engageant sur une route perpendiculaire.

67

Carl et Ertha les attendaient sur le pas de la porte. Ertha portait une large robe marron et des sandales. C'était une imposante femme créole à qui il était difficile de donner un âge. Comme il était difficile d'imaginer que son visage aimable et doux puisse jamais exprimer la colère. Carl faisait la moitié de sa taille et paraissait squelettique à côté d'elle. Sa tête était bien trop grosse par rapport à son corps. On aurait dit une citrouille plantée sur un manche à balai recouvert de vêtements. Elle paraissait d'autant plus grosse qu'il laissait le peu de cheveux qu'il avait laissé pousser en une crinière gris et châtain hirsute qui lui tombait sur les épaules. Son visage couvert de rides, rougeaud, bouffi et vérolé, était la plus belle gueule d'alcoolique que Max ait jamais vue. On pouvait y lire des histoires par centaines, des histoires qui commençaient de façon banale et viraient à l'extraordinaire, mais dont on oubliait la fin. Ses yeux pourtant étaient d'un bleu incroyablement clair. Il avait dû remiser la bouteille et s'assagir à temps pour vivre ce qu'il lui restait à vivre.

Ils eurent un sourire en voyant arriver la voiture et Huxley en descendre. Mais, devant son expression, leur joie retomba et la tristesse envahit leur visage, puis tout leur être. Leur attitude changea aussi. D'accueillants, ils devinrent nerveux.

Quand Max sortit de la voiture, ils le fixèrent avec mépris, sachant déjà ce pour quoi et pour qui ils étaient venus. Ils le jaugeaient au fur et à mesure qu'il approchait. Nullement impressionnés.

Huxley comprit aussitôt ce qui se passait et ne prit même pas la peine de faire les présentations.

Le couple rentra dans la maison et les précéda jusqu'à une pièce dont la porte était restée ouverte. Ils se mirent sur le côté et Huxley fit signe à Max d'entrer. Charlie, âgé à présent de cinq ans, était assis par terre, occupé à enfiler des capsules de bière sur un lacet de chaussure. Max remarqua d'abord ses yeux — les mêmes que sur les photographies, sauf qu'ils pétillaient d'intelligence et de méfiance. C'était un bel enfant, un chérubin dont l'innocence était assombrie par une propension manifeste à faire des bêtises ; il ressemblait d'ailleurs davantage à son père qu'à sa mère. Max s'attendait à trouver Charlie littéralement assis sur ses cheveux, ou du moins à ce qu'ils soient tressés et remontés en chignon au sommet du crâne, mais l'enfant avait accepté de se les faire couper et coiffer. Ils étaient courts et peignés de frais, avec la raie au milieu. Il portait un short bleu, des chaussettes blanches, des souliers noirs bien cirés et un T-shirt de marin rayé rouge et blanc, avec une ancre, à droite, sur la poitrine. Il avait l'air heureux, en bonne santé et bichonné avec soin, avec amour même. Rien à voir avec les victimes de kidnapping qu'il avait retrouvées et libérées auparavant.

Max s'accroupit devant l'enfant et se présenta. Troublé, Charlie chercha de l'aide dans le regard d'Huxley qui se tenait debout derrière Max. Il s'accroupit à son tour et s'adressa en français au jeune garçon. Max entendit à plusieurs reprises son nom, puis Huxley lui ébouriffa les cheveux, le prit dans ses bras et le souleva en le faisant tournoyer. L'enfant s'illumina et il se mit à rire mais sans prononcer la moindre parole. Il était au-delà des mots.

Dès qu'Huxley le remit sur ses pieds, Charlie recoiffa ses cheveux pour les remettre comme ils étaient quand ils étaient arrivés. Puis il recommença à enfiler ses capsules sur son lacet. Il les choisissait dans une pile posée par terre, à côté de lui, avant de les ajouter à la chaîne qu'il était en train de fabriquer. Dès lors, il ignora totalement la présence de Max, comme s'ils ne se trouvaient pas dans la même pièce.

Huxley sortit pour parler avec Carl et Ertha qui avaient suivi la scène depuis le pas de la porte. Il les prit par le bras et les emmena un peu plus loin, afin qu'on ne puisse pas les entendre.

Max s'avança pour regarder. Ertha, le dos tourné, faisait face à un mur sur lequel se trouvait un cadre contenant la photo noir et blanc de prêtres vêtus de chasubles noires et dont l'un pouvait bien avoir été Carl plus jeune. Elle se mordait la main pour étouffer ses pleurs.

Carl entraîna Huxley vers la porte et lui parla, la bouche collée à son oreille, tourné vers Ertha qui s'appuyait au mur pour ne pas tomber.

Huxley revint vers Max.

« Carl vient de me dire qu'il vaudrait mieux que l'on prenne Charlie maintenant, fit-il à voix basse. Si on s'attarde, Ertha sera trop bouleversée pour le laisser partir. »

Huxley rentra dans la pièce et souleva Charlie avec une telle précipitation que l'enfant lâcha son collier et que toutes les capsules tombèrent par terre. Le visage de Charlie s'empourpra aussitôt : il semblait très en colère d'être ainsi transbahuté d'une pièce à l'autre. Il poussa de petits gémissements comme un animal blessé et pris au piège.

Sa colère céda à la confusion lorsqu'il passa devant Carl et Ertha à nouveau réunis. La tête enfouie dans l'épaule de son mari, agrippée à lui et enlaçant son dos étroit, Ertha refusait de voir ce qui était en train d'arriver. Carl ne regardait pas non plus et lui caressait la nuque. Les deux êtres les plus malheureux et brisés que Max eût jamais vus.

Charlie tendit les bras vers eux au moment où Huxley lui fit passer la porte. La bouche ouverte, le gamin se mit à lancer des regards de panique et de confusion de Max à Carl, puis à Ertha. Max s'apprêtait à entendre éclater les fameux cris du gamin. Il n'en fut rien. Il se mit à pleurer comme n'importe quel gosse. Très fort et de façon convulsive, mais comme un enfant normal.

Ils sortirent de la maison. À peine Max avait-il refermé la porte derrière lui qu'ils entendirent Ertha laisser libre cours à sa douleur. Le peu qu'il en perçut en s'éloignant lui transperça le cœur. Pendant quelques instants, il se demanda ce qu'il lui prenait de lui arracher cet enfant, de le priver de cet environnement sain et de l'amour de ces gens. Tout ça pour l'emmener vivre au bord d'un égout à ciel ouvert, chez son père, baron de la drogue.

Max ouvrit la portière de la voiture et dit à Huxley d'asseoir le petit à l'arrière.

Huxley installa Charlie sur le siège et referma la portière.

« Et maintenant, qu'est-ce qu'on fait ? »

Max lui tendit la main. Huxley la serra.

« Évite les grandes routes, dit Max. Vincent Paul n'est pas bien loin.

— Merci, Max, dit Huxley.

— Adieu Shawn… Boris, enfin, qu'importe…

— Prends bien soin de toi, Max Mingus », dit Huxley en s'éloignant de la voiture pour disparaître et se fondre aussitôt dans la nuit.

Max monta en voiture, mit le moteur en marche et descendit la colline sans se retourner.

Il s'engagea sur la route et roula, sachant qu'il ne lui faudrait plus bien longtemps avant de tomber sur Vincent Paul.

Et comme prévu, moins de cinq minutes plus tard, il aperçut les lumières d'un convoi qui venait vers lui.

68

Le lendemain matin, Vincent, Francesca et Charlie vinrent le chercher de bonne heure.

Paul prit le volant, Max s'assit sur le siège avant, Francesca et Charlie à l'arrière. Ils entamèrent une conversation légère, histoire de remplir les silences entre chaque parole. Ils parlèrent de la pluie et du beau temps, de quelques rumeurs d'ordre politique et commentèrent en riant les atroces tailleurs roses d'Hillary Clinton.

Charlie ne leur prêtait aucune attention. Il avait appuyé son front contre la vitre et passa tout le trajet à regarder le paysage de terre brûlée défiler comme dans un nuage de sable. Il portait un jean, un T-shirt bleu et des baskets. Max remarqua la longueur de ses jambes. Il tenait cela de son père. Il allait être très grand.

Francesca faisait glisser sa main sur les épaules et le dos de son fils dans un long mouvement, doux et caressant. Parfois, tout en parlant, elle posait son regard sur lui. Le sourire ne quittait pas son visage.

Max allait quitter le pays dans un avion des Nations unies en partance pour Miami. Une fois arrivé, il serait escorté jusqu'à la sortie sans passer par la douane. L'idée lui traversa soudain l'esprit que Vincent allait lui demander de passer de la drogue. Mais la voix de la raison, pour ainsi dire, la rendit totalement farfelue. Peu de chances, en effet, que Paul ait besoin d'une mule alors qu'il avait les Nations unies à sa disposition.

Ils passèrent par une entrée loin du terminal principal et arrivèrent ainsi sur la piste de décollage où attendait un DC 10 vert kaki. La porte était ouverte et la passerelle déjà en place. À part lui, la piste était totalement vide.

« Il n'y a que moi, comme cargaison ? demanda Max.

— Non, vous êtes le seul passager », rectifia Paul en coupant le moteur. Ils restèrent quelques instants assis à regarder l'avion.

« Et Chantale ?

— Je vais la laisser partir. Elle s'envolera pour Miami dans quelques heures.

— Gustav Carver, Codada, Eloise Krolak… que sont-ils devenus ?

— À votre avis ? dit Paul, le visage impassible. Il faut bien un peu d'équilibre dans le monde, il faut que justice soit faite. Vous savez comment c'est. »

Max hocha la tête. Il savait.

« Qu'est-ce que vous allez faire en arrivant à Miami ?

— Mettre un peu d'équilibre dans mon propre monde, deux ou trois choses à remettre d'aplomb, dit Max.

— Alors Gaspésie s'est enfui… » Paul regarda Max du fond de ses yeux creusés. « Et bien entendu, Allain Carver se cache aussi quelque part. Vous voulez le boulot ?

— Non, fit Max en secouant la tête. Vous savez, Vincent, vous devriez laisser tomber. Tout finit bien pour vous trois. Vous avez récupéré Charlie sain et sauf. Soyez heureux d'être à nouveau réunis. Ce n'est pas souvent que ça se termine ainsi. »

Paul ne fit aucun commentaire. Il se contenta de détourner son regard vers la piste.

« Et vous ? demanda Max. Vous allez faire quoi ?

— J'ai l'intention de changer deux ou trois choses dans ma manière de faire… dit Paul, se tournant à nouveau vers les siens avec un sourire.

— En tout cas, l'empire Carver vous appartient, maintenant. Dommage que cette vieille ordure ne soit plus là pour voir ça.

— Vous croyez en Dieu, Max ?

— Je pense que oui.

— Alors Gustav voit tout ce qui est en train de se passer, de chez lui, en enfer. »

Ils rirent comme un seul homme. Pas Francesca. Charlie continuait à regarder obstinément par la fenêtre.

Ils sortirent tous de la voiture.

Deux Jeep qui les avaient suivis sur le chemin de l'aéroport se garèrent à proximité. Elles étaient remplies de gardes du corps de Paul. Celui-ci se dirigea vers eux, laissant Max, Francesca et Charlie.

Max se rendit compte qu'il n'avait pas reparlé à Francesca depuis la nuit où elle était venue lui rendre visite à la villa. Il se dit que c'était probablement Vincent Paul qui l'y avait déposée, juste avant de lui sauver la vie dans la rue.

« Et vous ? lui demanda-t-il.

— Que voulez vous dire ?

— Vous allez rester ici, c'est ça ?

— Pourquoi pas ? C'est chez moi ici. Pour le pire et le meilleur », dit-elle en riant et en posant ses mains sur les épaules de Charlie. Une ombre traversa alors son visage. «Vous allez dire quelque chose ? Parler de moi ?

— Ne vous inquiétez pas », dit Max.

Il regarda Charlie qui le regarda à son tour, ses yeux fixés sur son menton. Max s'accroupit pour se mettre à sa hauteur.

« Adieu Charlie Carver, fit Max.

— Dis au revoir à Max », dit Francesca en lui faisant faire un signe de la main.

Max lui sourit.

Charlie sourit aussi.

« Sois sage », dit-il en lui passant la main dans les cheveux. L'enfant se recoiffa illico.

Francesca prit Max dans ses bras et l'embrassa sur la joue.

« Merci, Max. »

Il se dirigea vers l'avion où l'attendait Paul, qui observait deux de ses hommes en train de monter la passerelle, chargés d'un sac de l'armée très lourd.

« C'est bien ce que je pense ? demanda Max.

— Non, répondit Paul. Jamais de la vie ! C'est pour vous, cela dit.

— Qu'est-ce que c'est ?

— Vingt millions de dollars — dix de la part des Thodore, pour leur avoir rendu leur Claudette saine et sauve, et le reste de notre part, pour nous avoir ramené Charlie. »

Max n'en revenait pas.

« C'est l'argent qui vous a fait venir ici. Mais c'est pour notre fils que vous êtes revenu. Et pour ça, on ne pourra jamais imprimer assez de billets de banque.

— Je ne sais pas quoi dire… fit enfin Max.

— *Au revoir** suffira.

— *Au revoir**.

— *Au revoir, mon ami**. »

Ils se serrèrent la main.

Paul se retourna et alla rejoindre Francesca et Charlie.

En arrivant en haut des marches, Max leur fit à nouveau un geste de la main. Puis il se tourna vers Charlie et agita la main, rien que pour lui. L'enfant leva mollement le bras puis, changeant d'avis, le rabaissa.

Max contempla une dernière fois le ciel bas d'Haïti et ses montagnes basses, ses paysages arides à la végétation rare. Il ne pensait pas les revoir un jour. En grande partie, il l'espérait bien.

ÉPILOGUE

Une fois dans les airs, il vérifia le contenu d'un des sacs.

Vingt millions de dollars américains en billets de cent.

La tentation était trop forte, il fallait qu'il les voie de ses propres yeux.

Il sortit une liasse, déchira la bande de papier qui l'entourait. Les billets tombèrent en s'éparpillant sur le sol.

Il était encore trop abasourdi pour avoir une quelconque réaction. Jamais il n'avait vu une telle somme auparavant, pas même lors d'une saisie de drogue.

Il glissa deux ou trois billets de cent dans son portefeuille et ramassa les autres, qu'il rangea dans le sac. Il regarda l'autre sac.

Il contenait lui aussi de l'argent, ainsi qu'une enveloppe blanche à son nom.

Il l'ouvrit.

À l'intérieur se trouvait un Polaroid. Il eut du mal à reconnaître où et quand la photo avait été prise mais, soudain, il se souvint de La Coupole, de l'éclair de flash.

Il était debout, les yeux rivés sur l'objectif, un verre de rhum à la main, l'air soûl et fatigué. L'une des deux putes qui l'avaient abordé était juste à sa gauche et l'autre était presque entièrement hors champ.

À sa place, lui pointant un revolver sur le crâne avec un grand sourire aux lèvres, se trouvait Solomon Boukman.

Max retourna la photo.

« TU ME DONNES UNE RAISON DE VIVRE » était-il inscrit au dos, en majuscules, comme toujours avec Boukman. Comme sur le mot qu'ils avaient trouvé dans sa cellule.

Le cœur de Max se mit à battre très fort.

Il se souvint de sa surprise en trouvant le cran de sûreté de son holster défait. Il regarda à nouveau la photo. C'était son Beretta que Boukman tenait braqué sur lui. Il aurait pu appuyer sur la détente. Pourquoi ne l'avait-il pas fait ?

« TU ME DONNES UNE RAISON DE VIVRE. »

D'un coup, un frisson lui traversa tout le corps et son estomac se figea, glacé.

Il y avait une note de Paul à l'intérieur de l'enveloppe.

Max, nous avons trouvé ceci dans la villa où vous logiez. Sur votre oreiller. Il nous a échappé. Sur le coup, je ne vous ai rien dit, à cause des événements en cours. Mais on est à sa recherche. Ne vous inquiétez pas. Il ne s'en sortira pas. Bonne chance pour tout. VP.

Tu parles si vous l'attraperez, pensa Max. Vous auriez mieux fait de le tuer quand c'était possible.

Il regarda la photo et détailla le visage de Boukman. Ils allaient se revoir, il le savait. Pas demain ni même après-demain, mais un jour ou l'autre, c'était inévitable comme certaines choses le sont tout simplement. Ils avaient encore un compte à régler.

C'était la veille de Noël.

Max sortit de l'aéroport de Miami et trouva un taxi. Il mit ses sacs sur le siège arrière et y prit place à son tour.

« Vous allez où ? » lui demanda le chauffeur.

Max n'avait tout simplement pas pensé à sa prochaine étape. Il envisagea de retourner au Radisson Kendall pour une semaine, histoire de se remettre les idées en place et de faire un peu d'ordre dans sa vie.

Puis il se ravisa.

« Chez moi », dit-il en donnant au chauffeur l'adresse de sa maison, à Key Biscayne. « C'est ça, conduisez-moi chez moi. »

REMERCIEMENTS

J'aimerais remercier ici tout spécialement mon agent, Lesley Thorne, pour son indéfectible soutien tout au long de la rédaction de ce roman, ainsi que Berverley Cousins, mon éditeur littéraire, pour ses conseils aussi stimulants qu'inspirants.

Quant à « toutes les personnes sans lesquelles »...

Mon père ; Cecil, Lucy, Gregory, David, Sonia, Colin, Janice, Brian et Lynette, alias les « Mighty Bromfield » ; Novlyn, Errol et Dwayne Thompson ; Tim Heath, Suzanne Lovell, Angie Robinson, Rupert Stone, Jan et Vi, Sally et Dick Gallagher, Lloyd Strickland, Pauli et Tiina Toivola, Rick Saba, Christine Stone, Robert et Sonia Phillips, Al et Pedro Diaz, Janet Clarke, Tomas Carruthers, Chas Cook, Clare Oxborrow, Michael und die Familie Schmidt, Georg und die Familie Bischof, Haarm van Maanen, Bill Pearson, Lindsay Leslie-Miller, Claire Harvey, Emma Riddington, Lisa Godwin, Big T, Max Allen, Alex Walsh, Steve Purdom, Nadine Radford, Simon Baron-Cohen, Marcella Edwards, Mike Mastrangelo, Torr, Seamus « The Legend » et Call de Grammont, Scottish John, Anthony Armstrong Burns de E2, Shahid Iqbal, Abdul Moquith, Khoi Quan-Khio, *mon frère** Fouad, Whittards et Wrigley's,

... du fond du cœur, merci !

Déjà parus dans la même collection

Thomas Sanchez, *King Bongo*
Norman Green, *Dr Jack*
Patrick Pécherot, *Boulevard des Branques*
Ken Bruen, *Toxic Blues*
Larry Beinhart, *Le bibliothécaire*
Batya Gour, *Meurtre en direct*
Arkadi et Gueorgui Vaïner, *La corde et la pierre*
Jan Costin Wagner, *Lune de glace*
Thomas H. Cook, *La preuve de sang*
Jo Nesbø, *L'étoile du diable*
Newton Thornburg, *Mourir en Californie*
Victor Gischler, *Poésie à bout portant*
Matti Yrjänä Joensuu, *Harjunpää et le prêtre du mal*
Äsa Larsson, *Horreur boréale*
Ken Bruen, *R&B — Les Mac Cabées*
Christopher Moore, *Le secret du chant des baleines*
Jamie Harrison, *Sous la neige*
Rob Roberge, *Panne sèche*
James Sallis, *Bois mort*
Franz Bartelt, *Chaos de famille*
Ken Bruen, *Le martyre des Magdalènes*
Jonathan Trigell, *Jeux d'enfants*
George Harrar, *L'homme-toupie*
Domenic Stansberry, *Les vestiges de North Beach*
Kjell Ola Dahl, *L'homme dans la vitrine*
Shannon Burke, *Manhattan Grand-Angle*
Thomas H. Cook, *Les ombres du passé*
DOA, *Citoyens clandestins*
Adrian McKinty, *Le Fleuve Caché*
Charlie Williams, *Les allongés*
David Ellis, *La comédie des menteurs*
Antoine Chainas, *Aime-moi, Casanova*

Jo Nesbø, *Le sauveur*
Ken Bruen, *R&B — Blitz*
Colin Bateman, *Turbulences catholiques*
Joe R. Lansdale, *Tsunami mexicain*
Eoin McNamee, *00h23. Pont de l'Alma*
Norman Green, *L'ange de Montague Street*
Ken Bruen, *Le Dramaturge*
James Sallis, *Cripple Creek*
Robert McGill, *Mystères*
Patrick Pécherot, *Soleil noir*
Alessandro Perissinotto, *À mon juge*
Peter Temple, *Séquelles*
Nick Stone, *Tonton Clarinette*
Antoine Chainas, *Versus*

Achevé d'imprimer
sur Roto-Page
par l'Imprimerie F
à Mayenne, le 31 j
Dépôt légal : janvi
Numéro d'imprime

ISBN 978-2-07-078237

146970

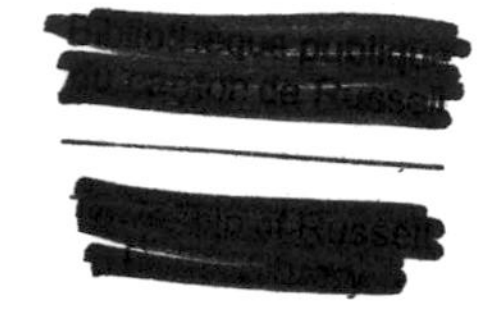